SO-EHH-578

159

CONTES MODERNES

Under the Editorship of
F. G. Hoffherr
Columbia University

CONTES
MODERNES

Edited with Introductory Notices, Explanatory Notes, Questionnaires, and Vocabulary

by
Members of the
Department of French
Yale University

REVISED EDITION

With an Introduction
by Henri Peyre

HARPER & ROW, PUBLISHERS,
NEW YORK, EVANSTON, AND LONDON

CONTES MODERNES, REVISED EDITION

Copyright, 1935, 1949, by Harper & Row, Publishers, Incorporated
Printed in the United States of America
All rights in this book are reserved.
No part of the book may be reproduced in any manner whatsoever
without written permission except in
the case of brief quotations embodied
in critical articles and reviews. For
information address Harper & Row,
Publishers, Incorporated, 49 East
33rd Street, New York 16, N. Y.

Contents

v

vi CONTENTS

Foreword

THE MEMBERS of the Department of French at Yale have for many years been concerned with the difficult problem of finding suitable reading materials for a third-year college French course, a course which aims to prepare students for advanced work in French literature by training them in the analysis and discussion of good literary texts. In the hope of filling this need they published, in 1935, a collection of outstanding tales from Mérimée to Giono, under the title *Contes modernes*. It may be recalled that the book contained an introduction, suggesting an appropriate method of literary analysis, and also a specimen *explication de texte*. No vocabulary was provided and the number of explanatory notes was kept to a minimum.

Such a book was bound by its very nature to have a more limited appeal than the usual "intermediate reader" which presents carefully graded—or even simplified and emasculated—selections and which seeks merely to train the student in reading and understanding French. Yet despite its specialized character, *Contes modernes* gained many friends and enjoyed a rather wide use in colleges throughout the United States.

The editors of the present, drastically revised edition, bearing in mind this large public, have provided a vocabulary, a great many footnotes, an introductory notice to each of the seventeen authors, and a questionnaire for each of the stories. In his introduction Professor Peyre has traced the history of the modern short story and has explored some of the problems which are native to this form of literary art.

Fourteen years have elapsed since the first edition appeared. It therefore seemed to us that a thorough revision was necessary in order to do justice to our title, *Contes modernes*. We have retained only nine of the original twenty-four stories. We eliminated a few of the older stories and many which seem not to have stood the test of time, and we have added a number of more recent works. The center of gravity has thus shifted from the late nine-teenth well into the present century. Eight of the twenty-six titles included in the present edition were first published in the nine-teen thirties or forties, the most recent in 1945.

These stories are not easy, even with the aid of notes and vocabu-lary. They are arranged not according to their degree of difficulty but rather in a nearly chronological order. A certain maturity, both linguistic and moral, is presupposed on the part of the stu-dent, who should have had at least three years of sound prepara-tion in school, or two in college, and who should bring to his task the benefit of experience—at least the experience of much good reading—and of intellectual curiosity.

The vocabulary is large since the text is presented intact and without any simplification; despite the omission of well-known words, it contains over 4500 entries. The footnotes do what all respectable footnotes should do, namely, explain allusions and un-usual difficulties in the text, but they also do much more; they select from each page for explanation the half-dozen or so least common words or idioms. The purpose of this is to save the stu-dent time used in mere vocabulary thumbing, which can be used with more profit and satisfaction in considering the value of the story. The *explication de texte* in the earlier edition has been dropped in favor of questionnaires, which continue the same method but vary it to suit each selection in the book. The ques-tions do not merely elicit facts; they are planned so that the an-swers, if fully amplified, will constitute a real appreciation of the stories. The introductory notices present the essential informa-tion about the author, often constitute a brief suggestive essay, and sometimes explain the relationship between the text selected and the writings of the author as a whole. Some stress the in-formational, others the impressionistic, but it is felt that this very lack of uniformity, far from being a defect, by its very diversity adds interest to the editorial matter.

The selecting and editing of these stories has been the work of most of the present members of the Department and of many who have recently been called to other posts. Since it is impossible in such an extensive collaborative enterprise to apportion credit justly, they prefer, in the spirit of another age, to preserve a discreet anonymity.

One debt, however, must be acknowledged. The mechanical burdens of this undertaking have been efficiently and cheerfully borne by several of our scholarship students, who have in these tasks accepted responsibilities rarely entrusted to young men without specialized training. Especially deserving of our public thanks is John Bennetto, Jr., of the class of 1950, who prepared most of the vocabulary.

THE EDITORS

March, 1949

ACKNOWLEDGMENTS

Permission to use copyright materials is hereby gratefully acknowledged:

To Editions Bernard Grasset for permission to use Jean Giono's *La femme du boulanger*, taken from his volume entitled *Jean le bleu*; and François Mauriac's *Thérèse chez le docteur*, taken from his volume entitled *Plongées*.

To Librairie Gallimard for permission to use Marcel Aymé's *La carte*, taken from his volume entitled *Le passe-murailles*; Albert Camus' final chapter of *L'étranger*, which we have entitled *La visite de l'aumônier*; the episode from André Malraux's *La condition humaine* describing the attempted assassination of Chiang Kai-shek, which we have entitled *Attentat contre la vie de Chang-Kaï-Shek*; Marcel Proust's *La confession d'une jeune fille*, taken from *Les plaisirs et les jours*; Antoine de Saint Exupéry's *Les camarades*, taken from *Terre des hommes*; and Jean-Paul Sartre's *La chambre*, taken from *Le mur*.

Introduction

THE PRIMARY aim of the present book is to place within the reach of young Americans in the third or fourth year of their French studies a varied choice of texts of high literary and human significance. Some of the greatest names of French letters in the last hundred years are here represented. They range from Daudet, Zola, and Maupassant, through Villiers de l'Isle-Adam and Anatole France, Gide and Proust, to Mauriac, Giono, Malraux, Saint Exupéry, Sartre, and Camus.

An effort has thus been made to renovate the material usually offered to the student, who, after sitting in French classes for two or three years in school and for another year or two in college, "satisfies" the language requirement of a liberal education and, firmly closing all his books, enters life convinced that French literature consists of Zadig, Carmen, Daudet's La dernière classe, and the story of Maupassant's Norman peasant who, after picking up a bit of string on the road, is suspected of theft and dies of grief.

We believe it a mistake to keep young American readers away from some of the more modern French literary works, on the assumption that such works are "obscure." It will readily be admitted that neither Gide nor Saint Exupéry, neither Mauriac nor Camus are difficult for anyone offering the coöperation necessary to the understanding of a foreign book: an open mind and an active mind. Reasonable difficulty, if the text is at all rewarding, has never discouraged youth, which is attracted to metaphysical poetry, to Henry James, Melville, or T. S. Eliot.

The reward is, in most cases, substantial. Many a college student will submit with greater eagerness to the study of the French language if he expects, after a minimum of preliminary preparation, to approach vital and influential writers such as Baudelaire and Rimbaud, Proust, Malraux, and Sartre. Including the last three of these, and several others, in a book of selections for college students is not catering to a vain fashion for modernity.

It is recognizing that many of the writers of the early nineteenth century have, for better or for worse, ceased to appeal to us; and that many other writers, living among us, concerned with our own problems, developing new techniques to express changed moods and anxieties, deserve to be included among the "classics."

The texts here offered, selected from seventeen different writers, are not meant to constitute a homogeneous whole. Some are "contes" or "nouvelles"; others are long short stories; a few—those of Giono, Malraux, and Camus—are episodes extracted from a longer work but not lacking in structural unity.

The short story proper has long enjoyed a privileged place in American education, and especially in the textbooks for the study of modern languages. The reasons are not far to seek. A short story, according to a famous definition once given of it, is a story that is not long. It is brief enough not to strain the attention of a novice nor the patience of a teacher. It stresses action, and teaches conciseness of style and a healthy sense of limits.

But it would be regrettable to offer to students advanced enough to read current French literature only types of the traditional short story. To be sure, there is no such thing as a superior or an inferior genre in literature. Poe, Maupassant, Chekhov, Pirandello, Katherine Mansfield, D. H. Lawrence stand extremely high in their best short stories. Yet great novels are far richer and deeper than the most impeccable short stories. It is well known that no short-story writer has ever succeeded in composing a first-rate novel; while masters of fiction from Balzac, Gogol, Flaubert, Tolstoi to Henry James, D. H. Lawrence, and Thomas Mann, when they tried their hand at the short story, scaled heights to which even Maupassant and Chekhov could not rise. Since whole novels of the modern period can seldom be included in foreign language courses in our colleges, shorter works by eminent novelists may at least enable the student to study the novelist's manner and originality.

It would be irrelevant to dwell here at length on the history of storytelling. Fiction is, of all literary forms, the one which has remained least faithful to its origins. Milton, Pope, Chateaubriand, or Keats are better understood through a study of Homer; Racine through Euripides; much of modern poetry through the Bible, Aristotle's theories, and the techniques of Roman or medieval poets. But the novel and the short story can hardly be traced back further than the seventeenth century in France and the eighteenth in England. The medieval *fabliau* and the *novella* of the Italian Renaissance are remote and indirect ancestors. In France, Madame de Lafayette (1634–1694) wrote a long short story, *La Princesse de Clèves*, which has become a classic, and Voltaire composed some *contes philosophiques*. For all practical purposes, however, the origins of the modern short story are to be sought in that great liberation of literary forms and rules called Romanticism. Walter Scott and Hoffman wrote supernatural tales; Washington Irving and Poe perfected a skillful technique of the story; in France, minor practitioners of the genre—Nodier, Musset, Gautier—and two greater ones—Balzac and Mérimée—established the French short story among the important provinces of literature.

The French language has three words to designate this genre of writing, shorter and more elusive than the novel; much effort has been spent—on the whole, vainly—to distinguish clearly among them. They are *conte*, *nouvelle*, and *récit*. The last used to mean a narrative of a historical or legendary event, placed in a remote past (*Récits de la vieille France*, *Récits des temps mérovingiens*). The word has now been transferred by André Gide and other moderns to a long short story or to a brief novel moving with more nonchalance than the dramatic and condensed *nouvelle*. Gide's *La symphonie pastorale*, Camus' *L'étranger* might be termed *récits*.

The *conte* is a very brief narrative, less consciously controlled by the author and less closely welded than the *nouvelle* usually is. The difference between the two—a tenuous one at best—may derive in part from the traditional phrase *conte de fée*. Through this association, *conte* calls to mind a story which is not realistic, does not usually take place in a contemporary setting, and in which the author may freely resort to the intervention of the supernatural in human affairs. Occasionally a moral lesson may be appended to a *conte*; or more often, desultory moral reflections on life and man may be gracefully woven into it as free digressions. All French children have been told, in their tenderest years, the *contes* of Perrault. Voltaire wrote *contes* (*Jeannot et Colin*, *Le blanc et le noir*, *Micromégas*) as well as novels; Nodier, Musset, Daudet in his *Contes du lundi* likewise composed charming and nonchalant stories. Flaubert entitled *Trois contes* a volume in which one of the

stories is realistic in manner and set in a modern, provincial environment; but the other two are vivid renderings of old legends in
which the author's imagination has free play. Villiers de l'Isle-
Adam, Anatole France, Jules Supervielle rank among the most delicate modern writers of *contes*.

While the *conte* and the *récit* thus retain something of the tradition of oral story-telling, the *nouvelle* has become a highly conscious art form—so conscious, indeed, that many attempts have
been made to codify its rules and teach its recipes. Magazines,
whose output of short stories is tremendous, have attempted to
mechanize and banalize this genre, and it is true that literary
mediocrity has too often taken refuge here. Yet some of the very
best short stories of the last decades have been written in the
country where magazines have tried hardest to cast stories into a
conventional and effete mold—by Ernest Hemingway, William
Faulkner, and lesser yet skillful writers like Katherine Anne Porter
or Eudora Welty. There is still, fortunately, no recipe for composing a good short story just as there are no rules for writing novels.
A wise American writer, Ellen Glasgow, reminded her readers at
the end of her life that a theory of fiction is even more unsafe to
rely upon than a weather report and gave the reason why: Readers
seek in fiction not merely an artistic pattern but primarily a vision
of life. "The chief end of the novel, as indeed of all literature . . .
is to increase our understanding of life and heighten our consciousness."

But the means employed to increase our understanding of life
and heighten our consciousness may differ with individual writers; and the growing autonomy of the short story imposes upon
it some conditions which are not those of the novel. In the novel,
the author stresses the development of character; he attempts,
through the gradual evocation of atmosphere, the slow accumulation of incident, the use of dialogue and of psychological prob-
ing, to create individuals truer than life, who will live on with us
in our memories after the book is closed. The novelist enjoys the
coöperation of time; and his supreme achievement is to portray
with subtlety the slow maturing or corroding action of time upon
human beings who live in depth, that is, who gradually change and
enter into conflict with outside forces, with others, and with
themselves.

In the short story, situation counts more than character. The subtle unfolding of psychological nuances can hardly take place within a narrow framework; the characters are closely interrelated with the action, and the action itself moves with swiftness and unexpectedness. The incidents are necessarily few in number; they are grouped according to a clear structure, which imparts the required movement to the different parts of the story. There are, as a rule, a beginning, a climax, and an end. The emphasis throughout is on the concrete.

Such, at least, was the traditional short story of the nineteenth century, whose finest examples were provided by Poe's tales of weird terror, by *The overcoat*, of Gogol, by Mérimée's *Carmen*. Maupassant brought the form to an excellence which appears at times too sure of itself and borders on monotony. Two Americans, Bret Harte and O'Henry, while deficient as artists, added genial humor to the short story and steered away from the moralizing temptation to which Hawthorne had succumbed, toward the realistic vigor of twentieth-century American writing. Meanwhile the most moving achievement in short-story writing was accomplished in Russia: in Tolstoi's *Death of Ivan Ilyitch* and in Chekhov's tales. Although the latter breaks all the conventional rules of the short story, his tales are fully alive; they are steeped in delicate humor and are rich in poetry and in suggestion.

It is difficult to characterize the French short story as distinguished from the English, the American, or the Russian; for it is an essentially fluid art form, very different in Maupassant and in Anatole France, in Giono and in Paul Morand. It is not addicted to moralizing, as a rule, and could therefore develop freely in the middle of the last century, when Victorianism hampered the growth of its English counterpart. It is often realistic, with little sentimentality and a touch of cruelty such as is present in Mérimée's *Mateo Falcone*, occasionally in Maupassant, and in some moderns. It can be satirical, either in the Rabelaisian tradition or in the Voltairean manner. The French training, with its emphasis on classical restraint, seems to equip writers for the brevity which this mold requires. Above all, the French short story, if occasionally less philosophical than may have been the case with Thomas Mann or D. H. Lawrence, less airy and poetical than with Katherine Mansfield. retains the virtues of variety and of spontaneousness, and seldom fails to afford some insight into human nature. The interests of the French reader have, through several centuries, been primarily psychological: he insists upon delving ever more deeply into "the proper study of Mankind"—that of Man.

The writers represented in this selection of contes modernes naturally fall into several groups according to the literary generation to which they belong and to the tendencies revealed in their works. The authors whose creative activity extended chiefly through the first seventy years of the nineteenth century have been omitted because the college student has had abundant opportunity to become acquainted with them. Balzac, who composed some of the most powerful tales in the French language, Mérimée, and Flaubert have long been familiar textbook figures.

Daudet, Zola, and Maupassant constitute our first group and the more traditional part of our book. They have often been linked with the Naturalist movement in literature. Daudet was indeed on friendly terms with the leaders of Naturalism; but the most precious part of his writings is made up of personal memories, of sensitive impressions registered and rendered by an acute, nervous sensibility, of dreams and fantasy rather than of would-be scientific observation of life. He rejected all systems, all inflexible criteria, as "absurd and dangerous on board our big ship which eternally pitches and rolls, bound for the unknown." Their elusive charm is made of playful tenderness, of gentle humor, of a note of intimacy with the reader, of a blend of irony and pity for men's weaknesses. Their style has the best qualities of restraint, purity, and freshness, which we call classical. The finest of the Lettres de mon moulin and of the Contes du lundi are the truest equivalent, in French prose, of La Fontaine's eternal fables.

Zola is a novelist of greater power than Daudet. He called to life a world of his own, in which the soul—if such a word exists in Zola's language—is enslaved by the forces of heredity and environment. Zola's dogmatic theories, which aimed at making fiction a branch of science, observing and demonstrating the working of inflexible laws, have exercised a wide influence. They have been blown away by the passing of time—like all literary theories. Zola, who fancied he was an objective scientist, lives by his lyrical imagination. He liberated literature, in several countries, from the convenionality of Victorianism and of Puritanism. His affinities were with Rabelais, Diderot, and Balzac and many other Frenchmen who stand at the opposite pole from classicism, refinement, and genteel moderation. Henry James, who admired his power to wield masses, crowds, and all that lives and swarms, compared him to "some mighty animal, a beast of a corrugated hide and a portentous snout, soaking with joy in the warm ooze of an African riverside." This master of the proletarian novel was indeed a romanticist in spite of himself. The two stories included in this book show him in some of his simplest moments, a poet of nature, a sentimental but virile storyteller, more spontaneous if less conscious of his art than Flaubert or Maupassant.

The three stories by Maupassant cannot adequately illustrate the range of his talent. One, however (*Les bijoux*), affords a fine example of his gift for contriving dramatic surprise and for encompassing the tragedy of a whole life in a concise tale of the Parisian middle class. *Le petit fût* typifies Maupassant's realistic and cruel stories of Norman peasants. *Sur l'eau* is a superb illustration of a theme which has received masterful treatment by only a few writers, such as Edgar Allan Poe, Henry James in *The turn of the screw*, and the American-born novelist writing in French, Julien Green. Maupassant had neither a powerful mind nor a refined sensibility; his stories lack the resonance of Chekhov's and even of those of his master, Flaubert; they do not penetrate deeply into the subtleties of the human soul. But Maupassant does meet one of the essential requirements of the writer: he has his eye on the object. He sees both masses and details, and he renders what he has seen with vividness, through gestures, attitudes, terse dialogue, sparse description. "Voir, tout est là, et voir juste," he advised a young writer in 1885. Justness is indeed the right word to characterize him—justness of vision, of subordination of the secondary to the essentials, of composition. Later French writers have rebelled against Maupassant's technique, which could become stereotyped, and against his lack of poetry and of gracefulness; but he remains a great master of the short story in the nineteenth century, and an influence upon many English and American writers in the twentieth.

Villiers de l'Isle-Adam was twelve years older than Maupassant;

but he was untouched by Realism and Naturalism. His literary affinities were with the Symbolists, who revolted against the deterministic and pessimistic philosophy of Taine, Zola, and Maupassant and reintroduced mystery into French literature. The Symbolists were primarily poets. Villiers de l'Isle-Adam is their only
prose writer of eminence. His novels indulge in bewildering strange-
ness, and their idealism is weakened by the lack of life-like characters and convincing situation. His stories, however, rank among
the most original of their age. They are artistically wrought but
without the remoteness from life which marks much of the over-
written Symbolist prose. The author called them *Contes cruels,*
a title which the translator interpreted as *Sardonic tales.* They owe
much to Edgar Allan Poe, and, like the stories of the American,
they play with the themes of morbid horror, of death, of scientific
progress. The tone is one of ironic revenge upon the complacency
of the *bourgeois* and the diabolical claims of an inhuman science.
Unlike Poe, Villiers wants to humble modern man and his over-
weening pride in his inventions.

Anatole France is a polished but sometimes superficial story
teller. His *Gestas,* by which he is represented in this collection,
pays a sympathetic tribute to the great poet Paul Verlaine, con-
veying a warmth of tenderness and conviction which one misses in
many of his novels and other stories. His art is characterized by
urbanity, erudition, at times a suave cynicism, and an exquisite
purity of language.

Jules Lemaître is not unlike Anatole France in several respects:
impregnated with classical culture, refined, fond of dreaming over
again dreams already dreamed, and timid in the presence of the
innovations and the so-called brutality of modern literature. His
most solid claim to fame lies in his subtle impressionistic criticism;
but his stories have a delicate touch: airy yet movingly human,
symbolical and vividly concrete at the same time. The best of
them are embroideries woven around old books, especially the
Gospels, Homer's epics, and medieval legends. They endow ancient stories with a fresh significance while avoiding cheap vul-
garization of venerable themes, and they suggest a discreet philosophy of smiling acceptance of eternal laws.

Rémy de Gourmont was also a critic whose eclectic pen wrote
several novels and a few stories. He was especially gifted for the

analysis, or, as he said, the dissociation of ideas. His paradoxes, on literature, on language, on love and sex—subjects which obsessed this cerebral writer—show "the truths of the morrow challenging the outworn conventions of today." The tale of *Jose et Josette* has a flavor reminiscent of a naïve folk tale, unobtrusively drawing a lesson from the contemplation of the follies and inconsistencies of men and from the perverse ironies of life.

Gide and Proust, born respectively one year before and one year after the War of 1870, both belong among the major novelists of the twentieth century in France. Their originality consisted in breaking away from Realism and in enriching the French novel with the imaginative poetry which the Symbolist movement had reintegrated into literature at the end of the nineteenth century. At the same time, they probed much more deeply into the half-conscious recesses of man's psychology and into his abnormal or exceptional states than more superficial writers like Anatole France had attempted to do. Gide wrote no true short stories, although his *récits* are hardly longer than some short stories. In *Le retour de l'enfant prodigue*, however, he enclosed within a brief compass the best of his art and of his message. These pages, with their Biblical flavor and their modern, even revolutionary implications, combining narrative, dialogue, and parable, are among the most perfect in the French prose of our time. Their classical restraint and their purity only half conceal the tremulous emotion and the strange longing for escape which vibrate in them. "Inquiéter, tel est mon rôle," Gide once confessed. He succeeded better in doing it in his shorter pieces than in his longer novels.

Proust's story is equally admirable as a work of art. Its technique gives a foretaste of the subtle mastery which the novelist was later to achieve in blending narrative and reminiscence, the past and the present, vivid rendering of the concrete and keen insight into the mysteriously perverse inclinations which lead us to evil. *La confession d'une jeune fille* is a masterpiece in its own right; but it is especially revealing as touching, many years in advance and with a lightness of manner and an incisive clarity of style which the later Proust was not often to recapture, upon all the secrets of Proust's sensibility and all the themes of his great work.

Of the generation of important writers, born in the 1880's, which followed that of Proust and Gide, only two writers are rep-

resented here: Duhamel and Mauriac. Giraudoux, Valéry Lar-
baud, Supervielle, Alain-Fournier also wrote short stories or tales
of delicate and elusive charm, but too thin or too frail to bear the
dissection of the classroom. Paul Morand has more strength, but
also more mannerism, and his volumes of stories of Europe after
World War I are likely to be more important as documents for the
historian of manners than as literary works of enduring value.
Duhamel's *L'épave* is a moving and dramatically told episode in
the life of a poor fishing village. The collective demoralization of
a community is rendered less mechanically and less didactically
than in the intellectual tales of his contemporary, the founder of
Unanimism, Jules Romains. Mauriac has proved, in *Thérèse chez
le docteur* as he has in another powerful story, *Le démon de la
connaissance*, that he could be a master of the *nouvelle*. He defined himself once as "un métaphysicien qui travaille sur le con-
cret." Few characters in modern fiction have been so searchingly
dissected and so hauntingly brought to life as his Thérèse, who appears in two of his novels as well as in this episode.

Giono, Saint Exupéry, Malraux, and Marcel Aymé belong to
another literary group, born near the dawn of the new century.
Roger Vercel, Marcel Arland, André Chamson, Jean Prévost who
might have been represented here, had space permitted, are their
contemporaries, and almost their equals as tellers of tales. All these
writers won fame through works composed after 1925, at a time
when the consequences of World War I appeared in their full
light: the quietude of the prewar world was irretrievably gone, the
bourgeois order of the nineteenth century was shattered, national
and social conflicts involved every European, and the writer could
no longer take refuge in the world of his imaginary creations.
Giono, Saint Exupéry, Malraux are all tormented by the need to
deliver a message as well as to polish a work of art; they search for
an impossible reconciliation of thought and action, of dream and
reality, of man and the group through which he will fulfill himself.
Giono has more robust humor than the other two, and a more
romantic gift for extracting the beauty from reality. Saint Exupéry
is restrained and grave in his manner even when he coins poetical
images; he is the poet in prose of aviation, not so much in the
sense of the machine as of the frailty of men struggling against
Fate and united by the band of friendship. He celebrates more

warmly the earth and the humble beauty of men building their
civilization on it than the daring adventures of flight over oceans
and mountains.

Malraux wrote no short stories; his novels hardly fit into the conventional division into chapters. Yet the *Attentat contre la vie de
Chang-Kaï-Shek* constitutes one of the most unforgettable episodes
of the great book entitled *La condition humaine*. This novel is not
one of those firmly welded works of fiction, like *Madame Bovary*,
from which no part can be isolated without injuring the author's
deliberate pattern. Its structure is loose in the sense that it rejects
the traditional unity of point of view and reflects the kaleidoscopic
and confused disorder of a revolutionary era. The theme is the
most tragic which can be selected in our century: revolution, with
its enthusiasm, its fanaticism, its thirst for blood, its petty calcula-
tions of profiteers and of politicians. Malraux is obsessed by the
sense of tragedy which haunts writers, political leaders, and perhaps even the masses in modern times. But his grim, Dostoevsky-
like painting of men risking or giving death is never melodramatic
or meaningless. His characters desperately want to escape their inner solitude through fraternity with other men and through aspira-
tion to heroism. In a revealing text published as a preface to his
novel *Le temps du mépris*, Malraux proclaimed: "One may wish
the word Art to mean an attempt to make men conscious of their
own hidden greatness." His purpose, through his vivid and lurid
scenes of war, love, and death is to answer affirmatively Nietzsche's
famous question: "Is it possible to ennoble man?"

Marcel Aymé's writings do not rise to such heights, but they
are alive with humor now boisterous now fanciful and subtle. They
concentrate on the story itself, letting the reader reason about its
significance if he will, and giving him a picture of reality seen
through a rich and healthy temperament. *La carte* has been chosen
for this collection because of its value as a playful chronicle of life
in France during the war years and also to provide relief from the
seriousness and tension which are reflected in the work of so many
modern authors.

Much has been written for, against, and about the literary and
philosophical movement called Existentialism, which stirred
France in the 1940's. As a system which attempted to account for
man as a derelict creature in a godless world and challenged hu-

man beings to accept their responsibilities and to give a meaning to an otherwise absurd existence, Existentialism is only partially original and will probably soon go the way of all systems. But it was put forward by writers of great talent, the chief of whom is Jean-Paul Sartre (born in 1905). A philosopher by training, a versatile author who ranged, like Voltaire, through metaphysics, ethics, politics, criticism, playwriting, fiction, Sartre is fortunately not spoiled by his theories and does not allow them to intrude in all his works. "No theory is kind to us that cheats us of seeing," once wrote Henry James to Robert Louis Stevenson. Sartre can see, and he can also tell a story with power, dramatic skill, and remarkable naturalness in the dialogue. *La chambre* is such a story, as vivid as any by Maupassant and solidly based on the clinical study of a deranged husband who, against the wishes of his outraged father- and mother-in-law, persuades his wife to flee with him into the imaginary world of his hallucinations.

Camus (born in 1913) shows in his brief novel *L'étranger* the influence of American novelists: he tells a cruel story with curious objectivity; the sentences stand out sharp and vivid. The protagonist rejects current social values, refuses to fit into the system organized by "civilization," with its judges, its priests, its conventional family affections. But Camus is no nihilist. Behind the detached tone of his story, and elsewhere in his plays and novels as well as in his philosophical essays, he has warmly expressed his faith in man's obstinate struggle against the absurdity of a world in which evil everywhere preys upon him.

A varied and rich cross-section of the course of French prose through the last century is thus presented in these texts, many of which are for the first time offered to American students in a college edition. The selection was made as eclectic as possible and represents the tastes of young as well as middle-aged teachers, both American and French. The aim throughout was to include stories and episodes of challenging interest and of the highest literary quality by writers whom the student will find pleasure and profit in reading. Others will say to what extent we have succeeded.

HENRI PEYRE

SUGGESTIONS FOR FURTHER READING

Additional information on the authors and literary movements represented in this collection can be found in the *Columbia Dictionary of Modern European Literature* (New York, 1947). For students interested in the development of the short story, or in modern theories of fiction, we have listed below a few anthologies and nontechnical studies which may prove useful:

H. E. Bates, *The Modern Short Story. A Critical Survey*, London and New York, 1941.

Cleanth Brooks and Robert Penn Warren, *Understanding Fiction* (anthology), New York, 1943.

Henry S. Canby, *A Study of the Short Story*, New York, 1913.

Edward M. Forster, *Aspects of the Novel*, New York, 1927.

Robert Liddell, *A Treatise on the Novel*, London, 1947.

Percy Lubbock, *The Craft of Fiction*, London, 1921.

W. Somerset Maugham, *Tellers of Tales* (anthology), New York, 1939.

Frances Newman, *The Short Story's Mutations from Petronius to Paul Morand* (anthology), New York, 1925.

Henri Peyre, "Le roman français," in *Esquisse de la France*, Montreal, 1945, pp. 243–278.

Jean Pouillon, *Temps et roman*, Paris, 1946.

Jean Prévost (ed.), *Problèmes du roman*, Paris and Lyons, 1943.

Edith Wharton, *The Writing of Fiction*, New York and London, 1925.

CONTES MODERNES

Alphonse Daudet

(1840-1897)

PARISIAN by adoption, Daudet was to become an attentive observer of the centers of population as nineteenth-century commerce and industry had fashioned them. Many of his novels are peopled with bourgeois and workers and convey lively impressions of the bustle of city streets, with their shopkeepers, clerks, factory laborers, journeymen, and misfits, often beset with difficulties and surrounded by gloom. But it was under other skies that Daudet grew up. He was first of all a *Méridional*, and he never lost his sense of community with the southern region of Provence and Languedoc, rich in history and legend, with its olive fields and antiquities—a land invaded now and then by the cold north wind known as the *mistral*, but usually flooded by sunshine whose brilliance seems to create mirages in the minds of the inhabitants.

Daudet was born in Nîmes of well-to-do parents. Financial disaster caused the family's removal to Lyon, and at sixteen Alphonse was forced into the distasteful position of monitor in a public school. A year later he was able to join his elder brother in Paris. From this date (1857) his creative powers developed rather rapidly, exercising themselves in a variety of forms. First came a collection of verse, *Les amoureuses* (1857), which showed sufficient promise to win him a place in literary circles and entrée into several salons. Next came newspaper articles and plays written in collaboration with L'Epine and the Duc de Morny. The latter gave him a salaried post, with duties light enough to permit extended holidays. On several trips to the Midi and one to Algeria he absorbed a wealth of impressions which were to materialize in literary form. At this time, the mid-sixties, his friend Frédéric Mistral exerted a powerful influence on him. Mistral was chief of the group that had founded (1854) the Félibrige, an association dedicated to the linguistic and literary renaissance of the Midi. Inspired by the Félibrige, Daudet became a chronicler of the life of Provence and a recorder of its legends, giving high relief to its individuality without using more than a smattering of purely regional speech. The Provençal stories were published collectively in 1869 as the *Lettres de mon moulin*, a book which more than any other won the author international renown. Meanwhile Daudet had made a fortunate marriage (1867) with Julia Allard and had published his first novel, *Le petit chose* (1868), based in part on events of his childhood and youth. His next two works of consequence (1872) are both Provençal in theme: *Les aventures prodigieuses de Tartarin de Tarascon*, which exhibits the inhabitants of a small town in a delightfully ridiculous light; and his one really successful drama, *L'Arlésienne*, a sad and passionate story which he had already sketched in the *Lettres de mon moulin* (see below, p. 12). Even with Bizet's incidental music the play was a failure at first, but with its revival thirteen years later it came well into its own. It is notable that neither of these works shows evidence of the impact of 1870. The theme of the Prussian War does, however, figure prominently in Daudet's next collection of stories, *Contes du lundi* (1873), in which the tone varies between pathos and light-hearted ridicule.

From 1874 on, Daudet's production is predominantly that of full-length novels: first *Froment jeune et Risler aîné* and then, to mention only the most important, *Jack* (1876), *Le nabab* (1877), *Les rois en exil* (1879), *Numa Roumestan* (1881), *L'évangéliste* (1883), *Sapho* (1884), *Tartarin sur les Alpes* (1885), *L'immortel* (1888), *Port Tarascon* (1890), and the posthumous *Soutien de famille* (1898). This highly successful series of novels constitutes a fairly distinct second period in the author's career. Here the influence of Flaubert, Edmond de Goncourt, and Zola is marked; Daudet is an assiduous note-taker with the best of them. It is therefore convenient to place his work under the rubric of naturalism. But two significant qualifications must be made at once, first, that his mind was firmly set against the subjection of literature to scientific method or to any preconceived formula; and that, second, his warm, emotional temperament would never hold with even the more moderate naturalist view that the novelist's tone and method must always be impassive and impersonal. Thus it is never as a naturalist pure and simple that Daudet is to be understood and appreciated.

In general—and this may be said of his entire career—Daudet's work manifests a combination, unique in his time, of precise observation, "note-taking," and a highly individualized personality of considerable interest and charm. On the one hand, writing is for him a thing that stems directly from what he has experienced, seen, or heard; he has neither the virtues nor the faults of a generative imagination; even when he recounts an old country legend he makes us aware of his sources, and it is *in situ* and with a wealth of detail, concrete and characteristically local, that he brings it to life. His tendency is thus to objectify all. But, on the other hand, he is anything but objective in his attitude toward his material; his feelings are engaged; his manner of presentation is affected by his *sensibilité*; in short, he, the author, is always present. In character creation his vision is often guided by a distinctly poetic sense. Again, there is an obvious feeling of gusto in his telling of a tale and in his good-natured satirizing of *méridional* exaggerations or Teutonic stodginess. Finally (what is still more foreign to naturalism), many of his pages are pervaded by a genuine humor. It is these latter, or more personal, characteristics that give the work of Daudet its particular and distinctive savor.

BIBLIOGRAPHY

E. Daudet, *Mon frère et moi* (1882).
R. Doumic, *Portraits d'écrivains* (1892).
Y. Martinet, *Alphonse Daudet; sa vie et son œuvre* (1940).
P. Martino, *Le roman réaliste sous le Second Empire* (1913).
P. Martino, *Le naturalisme français* (1923).
R. H. Sherard, *Alphonse Daudet* (1894).

⇥

LES TROIS MESSES BASSES

I

«Deux dindes truffées,[1] Garrigou? . . .

—Oui, mon révérend, deux dindes magnifiques bourrées de

1. turkeys stuffed with truffles.   2. hoopoes, grove-hens, woodcocks.

truffes. J'en sais quelque chose, puisque c'est moi qui ai aidé à les remplir. On aurait dit que leur peau allait craquer en rôtissant, tellement elle était tendue . . .

—Jésus-Maria! moi qui aime tant les truffes! . . . Donne-moi
5 vite mon surplis, Garrigou . . . Et avec les dindes, qu'est-ce que tu as encore aperçu à la cuisine? . . .

—Oh! toutes sortes de bonnes choses . . . Depuis midi nous n'avons fait que plumer des faisans, des huppes, des gelinottes, des coqs de bruyère.[2] La plume en volait partout . . . Puis de l'étang
10 on a apporté des anguilles,[3] des carpes dorées, des truites, des . . .

—Grosses comment, les truites, Garrigou?

—Grosses comme ça, mon révérend . . . Énormes! . . .

—Oh! Dieu, il me semble que je les vois! . . . As-tu mis le vin dans les burettes?[4]
15 —Oui, mon révérend, j'ai mis le vin dans les burettes . . . Mais dame! il ne vaut pas celui que vous boirez tout à l'heure en sortant de la messe de minuit. Si vous voyiez cela dans la salle à manger du château, toutes ces carafes qui flambent pleines de vins de toutes les couleurs . . . Et la vaisselle d'argent, les surtouts ciselés,
20 les fleurs, les candélabres! . . . Jamais il ne se sera vu un réveillon[5] pareil. Monsieur le marquis a invité tous les seigneurs du voisinage. Vous serez au moins quarante à table, sans compter le bailli[6] ni le tabellion[7] . . . Ah! vous êtes bien heureux d'en être, mon révérend . . . Rien que d'avoir flairé ces belles dindes, l'odeur des
25 truffes me suit partout . . . Meuh! . . .

—Allons, allons, mon enfant. Gardons-nous du péché de gourmandise, surtout la nuit de la Nativité . . . Va bien vite allumer les cierges et sonner le premier coup de la messe; car voilà que minuit est proche, et il ne faut pas nous mettre en retard . . .»
30 Cette conversation se tenait une nuit de Noël de l'an de grâce mil six cent et tant, entre le révérend dom Balaguère, ancien prieur des Barnabites,[8] présentement chapelain gagé des sires de Trinquelague, et son petit clerc Garrigou, ou du moins ce qu'il croyait être le petit clerc Garrigou, car vous saurez que le diable, ce soir-là,
35 avait pris la face ronde et les traits indécis du jeune sacristain pour mieux induire le révérend père en tentation et lui faire commettre

3. eels.   4. altar cruets.   5. supper after midnight Mass.   6. magistrate.
7. notary.   8. clerical order founded in 1530 and devoted chiefly to preaching.   9. with all his might.   10. an outlier of the Alps, dominating much of

un épouvantable péché de gourmandise. Donc, pendant que le soi-disant Garrigou (hum! hum!) faisait à tour de bras [9] carillonner les cloches de la chapelle seigneuriale, le révérend achevait de revêtir sa chasuble dans la petite sacristie du château; et, l'esprit déjà troublé par toutes ces descriptions gastronomiques, il se répétait à lui-même en s'habillant: 5

«Des dindes rôties . . . des carpes dorées . . . des truites grosses comme ça! . . .»

Dehors, le vent de la nuit soufflait en éparpillant la musique des cloches, et à mesure, des lumières apparaissaient dans l'ombre aux 10 flancs du mont Ventoux,[10] en haut duquel s'élevaient les vieilles tours de Trinquelague. C'étaient des familles de métayers [11] qui venaient entendre la messe de minuit au château. Ils grimpaient la côte en chantant par groupes de cinq ou six, le père en avant, la lanterne en main, les femmes enveloppées dans leurs grandes 15 mantes brunes où les enfants se serraient et s'abritaient. Malgré l'heure et le froid, tout ce brave peuple marchait allégrement, sou-tenu par l'idée qu'au sortir de la messe il y aurait, comme tous les ans, table mise pour eux en bas dans les cuisines. De temps en temps, sur la rude montée, le carrosse d'un seigneur, précédé de 20 porteurs de torches, faisait miroiter ses glaces au clair de lune, ou bien une mule trottait en agitant ses sonnailles, et à la lueur des falots [12] enveloppés de brume, les métayers reconnaissaient leur bailli et le saluaient au passage:

«Bonsoir, bonsoir, maître Arnoton! 25
—Bonsoir, bonsoir, mes enfants!»

La nuit était claire, les étoiles avivées de froid; la bise [13] piquait, et un fin grésil, glissant sur les vêtements sans les mouiller, gardait fidèlement la tradition des Noëls blancs de neige. Tout en haut de la côte, le château apparaissait comme le but, avec sa masse énorme 30 de tours, de pignons,[14] le clocher de sa chapelle montant dans le ciel bleu noir, et une foule de petites lumières qui clignotaient, allaient, venaient, s'agitaient à toutes les fenêtres, et ressemblaient, sur le fond sombre du bâtiment, aux étincelles courant dans des cendres de papier brûlé . . . Passé le pont-levis [15] et la poterne,[16] 35 il fallait, pour se rendre à la chapelle, traverser la première cour,

the countryside of Provence and having many literary associations.   11. share farmers.   12. lanterns.   13. cold north wind, perhaps in this case the mistral.   14. gables.   15. drawbridge.   16. postern (gate).   17. intersecting arches.

pleine de carrosses, de valets, de chaises à porteurs, toute claire du
feu des torches et de la flambée des cuisines. On entendait le tintement des tournebroches, le fracas des casseroles, le choc des
cristaux et de l'argenterie remués dans les apprêts d'un repas; par
5 là-dessus, une vapeur tiède, qui sentait bon les chairs rôties et les
herbes fortes des sauces compliquées, faisait dire aux métayers,
comme au chapelain, comme au bailli, comme à tout le monde:
«Quel bon réveillon nous allons faire après la messe!»

II

Drelindin din! . . . Drelindin din! . . .
10   C'est la messe de minuit qui commence. Dans la chapelle du
château, une cathédrale en miniature, aux arceaux entrecroisés,[17]
aux boiseries de chêne, montant jusqu'à hauteur des murs, toutes
les tapisseries ont été tendues, tous les cierges allumés. Et que de
monde! Et que de toilettes! Voici d'abord, assis dans les stalles
15 sculptées qui entourent le chœur, le sire de Trinquelague, en habit
de taffetas saumon, et près de lui tous les nobles seigneurs invités.
En face, sur des prie-Dieu[18] garnis de velours, ont pris place la
vieille marquise douairière[19] dans sa robe de brocart couleur de feu,
et la jeune dame de Trinquelague, coiffée d'une haute tour de den-
20 telle gaufrée[20] à la dernière mode de la cour de France. Plus bas, on
voit, vêtus de noir avec de vastes perruques en pointe et des visages
rasés, le bailli Thomas Arnoton et le tabellion maître Ambroy, deux
notes graves parmi les soies voyantes[21] et les damas brochés. Puis
viennent les gras majordomes, les pages, les piqueurs, les intendants,
25 dame Barbe, toutes ses clefs pendues sur le côté à un clavier d'argent
fin. Au fond, sur les bancs, c'est le bas office,[22] les servantes, les
métayers avec leurs familles; et enfin, là-bas, tout contre la porte
qu'ils entr'ouvrent et referment discrètement, messieurs les mar-
mitons qui viennent entre deux sauces prendre un petit air de
30 messe et apporter une odeur de réveillon dans l'église toute en
fête et tiède de tant de cierges allumés.
    Est-ce la vue de ces petites barrettes blanches qui donne des dis-
tractions à l'officiant? Ne serait-ce pas plutôt la sonnette de Garrigou, cette enragée petite sonnette qui s'agite au pied de l'autel
35 avec une précipitation infernale et semble dire tout le temps:

---

18. prayer stools.   19. dowager.   20. starched and fluted.   21. garish, showy
silks.   22. domestic servants (of lowest order).   23. peacocks (pronounced pā;.

«Dépêchons-nous, dépêchons-nous . . . Plus tôt nous aurons fini, plus tôt nous serons à table.» Le fait est que chaque fois qu'elle tinte, cette sonnette du diable, le chapelain oublie sa messe et ne pense plus qu'au réveillon. Il se figure les cuisines en rumeur, les fourneaux où brûle un feu de forge, la buée qui monte des cou- 5 vercles entr'ouverts, et dans cette buée deux dindes magnifiques, bourrées, tendues, marbrées de truffes . . .

Ou bien encore il voit passer des files de petits pages portant des plats enveloppés de vapeurs tentantes, et avec eux il entre dans la grande salle déjà prête pour le festin. O délices! voilà l'immense 10 table toute chargée et flamboyante, les paons [23] habillés de leurs plumes, les faisans écartant leurs ailes mordorées,[24] les flacons couleur de rubis, les pyramides de fruits éclatant parmi les branches vertes, et ces merveilleux poissons dont parlait Garrigou (ah! bien oui, Garrigou!) étalés sur un lit de fenouil,[25] l'écaille nacrée comme 15 s'ils sortaient de l'eau, avec un bouquet d'herbes odorantes dans leurs narines de monstres. Si vive est la vision de ces merveilles qu'il semble à dom Balaguère que tous ces plats mirifiques sont servis devant lui sur les broderies de la nappe d'autel, et deux ou trois fois, au lieu de Dominus vobiscum,[26] il se surprend à dire le 20 Benedicite.[27] A part ces légères méprises, le digne homme débite son office très consciencieusement, sans passer une ligne, sans omettre une génuflexion, et tout marche assez bien jusqu'à la fin de la première messe; car vous savez que le jour de Noël le même officiant doit célébrer trois messes consécutives. 25

«Et d'une!»[28] se dit le chapelain avec un soupir de soulagement; puis, sans perdre une minute, il fait signe à son clerc ou celui qu'il croit être son clerc, et . . .

Drelindin din! . . . Drelindin din! . . .

C'est la seconde messe qui commence, et avec elle commence 30 aussi le péché de dom Balaguère. «Vite, vite, dépêchons-nous», lui crie de sa petite voix aigrelette [29] la sonnette de Garrigou, et cette fois le malheureux officiant, tout abandonné au démon de gourmandise, se rue sur [30] le missel et dévore les pages avec l'avidité de son appétit en sur-excitation. Frénétiquement il se baisse, se relève, 35 esquisse les signes de croix, les génuflexions, raccourcit tous ses

24. bronze.   25. fennel.   26. God be with you (from the Mass).
27. Bless ye (the Lord) (from the Mass).   28. There's one of them out of
the way.   29. slightly rasping.   30. flings himself upon.   31. Gospel.

gestes pour avoir plus tôt fini. A peine s'il étend ses bras à l'évangile,[31] s'il frappe sa poitrine au confiteor.[32] Entre le clerc et lui c'est à qui bredouillera le plus vite. Versets et répons se précipitent, se bousculent. Les mots à moitié prononcés, sans ouvrir la bouche, ce
5 qui prendrait trop de temps, s'achèvent en murmures incompréhensibles.

Oremus ps . . . ps . . . ps . . .

Meâ culpâ . . . pâ . . . pâ . . .[33]

Pareils à des vendangeurs pressés foulant le raisin de la cuve,[34]
10 tous deux barbotent[35] dans le latin de la messe, en envoyant des éclaboussures[36] de tous les côtés.

Dom . . . scum! . . . dit Balaguère.

. . . Stutuo![37] . . . répond Garrigou; et tout le temps la damnée petite sonnette est là qui tinte à leurs oreilles, comme ces grelots
15 qu'on met aux chevaux de poste pour les faire galoper à la grande vitesse. Pensez que de ce train-là une messe basse est vite expédiée.

«Et de deux!» dit le chapelain tout essoufflé; puis, sans prendre le temps de respirer, rouge, suant, il dégringole[38] les marches de l'autel et . . .
20 Drelindin din! . . . Drelindin din! . . .

C'est la troisième messe qui commence. Il n'y a plus que quelques pas à faire pour arriver à la salle à manger; mais, hélas! à mesure que le réveillon approche, l'infortuné Balaguère se sent pris d'une folie d'impatience et de gourmandise. Sa vision s'accentue, les
25 carpes dorées, les dindes rôties sont là, là. Il les touche; . . . il les . . . Oh! Dieu . . . Les plats fument, les vins embaument;[39] et secouant son grelot enragé, la petite sonnette lui crie:

«Vite, vite, encore plus vite! . . .»

Mais comment pourrait-il aller plus vite? Ses lèvres remuent à
30 peine. Il ne prononce plus les mots . . . A moins de tricher tout à fait le bon Dieu et de lui escamoter sa messe . . . Et c'est ce qu'il fait, le malheureux! . . . De tentation en tentation, il commence par sauter un verset, puis deux. Puis l'épître est trop longue, il ne la finit pas, effleure l'évangile, passe devant le credo[40] sans

32. beginning of the Confession (from the Mass).   33. Let us pray, through my fault (from the Mass).   34. tramping out the vintage.   35. splash about.   36. splashings, sloppings.   37. *Dom . . . scum, Stutuo, Dominus vobiscum* and the response, *Et cum spiritu tuo* (and with thy spirit), uttered in such haste that syllables are omitted.   38. comes tumbling down. 39. perfume the air.   40. the Creed, the Lord's Prayer (from the Mass).

entrer, saute le *pater*,[40] salue de loin la préface, et par bonds et par élans se précipite ainsi dans la damnation éternelle, toujours suivi de l'infâme Garrigou (*vade retro, Satanas*),[41] qui le seconde [42] avec une merveilleuse entente, lui relève sa chasuble, tourne les feuillets deux par deux, bouscule les pupitres, renverse les burettes, et sans 5 cesse secoue la petite sonnette de plus en plus fort, de plus en plus vite.

Il faut voir la figure effarée que font tous les assistants! [43] Obligés de suivre à la mimique du prêtre cette messe dont ils n'entendent pas un mot, les uns se lèvent quand les autres s'agenouillent, s'as- 10 seyent quand les autres sont debout; et toutes les phases de ce singulier office [44] se confondent sur les bancs dans une foule d'atti- tudes diverses. L'étoile de Noël en route dans les chemins du ciel, là-bas vers la petite étable, pâlit d'épouvante en voyant cette con- fusion . . . 15

«L'abbé va trop vite . . . On ne peut pas suivre», murmure la vieille douairière en agitant sa coiffe avec égarement. Maître Arno- ton, ses grandes lunettes d'acier sur le nez, cherche dans son parois- sien où diantre [45] on peut bien en être. Mais au fond, tous ces braves gens, qui eux aussi pensent à réveillonner, ne sont pas 20 fâchés que la messe aille ce train de poste,[46] et quand dom Bala- guère, la figure rayonnante, se tourne vers l'assistance en criant de toutes ses forces: *Ite missa est*,[47] il n'y a qu'une voix dans la cha- pelle pour lui répondre un *Deo gratias* [47] si joyeux, si joyeux, si entraînant, qu'on se croirait déjà à table au premier toast du 25 réveillon.

III

Cinq minutes après, la foule des seigneurs s'asseyait dans la grande salle, le chapelain au milieu d'eux. Le château, illuminé du haut en bas, retentissait de chants, de cris, de rires, de rumeurs; et le vénérable dom Balaguère plantait sa fourchette dans une aile de 30 gelinotte, noyant le remords de son péché sous des flots de vin du pape et de bon jus de viandes. Tant il but et mangea, le pauvre saint homme, qu'il mourut dans la nuit d'une terrible attaque, sans avoir eu seulement le temps de se repentir; puis au matin il arriva

41. Get thee behind me, Satan! (Matt. xvi, 23; Mark viii, 33; Luke iv, 8).
42. supports him, backs him up.   43. onlookers.   44. Mass.   45. the devil (milder expression than *diable*).   46. posthaste.   47. Go, it is the dismissal,

dans le ciel encore tout en rumeur des fêtes de la nuit, et je vous
laisse à penser comme il y fut reçu:

«Retire-toi de mes yeux, mauvais chrétien! lui dit le souverain
Juge, notre maître à tous; ta faute est assez grande pour effacer
5 toute une vie de vertu . . . Ah! tu m'as volé une messe de
nuit . . . Eh bien! tu m'en payeras trois cents en place, et tu
n'entreras en paradis que quand tu auras célébré dans ta propre
chapelle ces trois cents messes de Noël en présence de tous ceux
qui ont péché par ta faute et avec toi . . .»

10 . . . Et voilà la vraie légende de dom Balaguère comme on la
raconte au pays des olives. Aujourd'hui le château de Trinquelague
n'existe plus, mais la chapelle se tient encore droite tout en haut
du mont Ventoux, dans un bouquet de chênes verts.[48] Le vent fait
battre sa porte disjointe, l'herbe encombre le seuil; il y a des nids
15 aux angles de l'autel et dans l'embrasure des hautes croisées dont
les vitraux coloriés ont disparu depuis longtemps. Cependant il
paraît que tous les ans, à Noël, une lumière surnaturelle erre parmi
ces ruines, et qu'en allant aux messes et aux réveillons, les paysans
aperçoivent ce spectre de chapelle éclairé de cierges invisibles qui
20 brûlent au grand air, même sous la neige et le vent. Vous en rirez
si vous voulez, mais un vigneron de l'endroit, nommé Garrigue,
sans doute un descendant de Garrigou, m'a affirmé qu'un soir de
Noël, se trouvant un peu en ribote,[49] il s'était perdu dans la montagne du côté de Trinquelague; et voici ce qu'il avait vu . . .
25 Jusqu'à onze heures, rien. Tout était silencieux, éteint, inanimé.
Soudain, vers minuit, un carillon sonna tout en haut du clocher, un
vieux, vieux carillon qui avait l'air d'être à dix lieues. Bientôt, dans
le chemin qui monte, Garrigue vit trembler des feux, s'agiter des
ombres indécises. Sous le porche de la chapelle on marchait, on
30 chuchotait:

«Bonsoir, maître Arnoton!

—Bonsoir, bonsoir, mes enfants! . . .»

Quand tout le monde fut entré, mon vigneron, qui était très
brave, s'approcha doucement, et, regardant par la porte cassée, eut[50]
35 un singulier spectacle. Tous ces gens qu'il avait vus passer étaient
rangés autour du chœur,[51] dans la nef en ruine, comme si les anciens bancs existaient encore. De belles dames en brocart avec des

---

Thanks be unto the Lord (concluding words of the Mass). **48.** evergreen
oaks. **49.** tipsy. **50.** beheld. **51.** choir. **52.** dressed in their best.

coiffes de dentelle, des seigneurs chamarrés [52] du haut en bas, des
paysans en jaquettes fleuries ainsi qu'en avaient nos grands-pères,
tous l'air vieux, fané,[53] poussiéreux, fatigué. De temps en temps des
oiseaux de nuit, hôtes habituels de la chapelle, réveillés par toutes
ces lumières, venaient rôder autour des cierges dont la flamme 5
montait droite et vague comme si elle avait brûlé derrière une
gaze; [54] et ce qui amusait beaucoup Garrigue, c'était un certain personnage à grandes lunettes d'acier, qui secouait à chaque instant sa
haute perruque noire sur laquelle un de ces oiseaux se tenait droit
tout empêtré [55] en battant silencieusement des ailes . . .   10
    Dans le fond, un petit vieillard de taille enfantine, à genoux au
milieu du chœur, agitait désespérément une sonnette sans grelot et
sans voix, pendant qu'un prêtre, habillé de vieil or, allait, venait
devant l'autel en récitant des oraisons dont on n'entendait pas un
mot . . . Bien sûr c'était dom Balaguère, en train de dire sa 15
troisième messe basse.

QUESTIONS

1. Résumez la conversation entre Garrigou et le révérend dom Bala-
    guère.
2. Qu'est-ce qui troublait l'esprit du Révérend Père?
3. Qu'est-ce qui égayait les familles de métayers en allant à la messe?
4. Relevez des exemples d'allitération dans cette histoire. Quel effet
    ces sonorités produisent-elles?
5. À quoi l'officiant pensait-il pendant la messe?
6. Qu'est-ce qui lui rappelait le grand banquet qui aurait lieu après
    la messe?
7. Malgré tout, est-ce que dom Balaguère s'est bien conduit pendant
    cette première messe? Pourquoi?
8. Avec qui l'auteur compare-t-il le clerc et le prêtre de la deuxième
    messe?
9. Décrivez les démarches de dom Balaguère pendant la troisième
    messe.
10. Pourquoi les paroissiens n'étaient-ils pas fâchés que la messe allât
    ce train de poste?
11. Qu'est-ce qui est arrivé à dom Balaguère après le grand festin?
12. Quelle était sa punition?
13. Qu'est-ce qui se passe dans cette même chapelle tous les ans à
    Noël?

53. withered.   54. gauze.   55. entangled.

L'ARLÉSIENNE [1]

Pour aller au village, en descendant de mon moulin, on passe
devant un *mas* [2] bâti près de la route au fond d'une grande cour
plantée de micocouliers. [3] C'est la vraie maison du *ménager* [4] de
Provence, avec ses tuiles rouges, sa large façade brune irrégulière-
5 ment percée, [5] puis tout en haut la girouette [6] du grenier, la poulie
pour hisser les meules, [7] et quelques touffes de foin brun qui
dépassent . . .

Pourquoi cette maison m'avait-elle frappé? Pourquoi ce portail
fermé me serrait-il le cœur? Je n'aurais pas pu le dire, et pourtant ce
10 logis me faisait froid. Il y avait trop de silence autour . . . Quand
on passait, les chiens n'aboyaient pas, les pintades [8] s'enfuyaient
sans crier . . . A l'intérieur, pas une voix! Rien, pas même un
grelot [9] de mule . . . Sans les rideaux blancs des fenêtres et la
fumée qui montait des toits, on aurait cru l'endroit inhabité. [10]

15 Hier, sur le coup de midi, je revenais du village, et, pour éviter
le soleil, je longeais les murs de la ferme, dans l'ombre des micocouliers . . . Sur la route, devant le *mas*, des valets [11] silencieux
achevaient de charger une charrette de foin . . . Le portail était
resté ouvert. Je jetai un regard en passant, et je vis, au fond de la
20 cour, accoudé,—la tête dans ses mains,—sur une large table de
pierre, un grand vieux tout blanc, avec une veste trop courte et des
culottes en lambeaux . . . Je m'arrêtai. Un des hommes me dit
tout bas:

—Chut! c'est le maître . . . Il est comme ça depuis le malheur
25 de son fils.

A ce moment une femme et un petit garçon, vêtus de noir,
passèrent près de nous avec de gros paroissiens [12] dorés, et entrèrent
à la ferme.

L'homme ajouta:

1. The Woman of Arles. Arles is an historic Provençal city near the mouth
of the Rhone, and is traditionally noted for the beauty of its women.
2. farmstead.   3. nettle tree (related to the elm).   4. a farmer who pays
rent in kind, a share farmer. (Standard French is *métayer*. See above *Trois
messes basses*, pp. 3–11.)   5. broken by windows and doors.   6. weathervane.   7. stacks or bundles of hay.   8. guinea-fowl.   9. bell.   10. uninhabited.   11. farmhands.   12. prayerbooks.   13. Jean (Provençal).   14. of

Bizet — composed the musique of l'A.

—... La maîtresse et Cadet qui reviennent de la messe. Ils y vont tous les jours, depuis que l'enfant s'est tué ... Ah! monsieur, quelle désolation! ... Le père porte encore les habits du mort; on ne peut pas les lui faire quitter ... Dia! hue! la bête!

La charrette s'ébranla pour partir. Moi, qui voulais en savoir plus 5 long, je demandai au voiturier de monter à côté de lui, et c'est là-haut, dans le foin, que j'appris toute cette navrante histoire ...

Il s'appelait Jan.[13] C'était un admirable paysan de vingt ans, sage [14] comme une fille, solide et le visage ouvert. Comme il était très beau, les femmes le regardaient; mais lui n'en avait qu'une en 10 tête,—une petite Arlésienne, toute en velours et en dentelles, qu'il avait rencontrée sur la Lice d'Arles,[15] une fois.—Au mas, on ne vit pas d'abord cette liaison avec plaisir. La fille passait pour coquette, et ses parents n'étaient pas du pays. Mais Jan voulait son Arlésienne à toute force. Il disait: 15

—Je mourrai si on ne me la donne pas.

Il fallut en passer par là.[16] On décida de les marier après la moisson.

Donc, un dimanche soir, dans la cour du mas, la famille achevait de dîner. C'était presque un repas de noces. La fiancée n'y assistait 20 pas, mais on avait bu en son honneur tout le temps ... Un homme se présente à la porte, et, d'une voix qui tremble, demande à parler à maître Estève, à lui seul. Estève se lève et sort sur la route.

—Maître, lui dit l'homme, vous allez marier votre enfant à une 25 coquine,[17] qui a été ma maîtresse pendant deux ans. Ce que j'avance, je le prouve: voici des lettres! ... Les parents savent tout et me l'avaient promise; mais depuis que votre fils la recherche, *il la s...* ni eux ni la belle ne veulent plus de moi ... J'aurais cru pourtant qu'après ça elle ne pouvait pas être la femme d'un autre.   30

—C'est bien! dit maître Estève quand il eut regardé les lettres; entrez boire un verre de muscat.[18]

L'homme répond:

—Merci! [19] j'ai plus de chagrin que de soif.

Et il s'en va.   35

good habits, virtuous.   **15.** a promenade on the site of a Roman arena in the city of Arles.   **16.** One had to agree to it.   **17.** hussy.   **18.** muscatel (wine).   **19.** No, thank you.   **20.** day laborers.   **21.** festivities held at time

Le père rentre, impassible; il reprend sa place à table; et le repas
s'achève gaiement . . .

Ce soir-là, maître Estève et son fils s'en allèrent ensemble dans
les champs. Ils restèrent longtemps dehors; quand ils revinrent, la
5 mère les attendait encore. *time - aspect*

—Femme, dit le *ménager*, en lui amenant son fils, embrasse-le!
il est bien malheureux . . .

Jan ne parla plus de l'Arlésienne. Il l'aimait toujours cependant,
et même plus que jamais, depuis qu'on la lui avait montrée dans
10 les bras d'un autre. Seulement il était trop fier pour rien dire; c'est
ce qui le tua, le pauvre enfant! . . . Quelquefois il passait des
journées entières seul dans un coin, sans bouger. D'autres jours, il
se mettait à la terre avec rage et abattait à lui seul le travail de dix
journaliers [20] . . . Le soir venu, il prenait la route d'Arles et mar-
15 chait devant lui jusqu'à ce qu'il vît monter dans le couchant les
clochers grêles de la ville. Alors il revenait. Jamais il n'alla plus loin.

De le voir ainsi, toujours triste et seul, les gens du *mas* ne savaient
plus que faire. On redoutait un malheur . . . Une fois, à table, sa
mère, en le regardant avec des yeux pleins de larmes, lui dit:

20 —Eh bien! écoute, Jan, si tu la veux tout de même, nous te la
donnerons . . .

Le père, rouge de honte, baissait la tête . . .

Jan fit signe que non, et il sortit . . .

A partir de ce jour, il changea sa façon de vivre, affectant d'être
25 toujours gai, pour rassurer ses parents. On le revit au bal, au cabaret,
dans les ferrades.[21] A la vote [22] de Fonvieille, c'est lui qui mena la
farandole.[23]

Le père disait: «Il est guéri.» La mère, elle, avait toujours des
craintes et plus que jamais surveillait son enfant . . . Jan couchait
30 avec Cadet, tout près de la magnanerie,[24] la pauvre vieille se fit
dresser un lit à côté de leur chambre . . . Les magnans pouvaient
avoir besoin d'elle, dans la nuit.

Vint la fête de saint Éloi,[25] patron des *ménagers*.

Grande joie au *mas* . . . Il y eut du châteauneuf [26] pour tout le
35 monde et du vin cuit [27] comme s'il en pleuvait. Puis des pétards,

of cattle-branding.   **22.** votive feast, saint's-day festivities.   **23.** popular Provençal folk dance.   **24.** silkworm breeding-house.   **25.** Saint Éloi (588–
659), feast day December first.   **26.** a kind of wine produced in the Rhone
valley.   **27.** spiced wine punch.   **28.** the nettle trees full of colored lanterns.

des feux sur l'aire, des lanternes de couleur plein les micocouliers [28]
. . . Vive saint Éloi! On farandola à mort. Cadet brûla sa blouse
neuve . . . Jan lui-même avait l'air content; il voulut faire danser
sa mère; la pauvre femme en pleurait de bonheur.

A minuit, on alla se coucher. Tout le monde avait besoin de 5
dormir . . . Jan ne dormit pas, lui. Cadet a raconté depuis que
toute la nuit il avait sangloté . . . Ah! je vous réponds qu'il était
bien mordu,[29] celui-là . . .

Le lendemain, à l'aube, la mère entendit quelqu'un traverser
sa chambre en courant. Elle eut comme un pressentiment: 10
—Jan, c'est toi?
Jan ne répond pas; il est déjà dans l'escalier.
Vite, vite la mère se lève:
—Jan, où vas-tu?
Il monte au grenier; elle monte derrière lui: 15
—Mon fils, au nom du ciel!
Il ferme la porte et tire le verrou.
—Jan, mon Janet, réponds-moi. Que vas-tu faire?
A tâtons,[30] de ses vieilles mains qui tremblent, elle cherche le
loquet . . . Une fenêtre qui s'ouvre, le bruit d'un corps sur les 20
dalles de la cour, et c'est tout . . .
Il s'était dit, le pauvre enfant: «Je l'aime trop . . . Je m'en
vais . . .» Ah! misérables cœurs que nous sommes! C'est un peu
fort pourtant que le mépris ne puisse pas tuer l'amour! . . .
Ce matin-là, les gens du village se demandèrent qui pouvait crier 25
ainsi, là-bas, du côté du mas d'Estève . . .
C'était, dans la cour, devant la table de pierre couverte de rosée
et de sang, la mère toute nue qui se lamentait, avec son enfant
mort sur ses bras.

QUESTIONS

1. Décrivez la maison du ménager.
2. Pourquoi croirait-on qu'elle était inhabitée?
3. La maîtresse et Cadet pourquoi vont-ils tous les jours à la messe?
4. Pourquoi Jan ne s'intéressait-il pas aux femmes du village?
5. Pourquoi les parents de Jan ne voyaient-ils pas avec plaisir la liaison entre celui-ci et l'Arlésienne?

29. deeply affected, smitten.   30. Gropingly.

6. Qu'est-ce qui a affirmé cette mauvaise opinion de l'Arlésienne qu'avaient les parents de Jan?
7. Décrivez l'effet de cette nouvelle sur Jan.
8. Pourquoi Jan ne voulait-il pas épouser l'Arlésienne quand ses parents lui ont donné leur permission?
9. Pourquoi croyait-on qu'il était guéri de son amour?
10. Comment sa mère a-t-elle montré son inquiétude?
11. Décrivez la mort de Jan.
12. Que pensez-vous de ce conte, surtout de la manière dont l'auteur présente l'intrigue?

~

LA PENDULE DE BOUGIVAL [1]

DE BOUGIVAL À MUNICH

C'était une pendule du second Empire,[2] une de ces pendules en onyx algérien, ornées de dessins Campana,[3] qu'on achète boulevard des Italiens [4] avec leur clef dorée pendue en sautoir au bout d'un ruban rose. Tout ce qu'il y a de plus mignon, de plus moderne, de
5 plus article de Paris.[5] Une vraie pendule des Bouffes,[6] sonnant d'un joli timbre clair, mais sans un grain de bon sens, pleine de lubies, de caprices, marquant les heures à la diable, passant les demies, n'ayant jamais su bien dire que l'heure de la Bourse [7] à Monsieur et l'heure du berger [8] à Madame. Quand la guerre éclata, elle était en
10 villégiature [9] à Bougival, faite exprès pour ces palais d'été si fragiles, ces jolies cages à mouches en papier découpé, ces mobiliers d'une saison, guipure [10] et mousseline flottant sur des transparents de soie claire. A l'arrivée des Bavarois,[11] elle fut une des premières enlevées; et, ma foi! il faut avouer que ces gens d'outre-Rhin sont des embal-
15 leurs bien habiles, car cette pendule-joujou, guère plus grosse qu'un

1. small resort town on the Seine, 11 miles from Paris.   2. reign of Napoleon III (1852–1870), a period of unusual brilliance in Parisian life, ended by the Franco-Prussian War.   3. Italian marquis, whose art collection, brought to Paris in 1861, contained many terra cottas and other elaborately ornamented *objets d'art* and whose name was in consequence given to a style of light, airy decoration.   4. a favorite shopping street in Paris.   5. smart and elegant article in the Parisian style.   6. Théâtre des Bouffes-Parisiens, founded in 1855, famous for its productions of Offenbach's musical comedies and burlesque operas.   7. time for business (*Bourse* = Stock Exchange).   8. time for the lover's visit (*berger* = shepherd and, by extension, lover through the influence of pastoral romances).   9. vacation.   10. point lace.   11. Bavarian troops

œuf de tourterelle, put faire au milieu des canons Krüpp [12] et des fourgons chargés de mitraille le voyage de Bougival à Munich, arriver sans une fêlure,[13] et se montrer dès le lendemain, Odeon-platz,[14] à la devanture d'Augustus Cahn, le marchand de curiosités, fraîche, coquette, ayant toujours ses deux fines aiguilles, noires et 5 recourbées comme des cils, et sa petite clef en sautoir au bout d'un ruban neuf.

L'ILLUSTRE DOCTEUR-PROFESSEUR OTTO DE SCHWANTHALER

Ce fut un événement dans Munich. On n'y avait pas encore vu de pendule de Bougival, et chacun venait regarder celle-là aussi curieusement que les coquilles japonaises du musée de Siebold. 10 Devant le magasin d'Augustus Cahn, trois rangs de grosses pipes fumaient du matin au soir, et le bon populaire de Munich se demandait avec des yeux ronds et des «*Mein Gott*» de stupéfaction à quoi pouvait servir cette singulière petite machine. Les journaux illustrés donnèrent sa reproduction. Ses photographies s'étalèrent 15 dans toutes les vitrines; et c'est en son honneur que l'illustre doc-teur-professeur Otto de Schwanthaler composa son fameux *Para-doxe sur les Pendules*, étude philosophico-humoristique en six cents pages où il est traité de l'influence des pendules sur la vie des peuples, et logiquement démontré qu'une nation assez folle pour 20 régler l'emploi de son temps sur des chronomètres aussi détraqués que cette petite pendule de Bougival devait s'attendre à toutes les catastrophes, ainsi qu'un navire qui s'en irait en mer avec une boussole désorientée. (La phrase est un peu longue, mais je la traduis textuellement.) 25

Les Allemands ne faisant rien à la légère, l'illustre docteur-professeur voulut, avant d'écrire son Paradoxe, avoir le sujet sous les yeux pour l'étudier à fond, l'analyser minutieusement comme un entomologiste; il acheta donc la pendule, et c'est ainsi qu'elle passa de la devanture d'Augustus Cahn dans le salon de l'illustre 30 docteur-professeur Otto de Schwanthaler, conservateur de la Pinacothèque,[15] membre de l'Académie des sciences et beaux-arts, en son domicile privé, Ludwigstrasse, 24.

serving in the Franco-Prussian War (1870).   **12.** Alfred Krupp (1810–1887), German munitions-maker.   **13.** crack.   **14.** public square in Munich. **15.** famous art museum in Munich.   **16.** clock decorated with figures.

LE SALON DES SCHWANTHALER

Ce qui frappait d'abord en entrant dans le salon des Schwanthaler, académique et solennel comme une salle de conférences,
c'était une grande pendule à sujet [16] en marbre sévère, avec une
Polymnie [17] de bronze et des rouages très compliqués. Le cadran
5 principal s'entourait de cadrans plus petits, et l'on avait là les
heures, les minutes, les saisons, les équinoxes, tout, jusqu'aux trans-
formations de la lune dans un nuage bleu clair au milieu du socle.
Le bruit de cette puissante machine remplissait toute la maison.
Du bas de l'escalier, on entendait le lourd balancier s'en allant d'un
10 mouvement grave, accentué, qui semblait couper et mesurer la vie
en petits morceaux tout pareils; sous ce tictac sonore couraient les
trépidations de l'aiguille se démenant dans le cadre des secondes
avec la fièvre laborieuse d'une araignée qui connaît le prix du temps.
Puis l'heure sonnait, sinistre et lente comme une horloge de
15 collège, et chaque fois que l'heure sonnait, il se passait quelque
chose dans la maison des Schwanthaler. C'était M. Schwanthaler
qui s'en allait à la Pinacothèque, chargé de paperasses, ou la haute
dame de Schwanthaler revenant du sermon avec ses trois demoiselles, trois longues filles enguirlandées qui avaient l'air de perches
20 à houblon; ou bien les leçons de cithare,[18] de danse, de gymnas-
tique, les clavecins qu'on ouvrait, les métiers à broderies,[19] les
pupitres à musique d'ensemble qu'on roulait au milieu du salon,
tout cela si bien réglé, si compassé, si méthodique, que d'entendre
tous ces Schwanthaler se mettre en branle au premier coup de
25 timbre, entrer, sortir par les portes ouvertes à deux battants, on songeait au défilé des apôtres dans l'horloge de Strasbourg,[20] et l'on
s'attendait toujours à voir sur le dernier coup la famille Schwanthaler rentrer et disparaître dans sa pendule.

SINGULIÈRE INFLUENCE DE LA PENDULE DE BOUGIVAL SUR UNE HONNÊTE FAMILLE DE MUNICH

C'est à côté de ce monument qu'on avait mis la pendule de
30 Bougival, et vous voyez d'ici l'effet de sa petite mine chiffonnée.

17. Polyhymnia, muse of lyric poetry.   18. zither.   19. embroidering frames.
20. astronomical clock of the famous Gothic cathedral at Strasbourg, capital of
Alsace. At noon an ingenious mechanical device in the clock sets in motion
the figures of the twelve Apostles, causing them to march around the figure of

Voilà qu'un soir les dames de Schwanthaler étaient en train de broder dans le grand salon et l'illustre docteur-professeur lisait à quelques collègues de l'Académie des sciences les premières pages du *Paradoxe*, s'interrompant de temps en temps pour prendre la petite pendule et faire pour ainsi dire des démonstrations au 5 tableau . . . Tout à coup, Éva de Schwanthaler, poussée par je ne sais quelle [21] curiosité maudite, dit à son père en rougissant:

«O papa, faites-la sonner.»

Le docteur dénoua la clef, donna deux tours, et aussitôt on entendit un petit timbre de cristal si clair, si vif, qu'un frémissement 10 de gaieté réveilla la grave assemblée. Il y eut des rayons dans tous les yeux:

«Que c'est joli! que c'est joli!» disaient les demoiselles de Schwanthaler, avec un petit air animé et des frétillements de nattes qu'on ne leur connaissait pas. 15

Alors M. de Schwanthaler, d'une voix triomphante:

«Regardez-la, cette folle de française! [22] elle sonne huit heures, et elle en marque trois!»

Cela fit beaucoup rire tout le monde, et, malgré l'heure avancée, ces messieurs se lancèrent à corps perdu [23] dans des théories phi- 20 losophiques et des considérations interminables sur la légèreté du peuple français. Personne ne pensait plus à s'en aller. On n'entendit même pas sonner au cadran de Polymnie ce terrible coup de dix heures, qui dispersait d'ordinaire toute la société. La grande pendule n'y comprenait rien. Elle n'avait jamais tant vu de gaieté dans 25 la maison Schwanthaler, ni du monde au salon si tard. Le diable c'est que lorsque les demoiselles de Schwanthaler furent rentrées dans leur chambre, elles se sentirent l'estomac creusé par la veille et le rire, comme des envies de souper; et la sentimentale Minna, elle-même, disait en s'étirant les bras: 30

«Ah! je mangerais bien une patte de homard.» [24]

DE LA GAIETÉ, MES ENFANTS, DE LA GAIETÉ!

Une fois remontée, la pendule de Bougival reprit sa vie déréglée, ses habitudes de dissipation. On avait commencé par rire de ses lubies; mais peu à peu, à force d'entendre ce joli timbre qui sonnait

Christ. 21. an indefinable. 22. crazy French object. 23. precipitately. 24. lobster's claw. 25. Mendelssohn (1809–1847) and Schumann (1810–

à tort et à travers, la grave maison de Schwanthaler perdit le respect
du temps et prit les jours avec une aimable insouciance. On ne
songea plus qu'à s'amuser; la vie paraissait si courte, maintenant
que toutes les heures étaient confondues! Ce fut un bouleversement
5 général. Plus de sermon, plus d'études! Un besoin de bruit, d'agitation. Mendelssohn et Schumann [25] semblèrent trop monotones; on
les remplaça par la *Grande Duchesse*,[26] le *Petit Faust*,[26] et ces demoiselles tapaient, sautaient, et l'illustre docteur-professeur, pris
lui aussi d'une sorte de vertige, ne se lassait pas de dire: «De la
10 gaieté, mes enfants, de la gaieté! . . .» Quant à la grande horloge,
il n'en fut plus question. Ces demoiselles avaient arrêté le balancier,
prétextant qu'il les empêchait de dormir, et la maison s'en alla
toute au caprice du cadran désheuré.

C'est alors que parut le fameux *Paradoxe sur les Pendules*. A cette
15 occasion, les Schwanthaler donnèrent une grande soirée, non plus
une de leurs soirées académiques d'autrefois, sobres de lumières et
de bruit, mais un magnifique bal travesti,[27] où madame de Schwanthaler et ses filles parurent en canotières de Bougival, les bras nus,
la jupe courte, et le petit chapeau plat à rubans éclatants. Toute la
20 ville en parla, mais ce n'était que le commencement. La comédie,
les tableaux vivants, les soupers, le baccarat; voilà ce que Munich
scandalisé vit défiler tout un hiver dans le salon de l'académicien.—
«De la gaieté, mes enfants, de la gaieté! . . .» répétait le pauvre
bonhomme de plus en plus affolé, et tout ce monde-là était très
25 gai en effet. Madame de Schwanthaler, mise en goût [28] par ses
succès de canotière, passait sa vie sur l'Isar [29] en costumes extrava-
gants. Ces demoiselles, restées seules au logis, prenaient des leçons
de français avec des officiers de hussards prisonniers dans la ville;
et la petite pendule, qui avait toutes raisons de se croire encore à
30 Bougival, jetait les heures à la volée,[30] en sonnant toujours huit
quand elle en marquait trois . . . Puis, un matin, ce tourbillon de
gaieté folle emporta la famille Schwanthaler en Amérique, et les
plus beaux Titien [31] de la Pinacothèque suivirent dans sa fuite leur
illustre conservateur.

1856), the leading and most influential German composers of their time.
26. the former, one of Offenbach's most successful burlesque operas; the latter,
a work in the same vein by Hervé.   **27.** costume ball.   **28.** her appetite
whetted.   **29.** small river flowing through Munich.   **30.** at random.
31. paintings by Titian (1477–1576), leading Venetian master.   **32.** member

CONCLUSIONS

Après le départ des Schwanthaler, il y eut dans Munich comme une épidémie de scandales. On vit successivement une chanoinesse enlever un baryton, le doyen de l'Institut épouser une danseuse, un conseiller aulique [32] faire sauter la coupe,[33] le couvent des dames nobles fermé pour tapage nocturne . . .

O malice des choses! Il semblait que cette petite pendule était fée, et qu'elle avait pris à tâche d'ensorceler toute la Bavière. Partout où elle passait, partout où sonnait son joli timbre à l'évent,[34] il affolait, détraquait les cervelles. Un jour, d'étape en étape, elle arriva jusqu'à la résidence;[35] et depuis lors, savez-vous quelle partition [36] le roi Louis, ce wagnérien enragé,[37] a toujours ouverte sur son piano? . . .

—Les *Maîtres chanteurs*? [38]

—Non! . . . Le *Phoque à ventre blanc!* [39]

Ça leur apprendra à se servir de nos pendules.

QUESTIONS

1. De quel genre d'horloge s'agit-il?
2. Est-ce que cette pendule est bien réglée? Comment l'auteur décrit-il son mouvement?
3. A votre avis, comment est-elle en vérité arrivée à Munich dans la boutique d'Augustus Cahn?
4. Pourquoi le bon peuple de Munich s'intéressait-il tellement à cette pendule?
5. Quel est le sophisme du docteur-professeur Schwanthaler?
6. Pourquoi a-t-il acheté la pendule?
7. Pourquoi l'auteur compare-t-il les trépidations de la grande pendule dans le salon des Schwanthaler avec la fièvre laborieuse d'une araignée?
8. Notez que la section «Le salon des Schwanthaler» se divise en deux paragraphes. Le premier décrit la grande pendule; le second

of the Aulic Council or supreme court. **33.** to cheat at cards (by returning them, after the cut, to their original position). **34.** upon the airs. **35.** royal palace. **36.** musical score. **37.** Ludwig II, king of Bavaria from 1864 to 1886, well known for his madness, his various prodigalities, and his liberal support of Richard Wagner (1813–1883) in the latter's operatic reforms. **38.** *Die Meistersinger von Nürnberg* (1868), one of the most important of Wagner's music-dramas. **39.** an unidentified and possibly fictitious French musical composition. The title is intended, of course, to denote something gay, frivolous and French, in contrast to Wagnerian and German ponderousness.

passe en revue les activités quotidiennes des Schwanthaler. Quel rapport voyez-vous entre ces deux descriptions?

9. Où avait-on mis la pendule de Bougival?

10. Pourquoi Éva de Schwanthaler a-t-elle demandé à son père de faire sonner l'horloge?

11. Décrivez l'effet du petit timbre de cristal sur les demoiselles de Schwanthaler, sur le docteur-professeur.

12. Qu'est-ce qui est arrivé à la maison de Schwanthaler à cause de ce timbre qui sonnait à tort et à travers?

13. Pourquoi a-t-on remplacé Mendelssohn et Schumann par la *Grande Duchesse* et le *Petit Faust?*

14. Est-ce que ce conte est une satire? Contre qui? A propos de quoi?

Émile Zola

(1840–1902)

É MILE ZOLA, one of the most gifted and most prolific of modern French novelists, was born in Paris but lived throughout
most of his childhood and youth at Aix-en-Provence in southern France. He probably inherited from his father, a civil engineer
of Italian origin, his warm-blooded, romantic temperament and his
love for grandiose artistic conceptions. An important influence in
his literary development was the friendship of Paul Cézanne, who
was to become one of the greatest of impressionistic painters. The
two youths loved to roam through the countryside around Aix,
feasting their eyes on the beauties of nature. The streak of poetry
in Zola responded enthusiastically to these sun-drenched colorful
landscapes, many of which he later recalled in writing his stories
and novels.

At the age of eighteen Zola came to Paris to study law but was
unable to pass the university's entrance examinations. For the next
few years he lived precariously, at times on the verge of starvation,
and learned to appreciate the struggle for survival among the
poorer classes, a subject which eventually became one of his spe-
cialties as a novelist. In 1864, while working as a publisher's clerk,
he brought out his first book, a volume of graceful short stories
entitled *Contes à Ninon*, and in 1867 he gained considerable noto-
riety with his naturalistic novel, *Thérèse Raquin*.

Naturalism in France was an attempt to wed literature and science. Its proponents, of whom Zola was the chief, were deeply impressed by scientific advances in the fields of evolution and genetics
and by the deterministic thinking of contemporary philosophers
such as Taine; they aspired to create literary works which would
have the scientific precision of laboratory experiments. Zola
planned a vast cycle of novels to demonstrate experimentally the

workings of heredity and environment in various members of a family through several generations; the result was the twenty volumes which appeared from 1871 to 1893 under the significant title *Les Rougon-Macquart, histoire naturelle et sociale d'une famille sous le Second Empire*. Fortunately, Zola's zeal for science did not hamper his artistic powers; his novels have little value as studies in heredity, but some of them are literary masterpieces. Perhaps the best of the series are *L'assommoir* (1877), a powerful description of the evils of alcoholism among the working classes; *Germinal* (1885), an epic of a miner's strike and of the growing conflict between capital and labor; and *La débâcle* (1892), an account of the French defeat at Sedan in the Franco-Prussian War. Zola reported life realistically, even in its crudest details, but never tried to submerge his own personality; his novels have an intensity of feeling, a humanitarian ardor, an impassioned style, which make them seem like prose poems.

Zola's idealism led him to take a vigorous part in the Dreyfus case. Convinced that the Jewish captain was the victim of a conspiracy, he wrote his famous open letter *J'accuse* (1898), a violent denunciation of the War Department. He was brought to trial and, to escape imprisonment, went into voluntary exile in England. The following year he returned to France and was acclaimed as a popular hero. When he died in 1902, asphyxiated by fumes from a defective chimney, underprivileged people throughout the world felt that they had lost a great friend and benefactor.

The stories *Printemps* and *Hiver*, two of the four episodes forming *Les quatre journées de Jean Gourdon*, were first published in the magazine *L'illustration* in 1866 and 1867, then in the volume *Nouveaux contes à Ninon* (1874). Written before Zola's literary maturity, these stories bear little resemblance to his naturalistic novels; they are interesting above all for what they reveal about the author: his love of nature, his nostalgic memories of southern France, his sympathy for peasant life, and his symbolic conception of the four ages of man.

BIBLIOGRAPHY

Henri Barbusse, Zola (1932; English translation, 1933).
Marcel Batilliat, Émile Zola (1931).
Matthew Josephson, Zola and His Time (1928).

↲

PRINTEMPS

Ce jour-là, vers cinq heures du matin, le soleil entra avec une brusquerie joyeuse dans la petite chambre que j'occupais chez mon oncle Lazare, curé du hameau de Dourgues.[1] Un large rayon jaune tomba sur mes paupières closes, et je m'éveillai dans de la lumière. Ma chambre, blanchie à la chaux, avec ses murailles et ses 5 meubles de bois blanc,[2] avait une gaieté engageante. Je me mis à la fenêtre, et je regardai la Durance qui coulait, toute large, au milieu des verdures noires de la vallée. Et des souffles frais me caressaient le visage, les murmures de la rivière et des arbres semblaient m'appeler. 10

J'ouvris ma porte doucement. Il me fallait, pour sortir, traverser la chambre de mon oncle. J'avançai sur la pointe des pieds, craignant que le craquement de mes gros souliers ne réveillât le digne homme qui dormait encore, la face souriante. Et je tremblais d'entendre la cloche de l'église sonner l'*Angélus*. Mon oncle Lazare, depuis 15 quelques jours, me suivait partout, d'un air triste et fâché. Il m'aurait peut-être empêché d'aller là-bas, sur le bord de la rivière, et de me cacher sous les saules de la rive, afin de guetter au passage Babet, la grande fille brune, qui était née pour moi avec le printemps nouveau. 20

Mais mon oncle dormait d'un profond sommeil. J'eus comme un remords de le tromper et de me sauver ainsi. Je m'arrêtai un instant à regarder son visage calme, que le repos rendait plus doux, je me souvins avec attendrissement du jour où il était venu me chercher dans la maison froide et déserte que quittait le convoi[3] 25 de ma mère. Depuis ce jour, que de tendresse, que de dévouement, que de sages paroles! Il m'avait donné sa science et sa bonté, toute son intelligence et tout son cœur.

Je fus un instant tenté de lui crier:

—Levez-vous, mon oncle Lazare! allons faire ensemble un bout 30 de promenade,[4] dans cette allée[5] que vous aimez, au bord de la

1. imaginary village on the Durance in southern France. (The Durance rises in the Alps and flows into the Rhone near Avignon.)　2. white pine. 3. funeral procession.　4. little walk.　5. lane, avenue lined with trees; here

Durance. L'air frais et le jeune soleil vous réjouiront. Vous verrez au retour quel vaillant appétit!

Et Babet qui allait descendre à la rivière, et que je ne pourrais voir, vêtue de ses jupes claires du matin! Mon oncle serait là, il me
5 faudrait baisser les yeux. Il devait faire si bon [6] sous les saules, couché à plat ventre, dans l'herbe fine! Je sentis une langueur glisser en moi, et, lentement, à petit pas, retenant mon souffle, je gagnais la porte. Je descendis l'escalier, je me mis à courir comme un fou dans l'air tiède de la joyeuse matinée de mai.

10 Le ciel était tout blanc à l'horizon, avec des teintes bleues et roses d'une délicatesse exquise. Le soleil pâle semblait une grande lampe d'argent, dont les rayons pleuvaient dans la Durance en une averse de clartés. Et la rivière, large et molle, s'étendant avec paresse sur le sable rouge, allait d'un bout à l'autre de la vallée, pareille à
15 la coulée d'un métal en fusion.[7] Au couchant, une ligne de collines basses et dentelées faisait sur la pâleur du ciel de légères taches violettes.

Depuis dix ans, j'habitais ce coin perdu. Que de fois mon oncle Lazare m'avait attendu pour me donner ma leçon de latin! Le digne
20 homme voulait faire de moi un savant. Moi, j'étais de l'autre côté de la Durance, je dénichais des pies,[8] je faisais la découverte d'un coteau sur lequel je n'avais pas encore grimpé. Puis, au retour, c'était des remontrances: le latin était oublié, mon pauvre oncle me grondait d'avoir déchiré mes culottes, et il frissonnait en
25 voyant parfois que la peau, par-dessous, se trouvait entamée. La vallée était à moi, bien à moi; je l'avais conquise avec mes jambes, j'en étais le vrai propriétaire, par droit d'amitié. Et ce bout de rivière, ces deux lieues de Durance, comme je les aimais, comme nous nous entendions bien ensemble! Je connaissais tous les ca-
30 prices de ma chère rivière, ses colères, ses grâces, ses physionomies diverses à chaque heure de la journée.

Ce matin-là, lorsque j'arrivai au bord de l'eau, j'eus comme un éblouissement à la voir si douce et si blanche. Jamais elle n'avait eu un si gai visage. Je me glissais vivement sous les saules, dans une
35 clairière où il y avait une grande nappe de soleil posée sur l'herbe noire. Là, je me couchai à plat ventre, l'oreille tendue, regardant entre les branches le sentier par lequel allait descendre Babet.

a cleared strip of forest.   6. It would be so pleasant.   7. flow of molten metal.   8. I was stealing magpies from their nests.   9. tufts of grass.

—Oh! comme l'oncle Lazare doit dormir! pensais-je.
Et je m'étendais de tout mon long sur la mousse. Le soleil pénétrait mon dos d'une chaleur tiède, tandis que ma poitrine, enfoncée
dans l'herbe, était toute fraîche.

N'avez-vous jamais regardé dans l'herbe, de tout près, les yeux ⁵
sur les brins de gazon? ⁹ Moi, en attendant Babet, je fouillais indis-
crètement du regard une touffe de gazon qui était vraiment tout
un monde. Dans ma touffe de gazon, il y avait des rues, des car-
refours, des places publiques, des villes entières. Au fond, je dis-
tinguais un grand tas d'ombre où les feuilles du dernier printemps ₁₀
pourrissaient de tristesse; puis les tiges légères se levaient, s'allongeaient, se courbaient avec mille élégances, et c'étaient des colon-
nades frêles, des églises, des forêts vierges. Je vis deux insectes
maigres qui se promenaient au milieu de cette immensité; ils
étaient certainement perdus, les pauvres enfants, car ils allaient de ₁₅
colonnade en colonnade, de rue en rue, d'une façon effarouchée et
inquiète.

Ce fut juste à ce moment qu'en levant les yeux je vis tout au
haut du sentier les jupes blanches de Babet se détachant sur la
terre noire. Je reconnus sa robe d'indienne ¹⁰ grise à petites fleurs ₂₀
bleues. Je m'enfonçai dans l'herbe davantage, j'entendis mon cœur
qui battait contre la terre, qui me soulevait presque par légères
secousses. Ma poitrine brûlait maintenant, je ne sentais plus les
fraîcheurs de la rosée.

La jeune fille descendait lestement. Ses jupes, rasant le sol, ₂₅
avaient des balancements qui me ravissaient. Je la voyais de bas en
haut, toute droite, dans sa grâce fière et heureuse. Elle ne me savait
point là, derrière les saules; elle marchait d'un pas libre, elle courait
sans se soucier du vent qui soulevait un coin de sa robe. Je distin-
guais ses pieds, trottant vite, vite, et un morceau de ses bas blancs, ₃₀
qui était bien large comme la main, et qui me faisait rougir d'une
façon douce et pénible.

Oh! alors, je ne vis plus rien, ni la Durance, ni les saules, ni la
blancheur du ciel. Je me moquais bien de la vallée! ¹¹ Elle n'était
plus ma bonne amie; ses joies, ses tristesses me laissaient parfaite- ₃₅
ment froid. Que m'importaient mes camarades, les cailloux et les
arbres des coteaux! La rivière pouvait s'en aller tout d'un trait ¹² si
elle voulait; ce n'est pas moi qui l'aurais regrettée.

10. calico.   11. I didn't care a rap about the valley!   12. all at once.

Et le printemps, je ne me souciais nullement du printemps! Il aurait emporté le soleil qui me chauffait le dos, ses feuillages, ses rayons, toute sa matinée de mai, que je serais resté là, en extase, à regarder Babet, courant dans le sentier en balançant délicieuse-
5 ment ses jupes. Car Babet avait pris dans mon cœur la place de la vallée, Babet était le printemps. Jamais je ne lui avais parlé. Nous rougissions tous les deux, lorsque nous nous rencontrions dans l'église de mon oncle Lazare. J'aurais juré qu'elle me détestait.

Elle causa, ce jour-là, pendant quelques minutes avec les lavan-
10 dières.[13] Ses rires perlés arrivaient jusqu'à moi, mêlés à la grande voix de la Durance. Puis, elle se baissa pour prendre un peu d'eau dans le creux de sa main; mais la rive était haute, Babet, qui faillit glisser, se retint aux herbes.

Je ne sais quel frisson me glaça le sang. Je me levai brusquement,
15 et, sans honte, sans rougeur, je courus auprès de la jeune fille. Elle me regarda, effarouchée; puis, elle se mit à sourire. Moi, je me penchai, au risque de tomber. Je réussis à remplir d'eau ma main droite, dont je serrais les doigts. Et je tendis à Babet cette coupe nouvelle, l'invitant à boire.

20 Les lavandières riaient. Babet, confuse, n'osait accepter, hésitait, tournait la tête à demi. Enfin, elle se décida, elle appuya délicate-ment les lèvres sur le bout de mes doigts; mais elle avait trop tardé, toute l'eau s'en était allée. Alors elle éclata de rire, elle rede-vint enfant, et je vis bien qu'elle se moquait de moi.

25 J'étais fort sot. Je me penchai de nouveau. Cette fois, je pris de l'eau dans mes deux mains, me hâtant de les porter aux lèvres de Babet. Elle but, et je sentis le baiser tiède de sa bouche, qui remonta le long de mes bras jusque dans ma poitrine, qu'il emplit de chaleur.

30 —Oh! que mon oncle doit dormir! me disais-je tout bas.

Comme je me disais cela, j'aperçus une ombre noire à côté de moi, et, m'étant tourné, j'aperçus mon oncle Lazare en personne, à quelques pas, nous regardant d'un air fâché, Babet et moi. Sa soutane[14] paraissait toute blanche au soleil; il y avait dans ses yeux
35 des reproches qui me donnèrent envie de pleurer.

Babet eut grand'peur. Elle devint rouge, elle se sauva en bal-butiant:

—Merci, monsieur Jean, je vous remercie bien.

13, laundresses.   14. cassock.   15. gravel.   16. It would take us at least

Moi, essuyant mes mains mouillées, je restai confus, immobile devant mon oncle Lazare.

Le digne homme, les bras pliés, ramenant un coin de sa soutane, regarda Babet qui remontait le sentier en courant, sans tourner la tête. Puis, lorsqu'elle eut disparu derrière les haies, il abaissa ses 5 regards vers moi, et je vis sa bonne figure sourire tristement.

—Jean, me dit-il, viens dans la grande allée. Le déjeuner n'est pas prêt. Nous avons une demi-heure à perdre.

Il se mit à marcher de son pas un peu pesant, évitant les touffes d'herbes mouillées de rosée. Sa soutane, dont un bout traînait sur 10 les graviers,[15] avait de petits claquements sourds. Il tenait son bréviaire sous le bras; mais il avait oublié sa lecture du matin, et il s'avançait, la tête baissée, rêvant, ne parlant point.

Son silence m'accablait. Il était bavard d'ordinaire. A chaque pas mon inquiétude croissait. Pour sûr, il m'avait vu donner à boire à 15 Babet. Quel spectacle, Seigneur! La jeune fille, riant et rougissant, me baisait le bout des doigts, tandis que moi, me dressant sur les pieds, tendant les bras, je me penchais comme pour l'embrasser. C'est alors que mon action me parut épouvantable d'audace. Et toute ma timidité revint. Je me demandai comment j'avais pu oser 20 me faire baiser les doigts d'une façon si douce.

Et mon oncle Lazare qui ne disait rien, qui marchait toujours à petits pas devant moi, sans avoir un seul regard pour les vieux arbres qu'il aimait! Il préparait sûrement un sermon. Il ne m'emmenait dans la grande allée qu'afin de me gronder à l'aise. Nous 25 en aurions au moins pour une heure:[16] le déjeuner serait froid, je ne pourrais revenir au bord de l'eau et rêver aux tièdes brûlures que les lèvres de Babet avaient laissées sur mes mains.

Nous étions dans la grande allée. Cette allée, large et courte, longeait la rivière; elle était faite de chênes énormes, aux troncs 30 crevassés, qui allongeaient puissamment leurs hautes branches. L'herbe fine tendait un tapis sous les arbres, et le soleil, criblant[17] les feuillages, brodait ce tapis de rosaces[18] d'or. Au loin, tout autour, s'élargissaient des prairies d'un vert cru.

Mon oncle, sans se retourner, sans changer son pas, alla jusqu'au 35 bout de l'allée. Là, il s'arrêta, et je me tins à son côté, comprenant que le moment terrible était venu.

La rivière tournait brusquement; un petit parapet faisait du

an hour. **17.** piercing. **18.** rose windows. **19.** for a distance of several

bout de l'allée une sorte de terrasse. Cette voûte d'ombre donnait sur une vallée de lumière. La campagne s'agrandit largement devant nous, à plusieurs lieues.[19] Le soleil montait dans le ciel, où les rayons d'argent du matin s'étaient changés en un ruissellement d'or; 5 des clartés aveuglantes coulaient de l'horizon, le long des coteaux, s'étalant dans la plaine avec des lueurs d'incendie.

Après un instant de silence, mon oncle Lazare se tourna vers moi.

—Bon Dieu, le sermon! pensai-je.

10 Et je baissai la tête. D'un geste large, mon oncle me montra la vallée; puis, se redressant:

—Regarde, Jean, me dit-il d'une voix lente, voilà le printemps. La terre est en joie, mon garçon, et je t'ai amené ici, en face de cette plaine de lumière, pour te montrer les premiers sourires de la 15 jeune saison. Vois quel éclat et quelle douceur! Il monte de la campagne des senteurs [20] tièdes qui passent sur nos visages comme des souffles de vie.

Il se tut, paraissant rêver. J'avais relevé le front, étonné, respirant à l'aise. Mon oncle ne prêchait pas.

20 —C'est une belle matinée, reprit-il, une matinée de jeunesse. Tes dix-huit ans vivent largement, au milieu de ces verdures âgées au plus de dix-huit jours. Tout est splendeur et parfum, n'est-ce pas? la grande vallée te semble un lieu de délices: la rivière est là pour te donner sa fraîcheur, les arbres pour te prêter leur ombre, la 25 campagne entière pour te parler de tendresse, le ciel lui-même pour embraser ces horizons que tu interroges avec espérance et désir. Le printemps appartient aux gamins de ton âge. C'est lui qui enseigne aux garçons la façon de faire boire les jeunes filles . . .

Je baissai la tête de nouveau. Décidément, mon oncle Lazare 30 m'avait vu.

—Un vieux bonhomme [21] comme moi, continua-t-il, sait malheureusement à quoi s'en tenir sur [22] les grâces du printemps. Moi, mon pauvre Jean, j'aime la Durance parce qu'elle arrose ces prairies et qu'elle fait vivre toute la vallée; j'aime ces jeunes feuillages parce 35 qu'ils m'annoncent les fruits de l'été et de l'automne; j'aime ce ciel parce qu'il est bon pour nous, parce que sa chaleur hâte la fécondité de la terre. Il me faudrait te dire cela un jour ou l'autre; je préfère te le dire aujourd'hui, à cette heure matinale. C'est le printemps lui-même qui te fait la leçon. La terre est un vaste atelier où l'on ne

leagues.   20. scents.   21. An old fellow.   22. what to expect from.

chôme jamais.[23] Regarde cette fleur, à mes pieds: elle est un parfum pour toi: pour moi elle est un travail, elle accomplit sa tâche en produisant sa part de vie, une petite graine [24] noire qui travaillera à son tour, le printemps prochain. Et, maintenant, interroge le vaste horizon. Toute cette joie n'est qu'un enfantement. Si la campagne 5 sourit, c'est qu'elle recommence l'éternelle besogne. L'entends-tu à présent respirer fortement, active et pressée? Les feuilles soupirent, les fleurs se hâtent, le blé pousse [25] sans relâche; toutes les plantes, toutes les herbes se disputent à qui [26] grandira le plus vite; et l'eau vivante, la rivière vient aider le travail commun, et le jeune soleil 10 qui monte dans le ciel, a charge d'égayer l'éternelle besogne des travailleurs.

Mon oncle, à ce moment, me força à le regarder en face. Il acheva en ces termes:

—Jean, tu entends ce que te dit ton ami le printemps. Il est la 15 jeunesse, mais il prépare l'âge mûr; son clair sourire n'est que la gaieté du travail. L'été sera puissant, l'automne sera fécond, par le printemps qui chante à cette heure, en accomplissant bravement sa tâche.

Je restai fort sot. Je comprenais mon oncle Lazare. Il me faisait 20 bel et bien un sermon,[27] dans lequel il me disait que j'étais un paresseux et que le moment de travailler était venu.

Mon oncle paraissait aussi embarrassé que moi. Après avoir hésité pendant quelques instants:

—Jean, me dit-il en balbutiant un peu, tu as eu tort de ne pas 25 venir me tout conter . . . Puisque tu aimes Babet et que Babet t'aime . . .

—Babet m'aime! m'écriai-je.

Mon oncle eut un geste d'humeur.

—Eh! laisse-moi dire. Je n'ai pas besoin d'un nouvel aveu . . . 30 Elle me l'a avoué elle-même.

—Elle vous a avoué cela! Elle vous a avoué cela!

Et je sautai brusquement au cou de mon oncle Lazare.

—Oh! que c'est bon! ajoutai-je . . . Je ne lui avais jamais parlé, vrai . . . Elle vous a dit ça à confesse,[28] n'est-ce pas? . . . Jamais 35 je n'aurais osé lui demander si elle m'aimait, moi, jamais, je n'en aurais rien su . . . Oh! que je vous remercie!

Mon oncle Lazare était tout rouge. Il sentait qu'il venait de com-

---

23. workshop where one never idles. **24.** seed. **25.** the grain grows.
26. which one. **27.** He read me a sermon. **28.** at confession. **29.** I had

mettre une maladresse. Il avait pensé que je n'en étais pas à ma première rencontre [29] avec la jeune fille, et voilà qu'il me donnait une certitude, lorsque je n'osais encore rêver une espérance. Il se taisait maintenant; c'était moi qui parlais avec volubilité.

5 —Je comprends tout, continuai-je. Vous avez raison, il faut que je travaille pour gagner Babet. Mais vous verrez comme je serai courageux . . . Ah! que vous êtes bon, mon oncle Lazare, et que vous parlez bien! J'entends ce que dit le printemps; je veux avoir, moi aussi, un été puissant, un automne fécond. On est bien ici, on 10 voit toute la vallée; je suis jeune comme elle, je sens la jeunesse en moi qui demande à remplir sa tâche . . .

Mon oncle me calma.

—C'est bien, Jean, me dit-il. J'ai longtemps espéré faire de toi un prêtre, je ne t'avais donné ma science que dans ce but. Mais ce que 15 j'ai vu ce matin au bord de l'eau, me force à renoncer définitivement à mon rêve le plus cher. C'est le ciel qui dispose de nous. Tu aimeras Dieu d'une autre façon . . . Tu ne peux rester maintenant dans ce village, où je veux que tu ne rentres que mûri par l'âge et le travail. J'ai choisi pour toi le métier de typographe; [30] ton instruc-20 tion te servira. Un de mes amis, un imprimeur de Grenoble, t'attend lundi prochain.

Une inquiétude me prit.

—Et je reviendrai épouser Babet? demandai-je.

Mon oncle eut un imperceptible sourire. Sans répondre directe-25 ment:

—Le reste est à la volonté du ciel, répondit-il.

—Le ciel, c'est vous, et j'ai foi en votre bonté. Oh! mon oncle, faites que Babet ne m'oublie pas. Je vais travailler pour elle.

Alors mon oncle Lazare me montra de nouveau la vallée que la 30 lumière inondait de plus en plus, chaude et dorée.

—Voilà l'espérance, me dit-il. Ne sois pas aussi vieux que moi, Jean. Oublie mon sermon, garde l'ignorance de cette campagne. Elle ne songe pas à l'automne; elle est toute à la joie de son sourire; elle travaille, insouciante et courageuse. Elle espère.

35 Et nous revînmes à la cure,[31] marchant lentement dans l'herbe que le soleil avait séchée, causant avec des attendrissements de notre prochaine séparation. Le déjeuner était froid, comme je l'avais prévu; mais cela m'importait peu. J'avais des larmes dans les

had more than one meeting.   **30.** typesetter.   **31.** rectory.   **32.** lapping of

yeux, chaque fois que je regardais mon oncle Lazare. Et, au souvenir
de Babet, mon cœur battait à m'étouffer.

Je ne me rappelle pas ce que je fis le reste du jour. J'allai, je crois,
me coucher sous mes saules, au bord de l'eau. Mon oncle avait
raison, la terre travaillait. En appliquant l'oreille contre le gazon, 5
il me semblait entendre des bruits continus. Alors, je rêvais ma vie.
Enfoncé dans l'herbe, jusqu'au soir, j'arrangeai une existence toute
de travail, entre Babet et mon oncle Lazare. La jeunesse énergique
de la terre avait pénétré dans ma poitrine, que j'appuyais fortement
contre la mère commune, et je m'imaginais par instants être un des 10
saules vigoureux qui vivaient autour de moi. Le soir, je ne pus dîner.
Mon oncle comprit sans doute les pensées qui m'étouffaient, car il
feignit de ne pas remarquer mon peu d'appétit. Dès qu'il me fut
permis de me lever, je me hâtai de retourner respirer l'air libre du
dehors. 15

Un vent frais montait de la rivière, dont j'entendais au loin les
clapotements [22] sourds. Une lumière veloutée [33] tombait du ciel.
La vallée s'étendait comme une mer d'ombre, sans rivage, douce et
transparente. Il y avait des bruits vagues dans l'air, une sorte de
frémissement passionné, comme un large battement d'ailes, qui 20
aurait passé sur ma tête. Des odeurs poignantes montaient avec la
fraîcheur de l'herbe.

J'étais sorti pour voir Babet; je savais que, tous les soirs, elle venait
à la cure, et j'allai m'embusquer derrière une haie. Je n'avais plus
mes timidités du matin; je trouvais tout naturel de l'attendre là, 25
puisqu'elle m'aimait et que je devais lui annoncer mon départ.

Quand je vis ses jupes dans la nuit limpide, je m'avançai sans
bruit. Puis, à voix basse:

—Babet, murmurai-je, Babet, je suis ici.

Elle ne me reconnut pas d'abord, elle eut un mouvement de 30
terreur. Quand elle m'eut reconnu, elle parut plus effrayée encore,
ce qui m'étonna profondément.

—C'est vous, monsieur Jean, me dit-elle. Que faites-vous là? que
voulez-vous?

J'étais près d'elle, je lui pris la main. 35

—Vous m'aimez bien, n'est-ce-pas?

—Moi! qui vous a dit cela?

—Mon oncle Lazare.

waves.   **33.** velvety.

Elle demeura atterrée.[34] Sa main se mit à trembler dans la mienne. Comme elle allait se sauver, je pris son autre main. Nous étions face à face, dans une sorte de creux que formait la haie, et je sentais le souffle haletant de Babet qui courait tout chaud sur 5 mon visage. La fraîcheur, le silence frissonnant de la nuit, traînaient lentement autour de nous.

—Je ne sais pas, balbutia la jeune fille, je n'ai jamais dit cela . . . Monsieur le curé a mal entendu . . . Par grâce, laissez-moi, je suis pressée.

10 —Non, non, repris-je, je veux que vous sachiez que je pars demain, et que vous me promettiez de m'aimer toujours.

—Vous partez demain!

Oh! le doux cri, et que Babet y mit de tendresse! Il me semble encore entendre sa voix alarmée, pleine de désolation et d'amour.

15 —Vous voyez bien, criai-je à mon tour, que mon oncle Lazare a dit la vérité. D'ailleurs, il ne ment jamais. Vous m'aimez, vous m'aimez, Babet! Vos lèvres, ce matin, l'avaient confié tout bas à mes doigts.

Et je la fis asseoir au pied de la haie. Mes souvenirs m'ont gardé 20 ma première causerie d'amour, dans sa religieuse innocence. Babet m'écouta comme une petite sœur. Elle n'avait plus peur, elle me confia l'histoire de son amour. Et ce furent des serments solennels, des aveux naïfs, des projets sans fin. Elle jura de n'épouser que moi, je jurai de mériter sa main à force de travail et de tendresse. Il y 25 avait un grillon [35] derrière la haie, qui accompagnait notre causerie de son chant d'espérance, et toute la vallée, chuchotant dans l'ombre, prenait plaisir à nous entendre causer si doucement.

Nous nous séparâmes en oubliant de nous embrasser.

Quand je rentrai dans ma petite chambre, il me sembla que je 30 l'avais quittée depuis une année au moins. Cette journée si courte me paraissait éternelle de bonheur. C'était là ma journée de printemps, la plus tiède, la plus parfumée de ma vie, celle dont le souvenir est aujourd'hui la voix lointaine et émue de ma jeune saison.

QUESTIONS

1. Quels sont les principaux traits de caractère de Jean?
2. Dans quelle mesure son caractère est-il individuel et dans quelle mesure représente-t-il la jeunesse en général?

34. crushed, overwhelmed.   **35.** cricket.

ÉMILE ZOLA

3. En quoi la vie à Dourgues vous paraît-elle semblable à celle qu'on trouve actuellement dans les petits villages américains?
4. Supposez que Jean et Babet aient passé leur jeunesse à Paris. En quoi leurs manières, leurs attitudes, seraient-elles différentes?
5. Quelles vertus et quels défauts y a-t-il dans le caractère du curé?
6. Que pensez-vous de ses projets pour l'avenir de son neveu?
7. Quel est le thème central de son «sermon»?
8. Indiquez d'autres passages où les mêmes idées sont soulignées.
9. Définissez l'atmosphère qui règne à travers le conte.
10. Étudiez l'emploi des impressions sensorielles chez Zola. Cherchez des passages où il fait appel aux cinq sens (la vue, l'ouïe, l'odorat, le goût, le toucher). Quel est le résultat artistique de cette richesse en sensations?
11. L'action du conte vous paraît-elle réaliste? Sentimentale? Artificielle? Expliquez pourquoi.
12. Étudiez les descriptions de la nature. Y voyez-vous des qualités lyriques ou musicales? Des qualités pittoresques qui font penser à l'art du peintre?

HIVER [1]

Janvier a de sinistres matinées, qui glacent le cœur. Au réveil, ce jour-là, je fus pris d'une inquiétude vague. Pendant la nuit, le dégel [2] était venu, et, lorsque, du seuil de la porte, je regardai la campagne, elle m'apparut comme un immense haillon [3] d'un gris sale, souillé de boue, troué de déchirures.   5

Un rideau de brouillard cachait les horizons. Dans ce brouillard, les chênes de l'allée [4] dressaient lugubrement leurs bras noirs, pareils à une rangée de spectres gardant l'abîme de vapeur qui se creusait derrière eux. Les terres étaient défoncées, couvertes de flaques d'eau, le long desquelles traînaient des lambeaux de neige salie.   10 Au loin, la grande voix de la Durance s'enflait.

L'hiver est d'une vigueur saine, lorsque le ciel est clair et que la

1. Between Printemps and Hiver there are two other journées, Été and Automne. In Été Jean is injured during the course of a battle, which symbolizes the struggle for life. Returning thereafter to the valley of the Durance, he takes up farming. Automne is symbolic of maturity, fecundity. Jean and Babet, after fifteen years of marriage, are blessed with a son, Jacques. Uncle Lazare dies on the day of the child's birth.   2. thaw.   3. tattered cloth.   4. lane lined

terre est dure. L'air pince les oreilles, on marche gaillardement[5] dans les sentiers gelés qui sonnent sous les pas avec des bruits d'argent. Les champs s'élargissent, propres et nets, blancs de glace, jaunes de soleil. Mais je ne sais rien de plus attristant que ces
5 temps fades de dégel; je hais les brouillards dont l'humidité pèse aux épaules.

Je frissonnai devant ce ciel cuivré; je me hâtai de rentrer, décidé à ne point aller aux champs, ce jour-là. Il ne manquait pas de travail dans l'intérieur de la ferme.

10 Jacques était levé depuis longtemps. Je l'entendais siffler sous un hangar, où il donnait un coup de main à[6] des hommes qui enlevaient des sacs de blé. Le garçon avait déjà dix-huit ans; c'était un grand gaillard, aux bras forts. Il n'avait pas eu un oncle Lazare pour le gâter et lui apprendre le latin, il n'allait point rêver sous les
15 saules de la rive. Jacques était devenu un vrai paysan, un travailleur infatigable, qui se fâchait, lorsque je touchais à quelque chose, me disant que je me faisais vieux[7] et que je devais me reposer.

Et, comme je le regardais de loin, un être doux et léger, qui me sauta sur les épaules, posa ses petites mains sur mes yeux, en me
20 demandant:

—Qui est-ce?

Je me mis à rire.

—C'est, répondis-je, la petite Marie, que sa mère vient d'habiller.

La chère fillette allait avoir dix ans, et, depuis dix ans, elle était
25 la joie de la ferme. Venue la dernière, à une époque où nous n'espérions plus avoir d'enfant, elle était doublement aimée. Sa santé chancelante[8] nous la rendait chère. On la traitait en demoiselle; sa mère voulait absolument en faire une dame, et je n'avais pas le courage de vouloir autre chose, tant la petite Marie était mignonne,
30 dans ses belles jupes de soie ornées de rubans.

Marie n'était pas descendue de mes épaules.

—Maman, maman, criait-elle, viens donc voir; je joue au cheval.

Babet, qui entrait, eut un sourire. Ah! ma pauvre Babet, comme nous étions vieux! Je me souviens que nous grelottions de lassitude,
35 ce jour-là, en nous regardant d'un air triste, lorsque nous étions seuls. Nos enfants nous rendaient notre jeunesse.

Le déjeuner fut silencieux. Nous avions été obligés d'allumer la

with trees. 5. briskly. 6. was giving a hand to. 7. I was getting old.
8. delicate. 9. deathly gloom. 10. weighs heavily upon our hearts.

lampe. Les clartés rousses qui traînaient dans la pièce, étaient d'une tristesse à mourir.[9]

—Bah! disait Jacques, il vaut mieux cette pluie tiède qu'un grand froid qui gèlerait nos oliviers et nos vignes.

Et il essayait de plaisanter. Mais il était inquiet comme nous, 5 sans savoir pourquoi. Babet avait fait de mauvais rêves. Nous écoutions le récit de ses cauchemars, riant des lèvres, le cœur serré.

—C'est le temps qui nous met l'âme à l'envers,[10] dis-je pour rassurer tout le monde.

—Oui, oui, c'est le temps, se hâta de reprendre Jacques. Je vais 10 mettre quelques sarments[11] dans le feu.

Une flambée joyeuse jeta de larges nappes de lumière contre les murs. Les ceps[12] brûlaient avec des pétillements, laissant des brasiers roses. Nous nous étions assis devant la cheminée; l'air, au dehors, était tiède; mais, dans l'intérieur de la ferme, il tombait des 15 plafonds une humidité glaciale. Babet avait pris la petite Marie sur ses genoux; elle causait tout bas avec elle, s'égayant de son babil d'enfant.

—Venez-vous, père? me demanda Jacques. Nous allons visiter les caves et les greniers. 20

Je sortis avec lui. Depuis quelques années, les récoltes devenaient mauvaises. Nous subissions de grosses pertes: nos vignes, nos arbres étaient surpris par les froids; la grêle hachait nos blés et nos avoines. Et je disais parfois que je devenais vieux, que la fortune, qui est femme, n'aime pas les vieillards. Jacques riait, en me répondant 25 qu'il était jeune, lui, et qu'il allait faire la cour à la fortune.

J'en étais à l'hiver, à la saison froide. Je sentais bien que tout mourait autour de moi. A chaque gaieté qui s'en allait, je songeais à l'oncle Lazare, qui était resté si calme dans la mort, je demandais des forces à son cher souvenir. 30

Vers trois heures, le jour tomba complètement. Nous descendîmes dans la salle commune. Babet cousait au coin de la cheminée, la tête penchée; la petite Marie, assise par terre, en face du feu, habillait gravement une poupée. Jacques et moi, nous nous étions mis devant un bureau d'acajou,[13] qui nous venait de l'oncle Lazare; 35 nous nous occupions à vérifier nos comptes.

La fenêtre était comme murée; le brouillard, collé aux vitres, bâtissait une véritable muraille de ténèbres. Derrière cette muraille,

11. vine shoots.   12. vines.   13. mahogany.   14. dismissed.   15. cattle.

se creusait le vide, l'inconnu. Seule, une clameur large, une voix haute, qui emplissait l'ombre, s'élevait dans le silence.

Nous avions congédié [14] les travailleurs, ne gardant avec nous que notre vieille servante Marguerite. Quand je levais la tête et que
5 j'écoutais, il me semblait que la ferme se trouvait suspendue au milieu d'un gouffre. Aucun bruit humain ne venait du dehors, je n'entendais que la clameur de l'abîme. Alors je regardais ma femme et mes enfants, j'avais les lâchetés des vieilles gens qui se sentent trop faibles pour protéger ceux qui les entourent contre les périls
10 inconnus.

La clameur devint plus rauque, et il nous sembla qu'on heurtait à la porte. Au même instant, les chevaux de l'écurie se mirent à hennir furieusement, les bestiaux [15] poussèrent des beuglements étouffés. Nous nous étions tous levés, pâles d'inquiétude. Jacques
15 se précipita vers la porte, l'ouvrit toute grande.

Un flot d'eau trouble entra brusquement et s'étala dans la pièce.

La Durance débordait. C'était elle qui jetait la clameur s'élargissant au loin depuis le matin. Les neiges fondaient dans les montagnes, chaque coteau était devenu un torrent qui enflait la rivière.
20 Le rideau de brouillard nous avait caché cette crue [16] soudaine.

Souvent, dans les hivers rigoureux, en temps de dégel, l'eau était ainsi montée jusqu'à la porte de la ferme. Mais jamais le flot n'avait grandi si rapide. Par la porte ouverte, nous apercevions la cour transformée en lac. Nous avions déjà de l'eau jusqu'aux chevilles.
25 Babet avait soulevé la petite Marie, qui pleurait en serrant sa poupée contre sa poitrine. Jacques voulait aller ouvrir les portes des écuries et des étables; mais sa mère, le retenant par ses vêtements, le supplia de ne point sortir. L'eau montait toujours. Je poussai Babet vers l'escalier.
30 —Vite, vite, allons dans les chambres, criai-je.

Et je forçai Jacques à passer devant moi. Je quittai le rez-de-chaussée le dernier.

Marguerite, terrifiée, descendit du grenier où elle se trouvait. Je la fis asseoir au fond de la pièce, à côté de Babet, qui restait silen-
35 cieuse, pâle, les yeux suppliants. Nous avions couché la petite Marie dans le lit; elle n'avait pas voulu se séparer de sa poupée, elle s'endormait doucement, en la serrant entre ses bras. Ce sommeil de l'enfant me soulageait; lorsque je me tournais et que je voyais

16. flood.   17. I cursed it.   18. (cruel) stepmother.   19. the indifferent

Babet, écoutant le souffle régulier de la fillette, j'oubliais le danger,
je n'entendais plus l'eau qui battait les murs.

Mais nous ne pouvions, Jacques et moi, nous empêcher de regarder le péril en face. L'anxiété nous poussait à nous rendre
compte des progrès de l'inondation. Nous avions ouvert la fenêtre 5
toute grande, nous nous penchions au risque de tomber, nous interrogions la nuit. Le brouillard, plus épais, traînait sur l'eau, suant
une pluie fine qui nous pénétrait de frissons. De vagues reflets
d'acier indiquaient seuls la nappe mouvante, au fond des ténèbres.
En bas, dans la cour, le flot clapotait, montant le long des murailles 10
avec des ondulations douces. Et nous n'entendions toujours que la
colère de la Durance et que l'épouvante des chevaux et des bestiaux.

Les hennissements, les beuglements de ces pauvres bêtes me
fendaient l'âme. Jacques m'interrogeait du regard; il aurait voulu 15
tenter de les délivrer. Bientôt leurs plaintes d'agonie devinrent
lamentables, et un grand craquement se fit entendre. Les bœufs
venaient de briser les portes de l'étable. Nous les vîmes passer devant nous, emportés par les eaux, roulés dans le courant. Et ils dis-
parurent dans la clameur de la rivière. 20

Alors la colère me prit à la gorge, je devins comme fou, je
montrai le poing à la Durance. Debout devant la fenêtre, je
l'insultais.[17]

—Mauvaise! criai-je au milieu du vacarme des eaux, je t'ai aimée
d'amour, tu as été ma première maîtresse, et tu me voles aujour- 25
d'hui, tu viens ébranler ma ferme et emporter mes bestiaux. Ah!
maudite, maudite! . . . Puis, tu m'as donné Babet, tu t'es pro-
menée avec douceur au bord de mes prés. Moi, je croyais que tu
étais une bonne mère, je me rappelais que l'oncle Lazare avait eu
de la tendresse pour tes eaux claires, je pensais te devoir de la recon- 30
naissance . . . Tu es une marâtre,[18] je ne te dois que de la
haine . . .

Mais la Durance, de sa voix de tonnerre, étouffait mes cris; et,
large, indifférente, elle étalait et poussait ses flots avec l'entêtement tranquille des choses.[19] 35

Je rentrai dans la chambre, j'allais embrasser Babet qui pleurait.
La petite Marie dormait en souriant.

—Ne t'effraye pas, dis-je à ma femme. L'eau ne peut toujours

obstinacy of inanimate things. **20.** window sill. **21.** his quest. **22.** was

monter . . . Elle va certainement descendre . . . Il n'y a aucun
danger.

—Non, il n'y a aucun danger, répétait Jacques fiévreusement. La
maison est solide.

5 A ce moment, Marguerite, qui s'était approchée de la fenêtre,
prise de la curiosité de la peur, se pencha comme folle, et tomba,
en poussant un cri. Je me jetai devant la fenêtre, mais je ne pus
empêcher Jacques de sauter dans l'eau. Marguerite l'avait bercé, il
éprouvait pour la pauvre vieille une tendresse de fils. Au bruit des
10 deux chutes, Babet s'était levée, épouvantée, les mains jointes. Elle
resta là, debout, la bouche ouverte, les yeux agrandis, regardant la
fenêtre.

Je m'étais assis sur l'appui[20] de bois, les oreilles pleines du
grondement des eaux. Je ne sais depuis combien de temps nous
15 étions, Babet et moi, dans cette stupeur douloureuse, lorsqu'une
voix m'appela. C'était Jacques qui se tenait au mur, sous la fenêtre.
Je lui tendis la main, et il remonta.

Babet le prit avec force dans ses bras. Elle pouvait sangloter,
maintenant; elle se soulageait.

20 Il ne fut pas question de Marguerite. Jacques n'osait dire qu'il
n'avait pu la retrouver, et nous n'osions le questionner sur ses
recherches.[21]

Il me prit à part, il me ramena à la fenêtre.

—Père, me dit-il à demi-voix, il y a déjà plus de deux mètres d'eau
25 dans la cour, et la rivière monte toujours. Nous ne pouvons rester
ici davantage.

Jacques avait raison. La maison s'émiettait,[22] les planches des
hangars s'en allaient une à une. Puis, cette mort de Marguerite
pesait sur nous. Babet, affolée, nous suppliait. Sur le grand lit, la
30 petite Marie restait seule paisible, sa poupée entre les bras, dormant
avec son bon sourire d'ange.

A chaque minute, le péril croissait. L'eau allait atteindre l'appui
de la fenêtre et envahir la chambre. On aurait dit qu'une machine
de guerre ébranlait la ferme à coups sourds, profonds, réguliers. Le
35 courant devait nous prendre en pleine façade. Et nous ne pouvions
espérer aucuns secours humains!

—Les minutes sont précieuses, dit Jacques avec angoisse. Nous
allons être écrasés sous les décombres[23] . . . Cherchons des
planches, construisons un radeau.

crumbling.   23. ruins.   24. Heaven was kind.   25. straw, thatch.

Il disait cela dans la fièvre. Certes, j'aurais mille fois préféré être au milieu de la rivière, sur quelques poutres liées ensemble, que sous le toit de cette maison qui allait s'effondrer. Mais où prendre les poutres nécessaires? De rage, j'arrachai les planches des armoires, Jacques brisa les meubles, nous enlevâmes les volets, toutes les 5 pièces de bois que nous pûmes atteindre. Et sentant qu'il était impossible d'utiliser ces débris, nous les jetions au milieu de la chambre, devenus furieux, cherchant toujours.

Notre dernière espérance s'en allait, nous comprenions notre misère et notre impuissance. L'eau montait; les voix rauques de la 10 Durance nous appelaient avec colère. Alors, j'éclatai en sanglots, je pris Babet entre mes bras frémissants, je suppliai Jacques de venir près de nous. Je voulais que nous mourions tous dans une même étreinte.

Jacques s'était remis à la fenêtre. Et, brusquement: 15
—Père, cria-t-il, nous sommes sauvés! . . . Viens voir.

Le ciel était bon.[24] Le toit d'un hangar, arraché par le courant, venait d'échouer devant la fenêtre. Ce toit, large de plusieurs mètres, était fait de poutres légères et de chaume;[25] il surnageait,[26] il devait former un excellent radeau. Je joignis les mains, j'aurais 20 adoré ce bois et cette paille.

Jacques sauta sur le toit, après l'avoir fortement amarré. Il marcha sur le chaume, s'assurant de la solidité de chaque partie. Le chaume résista; nous pouvions nous aventurer[27] sans crainte.

—Oh! il nous portera bien tous, dit Jacques joyeusement. Vois 25 donc comme il s'enfonce peu dans l'eau! . . . Le difficile sera de le diriger.

Il regarda autour de lui et saisit au passage deux perches que le courant emportait.

—Eh! voici les rames, continua-t-il . . . Père, nous nous met- 30 trons, toi à l'arrière, moi à l'avant, et nous conduirons aisément le radeau. Il n'y a pas trois mètres de fond[28] . . . Vite, vite, embarquez, il ne faut pas perdre une minute.

Ma pauvre Babet tâchait de sourire. Elle enveloppa délicatement la petite Marie dans un châle; l'enfant venait de se réveiller; 35 tout effrayée, elle gardait un silence coupé de gros soupirs. Je mis une chaise devant la fenêtre, je fis monter Babet sur le radeau. Comme je la tenais dans mes bras, je l'embrassai avec une émotion

---

26. floated.   **27.** venture (out onto it).   **28.** The depth isn't (even) three meters.   **29.** pale dawn.   **30.** fields under cultivation.   **31.** at random.

poignante; je sentais que ce baiser était un baiser suprême.

L'eau commençait à couler dans la chambre. Nous avions les pieds trempés. Je m'embarquai le dernier; puis, je déliai la corde. Le courant nous collait contre le mur; il nous fallut des précau-
5 tions et des efforts infinis pour nous éloigner de la ferme.

Peu à peu, le brouillard était tombé. Lorsque nous partîmes, il pouvait être minuit. Les étoiles se noyaient encore dans une buée; la lune, presque au bord de l'horizon, éclairait la nuit d'une sorte d'aurore blafarde.[29]
10 C'est alors que l'inondation nous apparut dans toute son horreur grandiose. La vallée était devenue fleuve. D'un coteau à l'autre, entre les masses sombres des cultures,[30] la Durance passait énorme, seule vivante dans l'horizon mort, grondant d'une voix souveraine, gardant dans sa colère la majesté de son jet colossal. Par endroits,
15 des bouquets d'arbres émergeaient, tachant la nappe pâle de marbrures noires. Je reconnus, devant nous, les cimes des chênes de l'allée; le courant nous poussait vers ces branches qui étaient pour nous autant de récifs. Autour du radeau flottaient des débris, des pièces de bois, des tonneaux vides, des paquets d'herbes; la rivière
20 charriait les ruines que sa colère avait faites.

A gauche, nous apercevions les lumières de Dourgues. Des lueurs de lanternes couraient dans la nuit. L'eau n'avait pas dû monter jusqu'au village; les terres basses seules étaient envahies. Des secours allaient arriver sans doute. Nous interrogions les clartés qui traî-
25 naient sur l'eau; il nous semblait, à chaque instant, entendre des bruits de rames.

Nous étions partis à l'aventure.[31] Dès que le radeau fut au milieu du courant, perdu dans les tourbillons de la rivière, l'angoisse nous reprit, nous regrettâmes presque d'avoir quitté la ferme. Je me
30 tournai parfois, je regardai la maison qui restait toujours debout, grise sur l'eau blanche. Babet, accroupie au milieu du radeau, dans le chaume du toit, tenait la petite Marie sur ses genoux, la tête contre sa poitrine, pour lui cacher l'horreur de la rivière, toutes deux repliées, courbées dans un embrassement, comme rapetis-
35 sées [32] par la crainte. Jacques, debout à l'avant, appuyait de toute sa puissance sur sa perche; il nous jetait, par instants, de rapides regards, puis se remettait silencieusement à la besogne. Je le secondais de mon mieux, mais nos efforts pour gagner la rive restaient sans

32. made smaller.   33. mud.   34. to the breaking point.   35. out into

effet. Peu à peu, malgré nos perches que nous enfoncions dans la vase[33] à les briser,[34] nous étions dérivés; une force, qui semblait venir du fond de l'eau, nous poussait au large.[35] Lentement, la Durance s'emparait de nous.

Luttant, baignés de sueur, nous en étions arrivés à la colère, nous 5
nous battions avec la rivière comme avec un être vivant, cherchant à la vaincre, à la blesser, à la tuer. Elle nous serrait entre ses bras de géant, et nos perches devenaient, dans nos mains, des armes que nous lui enfoncions en pleine poitrine avec rage. Elle rugissait, elle nous jetait sa bave[36] au visage, elle se tordait sous nos coups. Les 10
dents serrées, nous résistions à sa victoire. Nous ne voulions pas être vaincus. Et il nous prenait des envies folles d'assommer le monstre, de le calmer à coups de poing.

Lentement, nous allions au large. Nous étions déjà à l'entrée de l'allée de chênes. Les branches noires perçaient l'eau qu'elles 15
déchiraient avec des bruits lamentables. La mort nous attendait peut-être là, dans un heurt.[37] Je criai à Jacques de prendre l'allée et de la suivre, en s'appuyant aux branches. Et c'est ainsi que je passai une dernière fois au milieu de cette allée de chênes où j'avais promené ma jeunesse et mon âge mûr. Dans la nuit terrible, sur 20
le gouffre hurlant, je songeai à mon oncle Lazare, je vis les belles heures de ma vie me sourire tristement.

Au bout de l'allée, la Durance triompha. Nos perches ne touchèrent plus le fond. L'eau nous emporta dans l'élan furieux de sa victoire. Et maintenant elle pouvait faire de nous ce qu'il lui 25
plairait. Nous nous abandonnâmes. Nous descendions avec une rapidité effrayante. De grands nuages, des haillons sales et troués traînaient dans le ciel; puis, lorsque la lune se cachait, une obscurité lugubre tombait. Alors nous roulions dans le chaos. Des flots énormes d'un noir d'encre, pareils à des dos de poissons, nous 30
emportaient en tournoyant. Je ne voyais plus Babet ni les enfants. Je me sentais déjà dans la mort.[38]

J'ignore combien de temps dura cette course suprême.[39] Brusquement, la lune se dégagea, les horizons blanchirent. Et, dans cette lumière, j'aperçus en face de nous une masse noire, qui barrait le 35
chemin, et sur laquelle nous courions de toute la violence du courant. Nous étions perdus, nous allions nous briser là.

midstream.   36. foam.   37. collision, crash.   38. in the clutches of death.
39. climactic, decisive contest.   40. scattered.   41. if she had struggled.

Babet s'était levée toute droite. Elle me tendait la petite Marie.
—Prends l'enfant, me cria-t-elle . . . Laisse-moi, laisse-moi!
Jacques avait déjà saisi Babet dans ses bras. D'une voix forte:
—Père, dit-il, sauvez la petite . . . Je sauverai ma mère.

5　La masse noire était devant nous. Je crus reconnaître un arbre.
Le choc fut terrible, et le radeau, fendu en deux, sema [40] sa paille
et ses poutres dans le tourbillon de l'eau.

Je tombai, serrant avec force la petite Marie. L'eau glacée me
rendit tout mon courage. Remonté à la surface de la rivière, je
10　maintins l'enfant, je la couchai à moitié sur mon cou, et je me mis
à nager péniblement. Si la petite ne s'était pas évanouie et qu'elle
se fût débattue,[41] nous serions restés tous les deux au fond du
gouffre.

Et, tandis que je nageais, une anxiété me serrait à la gorge.
15　J'appelais Jacques, je cherchais à voir au loin; mais je n'entendais
que le grondement, je ne voyais que la nappe pâle de la Durance.
Jacques et Babet étaient au fond. Elle avait dû s'attacher à lui,
l'entraîner dans une étreinte mortelle. Quelle agonie atroce!
J'aurais voulu mourir; j'enfonçais lentement, j'allais les retrouver
20　sous l'eau noire. Et, dès que le flot touchait à la face de la petite
Marie, je luttais de nouveau avec une énergie farouche pour me
rapprocher de la rive.

C'est ainsi que j'abandonnai Babet et Jacques, désespéré de ne
pouvoir mourir comme eux, les appelant toujours d'une voix rauque.
25　La rivière me jeta sur les cailloux, pareil à un de ces paquets d'herbe
qu'elle laissait dans sa course. Lorsque je revins à moi,[42] je pris
entre les bras ma fille qui ouvrait les yeux. Le jour naissait. Ma nuit
d'hiver était finie, cette terrible nuit qui avait été complice du
meurtre de ma femme et de mon fils.

30　A cette heure, après des années de regrets, une dernière consolation me reste. Je suis l'hiver glacé, mais je sens en moi tressaillir le
printemps prochain. Mon oncle Lazare le disait: nous ne mourons
jamais. J'ai eu les quatre saisons, et voilà que je reviens au printemps, voilà que ma chère Marie recommence les éternelles joies
35　et les éternelles douleurs.

42. When I regained consciousness.

QUESTIONS

1. Expliquez l'importance de la petite Marie dans *Hiver*.
2. Définissez l'attitude philosophique de Jean devant la vie humaine.
3. La conduite des paysans dans *Hiver* vous paraît-elle sage, intelligente?
4. Les personnages vivent-ils d'une vie réelle ou semblent-ils des créations artificielles?
5. Jusqu'à quel point l'auteur réussit-il à créer une atmosphère d'inquiétude dans *Hiver*?
6. Quelles scènes préférez-vous chez Zola—les scènes dramatiques ou les scènes tranquilles?
7. Quelles qualités et quels défauts trouvez-vous dans le style de Zola?
8. Croyez-vous qu'*Hiver* soit mieux écrit que *Printemps*? Appuyez votre jugement sur quelques raisons solides.
9. Zola parvient-il à douer la Durance d'un caractère vivant? D'une valeur symbolique?
10. Décrivez le changement d'attitude de Jean envers la Durance. S'y est-il montré ingrat?
11. Commentez le sort des principaux personnages de ce conte.
12. L'histoire de cette famille souffre-t-elle d'un excès de sentimentalité?
13. Trouvez-vous dans ces contes des traces des préoccupations humanitaires qui devaient dominer les romans de Zola?

Guy de Maupassant

(1850–1898)

G UY DE MAUPASSANT was born near Dieppe in Normandy; here he spent his youth, in the country and near the sea which form the backdrop of many of his Norman tales (such as Le petit fût, Aux champs, Le retour, En mer). At the lycée in Rouen he became conscious of the poetic world, chiefly through the influence of one of his teachers, Louis Bouilhet; and it is interesting to find, interspersed among his usually somber studies, an occasional story pervaded with romantic sentiment and mystery (Le bonheur, L'épave). His voluntary service in the Franco-Prussian War in 1870 revealed to him some of the cruder aspects of life and the baser instincts of man and provided him with ample and varied materials for some of his most competent narratives (Deux amis, Le père Milon, La mère Sauvage). In Paris, where he settled in 1871, he worked first in the Ministry of the Navy and later in the Ministry of Public Instruction. The infinitely varied and yet always uniform types of the great Parisian middle class were recorded later with irony or satire or humor in some of his best-known stories (La parure, A cheval, En famille, Les bijoux).

He began at this time, but with great diffidence, to write. Under the guidance of the novelist Gustave Flaubert, a childhood friend of his mother, he underwent a rigorous literary training from which he emerged a modest but excellent writer. During this period of apprenticeship, he tried his hand at the short story, drama, and poetry. In 1880 his short story Boule de suif was published and created a sensation. Disgusted with the bureaucratic life and encouraged by his success, Maupassant decided to devote his entire time to literature. In the short space of ten years he displayed a surprising fecundity; he published nearly 300 short stories and six

46

novels. Some of his later writings, such as *Le Horla*, revealed an increasing preoccupation with the supernatural and betrayed the first signs of a serious nervous malady which greatly impaired his health. In the present collection the modest tale *Sur l'eau* represents this tendency in Maupassant's work. Subject to increasing periods of mental disorders and hallucinations, he finally was overcome by a complete breakdown and died soon thereafter.

Despite the merits of his novels, Maupassant is known today as one of the masters of the short story. The compact and concentrated form of this genre was well adjusted to his sober and precise temperament; his ability to choose the significant detail to suggest an illusion of reality is remarkable. Both within the larger framework of the novel and within the narrower one of the short story, Maupassant sketches the many social types which he had known and observed: the Norman peasant and fisherman, the river boatman, the French and German soldier, the government clerk and official, the provincial and Parisian bourgeois, even the higher class of society. His main preoccupation is to offer an absolutely faithful picture of reality as he saw it, perhaps with a slight preference for its more wretched, brutal, banal, and ridiculous sides.

BIBLIOGRAPHY

Ernest A. Boyd, *Guy de Maupassant; a Biographical Study* (1926).
R. Dumesnil, *Guy de Maupassant* (1933).
E. Maynial, *La vie et l'œuvre de Guy de Maupassant* (1907).

L'auteur raconte l'histoire, du point de vue de Dieu le Père Objectif

LES BIJOUX [1]

M. Lantin, ayant rencontré cette jeune fille, dans une soirée, chez son sous-chef de bureau, l'amour l'enveloppa comme un filet. *thread*

1. This is one of the many stories in which Maupassant portrays *employés*: white-collar workers, bureaucrats. The author evokes very briefly a milieu already well known to his readers by the use of such words as *sous-chef de bureau*, *percepteur*, *ministère*, *commis principal*, *appointements*, *fonctionnaire*. With deft strokes he suggests the qualities and faults of the typical bureaucrat: his punctuality, regularity, accurate attention to detail, mediocre intelligence, and lack of initiative and imagination. Salaries are low, but the position is regarded as respectable, so even a petty functionary has to keep up appearances in spite

C'était la fille d'un percepteur[2] de province, mort depuis plusieurs
années. Elle était venue ensuite à Paris avec sa mère, qui fréquentait
quelques familles bourgeoises de son quartier dans l'espoir de
marier la jeune personne. Elles étaient pauvres et honorables,
5 tranquilles et douces. La jeune fille semblait le type absolu de
l'honnête femme à laquelle le jeune homme sage rêve de confier
sa vie. Sa beauté modeste avait un charme de pudeur angélique, et
l'imperceptible sourire qui ne quittait point ses lèvres semblait un
reflet de son cœur.

10 Tout le monde chantait ses louanges; tous ceux qui la connais-
saient répétaient sans fin: «Heureux celui qui la prendra. On ne
pourrait trouver mieux.»

M. Lantin, alors commis principal[3] au ministère de l'Intérieur,
aux appointements annuels de trois mille cinq cents francs,[4] la
15 demanda en mariage et l'épousa.

Il fut avec elle invraisemblablement heureux. Elle gouverna sa
maison avec une économie si adroite qu'ils semblaient vivre dans
le luxe. Il n'était point d'attentions, de délicatesses, de chatteries
qu'elle n'eût pour son mari; et la séduction de sa personne était si
20 grande que, six ans après leur rencontre, il l'aimait plus encore
qu'aux premiers jours.

Il ne blâmait en elle que deux goûts, celui du théâtre et celui des
bijouteries fausses.

Ses amies (elle connaissait quelques femmes de modestes fonc-
25 tionnaires) lui procuraient à tous moments des loges pour les pièces
en vogue, même pour les premières représentations; et elle traînait,
bon gré, mal gré, son mari à ces divertissements qui le fatiguaient
affreusement après sa journée de travail. Alors il la supplia de
consentir à aller au spectacle avec quelque dame de sa connaissance
30 qui la ramènerait ensuite. Elle fut longtemps à céder, trouvant peu
convenable cette manière d'agir. Elle s'y décida enfin par complaisance, et il lui en sut un gré infini.[5]

Or, ce goût pour le théâtre fit bientôt naître en elle le besoin de
se parer. Ses toilettes demeuraient toutes simples, il est vrai, de bon
35 goût toujours, mais modestes; et sa grâce douce, sa grâce irrésistible,
humble et souriante, semblait acquérir une saveur nouvelle de la

of his small income.   2. tax collector.   3. head clerk.   4. $700—this, of
course, in the 1870's. This was a relatively good position. Some of the ordinary
clerks in Maupassant's stories receive as little as 1500 francs per year.   5. was

simplicité de ses robes, mais elle prit l'habitude de pendre à ses oreilles deux gros cailloux du Rhin qui simulaient des diamants, et elle portait des colliers de perles fausses, des bracelets en similor,[6] des peignes agrémentés de verroteries[7] variées jouant les pierres fines. 5

Son mari, que choquait un peu cet amour du clinquant, répétait souvent: «Ma chère, quand on n'a pas le moyen de se payer des bijoux véritables, on ne se montre parée que de sa beauté et de sa grâce, voilà encore les plus rares joyaux.»

Mais elle souriait doucement et répétait: «Que veux-tu? J'aime 10 ça. C'est mon vice. Je sais bien que tu as raison; mais on ne se refait pas. J'aurais adoré les bijoux, moi!»

Et elle faisait rouler dans ses doigts les colliers de perles, miroiter les facettes de cristaux taillés, en répétant: «Mais regarde donc comme c'est bien fait. On jurerait du vrai.» 15

Il souriait en déclarant: «Tu as des goûts de Bohémienne.»[8]

Quelquefois, le soir, quand ils demeuraient en tête à tête au coin du feu, elle apportait sur la table où ils prenaient le thé la boîte de maroquin où elle enfermait la «pacotille»,[9] selon le mot de M. Lantin; et elle se mettait à examiner ces bijoux imités avec une at- 20 tention passionnée, comme si elle eût savouré quelque jouissance secrète et profonde; et elle s'obstinait à passer un collier au cou de son mari pour rire ensuite de tout son cœur en s'écriant: «Comme tu es drôle!» Puis elle se jetait dans ses bras et l'embrassait éper- dument. 25

Comme elle avait été à l'Opéra, une nuit d'hiver, elle rentra toute frissonnante de froid. Le lendemain elle toussait.[10] Huit jours plus tard elle mourait d'une fluxion de poitrine.

Lantin faillit la suivre dans la tombe. Son désespoir fut si terrible que ses cheveux devinrent blancs en un mois. Il pleurait du matin 30 au soir, l'âme déchirée d'une souffrance intolérable, hanté par le souvenir, par le sourire, par la voix, par tout le charme de la morte.

Le temps n'apaisa point sa douleur. Souvent pendant les heures du bureau, alors que les collègues s'en venaient causer un peu des choses du jour, on voyait soudain ses joues se gonfler, son nez se 35

tremendously grateful to her for it. **6.** an alloy resembling gold. **7.** imita- tion jewelry made of glass. **8.** Gypsy. **9.** collection of cheap goods, junk. **10.** The imperfect emphasizes the suddenness of the occurrence. The very next day found her coughing and in no more than a week she was on her deathbed.

plisser, ses yeux s'emplir d'eau; il faisait une grimace affreuse et se mettait à sangloter.

Il avait gardé intacte la chambre de sa compagne où il s'enfermait tous les jours pour penser à elle; et tous les meubles, ses vêtements 5 mêmes demeuraient à leur place comme ils se trouvaient au dernier jour.

Mais la vie se faisait dure pour lui. Ses appointements, qui, entre les mains de sa femme, suffisaient à tous les besoins du ménage, devenaient, à présent, insuffisants pour lui tout seul. Et il se de- 10 mandait avec stupeur comment elle avait su s'y prendre pour lui faire boire toujours des vins excellents et manger des nourritures délicates qu'il ne pouvait plus se procurer avec ses modestes ressources.

Il fit quelques dettes et courut après l'argent à la façon des gens 15 réduits aux expédients. Un matin enfin, comme il se trouvait sans un sou, une semaine entière avant la fin du mois, il songea à vendre quelque chose; et tout de suite la pensée lui vint de se défaire de la «pacotille» de sa femme, car il avait gardé au fond du cœur une sorte de rancune contre ces «trompe-l'œil» qui l'irritaient autrefois. 20 Leur vue même, chaque jour, lui gâtait un peu le souvenir de sa bien-aimée. — woman

Il chercha longtemps dans le tas de clinquant qu'elle avait laissé, car jusqu'aux derniers jours de sa vie elle en avait acheté obstinément, rapportant presque chaque soir un objet nouveau, et il se 25 décida pour le grand collier qu'elle semblait préférer, et qui pouvait bien valoir, pensait-il, six ou huit francs, car il était vraiment d'un travail très soigné pour du faux.

Il le mit en sa poche et s'en alla vers son ministère en suivant les boulevards, cherchant une boutique de bijoutier qui lui inspirât 30 confiance.

Il en vit une enfin et entra, un peu honteux d'étaler ainsi sa misère et de chercher à vendre une chose de si peu de prix.

—Monsieur, dit-il au marchand, je voudrais bien savoir ce que vous estimez ce morceau.

35 L'homme reçut l'objet, l'examina, le retourna, le soupesa, prit une loupe,[11] appela son commis, lui fit tout bas des remarques, reposa le collier sur son comptoir et le regarda de loin pour mieux juger de l'effet.

Note the same construction in the last paragraph of the story.   **11.** mag-

M. Lantin, gêné par toutes ces cérémonies, ouvrait la bouche pour déclarer: «Oh! je sais bien que cela n'a aucune valeur,»—quand le bijoutier prononça:

—Monsieur, cela vaut de douze à quinze mille francs; mais je ne pourrais l'acheter que si vous m'en faisiez connaître exactement la provenance.[12]

Le veuf ouvrit des yeux énormes et demeura béant, ne comprenant pas. Il balbutia enfin: «Vous dites? . . . Vous êtes sûr?» L'autre se méprit sur son étonnement, et, d'un ton sec: «Vous pouvez chercher ailleurs si on vous en donne davantage. Pour moi, cela vaut, au plus, quinze mille. Vous reviendrez me trouver si vous ne trouvez pas mieux.»

M. Lantin, tout à fait idiot, reprit son collier et s'en alla, obéissant à un confus besoin de se trouver seul et de réfléchir.

Mais, dès qu'il fut dans la rue, un besoin de rire le saisit, et il pensa: «L'imbécile! oh! l'imbécile! Si je l'avais pris au mot tout de même! En voilà un bijoutier qui ne sait pas distinguer le faux du vrai!»

Et il pénétra chez un autre marchand à l'entrée de la rue de la Paix. Dès qu'il eut aperçu le bijou, l'orfèvre s'écria:

—Ah! parbleu; je le connais bien, ce collier; il vient de chez moi.

M. Lantin, fort troublé, demanda:

—Combien vaut-il?

—Monsieur, je l'ai vendu vingt-cinq mille. Je suis prêt à le reprendre pour dix-huit mille, quand vous m'aurez indiqué, pour obéir aux prescriptions légales, comment vous en êtes détenteur.[13]

Cette fois M. Lantin s'assit perclus d'étonnement. Il reprit:—Mais . . . mais, examinez-le bien attentivement, Monsieur, j'avais cru jusqu'ici qu'il était en . . . faux.

Le joaillier reprit:—Voulez-vous me dire votre nom, Monsieur?

—Parfaitement. Je m'appelle Lantin, je suis employé au ministère de l'Intérieur, je demeure 16, rue des Martyrs.

Le marchand ouvrit ses registres, rechercha, et prononça:—Ce collier a été envoyé en effet à l'adresse de Mme Lantin, 16, rue des Martyrs, le 20 juillet 1876.

Et les deux hommes se regardèrent dans les yeux, l'employé éperdu de surprise, l'orfèvre flairant [14] un voleur.

nifying glass.   12. source.   13. possessor.   14. scenting, suspecting.

Celui-ci reprit:—Voulez-vous me laisser cet objet pendant vingt-quatre heures seulement, je vais vous en donner un reçu?

M. Lantin balbutia:—Mais oui, certainement. Et il sortit en pliant le papier qu'il mit dans sa poche.

5 Puis il traversa la rue, la remonta, s'aperçut qu'il se trompait de route, redescendit aux Tuileries, passa la Seine, reconnut encore son erreur, revint aux Champs-Elysées sans une idée nette dans la tête. Il s'efforçait de raisonner, de comprendre. Sa femme n'avait pu acheter un objet d'une pareille valeur. —Non, certes. —Mais 10 alors, c'était un cadeau! Un cadeau! Un cadeau de qui? Pourquoi?

Il s'était arrêté, et il demeurait debout au milieu de l'avenue. Le doute horrible l'effleura. —Elle? —Mais alors tous les autres bijoux étaient aussi des cadeaux! Il lui sembla que la terre remuait; qu'un 15 arbre, devant lui, s'abattait; il étendit les bras et s'écroula, privé de sentiment.

Il reprit connaissance dans la boutique d'un pharmacien où les passants l'avaient porté. Il se fit reconduire chez lui, et s'enferma.

Jusqu'à la nuit il pleura éperdument, mordant un mouchoir pour 20 ne pas crier. Puis il se mit au lit accablé de fatigue et de chagrin, et il dormit d'un pesant sommeil.

Un rayon de soleil le réveilla, et il se leva lentement pour aller à son ministère. C'était dur de travailler après de pareilles secousses. Il réfléchit alors qu'il pouvait s'excuser auprès de son chef; et il lui 25 écrivit. Puis il songea qu'il fallait retourner chez le bijoutier; et une honte l'empourpra. Il demeura longtemps à réfléchir. Il ne pouvait pourtant pas laisser le collier chez cet homme; il s'habilla et sortit.

Il faisait beau, le ciel bleu s'étendait sur la ville qui semblait sourire. Des flâneurs [15] allaient devant eux, les mains dans leurs 30 poches.

Lantin se dit, en les regardant passer: «Comme on est heureux quand on a de la fortune! Avec de l'argent on peut secouer jusqu'aux chagrins, on va où l'on veut, on voyage, on se distrait! Oh! si j'étais riche!»

35 Il s'aperçut qu'il avait faim, n'ayant pas mangé depuis l'avant-veille. Mais sa poche était vide, et il se ressouvint du collier. Dix-huit mille francs! Dix-huit mille francs! c'était une somme, cela!

Il gagna la rue de la Paix et commença à se promener de long

15. idlers, strollers.

en large sur le trottoir, en face de la boutique. Dix-huit mille francs! Vingt fois il faillit entrer; mais la honte l'arrêtait toujours. Il avait faim pourtant, grand'faim, et pas un sou. Il se décida brusquement, traversa la rue en courant pour ne pas se laisser le temps de réfléchir, et il se précipita chez l'orfèvre. 5

Dès qu'il l'aperçut, le marchand s'empressa, offrit un siège avec une politesse souriante. Les commis eux-mêmes arrivèrent, qui regardaient de côté Lantin, avec des gaietés dans les yeux et sur les lèvres.

Le bijoutier déclara:—Je me suis renseigné, Monsieur, et si vous 10 êtes toujours dans les mêmes dispositions, je suis prêt à vous payer la somme que je vous ai proposée.

L'employé balbutia:—Mais certainement.

L'orfèvre tira d'un tiroir dix-huit grands billets, les compta, les tendit à Lantin, qui signa un petit reçu et mit d'une main frémis- 15 sante l'argent dans sa poche.

Puis, comme il allait sortir, il se tourna vers le marchand qui souriait toujours, et, baissant les yeux:—J'ai . . . j'ai d'autres bijoux . . . qui me viennent . . . de la même succession. Vous conviendrait-il de me les acheter aussi? 20

Le marchand s'inclina:—Mais certainement, Monsieur.

Un des commis sortit pour rire à son aise; un autre se mouchait avec force.

Lantin impassible, rouge et grave, annonça:—Je vais vous les apporter. 25

Et il prit un fiacre pour aller chercher les joyaux.

Quand il revint chez le marchand, une heure plus tard, il n'avait pas encore déjeuné. Ils se mirent à examiner les objets pièce à pièce, évaluant chacun. Presque tous venaient de la maison.

Lantin, maintenant, discutait les estimations, se fâchait, exigeait 30 qu'on lui montrât les livres de vente, et parlait de plus en plus haut à mesure que s'élevait la somme.

Les gros brillants d'oreilles valent vingt mille francs, les bracelets trente-cinq mille, les broches, bagues et médaillons seize mille, une parure d'émeraudes et de saphirs quatorze mille; un solitaire sus- 35 pendu à une chaîne d'or formant collier quarante mille; le tout atteignant le chiffre de cent quatre-vingt-seize mille francs.

Le marchand déclara avec une bonhomie railleuse:—Cela vient d'une personne qui mettait toutes ses économies en bijoux.

Lantin prononça gravement:—C'est une manière comme une autre de placer son argent. Et il s'en alla après avoir décidé avec l'acquéreur qu'une contre-expertise [16] aurait lieu le lendemain.

Quand il se trouva dans la rue, il regarda la colonne Vendôme [17]
5 avec l'envie d'y grimper, comme si c'eût été un mât de cocagne. Il se sentait léger à jouer à saute-mouton [18] pardessus la statue de l'Empereur perché là-haut dans le ciel.

Il alla déjeuner chez Voisin [19] et but du vin à vingt francs la bouteille.

10 Puis il prit un fiacre et fit un tour au Bois.[20] Il regardait les équipages avec un certain mépris, oppressé du désir de crier aux passants: «Je suis riche aussi, moi. J'ai deux cent mille francs!»

Le souvenir de son ministère lui revint. Il s'y fit conduire, entra délibérément chez son chef et annonça:

15 —Je viens, Monsieur, vous donner ma démission. J'ai fait un héritage de trois cent mille francs. Il alla serrer la main de ses anciens collègues et leur confia ses projets d'existence nouvelle; puis il dîna au café Anglais.[19]

Se trouvant à côté d'un monsieur qui lui parut distingué, il ne
20 put résister à la démangeaison de lui confier, avec une certaine co-quetterie, qu'il venait d'hériter de quatre cent mille francs.

Pour la première fois de sa vie il ne s'ennuya pas au théâtre, et il passa sa nuit avec des filles.

Six mois plus tard il se remariait. Sa seconde femme était très
25 honnête, mais d'un caractère difficile. Elle le fit beaucoup souffrir.

QUESTIONS

1. Quelle était la situation sociale et financière de M. Lantin?
2. À quel monde appartenait Mme Lantin?
3. Est-ce que mari et femme avaient le même âge?
4. Quelle partie du conte l'auteur consacre-t-il à la vie de ce couple, avant la mort de Mme Lantin?
5. Comment Mme Lantin traitait-elle son mari?
6. Pourquoi n'est-il jamais question entre M. et Mme Lantin de fonder une famille?

16. second appraisal, confirming appraisal.   17. a column in the Place Ven-dôme which is 142 feet high and 13 feet in diameter and which commemorates the victories of Napoleon in 1805. M. Lantin is represented as feeling so elated that he could shinny up it as a boy does a greased pole.   18. play leapfrog.   19. fashionable restaurants of the time.   20. Bois de Boulogne, a fashionable park at the western edge of Paris.

7. Est-ce que l'auteur décrit la douleur de M. Lantin avec sympathie?
8. Quelles sont les premières difficultés qui frappent M. Lantin?
9. Pourquoi M. Lantin a-t-il songé tout d'abord à vendre les «faux» bijoux plutôt qu'autre chose?   _surprise_
10. Relevez la série de mots et d'expressions qui indiquent l'étonnement progressif de M. Lantin.
11. Lorsque nous découvrons que Mme Lantin a été plus fausse que ses bijoux, nous rappelons-nous certaines indications dans l'introduction de l'histoire qui auraient pu nous faire douter d'elle?
12. Quel est l'effet sur le mari de l'arrivée du matin?
13. Quelle est l'importance du temps et des passants dans la rue?
14. Qu'est-ce qui amène enfin M. Lantin à entrer dans la boutique?
15. Comment son attitude change-t-elle pendant la discussion de la vente des bijoux?
16. Pourquoi est-il si complètement bouleversé par l'acquisition d'une fortune?
17. Cette fortune est-elle vraiment suffisante pour expliquer son action de donner sa démission?
18. Pourquoi M. Lantin se remarie-t-il si vite?

LE PETIT FÛT [1]

Maître [2] Chicot, l'aubergiste [3] d'Epreville, arrêta son tilbury [4] devant la ferme de la mère [5] Magloire. C'était un grand gaillard de quarante ans, rouge et ventru, et qui passait pour malicieux. [6]

Il attacha son cheval au poteau de la barrière, puis il pénétra dans la cour. Il possédait un bien attenant aux terres de la vieille, qu'il convoitait depuis longtemps. Vingt fois il avait essayé de les acheter, mais la mère Magloire s'y refusait avec obstination.

—J'y sieus née, [7] j'y mourrai, disait-elle.

1. This story is one of the many in which Maupassant depicts the *paysan normand*. The farmer of Normandy, not unlike the New England farmer in many ways, lives in an apple country which produces hard cider and cider brandy. He is in general close with his money and attaches great importance to the ownership of land. Laconic and unemotional, he enjoys the drama of understatement and of getting the best of another through a certain legalistic shrewdness.   2. a title for a peasant of some importance and property.   3. The innkeeper is the one type among the peasants who is well fed. Most of them are lean and wizened like *la mère Magloire*.   4. two-wheeled buggy.   5. old lady. *La mère* and *le père* are used, not disrespectfully, to designate well-known older people of the class of *paysans*.   6. shrewd, tricky.   7. **J'y suis**

Il la trouva épluchant des pommes de terre devant sa porte
Agée de soixante-douze ans, elle était sèche, ridée, courbée, mais
infatigable comme une jeune fille. Chicot lui tapa dans le dos avec
amitié, puis s'assit près d'elle sur un escabeau.

5 —Eh bien! la mère, et c'te santé, toujours bonne?

—Pas trop mal, et vous, maît' Prosper?

—Eh! eh! quéques douleurs: [8] sans ça ce s'rait à satisfaction.

—Allons, tant mieux!

Et elle ne dit plus rien. Chicot la regardait accomplir sa besogne.
10 Ses doigts crochus, noués, durs comme des pattes de crabe, saisis-
saient à la façon de pinces les tubercules grisâtres dans une manne,
et vivement elle les faisait tourner, enlevant de longues bandes de
peau sous la lame d'un vieux couteau qu'elle tenait de l'autre main.
Et, quand la pomme de terre était devenue toute jaune, elle la
15 jetait dans un seau d'eau. Trois poules hardies s'en venaient l'une
après l'autre jusque dans ses jupes ramasser les épluchures, puis se
sauvaient à toutes pattes, portant au bec leur butin.

Chicot semblait gêné, hésitant, anxieux, avec quelque chose sur
la langue qui ne voulait pas sortir. A la fin, il se décida:

20 —Dites donc, mère Magloire . . .

—Qué qu'i a [9] pour votre service?

—C'te ferme, vous n'voulez toujours point m' la vendre?

—Pour ça, non. N'y comptez point. C'est dit, c'est dit, n'y
r'venez pas.

25 —C'est qu'j'ai trouvé un arrangement qui f'rait notre affaire à
tous les deux.

—Qué qu'c'est? [10]

—Le v'la. Vous m'la vendez, et pi [11] vous la gardez tout d'même.
Vous n'y êtes point? Suivez ma raison.

30 La vieille cessa d'éplucher ses légumes et fixa sur l'aubergiste ses
yeux vifs sous leurs paupières fripées.

Il reprit:

Je m'explique. J'vous donne, chaque mois, cent cinquante francs.
Vous entendcz bien: chaque mois j'vous apporte ici, avec mon til-

---

née. Maupassant uses a good many popular and local forms and expressions for
local color. The apostrophes indicating the dropping of e's and sometimes other
vowels he uses somewhat at random to give the effect of negligent popular
speech. Standard French equivalents of local expressions are given in the notes.
8. quelques douleurs; a few rheumatic pains. **9. Qu'est-ce qu'il y a.**
10. Qu'est-ce que c'est. 11. puis. 12. an obsolete coin, here used for a

bury, trente écus [12] de cent sous. Et pi n'y a rien de changé de plus,
rien de rien; vous restez chez vous, vous n'vous occupez point de
mé,[13] vous n'me d'vez rien. Vous n'faites que prendre mon argent.
Ça vous va-t-il?
Il la regardait d'un air joyeux, d'un air de bonne humeur. 5
La vieille le considérait avec méfiance, cherchant le piège. Elle
demanda:
—Ça, c'est pour mé; mais pour vous, c'te ferme, ça n'vous la
donne point?
Il reprit: 10
—N'vous tracassez point de ça. Vous restez tant que l'bon Dieu
vous laissera vivre. Vous êtes chez vous. Seulement vous m'ferez
un p'tit papier chez l'notaire pour qu'après vous ça me revienne.
Vous n'avez point d'éfants,[14] rien qu'des neveux que vous n'y tenez
guère.[15] Ça vous va-t-il? Vous gardez votre bien votre vie durant, et 15
j'vous donne trente écus de cent sous par mois. C'est tout gain pour
vous.
La vieille demeurait surprise, inquiète, mais tentée. Elle répliqua:
—Je n'dis point non. Seulement, j'veux m'faire une raison là-
dessus.[16] Rev'nez causer d'ça dans l'courant d'l'autre semaine.[17] 20
J'vous f'rai une réponse d'mon idée.
Et maître Chicot s'en alla, content comme un roi qui vient de
conquérir un empire.
La mère Magloire demeura songeuse. Elle ne dormit pas la nuit
suivante. Pendant quatre jours, elle eut une fièvre d'hésitation. 25
Elle flairait bien quelque chose de mauvais pour elle là-dedans,
mais la pensée des trente écus par mois, de ce bel argent sonnant
qui s'en viendrait couler dans son tablier, qui lui tomberait comme
ça du ciel, sans rien faire, la ravageait de désir.
Alors elle alla trouver le notaire et lui conta son cas. Il lui con- 30
seilla d'accepter la proposition de Chicot, mais en demandant
cinquante écus de cent sous au lieu de trente, sa ferme valant, au
bas mot,[18] soixante mille francs.
—Si vous vivez quinze ans, disait le notaire, il ne la payera encore,
de cette façon, que quarante-cinq mille francs. 35
La vieille frémit à cette perspective de cinquante écus de cent

five-franc piece.   13. moi.   14. enfants.   15. auxquels vous ne tenez
guère, whom you care very little about.   16. think it over, make up my
mind about it.   17. la semaine prochaine.   18. au moins.   19. plus.

sous par mois; mais elle se méfiait toujours, craignant mille choses
imprévues, des ruses cachées, et elle demeura jusqu'au soir à poser
des questions, ne pouvant se décider à partir. Enfin elle ordonna
de préparer l'acte, et elle rentra troublée comme si elle eût bu
5 quatre pots de cidre nouveau.

Quand Chicot vint pour savoir la réponse elle se fit longtemps
prier, déclarant qu'elle ne voulait pas, mais rongée par la peur qu'il
ne consentît point à donner les cinquante pièces de cent sous.
Enfin, comme il insistait, elle énonça ses prétentions.

10 Il eut un sursaut de désappointement et refusa.

Alors, pour le convaincre, elle se mit à raisonner sur la durée
probable de sa vie.

—Je n'en ai pas pour pu [19] de cinq à six ans pour sûr. Me v'là sur
mes soixante-treize, et pas vaillante [20] avec ça. L'aut'e soir, je
15 crûmes [21] que j'allais passer. Il me semblait qu'on me vidait l'corps,
qu'il a fallu [22] me porter à mon lit.

Mais Chicot ne se laissait pas prendre.

—Allons, allons, vieille pratique, [23] vous êtes solide comme
l'clocher d'l'église. Vous vivrez pour le moins cent dix ans. C'est
20 vous qui m'enterrerez, pour sûr.

Tout le jour fut encore perdu en discussions. Mais, comme la
vieille ne céda pas, l'aubergiste, à la fin, consentit à donner les
cinquante écus.

Ils signèrent l'acte le lendemain. Et la mère Magloire exigea dix
25 écus de pots de vin. [24]

Trois ans s'écoulèrent. La bonne femme se portait comme un
charme. [25] Elle paraissait n'avoir pas vieilli d'un jour, et Chicot se
désespérait. Il lui semblait, à lui, qu'il payait cette rente depuis un
demi-siècle, qu'il était trompé, floué, ruiné. Il allait de temps en
30 temps rendre visite à la fermière, comme on va voir en juillet, dans
les champs, si les blés sont mûrs pour la faux. Elle le recevait avec
une malice dans le regard. [26] On eût dit qu'elle se félicitait du bon
tour qu'elle lui avait joué; et il remontait bien vite dans son tilbury
en murmurant:

35 —Tu ne crèveras [27] donc point, carcasse!

Il ne savait que faire. Il eût voulu l'étrangler en la voyant. Il la

---

20. pas en très bonne santé.   21. j'ai cru.   22. au point qu'il a fallu.
23. old bluffer.   24. pourboire, bonus.   25. was in excellent health
(charme = kind of young oak).   26. mischievous look.   27. burst, die,

haïssait d'une haine féroce, sournoise, d'une haine de paysan volé.
Alors il chercha des moyens.

Un jour enfin, il s'en revint la voir en se frottant les mains,
comme il faisait la première fois lorsqu'il lui avait proposé le
marché.   5

Et, après avoir causé quelques minutes:

—Dites donc, la mère, pourquoi que vous ne v'nez point dîner à
la maison, quand vous passez à Epreville? On en jase; on dit comme
ça que j'sommes pu²⁸ amis, et ça me fait deuil. Vous savez, chez
mé, vous ne payerez point. J'suis pas regardant à²⁹ un dîner. Tant 10
que le cœur vous en dira, v'nez sans retenue, ça m'fera plaisir.

La mère Magloire ne se le fit point répéter, et le surlendemain,
comme elle allait au marché dans sa carriole³⁰ conduite par son
valet Célestin, elle mit sans gêne son cheval à l'écurie chez maître
Chicot, et réclama le dîner promis.   15

L'aubergiste, radieux, la traita comme une dame, lui servit du
poulet, du boudin,³¹ de l'andouille,³² du gigot³³ et du lard aux
choux.³⁴ Mais elle ne mangea presque rien, sobre depuis son enfance, ayant toujours vécu d'un peu de soupe et d'une croûte de
pain beurrée.   20

Chicot insistait, désappointé. Elle ne buvait pas non plus. Elle
refusa de prendre du café.

Il demanda:

—Vous accepterez toujours bien un p'tit verre.

—Ah! pour ça oui. Je ne dis pas non.   25

Et il cria de tous ses poumons, à travers l'auberge:

—Rosalie, apporte la fine, la surfine, le fil-en-dix.³⁵

Et la servante apparut, tenant une longue bouteille ornée d'une
feuille de vigne en papier.

Il emplit deux petits verres.   30

—Goûtez ça, la mère, c'est de la fameuse.

Et la bonne femme se mit à boire tout doucement, à petites
gorgées, faisant durer le plaisir. Quand elle eut vidé son verre, elle
l'égoutta,³⁶ puis déclara:

—Ça, oui, c'est de la fine.   35

"croak." **28. nous ne sommes plus.** 29. stingy about. 30. old covered two-wheeled carriage. 31. blood sausage. 32. sausage filled with tripe.
33. leg of lamb. 34. salt pork and cabbage. 35. brandy distilled from ten
times the quantity of wine or cider. 36. tipped it up to get the last drop.

Elle n'avait point fini de parler que Chicot lui en versait un second coup. Elle voulut refuser, mais il était trop tard, et elle le dégusta [37] longuement, comme le premier.

Il voulut alors lui faire accepter une troisième tournée, mais elle
5 résista. Il insistait:

—Ça, c'est du lait, voyez-vous; mé j'en bois dix, douze, sans embarras. Ça passe comme du sucre. Rien au ventre, rien à la tête; on dirait que ça s'évapore sur la langue. Y a rien de meilleur pour la santé!

10 Comme elle en avait bien envie, elle céda, mais elle n'en prit que la moitié du verre.

Alors Chicot, dans un élan de générosité, s'écria:

—T'nez, puisqu'elle vous plaît, j'vas [38] vous en donner un p'tit fût, histoire de [39] vous montrer que j'sommes toujours une paire
15 d'amis.

La bonne femme ne dit pas non, et s'en alla un peu grise.

Le lendemain, l'aubergiste entra dans la cour de la mère Magloire, puis tira du fond de sa voiture une petite barrique cerclée de fer. Puis il voulut lui faire goûter le contenu, pour prouver que
20 c'était bien la même fine; et, quand ils en eurent encore bu chacun trois verres, il déclara, en s'en allant:

—Et puis, vous savez, quand n'y en aura pu,[40] y en a encore; n'vous gênez point. Je n'suis pas regardant. Pu tôt que ce sera fini, pu que je serai content.
25 Et il remonta dans son tilbury.

Il revint quatre jours plus tard. La vieille était devant sa porte, occupée à couper le pain de la soupe.

Il s'approcha, lui dit bonjour, lui parla dans le nez, histoire de sentir son haleine. Et il reconnut un souffle d'alcool. Alors son
30 visage s'éclaira.

—Vous m'offrirez bien un verre de fil? dit-il.

Et ils trinquèrent deux ou trois fois.

Mais bientôt le bruit courut dans la contré que la mère Magloire s'ivrognait toute seule. On la ramassait tantôt [41] dans sa cuisine,
35 tantôt dans sa cour, tantôt dans les chemins des environs, et il fallait la rapporter chez elle, inerte comme un cadavre.

Chicot n'allait plus chez elle, et, quand on lui parlait de la paysanne, il murmurait avec un visage triste:

37. sipped.　38. je vais.　39. just for the sake of.　40. il n'y en aura plus.　41. quelquefois.　42. N'est-ce pas.　43. il n'y a pas.

—C'est-il [42] pas malheureux, à son âge, d'avoir pris c't'habitude-là? Voyez-vous, quand on est vieux, y a pas [43] de ressource. Ça finira bien par lui jouer un mauvais tour!

Ça lui joua un mauvais tour, en effet. Elle mourut l'hiver suivant, vers la Noël, étant tombée, saoule,[44] dans la neige.   5

Et maître Chicot hérita de la ferme en déclarant:

—C'te manante, si alle s'était point boissonnée, alle en avait bien pour dix ans de plus.[45]

QUESTIONS

1. Comment Maupassant entre-t-il en matière dans cette histoire?
2. Quel contraste voit-on entre les deux personnages?
3. Quelle attitude Chicot montre-t-il envers la mère Magloire?
4. À quoi sert la description de la vieille femme en train d'éplucher les pommes de terre?
5. Quelle est la proposition faite enfin par Chicot?
6. Quelle est la première réaction de la vieille?
7. La proposition de Chicot était-elle loyale? Avait-il des chances d'y perdre quelque chose?
8. Quels arguments la vieille a-t-elle employés pour tirer encore plus d'argent de Chicot?
9. Qu'est-ce qui faisait désespérer celui-ci?
10. Quel sentiment conçoit-il envers la vieille?
11. Quel est son but en l'invitant à dîner?
12. Que pensez-vous de la rapidité de l'action à la dernière page par comparaison avec le reste de l'histoire?
13. Que fait Chicot pour jouer le désintéressé?
14. Quelle est l'intention de l'histoire? Est-ce simplement de faire rire?
15. Étudiez l'humour chez Maupassant.

SUR L'EAU [1]

J'avais loué, l'été dernier, une petite maison de campagne au bord de la Seine, à plusieurs lieues de Paris, et j'allais y coucher

---

44. drunk. 45. That good-for-nothing woman; if she hadn't taken to drink, she had a good ten years left to live.

1. Maupassant wrote a considerable number of stories dealing with hallucinations (La peur, La main) and the tortures of a too lively imagination (Un lâche). He doubtless had some of these experiences personally, but the stories, like those of Poe, are deliberately and logically constructed to produce an

tous les soirs. Je fis, au bout de quelques jours, la connaissance d'un de mes voisins, un homme de trente à quarante ans, qui était bien le type le plus curieux que j'eusse jamais vu. C'était un vieux canotier, mais un canotier enragé, toujours près de l'eau, toujours sur
5 l'eau, toujours dans l'eau. Il devait être né dans un canot, et il mourra bien certainement dans le canotage final.

Un soir que nous nous promenions au bord de la Seine, je lui demandai de me raconter quelques anecdotes de sa vie nautique. Voilà immédiatement mon bonhomme qui s'anime, se transfigure,
10 devient éloquent, presque poète. Il avait dans le cœur une grande passion, une passion dévorante, irrésistible: la rivière.

—Ah! me dit-il, combien j'ai de souvenirs sur cette rivière que vous voyez couler là près de nous! Vous autres, habitants des rues, vous ne savez pas ce qu'est la rivière. Mais écoutez un pêcheur
15 prononcer ce mot. Pour lui, c'est la chose mystérieuse, profonde, inconnue, le pays des mirages et des fantasmagories, où l'on voit, la nuit, des choses qui ne sont pas, où l'on entend des bruits que l'on ne connaît point, où l'on tremble sans savoir pourquoi, comme en traversant un cimetière: et c'est en effet le plus sinistre des
20 cimetières, celui où l'on n'a point de tombeau.

La terre est bornée pour le pêcheur, et dans l'ombre, quand il n'y a pas de lune, la rivière est illimitée. Un marin n'éprouve point la même chose pour la mer. Elle est souvent dure et méchante, c'est vrai, mais elle crie, elle hurle, elle est loyale, la grande mer;
25 tandis que la rivière est silencieuse et perfide. Elle ne gronde pas, elle coule toujours sans bruit, et ce mouvement éternel de l'eau qui coule est plus effrayant pour moi que les hautes vagues le l'Océan.

Des rêveurs prétendent que la mer cache dans son sein d'immenses pays bleuâtres, où les noyés roulent parmi les grands pois-
30 sons, au milieu d'étranges forêts et dans des grottes de cristal. La rivière n'a que des profondeurs noires où l'on pourrit dans la vase. Elle est belle pourtant quand elle brille au soleil levant et qu'elle clapote doucement entre ses berges couvertes de roseaux qui murmurent.

emotional effect on the reader. The descriptions of the river are also founded on personal experience, for Maupassant was himself a *canotier enragé*. Note the repetitions: *canotier, canot, canotage, près de l'eau, sur l'eau, dans l'eau,* etc. Note also the effect of the personal narrative by the man who has had the experience. Maupassant still clings, however, to the tradition of literary French in that he has the narrator use the past definite tense.   **2.** Victor Hugo.

Le poète [2] a dit en parlant de l'Océan:

O flots, que [3] vous savez de lugubres histoires!
Flots profonds, redoutés des mères à genoux,
Vous vous les racontez en montant les marées
Et c'est ce qui vous fait ces voix désespérées
Que vous avez, le soir, quand vous venez vers nous.   5

Eh bien, je crois que les histoires chuchotées par les roseaux minces avec leurs petites voix si douces doivent être encore plus sinistres que les drames lugubres racontés par les hurlements des vagues.   10

Mais puisque vous me demandez quelques-uns de mes souvenirs, je vais vous dire une singulière aventure qui m'est arrivée ici, il y a une dizaine d'années.

J'habitais, comme aujourd'hui, la maison de la mère Lafon, et un de mes meilleurs camarades, Louis Bernet, qui a maintenant 15 renoncé au canotage, à ses pompes et à son débraillé [4] pour entrer au Conseil d'Etat,[5] était installé au village de C . . ., deux lieues plus bas. Nous dînions tous les jours ensemble, tantôt chez lui, tantôt chez moi.

Un soir, comme je revenais tout seul et assez fatigué, traînant 20 péniblement mon gros bateau, un océan [6] de douze pieds, dont je me servais toujours la nuit, je m'arrêtai quelques secondes pour reprendre haleine auprès de la pointe des roseaux, là-bas, deux cents mètres environ avant le pont du chemin de fer. Il faisait un temps magnifique; la lune resplendissait, le fleuve brillait, l'air 25 était calme et doux. Cette tranquillité me tenta; je me dis qu'il ferait bien bon fumer une pipe en cet endroit. L'action suivit la pensée; je saisis mon ancre et la jetai dans la rivière.

Le canot, qui redescendait avec le courant, fila sa chaîne jusqu'au bout, puis s'arrêta; et je m'assis à l'arrière sur ma peau de mouton, 30 aussi commodément qu'il me fut possible. On n'entendait rien, rien: parfois seulement, je croyais saisir un petit clapotement presque insensible de l'eau contre la rive, et j'apercevais des groupes

Maupassant quotes the final verses of the well-known poem, *Oceano Nox*. 3. combien.   4. informality of dress, shirt sleeves.   5. a sort of high court of appeals, having jurisdiction in cases in which the government is involved. The position of *conseiller d'état* seems to have appealed to Maupassant (compare his story *Le protecteur*) as a perfect example of a pretentious but unimportant position.   6. a type of boat.   7. an inveterate smoker, one who

de roseaux plus élevés qui prenaient des figures surprenantes et semblaient par moments s'agiter.

Le fleuve était parfaitement tranquille, mais je me sentis ému par le silence extraordinaire qui m'entourait. Toutes les bêtes,
5 grenouilles et crapauds, ces chanteurs nocturnes des marécages, se taisaient. Soudain, à ma droite, contre moi, une grenouille coassa. Je tressaillis: elle se tut; je n'entendis plus rien, et je résolus de fumer un peu pour me distraire. Cependant, quoique je fusse un culotteur⁷ de pipes renommé, je ne pus pas; dès la seconde bouffée,
10 le cœur me tourna et je cessai. Je me mis à chantonner; le son de ma voix m'était pénible; alors, je m'étendis au fond du bateau et je regardai le ciel. Pendant quelque temps, je demeurai tranquille, mais bientôt les légers mouvements de la barque m'inquiétèrent. Il me sembla qu'elle faisait des embardées⁸ gigantesques, touchant
15 tour à tour les deux berges du fleuve; puis je crus qu'un être ou qu'une force invisible l'attirait doucement au fond de l'eau et la soulevait ensuite pour la laisser retomber. J'étais ballotté comme au milieu d'une tempête; j'entendis des bruits autour de moi; je me dressai d'un bond: l'eau brillait. Tout était calme.
20   Je compris que j'avais les nerfs un peu ébranlés et je résolus de m'en aller. Je tirai sur ma chaîne; le canot se mit en mouvement, puis je sentis une résistance, je tirai plus fort, l'ancre ne vint pas; elle avait accroché quelque chose au fond de l'eau et je ne pouvais la soulever; je recommençai à tirer, mais inutilement. Alors, avec
25 mes avirons, je fis tourner mon bateau et je le portai en amont⁹ pour changer la position de l'ancre. Ce fut en vain, elle tenait toujours; je fus pris de colère et je secouai la chaîne rageusement. Rien ne remua. Je m'assis découragé et je me mis à réfléchir sur ma position. Je ne pouvais songer à casser cette chaîne ni à la
30 séparer de l'embarcation, car elle était énorme et rivée à l'avant dans un morceau de bois plus gros que mon bras; mais comme le temps demeurait fort beau, je pensai que je ne tarderais point, sans doute, à rencontrer quelque pêcheur qui viendrait à mon secours. Ma mésaventure m'avait calmé; je m'assis et je pus enfin fumer
35 ma pipe. Je possédais une bouteille de rhum, j'en bus deux ou trois verres, et ma situation me fit rire. Il faisait très chaud, de sorte qu'à la rigueur je pouvais, sans grand mal, passer la nuit à la belle étoile.

colors the bowls of meerschaum pipes.   **8.** sudden swings to one side, lurches.
9. upstream.   **10.** Lombardy poplars, a common feature of the French land

Soudain, un petit coup sonna contre mon bordage. Je fis un soubresaut, et une sueur froide me glaça des pieds à la tête. Ce bruit venait sans doute de quelque bout de bois entraîné par le courant, mais cela avait suffi et je me sentis envahi de nouveau par une étrange agitation nerveuse. Je saisis ma chaîne et je me raidis 5 dans un effort désespéré. L'ancre tint bon. Je me rassis épuisé.

Cependant, la rivière s'était peu à peu couverte d'un brouillard blanc très épais qui rampait sur l'eau fort bas, de sorte que, en me dressant debout, je ne voyais plus le fleuve, ni mes pieds, ni mon bateau, mais j'apercevais seulement les pointes des roseaux, puis, 10 plus loin, la plaine toute pâle de la lumière de la lune, avec de grandes taches noires qui montaient dans le ciel, formées par des groupes de peupliers d'Italie.[10] J'étais comme enseveli jusqu'à la ceinture dans une nappe de coton d'une blancheur singulière, et il me venait des imaginations fantastiques. Je me figurais qu'on 15 essayait de monter dans ma barque que je ne pouvais plus distinguer, et que la rivière, cachée par ce brouillard opaque, devait être pleine d'êtres étranges qui nageaient autour de moi. J'éprouvais un malaise horrible, j'avais les tempes serrées, mon cœur battait à m'étouffer, et, perdant la tête, je pensai à me sauver à la 20 nage; puis aussitôt cette idée me fit frissonner d'épouvante. Je me vis, perdu, allant à l'aventure dans cette brume épaisse, me débattant au milieu des herbes et des roseaux que je ne pourrais éviter, râlant de peur, ne voyant pas la berge, ne retrouvant plus mon bateau, et il me semblait que je me sentirais tiré par les pieds tout 25 au fond de cette eau noire.

En effet, comme il m'eût fallu remonter le courant au moins pendant cinq cents mètres avant de trouver un point libre d'herbes et de joncs où je pusse prendre pied, il y avait pour moi neuf chances sur dix de ne pouvoir me diriger dans ce brouillard et de 30 me noyer, quelque bon nageur que je fusse.

J'essayais de me raisonner. Je me sentais la volonté bien ferme de ne point avoir peur, mais il y avait en moi autre chose que ma volonté, et cette autre chose avait peur. Je me demandai ce que je pouvais redouter; mon *moi* brave railla mon *moi* poltron, et jamais 35 aussi bien que ce jour-là je ne saisis l'opposition des deux êtres qui sont en nous, l'un voulant, l'autre résistant, et chacun l'emportant tour à tour.

Cet effroi bête et inexplicable grandissait toujours et devenait

scape, especially along the highways.   **11.** tree toads.

de la terreur. Je demeurais immobile, les yeux ouverts, l'oreille tendue et attendant. Quoi? Je n'en savais rien, mais ce devait être terrible. Je crois que si un poisson se fût avisé de sauter hors de l'eau, comme cela arrive souvent, il n'en aurait pas fallu davantage 5 pour me faire tomber raide, sans connaissance.

Cependant, par un effort violent, je finis par ressaisir à peu près ma raison qui m'échappait. Je pris de nouveau ma bouteille de rhum et je bus à grands traits. Alors une idée me vint et je me mis à crier de toutes mes forces en me tournant successivement 10 vers les quatre points de l'horizon. Lorsque mon gosier fut absolument paralysé, j'écoutai. Un chien hurlait, très loin.

Je bus encore et je m'étendis tout de mon long au fond du bateau. Je restai ainsi peut-être une heure, peut-être deux, sans dormir, les yeux ouverts, avec des cauchemars autour de moi. Je 15 n'osais pas me lever et pourtant je le désirais violemment; je remettais de minute en minute. Je me disais: «Allons debout!» et j'avais peur de faire un mouvement. A la fin, je me soulevai avec des précautions infinies, comme si ma vie eût dépendu du moindre bruit que j'aurais fait, et je regardai par-dessus le bord.

20 Je fus ébloui par le plus merveilleux, le plus étonnant spectacle qu'il soit possible de voir. C'était une de ces fantasmagories du pays des fées, une de ces visions racontées par les voyageurs qui reviennent de très loin et que nous écoutons sans les croire.

Le brouillard qui, deux heures auparavant, flottait sur l'eau, s'était 25 peu à peu retiré et ramassé sur les rives. Laissant le fleuve absolument libre, il avait formé sur chaque berge une colline ininterrompue, haute de six ou sept mètres, qui brillait sous la lune avec l'éclat superbe des neiges. De sorte qu'on ne voyait rien autre chose que cette rivière lamée de feu entre ces deux montagnes blanches; 30 et là-haut, sur ma tête, s'étalait, pleine et large, une grande lune illuminante au milieu d'un ciel bleuâtre et laiteux.

Toutes les bêtes de l'eau s'étaient réveillées; les grenouilles coassaient furieusement, tandis que, d'instant en instant, tantôt à droite, tantôt à gauche, j'entendais cette note courte, monotone et 35 triste, que jette aux étoiles la voix cuivrée des crapauds.[11] Chose étrange, je n'avais plus peur; j'étais au milieu d'un paysage tellement extraordinaire que les singularités les plus fortes n'auraient pu m'étonner.

Combien de temps cela dura-t-il, je n'en sais rien, car j'avais fini par m'assoupir. Quand je rouvris les yeux, la lune était couchée, le ciel plein de nuages. L'eau clapotait lugubrement, le vent soufflait, il faisait froid, l'obscurité était profonde.

Je bus ce qui me restait de rhum, puis j'écoutai en grelottant le froissement des roseaux et le bruit sinistre de la rivière. Je cherchai 5 à voir, mais je ne pus distinguer mon bateau, ni mes mains elles-mêmes, que j'approchais de mes yeux.

Peu à peu, cependant, l'épaisseur du noir diminua. Soudain je crus sentir qu'une ombre glissait tout près de moi; je poussai un cri, une voix répondit; c'était un pêcheur. Je l'appelai, il s'approcha et 10 je lui racontai ma mésaventure. Il mit alors son bateau bord à bord avec le mien, et tous les deux nous tirâmes sur la chaîne. L'ancre ne remua pas. Le jour venait, sombre, gris, pluvieux, glacial, une de ces journées qui vous apportent des tristesses et des malheurs. J'aperçus une autre barque, nous la hélâmes. L'homme qui la montait unit ses 15 efforts aux nôtres; alors, peu à peu, l'ancre céda. Elle montait, mais doucement, doucement, et chargée d'un poids considérable. Enfin nous aperçûmes une masse noire, et nous la tirâmes à mon bord:

C'était le cadavre d'une vieille femme qui avait une grosse pierre au cou. 20

QUESTIONS

1. Qui raconte l'histoire? Dans quel décor?
2. Que savons-nous de sa personnalité?
3. Quel est le but de cette longue comparaison entre la mer et la rivière?
4. Le soir de son aventure quelle distance a-t-il dû parcourir en canot?
5. Peut-on voir le lieu de l'aventure pendant le récit?
6. Quelle importance cela a-t-il?
7. Pourquoi le narrateur a-t-il jeté l'ancre?
8. Qu'est-ce qui provoque sa première attaque d'émotion?
9. Quels efforts a-t-il faits pour s'éloigner de l'endroit?
10. Quel a été l'effet sur lui du petit coup qui a sonné contre son bordage?
11. Quelle est l'apparence de la rivière maintenant?
12. Lorsqu'il pense à se sauver à la nage, qu'est-ce qu'il a commencé à imaginer?
13. Que pensez-vous des remarques de Maupassant à propos des deux «moi»?
14. À quel moment le narrateur éprouve-t-il la plus grande terreur?
15. Quel spectacle a-t-il vu en regardant par-dessus le bord?

16. Quel est l'effet sur lui de ce qu'il voit et entend?
17. La phrase de la fin forme-t-elle une conclusion satisfaisante?
18. Reprenez et suivez le rythme des moments d'excitation et de calme à travers l'histoire.
19. Quelle est l'intention première de Maupassant en écrivant ce conte?

Villiers de l'Isle-Adam

(1838–1889)

THE importance of Count Jean Marie Mathias Philippe Auguste de Villiers de l'Isle-Adam in the history of French letters is due as much to his fascinating personality as to the exclusive and strange qualities of his works.

His first publication was a small volume of poetry (*Premières poésies*, 1859), which, despite its mediocrity, is interesting as a revelation of his romantic temperament.

His dramas (*Elën*, 1865; *Morgane*, 1866; *La révolte*, 1870; *Le Nouveau Monde*, 1880) have contributed much to the permanency of their author's fame. Especially important is his last one, the posthumous *Axël* (1890), which influenced W. B. Yeats. It is the testament of an obstinate idealist.

Villiers is the author of a philosophical novel, *L'Eve future* (1886)—its hero is Thomas Edison—which expresses with bitter irony the writer's critical view of modern science as well as his intense belief that the only true reality is to be sought in one's own spirit. Villiers' most powerful creation in the field of fiction is probably his character Tribulat Bonhomet, who, though never appearing in a full-length novel, is the grotesque hero of several short stories collected under his name.

Villiers de l'Isle-Adam has achieved immortality not only through his influence on many of his friends—Baudelaire in particular—but mainly through his short stories, three of which are presented here. Few are the writers who can be rated among the foremost of their age on the mere strength of their literary production in this genre, commonly considered as minor. In this respect Villiers is to be placed side by side with Maupassant. He is also—and the idea would have pleased him immensely—to be associated with Edgar Allan Poe, whose short stories, translated by Baudelaire in 1856–1858, he much admired. Like his American predecessor, like Mau-

69

passant himself who died a lunatic in 1893, Villiers was interested not only in human psychology as such but above all in the intuitive or subconscious functions of the human mind. Music is the esthetic medium perhaps most commonly associated with this expression of the mysterious; hence Villiers' great admiration for Richard Wagner, whom he visited in Lucerne in 1868. He himself played the piano and composed several pieces. These have not survived; because of his ignorance of score writing he could only entrust them to h:s prodigious memory. In the same fashion he would often keep in his memory several stories which were not yet ready to be written in their final form.

The Marquis de Villiers de l'Isle-Adam, the writer's father, squandered his entire fortune on purchasing pieces of land where he believed a treasure had been buried. More than once the author was in a state of complete penury, which he would not admit to his friends; he would rather earn a few francs as a boxing instructor than tarnish his proud Breton name, which, according to him, went back to the year 1067. The same respect for aristocratic tradition made him a Catholic, though of a rather unusual kind by reason of his active interest in occultism and in Hegelian philosophy.

His masterful short stories, many of which appeared first in periodicals, were collected in three volumes, *Contes cruels* (1883), *Histoires insolites* (1888), and *Nouveaux contes cruels* (1888), whose titles suggest more of their author's love for fantasy and irony, of his peculiar sense of humor, than of the deep and powerful esthetic feeling, of the gripping and undying idealism which are also characteristic of this picturesque writer.

BIBLIOGRAPHY

Max Daireaux, *Villiers de l'Isle-Adam* (1936).

Vincent O'Sullivan, "The tales and stories of Villiers de l'Isle-Adam," *Dublin Magazine* (April–June, 1940), pp. 25–34.

E. de Rougemont, *Villiers de l'Isle-Adam* (1910).

⌿

L'AFFICHAGE CÉLESTE [1]

À MONSIEUR HENRY GHYS

> "Eritis sicut Dii" [2]
> (Ancien Testament.)

Chose étrange et capable d'éveiller le sourire chez un financier: il s'agit du Ciel! Mais entendons-nous: du ciel considéré au point de vue industriel et sérieux.

Certains événements historiques, aujourd'hui scientifiquement avérés et expliqués (ou tout comme),[3] par exemple le Labarum [4] 5 de Constantin, les croix répercutées sur les nuages par des plaines de neige, les phénomènes de réfraction du mont Brocken [5] et certains effets de mirage dans les contrées boréales, ayant singulièrement intrigué et, pour ainsi dire piqué au jeu,[6] un savant ingénieur méridional, M. Grave, celui-ci conçut, il y a quelques années, le 10 projet lumineux d'utiliser les vastes étendues de la nuit, et d'élever, en un mot, le ciel à la hauteur de l'époque.

A quoi bon, en effet, ces voûtes azurées qui ne servent à rien, qu'à défrayer les imaginations maladives des derniers songe-creux? [7] Ne serait-ce pas acquérir de légitimes droits à la reconnaissance 15 publique, et, disons-le (pourquoi pas?), à l'admiration de la Postérité, que de convertir ces espaces stériles en spectacles réellement et fructueusement instructifs, que de faire valoir ces landes immenses et de rendre, finalement, d'un bon rapport, ces Solognes [8] indéfinies et transparentes? 20

Il ne s'agit pas ici de faire du sentiment. Les affaires sont les

---

1. First published November 30, 1873, in the periodical La Renaissance under the title of La découverte de M. Grave. It is one of the first of the short stories of Villiers. It was later collected under its present title in Contes cruels (1883).   2. "Ye shall be as gods." (Words of the serpent to Eve, Gen. iii, 5.)   3. or almost.   4. the imperial standard of Rome, adopted by Constantine on account of the sign of the cross (also called labarum) he had seen in the heavens.   5. granite mountain in the Harz Mountains in Germany. Villiers is probably referring to the specter of Brocken (so called for having been seen in 1780 on the Brocken), which is an enormously magnified shadow of an observer cast upon a cloud bank in high mountain regions when the sun is low.   6. placed on his mettle, aroused the gambling spirit of.   7. visionary.   8. swampy region in central France south of Orléans, reclama-

affaires. Il est à propos d'appeler le concours, et, au besoin, l'énergie des gens sérieux sur la valeur et les résultats *pécuniaires* de la découverte inespérée dont nous parlons.

De prime abord, le fond même de la chose paraît confiner à l'Im-
5 possible et presque à l'Insanité. Défricher[9] l'azur, coter[10] l'astre, exploiter les deux crépuscules, organiser le soir, mettre à profit le firmament jusqu'à ce jour improductif, quel rêve! quelle application épineuse, hérissée de difficultés! Mais, fort de[11] l'Esprit de progrès, dc quels problèmes l'Homme ne parviendrait-il pas à trouver la
10 solution?

Plein de cette idée et convaincu que si Franklin, Benjamin Franklin, l'imprimeur, avait arraché la foudre au ciel, il devait être possible, à *fortiori*, d'employer ce dernier à des usages humanitaires, M. Grave, étudia, voyagea, compara, dépensa, forgea, et, à la
15 longue, ayant perfectionné les lentilles[12] énormes et les gigantesques réflecteurs des ingénieurs américains, notamment des appareils de Philadelphie et de Québec (tombés, faute d'un génie tenace, dans le domaine du *Cant*[13] et du *Puff*[13]), M. Grave, disons-nous, se propose (nanti de brevets préalables[14]) d'offrir, incessam-
20 ment, à nos grandes industries manufacturières et même aux petits négociants, le secours d'une Publicité absolue.

Toute concurrence serait impossible devant le système du grand vulgarisateur. Qu'on se figure, en effet, quelques-uns de nos grands centres de commerce, aux populations houleuses, Lyon, Bordeaux,
25 etc., à l'heure où tombe le soir. On voit d'ici ce mouvement, cette vie, cette animation extraordinaire que les intérêts financiers sont seuls capables de donner, aujourd'hui, à des villes sérieuses. Tout à coup, de puissants jets de magnésium ou de lumière électrique, grossis cent mille fois, partent du sommet de quelque colline
30 fleurie, enchantements des jeunes ménages,—d'une colline analogue, par exemple, à notre cher Montmartre;—ces jets lumineux, maintenus par d'immenses réflecteurs versicolores, envoient, brusquement, au fond du ciel, entre Sirius[15] et Aldébaran,[16] l'Œil du taureau, sinon même au milieu des Eyades,[17] l'image gracieuse de

tion of which was begun by Napoleon III.   **9.** bring under cultivation.
10. to give financial value to, to evaluate.   **11.** imbued with.   **12.** lenses.
13. English words.   **14.** provided with the prerequisite patent rights.
15. Sirius, the Dog Star.   **16.** star in the eye of Taurus (constellation).
17. possibly a made-up word, suggestive of the Pleiades.   **18.** Ursa Major,

ce jeune adolescent qui tient une écharpe sur laquelle nous lisons tous les jours, avec un nouveau plaisir, ces belles paroles: *On restitue l'or de toute emplette qui a cessé de ravir!* Peut-on bien s'imaginer les expressions différentes que prennent, alors, toutes ces têtes de la foule, ces illuminations, ces bravos, cette allégresse?— 5 Après le premier mouvement de surprise, bien pardonnable, les anciens ennemis s'embrassent, les ressentiments domestiques les plus amers sont oubliés: l'on s'asseoit sous la treille pour mieux goûter ce spectacle à la fois magnifique et instructif,—et le nom de M. Grave, emporté sur l'aile des vents, s'envole vers l'Immortalité. 10

Il suffit de réfléchir, un tant soit peu, pour concevoir les résultats de cette ingénieuse invention.—Ne serait-ce pas de quoi étonner la Grande-Ourse [18] elle-même, si, soudainement, surgissait, entre ses pattes sublimes, cette annonce inquiétante: *Faut-il des corsets, oui, ou non?* Ou mieux encore: ne serait-ce pas un spectacle capable 15 d'alarmer les esprits faibles et d'éveiller l'attention du clergé que de voir apparaître, sur le disque même de notre satellite, sur la face épanouie de la Lune, cette merveilleuse pointe-sèche [19] que nous avons tous admirée sur les boulevards et qui a pour exergue: [20] *A l'Hirsute?* [21] Quel coup de génie si, dans l'un des segments tirés 20 entre le *v* de l'Atelier du Sculpteur,[22] on lisait enfin: *Vénus, réduction* [23] *Kaulla!*—Quel émoi si, à propos de ces liqueurs de dessert dont on recommande l'usage à plus d'un titre, on apercevait, dans le sud de Régulus,[24] ce chef-lieu [25] du Lion, sur la pointe même de l'Épi de la Vierge,[26] un Ange tenant un flacon à la main, tandis 25 que sortirait de sa bouche un petit papier sur lequel on lirait ces mots: *Dieu, que c'est bon!* . . .

Bref, on conçoit qu'il s'agit, ici, d'une entreprise d'affichage sans précédents, à responsabilité illimitée, au matériel infini: le Gouvernement pourrait même la garantir,[27] pour la première fois de sa 30 vie.

Il serait oiseux de s'appesantir sur les services, vraiment éminents, qu'une telle découverte est appelée à rendre à la société et au

the Great Bear, or the Big Dipper. **19.** dry-point etching, i.e., figure that looks as though it were etched. **20.** catch-line. **21.** For the Hairy Monster. **22.** star Nu of the constellation Apparatus Sculptoris. **23.** slenderizer. **24.** first-magnitude star in the constellation Leo. **25.** literally, the county seat; here, the star Regulus. **26.** spike of grain in the hand of Virgo. **27.** The French government usually issues patents with the initials SGDG

Progrès. Se figure-t-on, par exemple, la photographie sur verre, et le procédé de Lampascope [28] appliqués de cette façon,—c'est-à-dire cent mille fois grandis,—soit pour la capture des banquiers en fuite, soit pour celle des malfaiteurs célèbres?—Le coupable, désormais

5 facile à suivre, comme dit la chanson, ne pourrait mettre le nez à la fenêtre de son wagon sans apercevoir dans les nues sa figure dénonciatrice.

Et en politique! en matière d'élections, par exemple! Quelle prépondérance! Quelle suprématie! Quelle simplification incroyable

10 dans les moyens de propagande, toujours si onéreux!—Plus de ces petits papiers bleus, jaunes, tricolores, qui abîment les murs et nous redisent sans cesse le même nom, avec l'obsession d'un tintouin! [29] Plus de ces photographies si dispendieuses (le plus souvent imparfaites) et qui manquent leur but, c'est-à-dire qui n'excitent point

15 la sympathie des électeurs, soit par l'agrément des traits du visage des candidats, soit par l'air de majesté de l'ensemble! Car, enfin, la valeur d'un homme est dangereuse, nuisible et plus que secondaire, en politique; l'essentiel est qu'il ait l'air «digne» aux yeux de ses mandants.

20 Supposons qu'aux dernières élections, par exemple, les médaillons de MM. B . . . et A . . .[30] fussent apparus tous les soirs, en grandeur naturelle juste sous l'étoile β [31] de la Lyre?—C'était là leur place, on en conviendra! puisque ces hommes d'État enfourchèrent jadis Pégase,[32] si l'on doit en croire la Renommée. Tous les deux

25 eussent été exposés là, pendant la soirée qui eût précédé le scrutin; tous deux légèrement souriants, le front voilé d'une convenable inquiétude, et, néanmoins, la mine assurée. Le procédé du Lampascope pouvait même, à l'aide d'une petite roue, modifier à tout instant l'expression des deux physionomies. On eût pu les faire

30 sourire à l'Avenir, répandre des larmes sur nos mécomptes, ouvrir la bouche, plisser le front, gonfler les narines dans la colère, prendre l'air digne, enfin tout ce qui concerne la tribune [33] et donne tant de valeur à la pensée chez un véritable orateur. Chaque électeur eût fait son choix, eût pu, enfin, se rendre compte à l'avance, se fût fait

35 une idée de son député et n'eût pas, comme on dit, acheté chat en

---

affixed: *sans garantie du gouvernement.*   28. stereopticon, magic lantern. 29. din.   30. Les messieurs dont l'Auteur semble parler sont morts pendant que nous mettions sa nouvelle sous presse.—Note de l'Editeur.   31. Stars of the constellations are given Greek letters.   32. Pegasus.   33. rostrum.

poche.[34] On peut même ajouter que, sans la découverte de M. Grave, le Suffrage universel est une espèce de dérision. Attendons-nous, en conséquence, à ce que l'une de ces aubes, ou mieux, l'un de ces soirs, M. Grave, appuyé par le concours d'un gouvernement éclairé, commencera ses importantes expériences. 5 Les incrédules auront beau jeu d'ici là! Comme du temps où M. de Lesseps [35] parlait de réunir des Océans (ce qu'il a fait, malgré les incrédules). La Science aura donc, ici encore, le dernier mot et M. Excessivement-Grave laissera rire. Grâce à lui, le Ciel finira par être bon à quelque chose et par acquérir, enfin, une valeur in- 10 trinsèque.

QUESTIONS

1. Exposer la satire sociale et morale contenue dans ce conte.
2. Est-ce que l'épigraphe aide à l'interprétation de ce conte?
3. Du fait qu'il a été écrit en 1873, ce conte date-t-il beaucoup? Pourquoi?
4. Commenter le titre de ce conte.
5. Quelle est la portée politique de ce conte? Est-il nécessaire, pour l'apprécier, de connaître la date de sa rédaction?
6. Expliquer l'ironie contenue dans la dernière phrase.
7. Faites ressortir le contraste qui se dégage de la combinaison du style pseudo-scientifique et du style publicitaire. Quelle en est la valeur?

LES BRIGANDS [1]

À MONSIEUR HENRI ROUJON

> Qu'est le Tiers État? Rien.
> Que doit-il être? Tout.
> —SULLY,—puis SIEYÈS

Pibrac, Nayrac, duo de sous-préfectures jumelles reliées par un chemin vicinal [2] ouvert sous le régime des d'Orléans, chantonnaient, sous les cieux ravis, un parfait unisson de mœurs, d'affaires, de manières de voir.[3]

34. to buy a pig in a poke, to buy blind.   35. promoter of the Suez Canal.
1. This story was first published on February 9, 1883, in *Contes cruels.*
2. local.   3. views.   4. fiddler, as opposed to violinist (violoniste).

Comme ailleurs, la municipalité s'y distinguait par des passions; —comme partout, la bourgeoisie s'y conciliait l'estime générale et la sienne. Tous, donc, vivaient en paix et joie dans ces localités fortunées, lorsqu'un soir d'octobre il arriva que le vieux violoneux [4]
5 de Nayrac, se trouvant à court d'argent, accosta, sur le grand chemin, le marguillier [5] de Pibrac et, profitant des ombres, lui demanda quelque monnaie d'un ton péremptoire.

L'homme des Cloches, [6] en sa panique, n'ayant pas reconnu le violoneux, s'exécuta [7] gracieusement; mais, de retour à Pibrac, il
10 conta son aventure d'une telle sorte que, dans les imaginations enfiévrées par son récit, le pauvre vieux ménétrier de Nayrac apparut comme une bande de brigands affamés infestant le Midi et désolant le grand chemin par leurs meurtres, leurs incendies et leurs déprédations.

15 Sagaces, les bourgeois des deux villes avaient encouragé ces bruits, tant il est vrai que tout bon propriétaire est porté à exagérer les fautes des personnes qui font mine [8] d'en vouloir à ses capitaux. Non point qu'ils en eussent été dupes! Ils étaient allés aux sources. Ils avaient questionné le bedeau [9] après boire. Le bedeau s'était
20 coupé, [10]—et ils savaient, maintenant, mieux que lui, le fin mot de l'affaire! [11] . . . Toutefois, se gaussant [12] de la crédulité des masses, nos dignes citadins gardaient le secret pour eux tout seuls, comme ils aiment à garder toutes les choses qu'ils tiennent: ténacité qui, d'ailleurs, est le signe distinctif des gens sensés et éclairés.

25 La mi-novembre suivante, dix heures de la nuit sonnant au beffroi de la Justice de paix de Nayrac, chacun rentra dans son ménage d'un air plus crâne [13] que de coutume et le chapeau, ma foi! sur l'oreille, si bien que son épouse, lui sautant aux favoris, [14] l'appela «mousquetaire», ce qui chatouilla doucement leurs cœurs réciproques.
30 —Tu sais, madame N . . . , demain, dès patron-minette, [15] je pars.

—Ah! mon Dieu!

—C'est l'époque de la recette: il faut que j'aille, moi-même, chez nos fermiers . . .
35 —Tu n'iras pas.

---

5. honorary position filled by a lay member of the parish, deacon.   6. churchman, i.e., **le marguillier**.   7. forked out.   8. made a show of.   9. sexton.
10. had contradicted himself.   11. truth of the matter.   12. poking fun.
13. jaunty.   14. hugging him (**favoris**, side whiskers).   15. at early dawn.

—Et pourquoi non?

—Les brigands.

—Peuh! . . . J'en ai vu bien d'autres!

—Tu n'iras pas! . . . concluait chaque épouse, comme il sied [16]
entre gens qui se devinent.   5

—Voyons, mon enfant, voyons . . . Prévoyant tes angoisses et
pour te rassurer, nous sommes convenus de partir tous ensemble,
avec nos fusils de chasse, dans une grande carriole louée à cet effet.
Nos terres sont circonvoisines et nous reviendrons le soir. Ainsi,
sèche tes larmes et, Morphée invitant, permets que je noue paisi- 10
blement sur mon front les deux extrémités de mon foulard.

—Ah! du moment que vous allez tous ensemble, à la bonne
heure: tu dois faire comme les autres, murmura chaque épouse,
soudain calmée.

La nuit fut exquise. Les bourgeois rêvèrent assauts, carnage, 15
abordages, tournois et lauriers. Ils se réveillèrent donc, frais et
dispos, au gai soleil.

—Allons! . . . murmurèrent-ils, chacun, en enfilant ses bas après
un grand geste d'insouciance—et de manière à ce que la phrase fût
entendue de son épouse,—allons! le moment est venu. On ne meurt 20
qu'une fois!

Les dames, dans l'admiration, regardaient ces modernes pala-
dins et leur bourraient les poches de pâtes pectorales,[17] vu l'automne.

Ceux-ci, sourds aux sanglots, s'arrachèrent bientôt des bras qui 25
voulaient, en vain, les retenir . . .

—Un dernier baiser! . . . dirent-ils, chacun, sur le palier de son
étage.

Et ils arrivèrent, débouchant de leurs rues respectives, sur la
grand'place, où déjà quelques-uns d'entre eux (les célibataires) at- 30
tendaient leurs collègues, autour de la carriole, en faisant jouer, aux
rayons du matin, les batteries [18] de leurs fusils de chasse—dont ils
renouvelaient les amorces [19] en fronçant le sourcil.

Six heures sonnaient: le char-à-bancs se mit en marche aux mâles
accents de *la Parisienne*,[20] entonnée par les quatorze propriétaires 35
fonciers [21] qui le remplissaient. Pendant qu'aux fenêtres lointaines

16. is suitable.   17. cough drops.   18. hammer (of a firearm).   19. primer
(of a cartridge).   20. patriotic song composed after the Revolution of 1830.
21. landowners.   22. a man who does not have to work for his living because

des mains fiévreuses agitaient des mouchoirs éperdus, on distinguait
le chant héroïque:

> En avant, marchons
> Contre leurs canons!
> A travers le fer, le feu des bataillons!

Puis, le bras droit en l'air et avec une sorte de mugissement:

> Courons à la victoire!

Le tout scandé, en mesure, par les amples coups de fouet dont
le rentier [22] qui conduisait enveloppait, à tour de bras, les trois
chevaux.

La journée fut bonne.

Les bourgeois sont de joyeux vivants, ronds en affaires.[23] Mais
sur le chapitre de l'honnêteté, halte-là! par exemple: intègres à
faire pendre un enfant pour une pomme.

Chacun d'eux dîna donc chez son métayer,[24] pinça le menton de
la fille, au dessert, empocha la sacoche de l'affermage [25] et, après
avoir échangé avec la famille quelques proverbes bien sentis, comme:
—«Les bons comptes font les bons amis», ou «A bon chat, bon rat»,
ou «Qui travaille, prie», ou «Il n'y a pas de sot métier», ou «Qui
paie ses dettes, s'enrichit», et autres dictons d'usage, chaque propriétaire, se dérobant aux bénédictions convenues, reprit place, à
son tour, dans le char-à-bancs collecteur qui vint les recueillir, ainsi,
de ferme en ferme,—et, à la brune,[26] l'on se remit en route pour
Nayrac.

Toutefois, une ombre était descendue sur leurs âmes!—En effet,
certains récits des paysans avaient appris à nos propriétaires que le
violoneux avait fait école.[27] Son exemple avait été contagieux. Le
vieux scélérat s'était, paraît-il, renforcé d'une horde de voleurs réels
et,—surtout à l'époque de la recette,—la route n'était positivement
plus sûre. En sorte que, malgré les fumées, bientôt dissipées, du
clairet,[28] nos héros mettaient, maintenant, une sourdine [29] à la
Parisienne.

La nuit tombait. Les peupliers allongeaient leurs silhouettes
noires sur la route, le vent faisait remuer les haies. Au milieu des

---

he is supported by his **rentes. La rente** is the interest accruing from a
government bond.   23. frank and open in their business dealings.   24. tenant farmer.   25. rent money.   26. at dusk.   27. had set a fashion.
28. giddiness induced by the claret.   29. mute, soft pedal.   30. Mecklen-

mille bruits de la nature et alternant avec le trot régulier des trois mecklembourgeois,[30] on entendit, au loin, le hurlement de mauvais augure d'un chien égaré. Les chauves-souris voletaient autour de nos pâles voyageurs que le premier rayon de la lune éclaira tristement . . . Brrr! . . . On serrait maintenant les fusils entre les 5 genoux avec un tremblement convulsif: on s'assurait, sans bruit, de temps à autre, que la sacoche était dûment auprès de soi. On ne sonnait mot. Quelle angoisse pour des honnêtes gens!

Tout à coup, à la bifurcation [31] de la route, ô terreur!—des figures effrayantes et contractées apparurent; des fusils reluisirent; on en- 10 tendit un piétinement de chevaux et un terrible *Qui vive!* retentit dans les ténèbres, car, en cet instant même, la lune glissait entre deux noirs nuages.

Un grand véhicule, bondé d'hommes armés, barrait la grand'-route.   15

Qu'était-ce que ces hommes?—Évidemment des malfaiteurs! Des bandits!—Évidemment!

Hélas! non. C'était la troupe jumelle des bons bourgeois de Pibrac. C'étaient ceux de Pibrac!—lesquels avaient eu, exactement, la même idée que ceux de Nayrac.   20

Retirés des affaires, les paisibles rentiers des deux villes se croisaient, tout bonnement, sur la route en rentrant chez eux.

Blafards,[32] ils s'entrevirent. L'intense frayeur qu'ils se causèrent, vu l'idée fixe qui avait envahi leurs cerveaux, ayant fait apparaître sur toutes ces figures débonnaires, les véritables instincts,—de même 25 qu'un coup de vent passant sur un lac, et y formant tourbillon, en fait monter le fond à sa surface,—il était naturel qu'ils se prissent, les uns les autres, pour ces mêmes brigands que, réciproquement, ils redoutaient.

En un seul instant, leurs chuchotements, dans l'obscurité, les 30 affolèrent au point que, dans la précipitation tremblante de ceux de Pibrac à se saisir, par contenance,[33] de leurs armes, la batterie de l'un des fusils ayant accroché le banc, un coup de feu partit et la balle alla frapper un de ceux de Nayrac en lui brisant, sur la poitrine, une terrine d'excellent foie gras dont il se servait, machinalement, 35 comme d'une égide.[34]

burg horses.   31. fork.   32. Pale.   33. just for the sake of appearances.
34. shield.   35. kept shooting at random into the crowd.   36. old form of

Ah, ce coup de feu! Ce fut l'étincelle fatale qui met l'incendie aux poudres. Le paroxysme du sentiment qu'ils éprouvèrent les fit délirer. Une fusillade nourrie et forcenée commença. L'instinct de la conservation de leurs vies et de leur argent les aveuglait. Ils four-
5 raient des cartouches dans leurs fusils, d'une main tremblotante et rapide et tiraient dans le tas.[35] Les chevaux tombèrent; un des chars-à-bancs se renversa, vomissant au hasard blessés et sacoches. Les blessés, dans le trouble de leur effroi, se relevèrent comme des lions et recommencèrent à se tirer les uns sur les autres, sans pou-
10 voir jamais se reconnaître, dans la fumée! . . . En cette démence furieuse, si des gendarmes fussent survenus sous les étoiles, nul doute que ceux-ci n'eussent payé de la vie leur dévouement.—Bref, ce fut une extermination, le désespoir leur ayant communiqué la plus meurtrière énergie: celle, en un mot, qui distingue la classe des
15 gens honorables, lorsqu'on les pousse à bout!

Pendant ce temps, les vrais brigands (c'est-à-dire la demi-douzaine de pauvres diables, coupables, tout au plus, d'avoir dérobé quelques croûtes, quelques morceaux de lard ou quelques sols,[36] à droite ou à gauche) tremblaient affreusement dans une caverne éloignée, en
20 entendant, porté par le vent du grand chemin, le bruit croissant et terrible des détonations et les cris épouvantables des bourgeois.

S'imaginant, en effet, dans leur saisissement, qu'une battue[37] monstre était organisée contre eux, ils avaient interrompu leur innocente partie de cartes autour de leur pichet de vin et s'étaient
25 dressés, livides, regardant leur chef. Le vieux violoneux semblait prêt à se trouver mal.[38] Ses grandes jambes flageolaient. Pris à l'improviste, le brave homme était hagard. Ce qu'il entendait pas- sait son intelligence.

Toutefois, au bout de quelques minutes d'égarement, comme
30 la fusillade continuait, les bons brigands le virent, soudain, tressail- lir et se poser un doigt méditatif sur l'extrémité du nez.

Relevant la tête:—«Mes enfants, dit-il, c'est impossible! Il ne s'agit pas de nous . . . Il y a malentendu . . . C'est un quipro- quo[39] . . . Courons, avec nos lanternes sourdes, pour porter secours
35 aux pauvres blessés . . . Le bruit vient de la grand'route.»

sous (pl. of sou).   37. roundup (usually at the hunt), posse, searching party.   38. faint.   39. mistake, misunderstanding.   40. catastrophe (usu- ally refers to a fire).

Ils arrivèrent donc, avec mille précautions, en écartant les fourrés, sur le lieu du sinistre,[40]—dont la lune, maintenant, éclairait l'horreur.

Le dernier bourgeois survivant, dans sa hâte à recharger son arme brûlante, venait de se faire sauter lui-même la cervelle, sans le 5 vouloir, par inadvertance.

A la vue de ce spectacle formidable, de tous ces morts qui jonchaient la route ensanglantée, les brigands, consternés, demeurèrent sans parole, ivres de stupeur, n'en croyant pas leurs yeux. Une obscure compréhension de l'événement commença dès lors, à entrer 10 dans leurs esprits.

Tout à coup le chef siffla et, sur un signe, les lanternes se rapprochèrent en cercle autour du ménétrier.

—O mes bons amis! grommela-t-il d'une voix affreusement basse —(et ses dents claquaient d'une peur qui semblait encore plus ter- 15 rifiante que la première),—ô mes amis! . . . Ramassons, bien vite, l'argent de ces dignes bourgeois! Et gagnons la frontière! Et fuyons à toutes jambes! Et ne remettons jamais les pieds dans ce pays-ci!

Et, comme ses acolytes le considéraient, béants et les pensers en désordre, il montra du doigt les cadavres, en ajoutant, avec un 20 frisson, cette parole absurde mais électrique!—et provenue, à coup sûr d'une expérience profonde, d'une éternelle connaissance de la vitalité, de l'Honneur du Tiers-État:

Ils vont prouver . . . que c'est nous . . .

QUESTIONS

1. Contre qui est dirigée la satire contenue dans ce conte?
2. Montrer comment certains passages de ce récit ont l'allure d'une parodie épique.
3. Comment Villiers de l'Isle-Adam ridiculise-t-il la bourgeoisie?
4. Quelle est l'opinion de l'auteur vis-à-vis des brigands?
5. Quelle est la valeur du mot de la fin?
6. Pourquoi Villiers a-t-il préféré annoncer avant la dernière ligne que la troupe rencontrée sur la route n'était pas composée de brigands?
7. Ce récit révèle-t-il la cruauté qu'indique le titre du recueil où il est paru?
8. Quelle est l'attitude des bourgeois de Pibrac devant l'argent? Comment se manifeste-t-elle?

⌐⟋

L'INQUIÉTEUR [1]

À MONSIEUR RENÉ D'HUBERT

Et j'ai reconnu que tout n'est qu'une vanité des vanités, et que cette parole, même, est encore une vanité.—L'ECCLÉSIASTE

Au printemps de l'année 1887, une véritable épidémie de sensibilité s'abattit sur la capitale et la désola jusqu'aux canicules.[2] Une sorte de courant de nervosisme-élégiaque pénétrait les tempéraments les plus épais, sévissant, avec une intensité plus spéciale,
5 chez les fiancés, les amants, les époux, même, que disjoignait un subit trépas. D'affolées scènes d'un «désespoir» absolument indigne de gens modernes se produisaient, chaque jour, au cours de maintes et maintes funérailles—et, dans les cimetières, en arrivaient, parfois, à déconcerter les fossoyeurs au point d'entraver
10 leurs agissements. Des corps-à-corps [3] avaient eu lieu entre ceux-ci et bon nombre de nos inconsolables. Les journaux ne parlaient que d'amants, que d'époux, même, annihilés par l'émotion jusqu'à se laisser choir dans la fosse de leurs chères défuntes, refusant d'en sortir, étreignant le cercueil et réclamant une inhumation com-
15 mune. Ces crises, ces tragiques *arias*, dont gémissaient, tout bas, le bon ordre et les convenances, étaient devenus d'une fréquence telle que les croque-morts [4] ne savaient littéralement plus où donner de la tête,[5] ce qui entraînait des retards, des encombrements, des substitutions, etc.
20   Cependant, comment interdire ou punir des accès qui, pour déréglés qu'ils fussent, étaient aussi involontaires que *respectables?*
   Pour obvier, s'il se pouvait, à ces inconvénients étranges, l'on avait fini par s'adresser à la fameuse «Académie libre des Innovateurs à outrance».[6]
25   Son président-fondateur, le jeune et austère ingénieur-possi-

---

1. First published December 31, 1887, in the periodical *Le Gil Blas*, this story was later collected in *Histoires insolites* (1888). On June 2 of the same year it was reprinted in the periodical *La vie populaire*.   **2.** July 22 to August 23. This term, generally used in the singular, derives from Canicula, the name of Sirius or the Dog Star in the constellation of the Great Dog, and refers to the time of the year when Sirius rises and sets with the sun.   **3.** tussle.
4. professional funeral assistants, dressed in black uniforms; hence, the **noirs employés** later.   **5.** did not know which way to turn.   **6.** super-innovators.

biliste, M. Juste Romain,—(cet esprit progressiste, rectiligne et sans préjugés, dont l'éloge n'est plus à faire), avait répondu, en toute hâte, que l'on aviserait.

Mais les imaginations de ces messieurs se montrant, ici, singulièrement tardigrades,[7] bréhaignes[8] et sans cesse atermoyantes,[9] l'on avait pris, d'urgence (la Parque n'attendant pas), des mesures quelconques, faute de meilleures. 5

Ainsi l'on avait mis en œuvre ces engins dont le seul aspect semble vraiment fait pour calmer et refroidir les trop lyriques expansions de regrets chez les cœurs en retard:—par exemple, ces ingénieuses machines, dites funiculaires (en activité aujourd'hui dans nos cimetières principaux) et grâce auxquelles on nous enterre, présentement, à la mécanique—ce qui est beaucoup plus expéditif (et même plus propre) que d'être enterré à la main, plus moderne aussi. En trois tours de cric,[10] une grue à cordage[11] vous dépose, vous et votre bière, dans le trou, comme un simple colis.— Crac! un tombereau[12] de gravats[13] boueux s'incline: brrroum! c'est fait. Vous voilà disparu. Puis, cela roule vers l'ouverture voisine: à un autre! et même jeu. Sans cette rapidité, il saute aux yeux que l'administration surmènerait en vain ses noirs employés: vu l'affluence, et les chiffres toujours croissants, de la population, le sinistre personnel des Pompes-Funèbres[14] n'y pourrait suffire et le service en souffrirait. 10 15 20

Toutefois, ce vague remède physique s'était vu d'une impuissance appréciable dans l'espèce:[15] et divers accidents en ayant rendu l'usage inopportun (du moins en ces circonstances exceptionnelles) on avait cherché «autre chose»—et le bruit courait, à présent, qu'un inconnu de génie avait trouvé l'expédient. 25

Or, à quelque temps de ces entrefaites, par un frais matin soleillé d'or, entre le long vis-à-vis des talus en verdures, plantés de peupliers, passait, sur un char tiré au pas de deux sombres chevaux, un amoncellement de violettes, de bruyères blanches, de roses-thé en couronnes—et de ne m'oubliez pas![16]—C'était sur la route du champ d'asile[17] d'une de nos banlieues. 30

Les franges des draperies mortuaires scintillaient, givrées d'argent, 35

7. reactionary.   8. sterile (of a mare, etc.).   9. procrastinating.   10. jack. 11. crane with tackle.   12. tipcart, dumpcart.   13. dirt, rubbish.   14. funeral parlors, undertakers' establishments.   15. fundamentally.   16. forget-me-nots (also called in French myosotis).   17. euphemism for cimetiére.

à l'entour de cette ambulante moisson florale qui transfigurait en un bouquet monstre le char morose,—derrière lequel, isolé de trois pas de la longue suite des piétons et des voitures, marchait tête nue et le mouchoir appuyé au visage, qui? M. Juste Romain, lui-même. Il
5 venait d'être éprouvé à son tour: en moins de vingt-quatre heures, sa femme, sa tendre femme, avait succombé . . .

Aux yeux du monde, suivre, soi-même, le convoi d'une épouse plus qu'aimée est un acte d'inconvenance. Mais M. Juste Romain se souciait bien du monde, en ce moment! . . . Au bout de cinq
10 mois, à peine, de délices conjugales, avoir vu s'éteindre son unique, sa meilleure moitié, sa trop passionnée conjointe, hélas! Ah! la vie, ne lui offrant, désormais plus, aucune saveur, n'était-ce pas—vraiment—à s'y soustraire? . . . Le chagrin l'égarait au point que ses fonctions sociales elles-mêmes ne lui semblaient plus mériter qu'un
15 ricanement amer! Que lui importait, à présent, ponts et chaussées![18] . . . Nature nerveuse, il ressentait maints lancinants[19] transports, causés par mille souvenirs de joies à jamais perdues. Et ses regrets s'avivaient, s'augmentaient, s'enflaient encore de la solennité ambiante,—de la préséance même qu'il avait l'honneur d'occuper,
20 à l'écart de ses semblables, immédiatement derrière ce corbillard somptueux, d'une classe de choix, et d'où quelque chose de la majesté de la Mort semblait rejaillir sur lui et sa douleur, les «poétisant».—Mais l'intime simplicité de sa tristesse, n'étant que falsifiée par ce sentiment théâtral, s'en envenimait, à chaque pas,
25 jusqu'à devenir intolérable. Une contrariante sensation de ridicule finissait par se dégager, autour de lui, du guindé[20] de sa désolation vaniteuse.

Il tenait bon, cependant: et, bien que l'émotion lui fît vaciller les jambes, il avait, à différentes reprises, pendant le trajet, refusé
30 d'un: «Non! laissez-moi!» presque impatient, le secours affectueux, venu s'offrir.—Or, à présent, l'on approchait . . . et, en l'observant, les invités de l'avant-garde commençaient à redouter que certains détails suprêmes, tout à l'heure,—par exemple, le bruissement particulier de la première pelletée de terre et de pierres tombant sur le
35 bois du cercueil,—ne l'impressionnassent d'une manière dangereuse. Déjà l'on apercevait, là-bas, de longues formes de caveaux,[21] des silhouettes . . . On était dans l'inquiétude.

---

18. L'École des Ponts et Chaussées is the French national civil engineering school.   19. a shooting, throbbing (of pain).   20. stiffness, unnaturalness.
21. burial vaults.

Tout à coup sortit de son rang processionnel un adolescent d'une vingtaine d'années. Vêtu d'un deuil élégant, il s'avança, tenant un bouquet de roses-feu, cerclé d'immortelles. Ses cheveux dorés, sa figure gracieuse, ses yeux en larmes prévenaient en sa faveur. Dépassant le président honoraire des Innovateurs-à-outrance, il s'avança, 5 n'étant sans doute plus maître de sa douleur, jusqu'auprès du char fleuri. Son bouquet une fois inséré parmi les autres,—mais juste au chevet présumable de la trépassée,—il saisit le brancard [22] d'une main, s'y appuyant, tandis qu'un sanglot lui secouait la poitrine.

La stupeur de voir l'intensité de sa propre peine partagée par un 10 inconnu, dont la belle mine, d'ailleurs, (il ne sut pourquoi!) le froissa tout d'abord au lieu d'éveiller sa sympathie, fit que l'ingénieur, se raffermissant soudain sur ses pieds et haussant les sourcils, essuya ses paupières—devenues brusquement moins humides. 15

—Sans doute, quelque parent, dont Victurnienne aura oublié de me parler! pensa-t-il.

Au bout de quelques pas, et comme les gémissements du jeune «parent» ne discontinuaient point, à l'encontre de ceux du mari qui s'étaient calmés comme par enchantement: 20

—N'importe! il est singulier que je ne l'aie jamais vu chez nous! . . . murmura celui-ci, les dents un peu serrées.

Et, s'approchant du bel inconnu:

—Monsieur n'est-il pas un cousin de . . . de la défunte? demanda-t-il tout bas. 25

—Hélas! monsieur,—*plus qu'un frère!* balbutia l'adolescent, dont les grands yeux bleus étaient fixes.

Nous nous aimions tant! Quel charme! Quel abandon! Quelle grâce! Et quel cœur fidèle! . . . Ah! sans ce triste mariage de raison, qui nous a . . . —Mais que dis-je! Mes idées sont tellement 30 troublées . . .

—Le mari, c'est moi, monsieur: qui êtes-vous? articula, sans cesser d'assourdir sa voix, mais devenu graduellement blême, M. Romain.

Ces simples mots parurent produire un effet voltaïque sur le 35 blond survenu. Il se redressa, très vite, froid et surpris. Aucun des deux ne pleurait plus.

—Quoi? Comment, vous êtes . . . c'est vous qui . . . Ah! recevez tous mes regrets, monsieur: je vous croyais chez vous, selon

22. coffin handle.　　23. euphemism for cimetiére.

l'usage . . . et, plus tard, ce soir, sans doute, je vous expliquerai
. . . je—mille pardons! mais . . .

    Un cabriolet passait: le jeune imprudent y bondit, en jetant à
l'oreille du cocher: «Continuez! Au galop! Tout droit! Dix francs
5 de pourboire!»

    Abasourdi, ne pouvant quitter son poste lugubre, ni poursuivre
le déjà lointain Don Juan sentimental, le grand Innovateur Juste
Romain, toutefois, grâce à l'acuité de coup d'œil propre aux époux
ombrageux, avait remarqué et retenu le numéro de la voiture.

10   Une fois au champ du Repos,[23] la foule, autour de la fosse
fleurie, admira la tenue ferme et calme—que ses amis même
n'avaient pas osé espérer—avec laquelle il expédia les dernières,
les plus sinistres formalités. Chacun fut frappé de l'empire sur
soi-même qu'il témoignait; la considération dont il jouissait comme
15 homme sérieux s'en accrut, même, au point que plusieurs, séance
tenante, résolurent de lui confier, à l'avenir, leurs intérêts,—et que
l'éternel «gaffeur» [24] de toutes les assemblées, ému du courage de
M. Romain, lui en adressa étourdiment une félicitation pour le
moins intempestive.

20   Il va sans dire qu'aussitôt que possible, l'ingénieur prit congé à
l'anglaise [25] de son entourage, courut à l'entrée funèbre, sauta dans
l'une des voitures, donna son adresse à la hâte, et, s'étant renfermé
derrière les vitres relevées, croisa et décroisa vingt fois, au moins,
ses jambes, durant le chemin.

25   De retour chez lui, la première chose que ses regards errants
aperçurent, ce fut, sur la table du salon, une vaste enveloppe carrée sur laquelle il put lire en gros caractères: «COMMUNICATION
URGENTE.»

    L'ouvrir fut l'affaire d'une seconde. En voici le contenu: [26]

30   Administration   Paris, ce 1er avril 1887.
           des
POMPES FUNÈBRES
    Cabinet du Directeur

       Monsieur, ..

35   En vertu de l'arrêté ministériel [27] en date du 31 février 1887, nous
nous faisons un devoir de vous aviser que,—pour l'exercice de l'année

---

24. blunderer.   25. slipped away, took French leave.   26. The whole letter
is a parody of stilted official language. Much of the vocabulary is never found
in ordinary speech.   27. departmental order.   28. Acting upon the report

courante,—l'administration s'est adjoint un corps, dit d'inquiéteurs ou pleureurs, destinés à fonctionner au cours des inhumations dont nous est confié le cérémonial. Cette mesure, essentiellement moderne, s'imposait, à titre d'innovation tout humanitaire: elle a été prise sur les conclusions de la Faculté de physiologie, ratifiée par les praticiens 5 légistes de Paris, et à nous signifiée en même date.

Au constat de l'endémique Névrose, en ascendance vers l'Hystérie,[28] qui sévit actuellement sur nos populations,—dans le but, aussi, d'éviter chez, par exemple, les jeunes veufs notoirement atteints de regrets trop aigus envers leur décédée, et qui, contre les usages, se risquent à braver, 10 de leur présence, les sévères péripéties de la mise en fosse,—il a été statué que, sur l'appréciation d'un docteur expert, attaché, d'office, aux obsèques, s'il juge que le conjoint demeuré sur cette terre a trop présumé de ses forces, et pour lui épargner les crises de nerfs, heurts cérébraux, syncopes,[29] convulsions et comas éventuels: bref, toutes manifestations 15 inutilement dramatiques et pouvant entraîner maints désordres de nature même à troubler la bonne effectuation de ladite mise en fosse, —l'un de nos nouveaux employés, dits *Inquiéteurs*, lui serait dépêché à l'effet d'opérer en lui, selon son tempérament telle diversion morale (analogue aux révulsifs [30] et moxas [31] dans l'ordre physique). Cette 20 diversion, frappant, en effet, l'imagination du survivant et y suscitant des sentiments inattendus, lui permet de faire froidement et distraitement face, en homme de cœur, aux tristes nécessités de la situation.

Monsieur, le jeune blond de ce matin n'est donc qu'un de ces employés; inutile d'attester qu'il n'a jamais vu ni connu celle . . . que 25 vous pouvez pleurer, dorénavant, chez vous, en toute liberté, sans inconvénients désormais pour l'ordre public.

Nos clients ne nous sont redevables [32] d'aucune taxe supplémentaire, les honoraires de l'Inquiéteur se trouvant compris, sur notre facture, dans les frais généraux. 30

Recevez, etc.

Pour le directeur,
POISSON.

Sans hésiter, au sortir de l'évanouissement que lui causa cette circulaire, l'austère possibiliste [33] Juste Romain,—sans prendre garde 35 aux dates spécifiées en icelle,[34] adressa, par lettre recommandée, à la Société des Innovateurs à outrance, sa démission de président-

of the existence of endemic Neurosia amounting almost to Hysteria. **29.** fainting fits. **30.** agent used for diverting a disease from one part of the body to another. **31.** substance used as a cautery. **32.** liable. **33.** satirical jibe at the philosophical positivists. **34.** archaic juridical form of **celle-ci,** i.e., the letter.

fondateur.—Il voulait ensuite aller provoquer, en un duel à mort,
M. le ministre de l'intérieur, ainsi que M. le directeur des Pompes-
Funèbres, après avoir, préalablement, étranglé leur jeune sup-
pôt [35] . . .

5   Mais le temps et la réflexion n'arrangent-ils pas toutes choses?

QUESTIONS

1. Comment l'opinion de l'auteur devant la science moderne se
   manifeste-t-elle?
2. Est-ce un désir morbide qui conduit l'auteur à ridiculiser les
   sentiments d'un homme qui vient de perdre sa femme?
3. Relevez le contraste entre le personnage de Romain et celui du
   jeune blondin.
4. Analysez la manière dont l'humour se dégage du style de la lettre
   de l'administration des Pompes-Funèbres.
5. Quelle est la valeur de l'épigraphe biblique qui précède l'histoire?
6. Relevez dans le style de Villiers plusieurs archaïsmes; quelle en
   est la valeur et la raison?
7. L'auteur manifeste-t-il dans cette histoire de la sympathie pour
   quiconque?
8. Étudiez la composition de cette histoire et comment cette composition contribue à l'effet produit.

35. henchman.

Anatole France

(1844-1924)

Anatole France (Jacques-Anatole-François Thibault) is the author of about fifty volumes of novels, short stories, criticism, history, philosophy, political and social essays, drama, and poetry. His part in the defense of Dreyfus, his championship of socialism, his support of the Russian Revolution, his election to the French Academy in 1896, his Nobel Prize in literature in 1921, and his attacks against clericalism and militarism are some of the highlights of a brilliant and fecund literary career. The monumental *Vie de Jeanne d'Arc*, the superb historical novel *Les dieux ont soif*, the four fictional volumes of *L'histoire contemporaine*, the critical essays of *La vie littéraire*, the short stories of *L'étui de nacre*, and the celebrated *Crime de Sylvestre Bonnard* are among the works which give their author an important place among modern French authors.

Although Anatole France has been accused of superficiality and has sometimes been harshly judged because he refused to accept systematic thinking, he possesses qualities which militate in his favor. Among these are his keen perception, his magnificent irony, his erudition, his skepticism tempered by pity, and above all the wit and clarity of his style. The dual characteristics of pity and irony, the appreciation of sensual and intellectual beauty, the protest against social injustice, and a profound sense of human suffering are part of his charm. They explain in part the great popularity he enjoyed during his lifetime.

The story *Gestas* was included in one of Anatole France's critical essays in the newspaper *Le temps* on April 19, 1891. It served as a prologue to a book review of a volume of poetry which had just been published, *Bonheur*, by Paul Verlaine. The character in the narrative is really Verlaine, Verlaine as seen by Anatole

France. Thus the story becomes doubly interesting, for it is the portrait of an author by an author. Verlaine had the attention of Anatole France, whose whole work shows preoccupation with the paradoxical and inconsistent in human behavior. Such a personality was offered in Verlaine, whose life of debauchery and drunkenness seemed the antithesis of the innocent and mystical faith he had expressed in three volumes of poetry. Even these three collections —*Sagesse* (1881), *Amour* (1888), and *Bonheur* (1891)—were counterbalanced by *Jadis et naguère* (1884) and *Parallèlement* (1889), in which Verlaine's inspiration was often carnal love. By 1891, Verlaine, ill and rheumatic although only thirty-seven years old, was a familiar figure in several bars in the Latin Quarter. There, alternately violent and maudlin, cynical and gentle, he was often surrounded by a group of young writers who regarded him as one of the great geniuses of French literature. The beautiful melodies of Verlaine's early poetry, the greatest of which had been written in the eighteen-seventies, the legend of simplicity and moral weakness which Verlaine himself had helped create by his autobiographical articles and verse, endeared "Pauvre Lelian" (anagram of Paul Verlaine) to the young generation of the eighteen-nineties.

BIBLIOGRAPHY

Haakon M. Chevalier, *The Ironic Temper: Anatole France and His Time* (1932).

E. Preston Dargan, *Anatole France, 1884–1896* (1937).

Gustave Michaut, *Anatole France, étude psychologique* (1913).

≠

GESTAS

Gestas, dixt li Signor,[1] entrez en Paradis. «Gestas, dans nos anciens mystères, c'est le nom du larron crucifié à la droite de Jésus-Christ.»
—Augustin Thierry,[2] *La Rédemption de Larmor.*

On conte qu'il est en ce temps-ci un mauvais garçon nommé Gestas, qui fait les plus douces chansons du monde. Il était écrit

1. Old French form of "dit le Seigneur." 2. not the celebrated French historian of the same name, but his nephew, a writer of fiction, who mingled historical and occult backgrounds in his stories. "La rédemption de Larmor"

sur sa face camuse[3] qu'il serait un pécheur charnel et, vers le soir, les mauvaises joies luisent dans ses yeux verts. Il n'est plus jeune. Les bosses[4] de son crâne ont pris l'éclat du cuivre; sur sa nuque pendent de longs cheveux verdis. Pourtant il est ingénu et il a gardé la foi naïve de son enfance. Quand il n'est point à l'hôpital, 5 il loge en quelque chambrette d'hôtel entre le Panthéon et le Jardin des Plantes.[5] Là, dans le vieux quartier pauvre, toutes les pierres le connaissent, les ruelles sombres lui sont indulgentes, et l'une de ces ruelles est selon son cœur, car, bordée de mastroquets et de bouges,[6] elle porte, à l'angle d'une maison, une sainte Vierge 10 grillée dans sa niche bleue. Il va le soir de café en café et fait ses stations[7] de bière et d'alcool dans un ordre constant: les grands travaux de la débauche veulent de la méthode et de la régularité. La nuit s'avance quand il a regagné son taudis[8] sans savoir comment, et retrouvé, par un miracle quotidien, le lit de sangles[9] où 15 il tombe tout habillé. Il y dort à poings fermés du sommeil des vagabonds et des enfants. Mais ce sommeil est court.

Dès que l'aube blanchit la fenêtre et jette entre les rideaux, dans la mansarde, ses flèches lumineuses, Gestas ouvre les yeux, se soulève, se secoue comme le chien sans maître qu'un coup de pied 20 réveille, descend à la hâte la longue spirale de l'escalier et revoit avec délices la rue, la bonne rue si complaisante aux vices des humbles et des pauvres. Ses paupières clignent sous la fine pointe du jour; ses narines de Silène[10] se gonflent d'air matinal. Robuste et droit, la jambe raidie par son vieux rhumatisme, il va s'ap- 25 puyant sur ce bâton de cornouiller[11] dont il a usé le fer en vingt années de vagabondage. Car, dans ses aventures nocturnes, il n'a jamais perdu ni sa pipe ni sa canne. Alors, il a l'air très bon et très heureux. Et il l'est en effet. En ce monde, sa plus grande joie, qu'il achète au prix de son sommeil, est d'aller dans les 30 cabarets boire avec les ouvriers le vin blanc du matin. Innocence d'ivrogne: ce vin clair, dans le jour pâle, parmi les blouses blanches

---

was published in *La nouvelle revue* in 1882.   **3.** snub-nosed.   **4.** bumps.
5. Verlaine, between stays in charity hospitals, lived in many cheap hotels and lodging houses. For several months in 1891 his address was Rue Descartes, which is near the Panthéon.   **6.** bars and low taverns.   **7.** an ironical allusion to the Stations of the Cross.   **8.** wretched lodgings.   **9.** camp cot.
10. his unkempt beard, bright eyes, prominent forehead, and impudent nose often made Verlaine's contemporaries compare him to a faun or to Silenus.
11. dogwood.   **12.** rooming house.   **13.** cast iron.   **14.** a district in cen-

des maçons, ce sont là des candeurs qui charment son âme restée
naïve dans le vice.

 Or, un matin de printemps, ayant de la sorte cheminé de son
garni [12] jusqu'au *Petit More*, Gestas eut la douceur de voir s'ouvrir
5 la porte que surmontait une tête de Sarrasin en fonte [13] peinte et
d'aborder le comptoir d'étain dans la compagnie d'amis qu'il ne
connaissait pas: toute une escouade d'ouvriers de la Creuse, [14] qui
choquaient leurs verres en parlant du pays et faisaient des *gabs* [15]
comme les douze pairs de Charlemagne. Ils buvaient un verre et
10 cassaient une croûte; [16] quand l'un d'eux avait une bonne idée, il
en riait très fort, et, pour le mieux faire entendre aux camarades,
leur donnait de grands coups de poing dans le dos. Cependant les
vieux levaient lentement le coude en silence. Quand ces hommes
s'en furent allés à leur ouvrage, Gestas sortit le dernier du *Petit*
15 *More* et gagna le *Bon Coing*, [17] dont la grille en fers de lance [18] lui
était connue. Il y but encore en aimable compagnie et même il
offrit un verre à deux gardiens de la paix méfiants et doux. Il visita
ensuite un troisième cabaret dont l'antique enseigne de fer forgé
représente deux petits hommes portant une énorme grappe de
20 raisin, et là il fut servi par la belle Madame Trubert, célèbre dans
tout le quartier pour sa sagesse, sa force et sa jovialité. Puis, s'approchant des fortifications, il but encore chez les distillateurs où
l'on voit, dans l'ombre, luire les robinets de cuivre des tonneaux et
chez les débitants [19] dont les volets verts demeurent clos entre
25 deux caisses de lauriers. Après quoi, il rentra dans les quartiers
populeux et se fit servir le vermout et le marc [20] en divers cafés.
Huit heures sonnaient. Il marchait très droit, d'une allure égale,
rigide et solennelle, étonné quand des femmes courant aux provisions, nu-tête, le chignon tordu sur la nuque, [21] le poussaient avec
30 leurs lourds paniers ou lorsqu'il heurtait, sans la voir, une petite fille
serrant dans ses bras un pain énorme. Parfois encore, s'il traversait
la chaussée, la voiture du laitier où dansaient en chantant les boîtes
de fer-blanc s'arrêtait si près de lui, qu'il sentait sur sa joue le
souffle chaud du cheval. Mais, sans hâte, il suivait son chemin,

tral France. **15.** "tall stories." The word is chiefly famous for the boasting
contest among Charlemagne's peers in an old French epic, *Le pèlerinage de
Charlemagne à Jérusalem.* **16.** were eating a bite. **17.** "The Good
Quince," a tavern. Its name is probably a pun on "le Bon Coin." **18.** grating
with iron spikes. **19.** wine sellers. **20.** cheap brandy made from wine-press
residue. **21.** with their hair in a knot at the back of their heads. **22.** The

sous les jurons dédaignés du laitier rustique. Certes, sa démarche, assurée sur le bâton de cornouiller était fière et tranquille. Mais au dedans le vieil homme[22] chancelait. Il ne lui restait plus rien de l'allégresse matinale. L'alouette qui avait jeté ses trilles joyeux dans son être avec les premières gouttes du vin paillet[23] s'était 5 envolée à tire-d'aile, et maintenant son âme était une rookery brumeuse où les corbeaux croassaient sur les arbres noirs. Il était mortellement triste. Un grand dégoût de lui-même lui soulevait le cœur. La voix de son repentir et de sa honte lui criait: «Cochon! cochon! Tu es un cochon!» Et il admirait cette voix irritée et pure, 10 cette belle voix d'ange qui était en lui mystérieusement et qui répétait: «Cochon! cochon! Tu es un cochon!» Il lui naissait un désir infini d'innocence et de pureté. Il pleurait; de grosses larmes coulaient sur sa barbe de bouc. Il pleurait sur lui-même. Docile à la parole du maître qui a dit: «Pleurez sur vous et sur vos enfants, 15 filles de Jérusalem,»[24] il versait la rosée amère de ses yeux sur sa chair prostituée aux sept péchés et sur ses rêves obscènes, enfantés par l'ivresse. La foi de son enfance se ranimait en lui, s'épanouissait toute fraîche et toute fleurie. De ses lèvres coulaient des prières naïves. Il disait tout bas: «Mon Dieu, donnez-moi de redevenir 20 semblable au petit enfant que j'étais.»[25]

Un jour qu'il faisait cette simple oraison, il se trouva sous le porche d'une église.

C'était une vieille église, jadis blanche et belle sous sa dentelle de pierre, que le temps et les hommes ont déchirée. Maintenant 25 elle est devenue noire comme la Sulamite[26] et sa beauté ne parle plus qu'au cœur des poètes; c'était une église «pauvrette et ancienne» comme la mère de François Villon,[27] qui, peut-être, en

word is used as in Romans vi, 6, with the meaning of the sinful nature of man. **23.** pale. **24.** The words addressed by Christ to the lamenting women who followed Him on the way to the Crucifixion. St. Luke xxiii, 28. **25.** Compare the words of Christ, "Except ye be converted, and become as little children, ye shall not enter into the kingdom of heaven." St. Matthew xviii, 3. **26.** the bride of The Song of Solomon. See i, 5, "I am black, but comely . . ." **27.** in the *Ballade que feit Villon à la requeste de sa mère pour prier Nostre-Dame* are to be found the lines which France paraphrases:

> Femme je suis povrette et ancienne,
> Qui riens ne sçay; oncques lettre ne leuz;
> Au moustier voy dont suis paroissienne
> Paradis paint, où sont harpes et luz,
> Et ung enfer où dampnez sont boulluz:
> L'ung me fait paour, l'autre joye et liesse.

son temps, vint s'y agenouiller et vit sur les murailles, aujourd'hui
blanchies à la chaux, ce paradis peint dont elle croyait entendre
les harpes, et cet enfer où les damnés sont «bouillus», ce qui
faisait grand'peur à la bonne créature. Gestas entra dans la maison
5 de Dieu. Il n'y vit personne, pas même un donneur d'eau bénite,
pas même une pauvre femme comme la mère de François Villon.
Formée en bon ordre dans la nef, l'assemblée des chaises attestait
seule la fidélité des paroissiens et semblait continuer la prière en
commun.

10   Dans l'ombre humide et fraîche qui tombait des voûtes, Gestas
tourna sur sa droite vers le bas côté²⁸ où, près du porche, devant
la statue de la Vierge, un if de fer²⁹ dressait ses dents aiguës, sur
lesquelles aucun cierge votif ne brûlait encore. Là, contemplant
l'image blanche, bleue et rose, qui souriait au milieu des petits
15 cœurs d'or et d'argent suspendus en offrande, il inclina sa vieille
jambe raidie, pleura les larmes de saint Pierre³⁰ et soupira des
paroles très douces qui ne se suivaient pas: «Bonne Vierge, ma
mère, Marie, Marie, votre enfant, votre enfant, maman!» Mais,
très vite, il se releva, fit quelques pas rapides et s'arrêta devant un
20 confessionnal. De chêne bruni par le temps, huilé comme les
poutres des pressoirs,³¹ ce confessionnal avait l'air honnête, intime
et domestique d'une vieille armoire à linge. Sur les panneaux, des
emblèmes religieux, sculptés dans des écussons de coquilles et de
rocailles,³² faisaient songer aux bourgeoises de l'ancien temps qui
25 vinrent incliner là leur bonnet à hautes barbes³³ de dentelle et
laver à cette piscine symbolique leur âme ménagère. Où elles
avaient mis le genou Gestas mit le genou et, les lèvres contre le
treillis de bois, il appela à voix basse: «Mon père, mon père!»
Comme personne ne répondait à son appel, il frappa tout douce-
30 ment du doigt au guichet.

    —Mon père, mon père!

    Il s'essuya les yeux pour mieux voir par les trous du grillage, et
il crut deviner dans l'ombre le surplis blanc d'un prêtre.

    Il répétait:

35   —Mon père, mon père, écoutez-moi donc! Il faut que je me

28. side aisle.   29. triangular iron stand for votive candles.   30. Saint
Peter's denial of Christ and his tears of repentance are described in St. Matthew xxvi, 75, and St. Luke xxii, 62.   31. olive presses.   32. carved on
escutcheons of shells and grotto-work.   33. streamers.   34. Notice how

confesse, il faut que je lave mon âme; elle est noire et sale; elle me dégoûte, j'en ai le cœur soulevé. Vite, mon père, le bain de la pénitence, le bain du pardon, le bain de Jésus.[34] A la pensée de mes immondices le cœur me monte aux lèvres et je me sens vomir du dégoût de mes impuretés. Le bain, le bain! 5
Puis il attendit. Tantôt croyant voir qu'une main lui faisait signe au fond du confessionnal, tantôt ne découvrant plus dans la logette qu'une stalle vide, il attendit longtemps. Il demeurait immobile, cloué par les genoux au degré de bois, le regard attaché sur ce guichet d'où lui devaient venir le pardon, la paix, le 10 rafraîchissement, le salut, l'innocence, la réconciliation avec Dieu et avec lui-même, la joie céleste, le contentement dans l'amour, le souverain bien. Par intervalles, il murmurait des supplications tendres:
—Monsieur le curé, mon père, monsieur le curé! j'ai soif, donnez- 15 moi à boire, j'ai bien soif! Mon bon monsieur le curé donnez-moi de quoi vous avez, de l'eau pure, une robe blanche et des ailes pour ma pauvre âme. Donnez-moi la pénitence et le pardon.
Ne recevant point de réponse, il frappa plus fort à la grille et dit tout haut: 20
—La confession, s'il vous plaît!
Enfin, il perdit patience, se releva et frappa à grands coups de son bâton de cornouiller les parois [35] du confessionnal en hurlant:
—Oh! hé! le curé! Oh! hé! le vicaire!
Et, à mesure qu'il parlait, il frappait plus fort, les coups tom- 25 baient furieusement sur le confessionnal d'où s'échappaient des nuées de poussière et qui répondait à ces offenses par le gémisse-ment de ses vieux ais vermoulus.[36]
Le suisse [37] qui balayait la sacristie accourut au bruit, les manches retroussées. Quand il vit l'homme au bâton, il s'arrêta un moment, 30 puis s'avança vers lui avec la lenteur prudente des serviteurs blanchis dans les devoirs de la plus humble police. Parvenu à portée de voix, il demanda:

France carries through the idea of the "piscine symbolique." The spiritual cleansing is a poetic idea as old as literature, whether it be David crying, "Wash me thoroughly from mine iniquity, and cleanse me from my sin," or Dante, fainting with repentance, being plunged in the river of forgetfulness. Here the poetic cry of "Asperges me hyssopo" becomes the prayer, "Le bain!" 35. walls.   36. worm-eaten planks.   37. beadle.   38. in 1793 the French revolutionists abolished the Church, establishing the worship of the goddess

—Qu'est-ce que vous voulez?

—Je veux me confesser.

—On ne se confesse pas à cette heure-ci.

—Je veux me confesser.

5 —Allez-vous-en!

—Je veux voir le curé.

—Pourquoi faire?

—Pour me confesser.

—Le curé n'est pas visible.

10 —Le premier vicaire, alors.

—Il n'est pas visible non plus. Allez-vous-en!

—Le second vicaire, le troisième vicaire, le quatrième vicaire, le dernier vicaire.

—Allez-vous-en!

15 —Ah çà! est-ce qu'on va me laisser mourir sans confession? C'est pire qu'en 93,[38] alors! Un tout petit vicaire. Qu'est-ce que ça vous fait que je me confesse à un tout petit vicaire pas plus haut que le bras? Dites à un prêtre qu'il vienne m'entendre en confession. Je lui promets de lui confier des péchés plus rares, plus extraordi-
20 naires et plus intéressants, bien sûr, que tous ceux que peuvent lui défiler ses péronnelles [39] de pénitentes. Vous pouvez l'avertir qu'on le demande pour une belle confession.

—Allez-vous-en!

—Mais tu n'entends donc pas, vieux Barrabas? [40] Je te dis que
25 je veux me réconcilier avec le bon Dieu, sacré nom de Dieu!

Bien qu'il n'eût pas la stature majestueuse d'un suisse de paroisse riche, ce porte-hallebarde était robuste. Il vous prit notre Gestas par les épaules et vous le jeta dehors.

Gestas, dans la rue, n'avait qu'une idée en tête, qui était de
30 rentrer dans l'église par une porte latérale afin de surprendre, s'il était possible, le suisse sur ses derrières et de mettre la main sur un petit vicaire qui consentît à l'entendre en confession.

Malheureusement pour le succès de ce dessein, l'église était entourée de vieilles maisons et Gestas se perdit sans espoir de
35 retour dans un dédale [41] inextricable de rues, de ruelles, d'impasses et de venelles.[42]

Reason. **39.** silly chatterboxes. **40.** the prisoner whom Pilate offered to deliver to the crowd in place of Jesus. Barabbas was in prison as a leader of sedition and as a murderer. St. Luke xxiii, 18–19. **41.** labyrinth (Daedalus constructed the labyrinth of Crete). **42.** alleys. **43.** see James ii, 26. "For

Il s'y trouvait un marchand de vin où le pauvre pénitent pensa se consoler dans l'absinthe. Il y parvint. Mais il lui poussa bientôt un nouveau repentir. Et c'est ce qui assure ses amis dans l'espérance qu'il sera sauvé. Il a la foi, la foi simple, forte et naïve. Ce sont les œuvres plutôt qui lui manqueraient.[43] Pourtant il ne faut pas 5 désespérer de lui, puisque lui-même, il ne désespère jamais.

Sans entrer dans les difficultés considérables de la prédestination ni considérer à ce sujet les opinions de saint Augustin, de Gotescalc,[44] des Albigeois, des wiclefistes, des hussites, de Luther, de Calvin, de Jansénius et du grand Arnauld, on estime que Gestas 10 est prédestiné à la béatitude éternelle.

Gestas, dixt li Signor, entrez en paradis.

QUESTIONS

1. Qu'est-ce qui empêche de juger sévèrement les péchés de Gestas?
2. Comment est-ce que la description du personnage indique quelle peut être sa nature?
3. Quelles sont les habitudes matinales de Gestas?
4. Le repentir de Gestas vous semble-t-il sincère? Est-ce que l'auteur y croit?
5. Pourquoi l'auteur fait-il la curieuse description de l'église?
6. Indiquez les images dont se sert Gestas dans ses supplications. Les trouvez-vous poétiques?
7. Quelles impressions l'entretien de Gestas avec le suisse crée-t-il en vous?
8. Relevez les détails ironiques dans l'histoire.
9. Quel est le point de vue religieux de l'auteur?
10. Comment trouvez-vous Gestas? Pitoyable, dégoûtant, comique, tragique?
11. D'après ce que vous savez de Verlaine, croyez-vous que l'auteur nous ait donné un portrait fidèle?
12. Quels souvenirs livresques Anatole France met-il dans l'histoire? Quels effets produisent-ils?
13. Quels sont les ressorts dramatiques de ce récit?

as the body without the spirit is dead, so faith without works is dead also."
44. here the author gives a long list of people and sects, ranging from the fourth to the seventeenth centuries, to suggest the absolute disagreement on the questions of divine grace and predestination.

Jules Lemaître

(1853–1914)

JULES LEMAÎTRE, considered during his lifetime one of the most outstanding literary critics in France, combined his activities as critic with those of a creative writer. His "literary baggage" includes several plays, a novel, various collections of short stories, in addition to a huge number of critical articles which were collected and published in two series of volumes, *Les contemporains* (8 volumes) and *Impressions de théâtre* (11 volumes).

Like many other French critics, Lemaître began his career by preparing himself for the teaching profession. After graduating from the École Normale Supérieure, he taught in several lycées, obtained his doctorate, and held professorial chairs at the universities of Besançon and Grenoble. Early in his career he turned to writing articles of literary criticism for periodicals such as the *XIXe siècle* and the *Revue bleue*. At the age of thirty-one he gave up teaching altogether in order to devote himself entirely to his critical and creative writing.

His fame as a literary critic spread quickly and in 1885 he became the dramatic critic of the *Journal des débats*, thus occupying a key position in the French world of letters of his time. He also collaborated on the *Revue des deux mondes*, one of the most important literary periodicals in nineteenth-century France. During these same years he began to publish some of his original writings, with varying success. Although his only long novel (*Les rois*, 1893) was a conspicuous failure, his plays were quite well received by his contemporaries, and he was particularly successful as a short-story writer. In 1895 he was elected to the French Academy.

When during the waning years of the nineteenth century the Dreyfus affair caused major unrest in all of French Society, Lemaître too turned toward political thought and action, and during the remainder of his life he devoted most of his time to cam-

paigning for the ideals in which he believed, which were those of
the reactionary, nationalistic "anti-Dreyfusard," and later of the
royalist party. He died during the first week of World War I.

Clearly a disciple of the great French nineteenth-century critic,
Sainte-Beuve, and steeped in Renan's teachings, Lemaître, the
critic, was mostly interested in evaluating the literary products of
his contemporaries and less intent on reevaluating and classifying
France's literary past. In this he differed sharply from his most
prominent colleagues, Faguet and Brunetière, and he favored the
more personal, "impressionist" type of literary criticism advocated
by Anatole France. In many instances Lemaître's judgments of
his contemporaries fail to satisfy today's student of French literature; this is especially true with regard to his skeptical, almost
scornful attitude toward the symbolist movement in poetry.

Although he continues to enjoy a reputation as one of France's
soundest and foremost critics of the end of the nineteenth century,
Lemaître's more lasting claim to fame in the history of French
letters may well be based on his achievements as a short-story
writer. He found the inspiration for most of his tales in the legends
of antiquity and in classical literature. The most important collections of these short stories are *En marge des vieux livres* (1905–
1907), *La vieillesse d'Hélène* (1914), and an earlier volume,
Myrrha (1894), from which two selections have been chosen for
this book. The reader will derive genuine enjoyment from the
lucidity of Lemaître's prose, from his charmingly ironic touch, and
from his consummate skill in rejuvenating the old legends.

BIBLIOGRAPHY

G. Durrière, *Jules Lemaître et le théâtre* (1934).
V. Giraud, *Les maîtres de l'heure*, Vol. II (1914).
H. Morice, *Jules Lemaître* (1924).

⌣

NAUSICAA [1]

Après qu'il eut percé de ses flèches les prétendants, l'ingénieux
Ulysse, plein de sagesse et de souvenirs, coulait des jours tranquilles

1. The main episodes referred to in this short story are based on Books VI–X
of Homer's *Odyssey*, of which the student is assumed to have a general knowl-

dans son palais d'Ithaque. Tous les soirs, assis entre sa femme Pénélope et son fils Télémaque, il leur racontait ses voyages et, quand il avait fini, il recommençait.

Une des aventures qu'il contait le plus volontiers, c'était sa ren-
5 contre avec Nausicaa, fille d'Alcinoüs, roi des Phéaciens.

—Jamais, disait-il, je n'oublierai combien belle, gracieuse et se-courable elle m'apparut. Depuis trois jours et trois nuits, je flottais sur la vaste mer, cramponné à une poutre de mon radeau brisé.[2] Enfin, une vague me souleva, me poussa vers l'embouchure d'un
10 fleuve. Je gagnai la rive; un bois était proche; j'amoncelai[3] des feuilles et, comme j'étais nu, je m'en recouvris tout entier. Je m'endormis . . . Tout à coup, un bruit d'eau rejaillissante me réveilla, puis des cris. J'ouvre les yeux, et je vois des jeunes filles qui jouaient à la balle sur le rivage. La balle venait de tomber dans le
15 rapide courant. Je me lève, en ayant soin de voiler ma nudité d'une branche touffue. Je m'avance vers la plus belle des jeunes filles . . .

—Vous nous avez déjà dit cela, mon ami, interrompit Pénélope.

—C'est bien possible, dit Ulysse.

—Qu'est-ce que cela fait? dit Télémaque.
20 Ulysse reprit;

—Je la vois encore sur sa charrette, conduisant les mules aux grelots[4] sonores. La voiture était pleine du beau linge blanc et des robes de laine teinte que la petite princesse venait de laver au fleuve avec ses compagnes. Et, debout, un peu cambrée[5] et tirant sur les
25 rênes, le vent du soir éparpillait[6] autour de son front ses cheveux d'or, mal contenus par les bandelettes, et collait sa robe souple sur ses jambes droites et rondes.

—Et après? demanda Télémaque.

—Elle était parfaitement élevée, continua Ulysse. Quand nous
30 approchâmes de la ville, elle me pria de la quitter afin qu'on ne pût tenir sur elle aucun mauvais propos[7] en la voyant avec un homme. Mais, à la façon dont je fus accueilli dans le palais d'Al-cinoüs, je vis bien qu'elle avait parlé de moi à ses nobles parents. Je ne la revis plus qu'au moment de mon départ. Elle me dit: «Je

edge. For a brief summary of the *Odyssey*, book by book, and for specific details, the *Oxford Companion to Classical Literature*, compiled and edited by Sir Paul Harvey (Oxford, 1937), is recommended as a convenient reference book.   2. clinging to a beam of my broken raft.   3. I piled up, I heaped up. 4. (small) bells.   5. arched backward.   6. blew, ruffled (her hair). 7. gossip.   8. three Ionian islands mentioned together repeatedly in the

vous salue, ô mon hôte, afin que, dans votre patrie, vous ne
m'oubliiez jamais, car c'est à moi la première que vous devez la
vie.» Et je lui répondis: «Nausicaa, fille du magnanime Alcinoüs,
si le puissant époux de Héra veut que je goûte l'instant du retour et
que je rentre dans ma demeure, là, comme à une divinité, je 5
t'adresserai tous les jours des vœux; car c'est toi qui m'as sauvé.»
De fille plus belle et plus sage, je n'en ai point rencontré, et,
puisque je ne voyagerai plus, je suis bien sûr de n'en rencontrer
jamais.
—Pensez-vous qu'elle soit mariée à présent? demanda Télé- 10
maque.
—Elle n'avait que quinze ans et n'était point encore fiancée.
—Lui avez-vous dit que vous aviez un fils?
—Oui, et que j'étais consumé du désir de le revoir.
—Et lui avez-vous dit du bien de moi?   15
—Je lui en ai dit, quoique je te connusse à peine, étant parti
d'Ithaque alors que tu étais un tout petit enfant dans les bras de ta
mère.

Cependant, Pénélope, voulant marier son fils, lui présenta
successivement les plus belles vierges du pays, les filles des princes 20
de Dulichios, de Samos et de Zacynthe.[8] Chaque fois, Télémaque
lui dit:
—Je n'en veux point, car j'en connais une plus belle et meilleure.
—Qui donc?
—Nausicaa, fille du roi des Phéaciens.   25
—Comment peux-tu dire que tu la connais, puisque tu ne l'as
jamais vue?
—Je la verrai donc, répliqua Télémaque.
Un jour, il dit à son père:
—Mon cœur veut, ô mon illustre père, que, fendant sur un 30
navire la mer poissonneuse, je vogue vers l'île des Phéaciens, et que
j'aille demander au roi Alcinoüs la main de la belle Nausicaa. Car
je me consume d'amour pour cette vierge que mes yeux n'ont
jamais aperçue; et, si vous vous opposez à mon dessein, je vieillirai
seul dans votre palais et vous n'aurez point de petit-fils.   35
L'ingénieux Ulysse répondit:

Odyssey. Dulichios, not really an island, is on the mainland of Greece, east of
Ithaca.   9. be careful not to land there.   10. I put out his eye.   11. Aeaea.

—C'est sans doute un dieu qui a mis en toi ce désir. Depuis que je t'ai parlé de la princesse qui lavait son linge dans le fleuve, tu dédaignes les mets succulents servis sur notre table, et un cercle noir s'élargit autour de tes yeux. Prends donc avec toi trente matelots
5 sur un vaisseau rapide et pars à la recherche de celle que tu ne connais pas et sans qui tu ne peux plus vivre. Mais il faut que je t'avertisse des dangers du voyage. Si le vent te pousse vers l'île de Polyphème, garde-toi d'y aborder; [9] ou, si la tempête te jette sur la rive, cache-toi, et, dès que ton navire pourra reprendre la mer, fuis
10 et n'essaye pas de voir le Cyclope. Je lui ai crevé l'œil [10] autrefois; mais, bien qu'aveugle, il est encore redoutable. Fuis aussi l'île des Lotophages, ou, si tu abordes chez eux, ne mange point de la fleur qu'ils t'offriront, car elle fait perdre la mémoire. Redoute aussi l'île d'Ea,[11] royaume de la blonde Circé, dont la baguette [12] change les
15 hommes en pourceaux.[13] Si pourtant le malheur veut que tu la trouves sur ton chemin, voici une plante dont la racine est noire et la fleur blanche comme du lait. Les dieux l'appellent *moly*, et elle me fut donnée par Mercure. Par elle tu rendras impuissants les maléfices de l'illustre magicienne.
20 Ulysse ajouta d'autres avis touchant les dangers de l'île des Sirènes, de l'île du Soleil et de l'île des Lestrygons. Il dit en finissant:

—Souviens-toi, mon fils, de mes paroles, car je ne veux point que tu recommences mes funestes aventures.

25 —Je me souviendrai, dit Télémaque. Au reste, tout obstacle et même tout plaisir me sera ennemi qui pourrait retarder mon arrivée dans l'île du sage Alcinoüs.

Télémaque partit donc, le cœur plein de Nausicaa.
Un coup de vent l'écarta de sa route, et, comme son vaisseau
30 longeait l'île de Polyphème, il fut curieux de voir le géant autrefois dompté par son père. Il se disait:

—Le danger n'est pas grand, puisque Polyphème est aveugle.

Il débarqua seul, laissant le vaisseau à l'ancre au fond d'une baie, et il s'en fut à la découverte,[14] dans la grasse campagne onduleuse,
35 semée de troupeaux et de bouquets d'arbres.

A l'horizon, derrière un pli de colline, une tête énorme surgit,

---

12. rod, wand. 13. pigs, swine. 14. he went exploring. 15. breast

puis des épaules pareilles à ces rochers polis qui s'avancent dans la mer, puis un poitrail [15] buissonneux comme un ravin.[16]

Un instant après, une vaste main saisit Télémaque, et il vit se pencher sur lui un œil aussi large qu'un bouclier.[17]

—Vous n'êtes donc plus aveugle? demanda-t-il au géant.   5

—Mon père Neptune m'a guéri, répondit Polyphème. C'est un petit homme de ton espèce qui m'avait ravi la lumière du jour, et c'est pourquoi je vais te manger.

—Vous auriez tort, fit Télémaque; car, si vous me laissiez vivre, je vous amuserais en vous racontant de belles histoires.   10

—J'écoute, dit Polyphème.

Télémaque commença le récit de la guerre de Troie. Quand la nuit vint:

—Il est temps de dormir, dit le Cyclope. Mais je ne te mangerai pas ce soir, car je veux savoir la suite.   15

. . . Chaque soir, le Cyclope disait la même chose, et cela dura trois ans.

La première année, Télémaque raconta le siège de la ville de Priam;

La seconde année, le retour de Ménélas et d'Agamemnon;   20

La troisième année, le retour d'Ulysse, ses aventures et ses ruses merveilleuses.

—Hé! disait Polyphème, tu es bien hardi de louer ainsi devant moi le petit homme qui m'a fait si grand mal.

—Mais, répondait Télémaque, plus je montrerai l'esprit de ce 25 petit homme, et moins il sera honteux pour vous d'avoir été vaincu par lui.

—Cela est spécieux,[18] disait le géant, et je te pardonne. Je parlerais sans doute autrement si un dieu ne m'avait rendu la vue. Mais les maux passés ne sont qu'un rêve.   30

Vers la fin de la troisième année, Télémaque eut beau chercher dans sa mémoire: il ne trouvait plus rien à raconter au géant. Alors il recommença les mêmes histoires. Polyphème y prit le même plaisir, et cela dura trois autres années.

Mais Télémaque ne se sentit pas le courage de réciter une troi- 35 sième fois le siège d'Ilion et le retour des héros. Il le confessa à Polyphème et il ajouta:

(usually of a horse).   **16.** bushy as a ravine.   **17.** shield.   **18.** plausible.

—J'aime mieux que vous me mangiez. Je ne regretterai qu'une chose en mourant: c'est de n'avoir point vu la belle Nausicaa.

Il dit longuement son amour et sa douleur, et, soudain, il vit dans l'œil du Cyclope une larme aussi grosse qu'une courge.[19]

5 —Va, dit le Cyclope, va chercher celle que tu aimes. Que ne m'as-tu parlé plus tôt? . . .

—Je vois bien, songea Télémaque, que j'aurais mieux fait de commencer par là. J'ai perdu six années par ma faute. Il est vrai qu'une honte m'eût empêché, auparavant, de dire mon secret. Si 10 je l'ai trahi, c'est que j'ai bien cru que j'allais mourir.

Il construisit un canot (car le navire laissé dans la baie avait disparu depuis longtemps) et s'en alla de nouveau sur la mer profonde.

Une autre tempête le jeta dans l'île de Circé.

15 Il vit, à l'entrée d'une grande forêt, sur une escarpolette[20] faite de lianes et de guirlandes de fleurs entrelacées, une femme qui se balançait mollement. Elle était coiffée d'une mitre incrustée de rubis;[21] ses sourcils étroits se joignaient sur ses yeux; sa bouche était plus rouge qu'une 20 blessure fraîche; ses seins et ses bras étaient jaunes comme du safran; des fleurs formées de pierreries parsemaient sa robe[22] transparente couleur d'hyacinthe, et elle souriait dans sa chevelure fauve,[23] qui l'enveloppait toute.

Sa baguette de magicienne était passée dans sa ceinture, comme 25 une épée.

Circé regardait Télémaque.

Le jeune héros chercha sous sa tunique la fleur du moly, la fleur noire et blanche que son père lui avait remise au départ. Il s'aperçut qu'il ne l'avait plus.

30 —Je suis perdu, pensa-t-il. Elle va me toucher de sa baguette et je serai semblable aux porcs mangeurs de glands.[24]

Mais Circé lui dit d'une voix douce:

—Suis-moi, jeune étranger, et viens dormir avec moi.

Il la suivit. Bientôt, ils arrivèrent à son palais, qui était cent fois 35 plus beau que celui d'Ulysse.

19. gourd (usually pumpkin or squash). 20. (child's) swing. 21. headdress covered with rubies. 22. were sprinkled over her dress. 23. fawn-colored, tawny. 24. that eat acorns.

Le long du chemin, du fond des bois et des ravines, les pourceaux et les loups, qui étaient d'anciens hommes naufragés dans l'île, accouraient sur les pas de la magicienne; et, bien qu'elle eût saisi une longue tige de fer [25] dont elle les piquait cruellement, ils essayaient de lécher ses pieds nus. 5

Durant trois années, Télémaque dormit avec la magicienne.

Puis, un jour, il eut honte, il se sentit extrêmement las, et il découvrit qu'il n'avait point cessé d'aimer la fille d'Alcinoüs, la vierge innocente aux yeux bleus, celle qu'il n'avait jamais vue. Mais il songeait: 10

—Si je veux m'en aller, la magicienne irritée me transmuera en bête, et ainsi je ne verrai jamais Nausicaa.

Or, Circé, de son côté, était lasse de son compagnon. Elle se mit à le haïr, parce qu'elle l'avait aimé. En sorte qu'une nuit, se levant du lit de pourpre, elle prit sa baguette et l'en frappa à 15 l'endroit du cœur.

Mais Télémaque garda sa forme et son visage. C'est qu'à cet instant même il pensait à Nausicaa, et qu'il avait le cœur plein de son amour.

—Va-t'en! va-t'en! hurla la magicienne. 20

Télémaque retrouva son canot, reprit la mer, et une troisième tempête le jeta dans l'île des Lotophages.

C'étaient des hommes polis, pleins d'esprit, et d'une humeur égale et douce.

Leur Roi offrit à Télémaque une fleur de lotus. 25

—Je n'en mangerai point, dit le jeune héros; car ceci est la fleur de l'oubli, et je veux me souvenir.

—C'est pourtant un grand bien d'oublier, reprit le Roi. Grâce à cette fleur, qui est notre unique aliment, nous ignorons la peine, le regret, le désir, et toutes les passions qui troublent les malheureux 30 mortels. Mais, au reste, nous ne forçons personne à manger la fleur divine.

Télémaque vécut quelques semaines des provisions qu'il avait sauvées de son naufrage. Puis, comme il n'y avait pas dans l'île de fruits ni d'animaux bons à manger, il se nourrit, comme il put, de 35 coquillages et de poissons.

25. iron rod.

—Ainsi, dit-il un jour au Roi, la fleur de lotus fait oublier aux hommes même ce qu'ils désirent ou ce dont ils souffrent le plus?

—Assurément, dit le Roi.

—Oh! dit Télémaque, elle ne me ferait jamais oublier la belle
5 Nausicaa.

—Essayez donc.

—Si j'essaye, c'est que je suis bien sûr que le lotus ne saurait faire ce que n'ont pu les artifices d'une magicienne.

Il mangea la fleur et s'endormit.

10 Je veux dire qu'il se mit à vivre de la même façon que les doux Lotophages, jouissant de l'heure présente et ne se souciant d'aucune chose. Seulement, il sentait quelquefois, au fond de son cœur, comme le ressouvenir d'une ancienne blessure, sans qu'il pût savoir au juste ce que c'était.

15 Lorsqu'il s'éveilla, il n'avait point oublié la fille d'Alcinoüs; mais vingt années s'étaient écoulées sans qu'il s'en aperçût: il avait fallu tout ce temps à son amour pour vaincre l'influence de la fleur d'oubli.

—Ce sont les vingt meilleures années de votre vie, lui dit le Roi.
20 Mais Télémaque ne le crut pas.

Il prit poliment congé de ses hôtes.

Je ne vous dirai point les autres aventures où l'engagea, tantôt la nécessité, tantôt la curiosité de voir des choses nouvelles, soit dans l'île des Sirènes, soit dans l'île du Soleil, soit dans l'île des
25 Lestrygons, ni comment son amour fut assez fort pour le tirer de tous ces dangers et l'arracher à ces divers séjours.

Une dernière tempête le poussa vers l'embouchure d'un fleuve, dans l'île désirée, au pays des Phéaciens. Il gagna la rive; un bois était proche. Il amoncela des feuilles et, comme il était nu, il s'en
30 recouvrit tout entier. Il s'endormit . . . Tout à coup, un bruit d'eau rejaillissante le réveilla.

Télémaque ouvrit les yeux et vit des servantes qui lavaient du linge sous les ordres d'une femme âgée et richement vêtue.

Il se leva, en ayant soin de voiler sa nudité d'une branche touffue,
35 et s'approcha de cette femme. Elle avait la taille épaisse et lourde, et des mèches[26] de cheveux gris s'échappaient de ses bandelettes.

26. locks.

On voyait bien qu'elle avait été belle, mais elle ne l'était plus.
Télémaque lui demanda l'hospitalité. Elle lui répondit avec bien-
veillance et lui fit donner des vêtements par ses femmes:
—Et maintenant, mon hôte, je vais vous conduire dans la maison
du Roi.   5
—Seriez-vous la Reine? demanda Télémaque.
—Vous l'avez dit, ô étranger.
Alors Télémaque, se réjouissant dans son cœur:
—Puissent les dieux accorder longue vie à la mère de la belle
Nausicaa!   10
—Nausicaa, c'est moi, répondit la Reine . . . Mais qu'avez-vous,
vénérable vieillard? . . .

Sur son canot réparé à la hâte, sans regarder derrière lui, le vieux
Télémaque regagna la haute mer.

QUESTIONS

1. Comment, au début du conte, l'auteur transforme-t-il l'esprit
   héroïque d'Homère?
2. Comment, en peu de mots, l'auteur a-t-il réussi à faire le portrait
   de Polyphème?
3. Que pensez-vous des relations de Circé et de Télémaque? Quelles
   conclusions en tirez-vous?
4. Quel est l'effet produit par la similitude des scènes qui se passent
   sur le rivage de l'île des Phéaciens? Jusqu'à quel point se répètent-
   elles?
5. Comment Ulysse et Télémaque sont-ils dépeints dans ce conte?
   En quoi diffèrent-ils des personnages d'Homère?
6. Caractérisez la manière dont Lemaître parodie l'Odyssée.
7. Quel usage l'auteur fait-il de la sentimentalité dans ce conte?
8. Quel procédé l'auteur emploie-t-il dans ce conte? Connaissez-vous
   d'autres œuvres littéraires composées d'une façon analogue?
9. Quel est l'effet produit sur le lecteur par le dénouement de
   Nausicaa?

⚓

L'IMAGINATION

Le soir où la grande tragédienne Cornelia Tosti [1] fit baisser le rideau au milieu du troisième acte de *Frédégonde*,[2]—non pour une syncope ou une crise de nerfs, mais parce qu'elle se sentait lasse, incurablement lasse, parce que les jambes lui manquaient,[3] parce
5 que la voix s'arrêtait dans sa gorge, enfin parce qu'elle avait cinquante ans et qu'elle n'en pouvait plus,[4]—rentrée chez elle sans avoir eu seulement la force de quitter son costume de théâtre, seule dans sa chambre ultra-gothique, effondrée [5] devant sa grande glace à cinq panneaux, qui lui renvoyait une Frédégonde macabre, ef-
10 frayante, une tête de morte entre deux lourdes tresses blondes (de fausses tresses), Cornelia fut prise d'un violent désespoir.

Elle pleura longtemps, et ce ne fut que vers l'aube qu'elle se jeta sur son lit, en travers, toujours dans sa robe mérovingienne,[6] une des tresses pendant jusqu'à la peau de tigre qui servait de descente
15 de lit.[7]

Le lendemain, le médecin déclara, pour la centième fois, que la malade devait renoncer au théâtre, et qu'à peine pourrait-elle encore créer un dernier rôle dans la *Mélissandre* [8] que l'illustre dramaturge Eusebio Nasone [9] écrivait pour elle.
20 Et cette fois, Cornelia crut le médecin.

Ainsi, les tournées triomphales à travers l'Europe, l'Amérique et l'Asie, les jeunes gens des villes lointaines qui dételaient [10] sa voi-

1. fictitious name for Sarah Bernhardt (1844–1923), the famous French actress, whom Lemaître praised for her death scenes. Her sleigh was actually unharnessed in Montreal, roses cast on the sea for her in Copenhagen, clothes spread under her feet in Argentina. The name of *Tosti* refers to Sarah's eccentric and impertinent temper (*tosto* means *impudent* in Italian). 2. third wife of Chilpéric the First. A maidservant of Audovère, Chilpéric's first wife, she managed to become the king's mistress. She had Audovère sent to a convent and caused Chilpéric's second wife, Galeswinthe, to be strangled. She then married Chilpéric. *Frédégonde et Brunehaut:* a play written by Népomucène Lemercier (1771–1840); it deals with Frédégonde's feud with Brunehaut, Galeswinthe's sister. 3. her legs failed her. 4. she was exhausted, tired out. 5. collapsed. 6. in the fashion of Merovingian times. 7. bedside rug. 8. fictitious title probably inspired by Maeterlinck's drama, *Pelléas et Mélisande*, which was performed for the first time for the opening of the Théâtre de l'Œuvre (1893). 9. probably Victorien Sardou (1831–1908), a French playwright who wrote seven plays for Sarah Bernhardt. The name of *Nasone* (Italian: *big nose*) is used ironically by Lemaître. 10. unharnessed.

ture, la vague toute rouge de roses effeuillées [11] autour de sa barque de gala dans la baie de Stockholm, ailleurs les pardessus mastic [12] des rastaquouères [13] lui faisant un tapis au sortir du théâtre, l'ivresse des rappels [14] à la douzaine, qui font qu'on se traîne et qu'on demande grâce en envoyant des baisers, la démence des applaudisse- 5 ments, pareils aux crépitations croissantes et décroissantes d'une fusillade inépuisée, [15] les chères brutalités de la réclame [16] et des interviews, une vie effrénée, [17] délicieuse et chimérique, et aussi des plaisirs plus intimes et plus nobles: la joie de réaliser les plus belles visions des poètes, de leur prêter sa chair et son âme, de les sentir 10 vivre en soi: tout cela, c'était fini.

Et dans quelques années, dans quelques mois peut-être, la Tosti serait effacée de la mémoire des hommes. Cornelia songeait à d'anciennes actrices qui avaient été presque aussi illustres qu'elle, et dont personne ne parlait plus, et qui n'étaient maintenant que 15 de grosses dames vivant avec des chats et des perroquets dans quelque petit jardin de la banlieue [18] de Florence.

Être cela après avoir été reine et plus que reine, non, ce n'était pas possible et elle n'y consentait pas. Mieux valait la mort qu'une si ridicule déchéance.[19] 20

Oui, mourir, ainsi qu'une héroïne de drame qui ne veut pas survivre à son rêve ou qu'une Impératrice de légende qui, son empire détruit, s'étrangle avec son bandeau [20] pour n'être pas esclave chez le vainqueur . . . Car l'idée de la mort, comme toutes les autres, ne se présentait à l'esprit de Cornelia que revêtue d'un ap- 25 pareil scénique. La mort, pour elle, c'était un «effet» de théâtre, le plus sûr, un effet de cinquième acte.

Un jour donc, dans la loggia de son palais, peuplée de bouddhas et de singes, encombrée d'objets bizarres rapportés des cinq parties du monde, et où de jeunes littérateurs étaient épars [21] dans les coins, 30 sur les tapis et les peaux d'ours des divans, Cornelia dit d'une voix languissante:

—Croyez-vous aux pressentiments? . . . Moi, j'y crois . . . Quelque chose me dit que je mourrai sur la scène, pendant la première de Mélissandre. 35

Elle ajouta, mystérieuse:

—J'en suis sûre, entendez-vous? J'en suis sûre.

Le mot parut le lendemain dans les gazettes florentines et accrut la curiosité que *Mélissandre* excitait déjà.

5   On commençait à répéter [22] la pièce. Cornelia, très faible, se traînait aux répétitions, ne se tenait debout que par un effort de toute sa volonté tendue et frémissante.[23]

L'héroïne du drame, une femme énigmatique et funeste aux hommes, après avoir entassé les crimes, s'empoisonnait au dénoue-
10 ment et mourait sur la scène.

Cette mort, au dire des «Courriers des théâtres»,[24] serait le *clou* [25] de l'œuvre, dépasserait en horreur tragique l'agonie célèbre de la Crocetta [26] dans le *Sphinx* [27] ou du grand Monetto [28] dans *Ernani*.[29]

Quelques jours avant la première représentation, Cornelia prit
15 dans un coffret un très curieux petit flacon formé d'une émeraude taillée et creusée, qui lui avait été offert par un radjah. Puis, en présence des jeunes littérateurs épars sur les tapis, elle détacha, d'une panoplie d'armes sauvages, un faisceau [30] de flèches empoisonnées.

20   Elle appela sa fidèle habilleuse et gouvernante,[31] la vieille Giu-seppa,[32] qu'elle traînait derrière elle à travers le monde depuis trente ans, et, lui remettant le flacon et les flèches:

—Tu feras, dit-elle gravement, tremper les pointes pendant plusieurs jours dans un peu d'eau, tu verseras l'eau dans ce flacon,
25 et tu me le donneras le soir de *Mélissandre*.

—Bien, madame, répondit Giuseppa, impassible.

—Jure-moi, sur le Christ, que tu feras ce que je viens de te com-mander.

—Je le jure.

30 · —Sur le Christ?

(répétitions, rehearsals).   23. tense and quivering.   24. according to the dramatic columns.   25. high spot, chief attraction.   26. fictitious name for Sophie Croizette, a French actress who was a friendly rival of Sarah Bernhardt. 27. play by Octave Feuillet (1820–1890). Sophie Croizette's performance in the death scene was famous.   28. fictitious name for Jean-Sully Mounet, better known as Mounet-Sully (1841–1916), a famous French actor. 29. *Hernani*, Victor Hugo's drama. Mounet-Sully is said to be the best actor who ever played the part of Hernani.   30. bundle.   31. dressing woman and housekeeper.   32. fictitious name for Madame Guérard, Sarah Bernhardt's

—Sur le Christ.

Les jeunes littérateurs souriaient.

—Vous verrez! fit Cornelia avec un mouvement de tête si tragique que les jeunes littérateurs en furent troublés. Savait-on, en effet, de quoi elle était capable?   5

Cornelia fut sublime à la première de *Mélissandre*. Elle sut tirer de sa voix brisée et de son corps défaillant [33] des «effets» inouïs de pathétique et de terreur. Le tout-Florence,[34] d'abord un peu résistant et railleur (il y avait si longtemps qu'il admirait Cornelia!), se laissa une fois de plus dompter [35] par sa grande tragédienne et 10 lui fit une ovation frénétique, où la tristesse des fêtes finies, le «jamais plus» des séparations, se traduisaient par le délire même d'applaudissements qui ne voulaient pas s'éteindre . . .

Puis, le jeu de la Tosti était d'une vérité si poignante qu'une angoisse, peu à peu, gagnait la salle. L'héroïne de la pièce, on le savait, 15 mourait au dénouement. Pour rester égale à elle-même dans la représentation de cette mort, qu'allait donc faire Cornelia? Et l'attente vague de quelque chose d'extraordinaire oppressait les mille cœurs de la foule.

Au dernier entr'acte,[36] plus livide dans l'écroulement des fleurs 20 qui remplissaient sa loge,[37] quand elle eut doucement mis à la porte la cohue [38] des habits noirs, en répétant, avec ce qu'elle pouvait retrouver de sa voix de cristal: «Adieu, mes amis!»—tandis que la sonnette de l'avertisseur [39] passait dans les couloirs, Cornelia ouvrit la fenêtre, qui donnait sur une des ruelles les plus noires de 25 la vieille cité, et, respirant à longs traits l'air saturé d'une odeur d'ail [40] et d'humanité pauvre, elle cria:

—Adieu, Florence!

Puis, à Giuseppa:

—Le flacon!   30

Giuseppa le lui tendit sans dire un mot.

—Et maintenant, allons mourir!

Et la Tosti entra en scène.

---

faithful servant and companion. **33.** failing, fainting. **34.** the smart set, the fashionable circles of Florence; in line with the general Italian setting of the story, Lemaître here uses Florence for Paris. **35.** to subdue, subjugate. **36.** intermission. **37.** so many flowers are piled up in her dressing room that they seem to have fallen in a heap. **38.** noisy crowd. **39.** callboy. **40.** garlic. **41.** struck down (as if by lightning). **42.** rolled back.

Elle mima et, tour à tour, gémit et hurla surnaturellement le cinquième acte, où Mélissandre, traquée, démasquée, tous ses crimes des quatre premiers actes se tournant contre elle, cherchait enfin un refuge dans la mort.

5   A ce moment, Cornelia tira de son sein la flacon d'émeraude . . .

Au fond, tout au fond, peut-être n'ignorait-elle pas que le poison des flèches, à supposer qu'il fût authentiquement mortel, ne pouvait agir que s'il était introduit dans les veines par une piqûre. Mais, au reste, elle savait, *elle était sûre* que Giuseppa ne lui avait point obéi
10   et n'avait dû mettre dans le flacon que quelques gouttes d'eau claire.

Et pourtant, à peine eut-elle porté le flacon à ses lèvres, elle tomba sur les planches, rudement, comme foudroyée; [41] elle devint verte; ses membres eurent de ces contorsions que nul artifice ne
15   saurait imiter; elle n'eut pas la force de prononcer les derniers mots du drame, et deux de ses camarades durent l'emporter par la tête et par les pieds.

La Mort était apparue si évidente, si indiscutable, dans ses yeux révulsés,[42] que le public tout entier s'était levé de terreur.
20   Et personne ne douta que la Tosti ne se fût réellement et volontairement empoisonnée.

Personne, pas même Giuseppa. La vieille femme avait elle-même, quelques heures auparavant, penché sur l'étroit goulot [43] du flacon vide une des carafes de la salle à manger. Toutefois, elle se jeta sur
25   le corps de sa maîtresse, en criant, comme tout le monde:

—Elle s'est empoisonnée! Elle l'avait bien dit!

Cornelia se crut, pendant quinze jours, entre la vie et la mort. Pendant quinze jours, tous les journaux d'Europe et d'Amérique donnèrent les bulletins de sa santé. Et les médecins découvrirent
30   le nom et expliquèrent aux reporters les propriétés et les effets du poison qu'elle n'avait pas pris.

Et, six mois après sa représentation d'adieux [44] et son empoisonnement, Cornelia, rajeunie, faisait sa rentrée [45] au Grand-Théâtre de Florence.

---

43. neck (of a bottle).   **44.** farewell performance, last performance of an actor.   **45.** returned to the stage, reappeared on the stage.

QUESTIONS

1. Montrez comment Cornelia Tosti confond la vie réelle et la vie du théâtre.
2. Comment Lemaître crée-t-il chez le lecteur l'attente inquiète de la scène finale?
3. Analysez les sentiments qui amènent Cornelia Tosti à l'idée du suicide.
4. Quel effet la phrase finale a-t-elle sur le lecteur?
5. Quelles sont les relations entre l'actrice, son entourage et son public?
6. Comparez Giuseppa à d'autres personnages analogues dans la littérature française (anglaise, américaine, etc.).
7. Quel est selon vous le but de l'auteur dans ce conte?
8. En quoi l'intensité dramatique de L'imagination diffère-t-elle de celle des Bijoux, de Maupassant?
9. Croyez-vous que le conte soit bien construit? Pourquoi? (Comparez à d'autres contes que vous avez lus.)
10. Quels éléments de ressemblance trouvez-vous dans ces deux contes de Lemaître?
11. Analysez l'art de Lemaître d'après ces deux contes.

Rémy de Gourmont

(1858–1915)

RÉMY DE GOURMONT, known primarily as the leading critic of the symbolist movement, was also an important essayist, poet, and novelist. He was born in Normandy of an old aristocratic family, studied at the University of Caen, and then went to Paris, where he became assistant librarian at the Bibliothèque Nationale. For having written an article entitled "Le joujou patriotisme" he was expelled from his post. In 1899 he joined the group which was organizing the Mercure de France. Meanwhile he had written Le livre des masques, a study of his literary contemporaries. About this time he was stricken by an unidentified disease which so disfigured him that he withdrew from society and spent the rest of his days as a partial recluse.

Gourmont's brilliant mind was preoccupied with a wide variety of subjects. An early work, Sixtine (1890), he himself described as "a novel of the cerebral life." Later fiction, Les chevaux de Diomède (1897), Une nuit au Luxembourg (1906), and Un cœur virginal (1907), reveal intense erotic concern and a taste for the esoteric. L'esthétique de la langue française (1899) is a result of his philological interests, whereas his Physique de l'amour, essai sur l'instinct draws on biology and the social sciences.

The critical articles which Gourmont wrote for the Mercure de France were gathered together into the Promenades littéraires (7 volumes) and the Promenades philosophiques (3 volumes). In the former he shows a partiality for modern writers "after Baudelaire" and secondary writers "before Boileau," whom he loved to rescue from obscurity. The exacting taste and subtle fluidity of style exhibited in these writings are qualities which fitted Gourmont well for his role as critic of symbolism.

Jose et Josette is taken from a collection of short stories entitled D'un pays lointain, which appeared in 1897.

BIBLIOGRAPHY

P. E. Jacob, *Rémy de Gourmont* (1931).

Legrand-Chabrier, *Rémy de Gourmont; son œuvre* (1925).

⌁

JOSE ET JOSETTE

I

Jose était tout petit. Il allait à l'école, en suivant les chemins creux, en sautant les barrières, et se coulant à travers les haies, en musant[1] et dénichant les nids,[2] en cueillant les fraises ou les noisettes, les surettes[3] ou les pimprenelles.[4] C'était un garçon doux et obéissant; mais, sitôt seul, il redevenait aussi instinctif 5 et aussi sauvage qu'une belette[5] ou qu'une musaraigne.[6] Pas plus qu'aucune créature humaine, il n'était fait pour obéir; l'œil, pourtant, le domptait, ou la parole. Tant que l'impression subsistait, il se courbait, humble sous la volonté du plus fort.

Un jour donc qu'il allait à l'école en faisant tournailler comme 10 une fronde[7] la musette[8] où sa mère avait mis un morceau de pain et une pomme, il rencontra Josette qui, tout comme Jose, s'en allait à l'école.

Josette pleurait. Elle avoua qu'on l'avait punie et qu'elle s'était enfuie en colère sans manger sa soupe. Elle avait faim. Jose lui 15 donna son pain et sa pomme, et la petite l'embrassa pour le remercier. Elle ne pleurait plus; elle eut envie de jouer. Ils jouèrent à aller à cloche-pied,[9] à marcher sur les genoux, à se coucher sur l'herbe.

Le maître d'école, qui se promenait avant la classe, les rencontra 20 et leur dit sévèrement:

—Vous êtes deux petits polissons![10] Est-ce ainsi que l'on joue? Il faut jouer sérieusement. Pourquoi ne jouez-vous pas à qui saura le mieux le nom de toutes les sous-préfectures, ou les noms des affluents de la Loire, ou les divisions du système métrique? Vous 25

1. idling, dawdling. 2. taking birds or eggs from the nests. 3. a kind of sour berry (wood sorrel). 4. a clover-like plant and flower (burnet, bloodwort). 5. weasel. 6. shrew. 7. slingshot. 8. satchel. 9. to hop. 10. scamps. 11. wagged. 12. hail. 13. in 19th-century France

finirez mal, je le crains . . . (Il branlait [11] la tête.) Et puis, et
puis . . . Quoi? Garçon et fille! Les petits garçons doivent aller
d'un côté et les petites filles de l'autre. Jose, va-t'en par ici, et
toi Josette, va-t'en par là.

5 Puis, satisfait, il reprit le chemin de l'école: mais, peu à peu, ses
cheveux se dressaient sur sa tête, car il prévoyait le malheureux sort
auquel se destinaient ces enfants.

Il murmurait:

—Autorité, discipline, géographie, orthographe . . . , autorité,
10 discipline . . .

II

C'était la fête de la paroisse. Le soir venu, on alluma les chan-
delles et on dansa. Jose, qui avait dix-huit ans et Josette qui en
avait quinze, étaient là, en leurs beaux habits, et aux premiers cris
du violon s'étaient enlacés sous l'œil des familles qui buvaient du
15 cidre en parlant du temps passé, de la moisson future et des im-
pôts plus effroyables que la grêle.[12]

Quand la première danse fut finie, Josette, sur un signe, vint
retrouver sa mère:

—Josette, ma fille chérie, je t'en prie, ne danse pas avec Jose.
20 Son père est ruiné et lui n'est rien qu'un pauvre petit valet de
ferme. Ne te laisse pas courtiser par ce garçon-là car tu ne peux pas
l'épouser, nous n'y consentirions pas. A l'argent il faut de l'argent,
et tu as de l'argent, ma Josette, et Jose n'en a pas.

Ce soir-là, ils ne dansèrent plus ensemble.

III

25 Jose tira au sort et il fut soldat.[13] C'est en ce métier qu'il apprit
sérieusement ce qu'il faut faire et ce qu'il ne faut pas faire. Au bout
de quatre ans, il possédait une morale complète et respectueuse; il
savait qu'il y a deux classes d'hommes: les supérieurs et les inférieurs, et qu'on reconnaît les supérieurs à la quantité d'or dont se
30 brodent leurs manches.[14] Ces notions ne lui devinrent pas inutiles
quand il fut sorti de la caserne, car, dans la vie ordinaire, il y a aussi
deux sortes d'hommes: les supérieurs et les inférieurs, ceux qui

young men of a certain age who drew a "bad number" in a national lottery
had to report for military service. 14. with which their sleeves are em-
broidered. 15. milkmaid. 16. to milk. 17. dew. 18. hemp.

travaillent et ceux qui regardent les autres travailler. Comme il trouvait cette distinction toute naturelle, sans doute grâce à son instinctive philosophie, Jose travailla.

Josette ne s'était pas mariée. Ses parents avaient tout perdu dans un mauvais procès, et, pauvre vachère,[15] elle allait traire [16] les vaches 5 dans la rosée [17] en songeant qu'il est bien triste pour une fille de n'avoir pas d'amoureux.

Jose, apprenant ces nouvelles, eut de la joie. Il fit confidence à son père de son vieil amour et de ses projets.

—Épouser Josette, dit le vieux paysan, une fille qui n'a peut-être 10 pas trois chemises et qui se fait des jarretières avec une poignée de chanvre! [18] Tu n'es pas riche non plus, c'est vrai, mais nous avons fait un petit héritage, le blé a bien rendu cette année, et je te donnerai de quoi t'établir quand tu m'amèneras une bru [19] qui ne soit pas servante. L'argent veut l'argent, mon fils; il ne faut pas le 15 contrarier.

IV

Des années passèrent. Jose perdit ses parents et, au lieu d'un adorable bas de laine,[20] trouva des dettes. Tout courage fut inutile et tout labeur. Comme des souris, les hommes de loi grignotèrent [21] le petit patrimoine, et Jose, un matin pendant qu'on vendait sa 20 maison, prit un bâton et s'en alla, aussi loin qu'il put aller, chercher sa vie. Mais, à mesure qu'il allait, la vie fuyait devant lui, et il marcha tant et si longtemps, qu'ayant fait le tour de la terre, il se retrouva dans le champ, au bord de la route, où, pour la première fois, jadis, il avait rencontré Josette. 25

Il posa son bâton et, s'asseyant sur le revers du fossé, il tira de sa besace [22] un morceau de pain et une pomme. Avant de manger, il réfléchit si tristement, si tristement que sa faim se passa et que la pomme et le morceau de pain tombèrent à ses pieds.

Il faisait froid, même à l'abri du vent; il ramena sur ses genoux 30 son grand manteau loqueteux [23] et s'enveloppa la gorge dans la vaste barbe grise qui, souvent, avait effrayé les petites filles.

Comme il songeait à cela, il entendit des cris aigus, et voilà des enfants qui reviennent de l'école, tout pareils à ce qu'il était il y a plus de soixante ans. Soudain, il comprit l'inutilité de tout et 35

19. daughter-in-law   **20.** French peasants often keep their savings hidden away in a wool sock.   **21.** nibbled at.   **22.** double sack.   **23.** ragged.

l'abominable stupidité de la vie. Il se leva et brandissant comme une fronde sa musette vide, il fit plusieurs fois le tour du champ tel qu'un halluciné.

Au troisième tour, il tomba dans un grand trou de feuilles sèches;
5 il y resta, et, comme la nuit approchait, il s'y arrangea pour y dormir.

Cependant, une vieille mendiante arrivait en grognant:

—Ah! vieux, tu ne peux pas rester là; c'est ma place, j'y dors toutes les nuits. Ce trou-là est à moi, à moi, tu entends?

10 Et, comme le vieux obéissait docilement, la vieille, après l'avoir examiné, s'informa:

—D'où êtes-vous? Je ne vous reconnais pas. Comment vous appelez-vous?

—On me nomme le vieux Jose.

15 —Et moi on me nomme la vieille Josette.

Ils se regardèrent en silence; ils se souvenaient.

Mais ils avaient tant souffert et leurs cœurs étaient devenus si secs, si pareils à ces feuilles mortes que se disputaient leurs misères, qu'ils ne trouvèrent rien à se dire.

20 La vieille Josette se tassa [24] dans le trou, comme une bête, tandis que le vieux Jose, reprenant son bâton, s'en allait.

QUESTIONS

1. Analysez le style de Gourmont dans cette histoire. Comparez-le avec le style de Maupassant ou de Zola dans les sélections ci-dessus.
2. Trouvez-vous que Jose et Josette soient des personnages vivants?
3. Est-ce que cette histoire montre une maîtrise de l'art de la nouvelle?
4. Comparez la première scène à la dernière (atmosphère, caractères et paysage).
5. Étudiez la manière dont l'auteur traite le thème «Roméo et Juliette.»
6. Indiquez la signification symbolique de la dernière phrase.
7. Les premiers paragraphes des sections I, III et IV indiquent des opinions philosophiques. Lesquelles?
8. Quelle est l'attitude de l'auteur envers la nature de l'homme et la société?

24. crouched.

André Gide

(1869– 1951)

A NDRÉ GIDE was born in Paris on November 22, 1869. His father belonged to a family of southern Protestants, his mother to a rich bourgeois family from Normandy. His uncle, Charles Gide, was a well-known economist. In the autobiography of his formative years, *Si le grain ne meurt*, André Gide has shown the importance of Protestantism in the development of his mind and sensibility. Renan once said that we continue to live on the perfume of an empty vase, and Gide always—even after his revolt—retained something of the faith, its images and emotions, which nourished his youth, as well as his taste for moral problems, "the material of which our books are made," and his love for the Bible.

Gide had a very austere, joyless, and puritanical childhood. Later he rebelled against all the restraints imposed on him by his environment. He wrote in his *Nourritures terrestres* (1897), «Familles, je vous hais!» which has been the war cry of a whole generation. One thinks, for example, of young Jacques in *Les Thibault* by Martin du Gard.

It was during his first trip to Africa, when he was twenty-four, that André Gide received the revelation of the free life, full of pagan beauty and love, in the marvelous sunny country which is again evoked in Camus' *L'étranger*. This experience was his road to Damascus. Since then, Africa, where the writer has spent many years of his life, has remained for him the country of freedom and happiness. It was during this first trip, too, that he met Oscar Wilde, of whom he drew a brilliant and understanding picture.

The impact of symbolism on André Gide's writing has been very strong, favoring as it did his all-embracing conception of art. For

Gide, ethics are a dependency of esthetics. When he says he wants to be admired on good grounds, he refers to the artistic qualities of his works. «Le point de vue esthétique,» he writes in his *Journal*, «est le seul où il faille se placer pour parler de mon œuvre sainement.» And again, «Ne prendre chacun de mes livres que pour ce qu'il est: une œuvre d'art.» André Gide is neither a philosopher nor a logician, which probably explains why he has changed his mind several times on the most important subjects, both political and moral. The only "engagement," to use Sartre's vocabulary, that Gide has really assumed—even during his short-lived conversion to Communism—has been the "engagement" of an artist to his art. As an artist, Gide is probably one of the most lucid and skillful of contemporary writers, the best representative, as he himself once said, of the classical tradition.

It is impossible to give in a limited space a complete view of the work of André Gide. His important works, those written before 1930, fill fifteen volumes in the complete edition published by the Nouvelle Revue Française (1932–1939). Poet, novelist, dramatist, esthetician, critic, André Gide is really a writer in the tradition of Montaigne. What he always writes, under the guise of fiction as well as in his diary, are highly articulate essays, crystallizations of his own rich experience of life.

Gide likes to express his moral ideas through fables and myths taken from classical literature and from the Bible. Such are *Le Prométhée mal enchaîné* (1899); *Le roi Candaule* (1899), a play which was performed in Paris by the great actor Lugné-Poë; *Le retour de l'enfant prodigue* (1907); *Œdipe* (1930); and his latest work, *Thésée* (1946). Sometimes, Gide's creations grow out of observations of the contemporary scene, as in *La symphonie pastorale* (1919), which has also been successfully presented as a movie. The only work that he calls a novel is *Les faux monnayeurs* (1926), one of the most intelligent novels of our time, the influence of which has been felt by many foreign writers, such as the Aldous Huxley of *Point Counterpoint*. Gide's masterpiece in fiction is perhaps *La porte étroite* (1909), done in the great French tradition of analysis. In this novel the writer shows the drama of the struggle between divine and human love in the heart of a romantic girl, Alissa. Alissa was modeled on Gide's cousin, whom he married. The drama of Gide's love for his wife, complicated by his own sexual behavior, is eloquently suggested by the lacuna in the heart of his *Journal*.

The difficult conquest of freedom from all the social and religious restraints, a courageous effort toward a greater sincerity, a way to gain control of one's faculties—these constitute the fabric of André Gide's life. It is a great example of probity. From his work as well as from his life we receive a message of humanism. There is a little irony in the fact that this man, who has all through his life expressed contempt for worldly honors, should at the age of 78 receive the Nobel Prize. The figure of André Gide, thus honored and respected by his contemporaries, seems destined to join the ranks of the Goethes and the Montaignes.

BIBLIOGRAPHY

C. Du Bos, *Le dialogue avec André Gide* (1929).
R. Fernandez, *André Gide* (1931).
J. Hytier, *André Gide* (1938).
L. Pierre-Quint, *André Gide; sa vie, son œuvre* (1932).

LE RETOUR DE L'ENFANT PRODIGUE

À ARTHUR FONTAINE

J'ai peint ici,[1] pour ma secrète joie, comme on faisait dans les anciens triptyques,[2] la parabole que Notre Seigneur Jésus Christ

1. Gide has himself explained, in a letter to Christian Beck on July 2, 1907, the genesis of *Le retour de l'enfant prodigue*. It was his way of replying to the attempts of the great Catholic poet Claudel to convert him to Catholicism. It is worth citing Gide's remarks to help the reader grasp the precise symbolistic pattern of the work:

«Peut-être ne savez-vous pas que Claudel, après avoir trouvé en Jammes [Francis Jammes, Catholic poet] une brebis facile à ramener au Seigneur, a voulu m'entreprendre à mon tour. Cela s'appelle, n'est-ce pas, ‹convertir›? Il ne se dissimulait sans doute pas qu'avec mon hérédité et mon éducation protestante il n'avait pas tâche facile; n'importe, il s'obstina, encouragé jusqu'à l'excès par la très vive sympathie que je montrais pour son œuvre et par l'immense crédit dont en bénéficiait sa parole. Tant par lettre que par conversation nous allâmes fort loin. Jammes, sur ces entrefaites, me fit entendre qu'un article de lui, qu'une dithyrambique ‹étude›, allait célébrer ma conversion. Je compris qu'un malentendu risquait de s'établir et résolu à ne pas devoir l'éloge de Jammes à un (involontaire mais reconnu) compromis moral, je lui

nous conta. Laissant éparse [3] et confondue la double inspiration qui m'anime je ne cherche à prouver la victoire sur moi d'aucun dieu —ni la mienne. Peut-être cependant, si le lecteur exige de moi quelque piété, ne la chercherait-il pas en vain dans ma peinture, où,
5 comme un donateur dans le coin du tableau, je me suis mis à genoux, faisant pendant [4] au fils prodigue, à la fois comme lui souriant et le visage trempé de larmes.

L'ENFANT PRODIGUE

Lorsqu'après une longue absence, fatigué de sa fantaisie et comme désépris [5] de lui-même, l'enfant prodigue, du fond de ce dénûment [6]
10 qu'il cherchait, songe au visage de son père, à cette chambre point étroite où sa mère au-dessus de son lit se penchait, à ce jardin abreuvé d'eau courante, mais clos et d'où toujours il désirait s'évader, à l'économe frère aîné qu'il n'a jamais aimé, mais qui détient encore dans l'attente cette part de ses biens que, prodigue,
15 il n'a pu dilapider [7]—l'enfant s'avoue qu'il n'a pas trouvé le bonheur, ni même su prolonger bien longtemps cette ivresse qu'à défaut de bonheur il cherchait.—Ah! pense-t-il, si mon père, d'abord irrité contre moi, m'a cru mort, peut-être, malgré mon péché, se réjouirait-il de me revoir; ah! revenant à lui bien humblement, le front
20 bas et couvert de cendre, si, m'inclinant devant lui, lui disant: «Mon père, j'ai péché contre le ciel et contre toi», que ferai-je si, de sa main me relevant, il me dit: «Entre dans la maison, mon fils»? . . . Et l'enfant déjà pieusement s'achemine.

Lorsqu'au défaut de la colline [8] il aperçoit enfin les toits fumants
25 de la maison, c'est le soir; mais il attend les ombres de la nuit pour voiler un peu sa misère. Il entend au loin la voix de son père; ses genoux fléchissent; il tombe et couvre de ses mains son visage, car

écrivis une longue lettre explicative, qui amena de sa part un brusque refroidissement. Il sentit que «j'échappais.» Tout de même comprenant jusqu'au fond des moelles l'*intérêt* du geste que Claudel et lui souhaitaient me voir faire, et pourquoi je ne le faisais pas—et comment, si je l'avais fait, ce n'eût pu être qu'à la manière dont mon Enfant prodigue rentra à la Maison, et pour aider à en sortir le petit frère—j'écrivis cette petite œuvre «de circonstance» où je mis tout mon cœur, mais aussi toute ma raison.»
2. Gide had just been impressed by a triptych (picture, usually an altarpiece, in three compartments side by side) which he saw in the Museum of Berlin.
3. scattered.   4. counterbalancing.   5. no longer esteeming.   6. deprivation, poverty (an important word in Gide's vocabulary, referring to the stripping away of everything in order to reach the core of one's being).
7. who still withholds, in anticipation, that share of his wealth that he, the prodigal son. has not been able yet to squander.   8. When he comes over

il a honte de sa honte, sachant qu'il est le fils légitime pourtant. Il a faim; il n'a plus, dans un pli de son manteau crevé, qu'une poignée de ces glands [9] doux dont il faisait, pareil aux pourceaux qu'il gardait, sa nourriture. Il voit les apprêts du souper. Il distingue s'avancer sur le perron sa mère . . . Il n'y tient plus, descend en courant la   5 colline, s'avance dans la cour, aboyé par son chien qui ne le reconnaît pas. Il veut parler aux serviteurs, mais ceux-ci méfiants s'écartent, vont prévenir le maître; le voici.

Sans doute il attendait le fils prodigue, car il le reconnaît aussitôt. Ses bras s'ouvrent; l'enfant alors devant lui s'agenouille et,   10 cachant son front d'un bras, crie à lui, levant vers le pardon sa main droite:

—Mon père! mon père, j'ai gravement péché contre le ciel et contre toi; je ne suis plus digne que tu m'appelles; mais du moins, comme un de tes serviteurs, le dernier, dans un coin de notre   15 maison, laisse-moi vivre . . .

Le père le relève et le presse:

—Mon fils! que le jour où tu reviens à moi soit béni!—et sa joie, qui de son cœur déborde, pleure; il relève la tête de dessus le front de son fils qu'il baisait, se tourne vers les serviteurs: 20

—Apportez la plus belle robe; mettez des souliers à ses pieds, un anneau précieux à son doigt. Cherchez dans nos étables le veau le plus gras, tuez-le; préparez un festin de joie, car le fils que je disais mort est vivant.

Et comme la nouvelle déjà se répand, il court; il ne veut pas   25 laisser un autre dire:

—Mère, le fils que nous pleurions nous est rendu.

La joie de tous montant comme un cantique fait le fils aîné soucieux. S'assied-il à la table commune, c'est que le père en l'y invitant et en le pressant l'y contraint. Seul entre tous les convives,   30 car jusqu'au moindre serviteur est convié, il montre un front courroucé: Au pécheur repenti, pourquoi plus d'honneur qu'à lui-même, qu'à lui qui n'a jamais péché? Il préfère à l'amour le bon ordre. S'il consent à paraître au festin, c'est que, faisant crédit à son frère, il peut lui prêter joie pour un soir; c'est aussi que son père et sa   35 mère lui ont promis de morigéner [10] le prodigue, demain, et que lui-même il s'apprête à le sermonner gravement.

Les torches fument vers le ciel. Le repas est fini. Les serviteurs

the crest of the hill.   **9.** acorns.   **10.** to reprimand.   **11.** recollect.   **12.** hire-

ont desservi. A présent, dans la nuit où pas un souffle ne s'élève, la maison fatiguée, âme après âme, va s'endormir. Mais pourtant, dans la chambre à côté de celle du prodigue, je sais un enfant, son frère cadet, qui toute la nuit jusqu'à l'aube va chercher en vain le som-
5 meil.

LA RÉPRIMANDE DU PÈRE

Mon Dieu, comme un enfant je m'agenouille devant vous aujourd'hui, le visage trempé de larmes. Si je me remémore[11] et transcris ici votre pressante parabole, c'est que je sais quel était votre enfant prodigue; c'est qu'en lui je me vois; c'est que j'entends
10 en moi, parfois et répète en secret ces paroles que, du fond de sa grande détresse, vous lui faites crier:

—Combien de mercenaires[12] de mon père ont chez lui le pain en abondance; et moi je meurs de faim!

J'imagine l'étreinte du Père; à la chaleur d'un tel amour mon
15 cœur fond. J'imagine une précédente détresse, même; ah! j'imagine tout ce qu'on veut. Je crois cela; je suis celui-là même dont le cœur bat quand, au défaut de la colline, il revoit les toits bleus de la maison qu'il a quittée. Qu'est-ce donc que j'attends pour m'élancer vers la demeure; pour entrer?—On m'attend. Je vois déjà le veau
20 gras qu'on apprête . . . Arrêtez! ne dressez pas trop vite le festin!

—Fils prodigue, je songe à toi; dis-moi d'abord ce que t'a dit le Père, le lendemain, après le festin du revoir. Ah! malgré que le fils aîné vous souffle.[13] Père, puissé-je entendre votre voix, parfois, à travers ses paroles!

25 —Mon fils, pourquoi m'as-tu quitté?

—Vous ai-je vraiment quitté? Père! n'êtes-vous pas partout? Jamais je n'ai cessé de vous aimer.

—N'ergotons[14] pas. J'avais une maison qui t'enfermait. Elle était élevée pour toi. Pour que ton âme y puisse trouver un abri, un luxe
30 digne d'elle, du confort, un emploi, des générations travaillèrent. Toi, l'héritier, le fils, pourquoi t'être évadé de la Maison?

—Parce que la Maison m'enfermait. La Maison, ce n'est pas Vous, mon Père.

—C'est moi qui l'ai construite, et pour toi.

lings. **13.** prompts.   **14.** quibble (from the constantly recurring "ergo" of scholastic logical reasoning).   **15.** locusts.   **16.** stirred up, excited.   **17.** ex-

—Ah! Vous n'avez pas dit cela, mais mon frère. Vous, vous avez construit toute la terre, et la Maison et ce qui n'est pas la Maison. La Maison, d'autres que vous l'ont construite; en votre nom, je sais, mais d'autres que vous.

—L'homme a besoin d'un toit sous lequel reposer sa tête. Or- 5 gueilleux! Penses-tu pouvoir dormir en plein vent?

—Y faut-il tant d'orgueil? de plus pauvres que moi l'ont bien fait.

—Ce sont les pauvres. Pauvre, tu ne l'es pas. Nul ne peut abdiquer sa richesse. Je t'avais fait riche entre tous.

—Mon père, vous savez bien qu'en partant j'avais emporté tout 10 ce que j'avais pu de mes richesses. Que m'importent les biens qu'on ne peut emporter avec soi?

—Toute cette fortune emportée, tu l'as dépensée follement.

—J'ai changé votre or en plaisirs, vos préceptes en fantaisie, ma chasteté en poésie, et mon austérité en désirs. 15

—Était-ce pour cela que tes parents économes s'employèrent à distiller en toi tant de vertu?

—Pour que je brûle d'une flamme plus belle, peut-être, une nouvelle ferveur m'allumant.

—Songe à cette pure flamme que vit Moïse, sur le buisson sacré: 20 elle brillait mais sans consumer.

—J'ai connu l'amour qui consume.

—L'amour que je veux t'enseigner rafraîchit. Au bout de peu de temps, que t'est-il resté, fils prodigue?

—Le souvenir de ces plaisirs. 25

—Et le dénûment qui les suit.

—Dans ce dénûment, je me suis senti près de vous, Père.

—Fallait-il la misère pour te pousser à revenir à moi.

—Je ne sais; je ne sais. C'est dans l'aridité du désert que j'ai le mieux aimé ma soif. 30

—Ta misère te fit mieux sentir le prix des richesses.

—Non, pas cela! Ne m'entendez-vous pas, mon père? Mon cœur, vidé de tout, s'emplit d'amour. Au prix de tous mes biens, j'avais acheté la ferveur.

—Étais-tu donc heureux loin de moi? 35

—Je ne me sentais pas loin de vous.

—Alors qu'est-ce qui t'a fait revenir? Parle.

—Je ne sais. Peut-être la paresse.

—La paresse, mon fils! Eh quoi! Ce ne fut pas l'amour?

—Père, je vous l'ai dit, je ne vous aimai jamais plus qu'au désert. Mais j'étais las, chaque matin, de poursuivre ma subsistance. Dans la maison, du moins, on mange bien.

—Oui, des serviteurs y pourvoient. Ainsi, ce qui t'a ramené, c'est
5 la faim.

—Peut-être aussi la lâcheté, la maladie . . . A la longue cette hasardeuse nourriture m'affaiblit; car je me nourrissais de fruits sauvages, de sauterelles [15] et de miel. Je supportais de plus en plus mal l'inconfort qui d'abord attisait [16] ma ferveur. La nuit, quand
10 j'avais froid, je songeais que mon lit était bien bordé chez mon père; quand je jeûnais, je songeais que, chez mon père, l'abondance des mets servis outrepassait [17] toujours ma faim. J'ai fléchi; [18] pour lutter plus longtemps, je ne me sentais plus assez courageux, assez fort, et cependant . . .

15   —Donc le veau gras d'hier t'a paru bon?

Le fils prodigue se jette en sanglotant le visage contre terre:

—Mon père! mon père! Le goût sauvage des glands doux demeure malgré tout dans ma bouche. Rien n'en saurait couvrir la saveur.

—Pauvre enfant!—reprend le père qui le relève,—je t'ai parlé
20 peut-être durement. Ton frère l'a voulu; ici c'est lui qui fait la loi. C'est lui qui m'a sommé [19] de te dire: «Hors la Maison, point de salut pour toi.» Mais écoute: C'est moi qui t'ai formé; ce qui est en toi, je le sais. Je sais ce qui te poussait sur les routes; je t'attendais au bout. Tu m'aurais appelé . . . j'étais là.[20]

25   —Mon père! j'aurais donc pu vous retrouver sans revenir? . . .
—Si tu t'es senti faible, tu as bien fait de revenir. Va maintenant; rentre dans la chambre que j'ai fait préparer pour toi. Assez pour aujourd'hui; repose-toi; demain tu pourras parler à ton frère.

LA RÉPRIMANDE DU FRÈRE AÎNÉ

L'enfant prodigue tâche d'abord de le prendre de haut.[21]

30   —Mon grand frère, commence-t-il, nous ne nous ressemblons guère. Mon frère, nous ne nous ressemblons pas.

Le frère aîné:

—C'est ta faute.

—Pourquoi la mienne?

35   —Parce que moi je suis dans l'ordre; tout ce qui s'en distingue est fruit ou semence d'orgueil.

ceeded.   18. weakened, gave up   19. commanded.   20. Had you called

—Ne puis-je avoir de distinctif que des défauts?

—N'appelle qualité [22] que ce qui te ramène à l'ordre, et tout le reste, réduis-le.[23]

—C'est cette mutilation que je crains. Ceci aussi que tu vas supprimer, vient du Père.   5

—Eh! non pas supprimer: réduire, t'ai-je dit.

—Je t'entends bien. C'est tout de même ainsi que j'avais réduit mes vertus.

—Et c'est aussi pourquoi maintenant je les retrouve. Il te les faut exagérer. Comprends-moi bien: ce n'est pas une diminution, c'est 10 une exaltation de toi que je propose, où les plus divers, les plus insubordonnés éléments de ta chair et de ton esprit doivent symphoniquement concourir,[24] où le pire de toi doit alimenter le meilleur, où le meilleur doit se soumettre à . . .

—C'est une exaltation aussi que je cherchais, que je trouvais dans 15 le désert—et peut-être pas très différente de celle que tu me proposes.

—A vrai dire, c'est te l'imposer que je voudrais.

—Notre Père ne parlait pas si durement.

—Je sais ce que t'a dit le Père. C'est vague. Il ne s'explique plus 20 très clairement; de sorte qu'on lui fait dire ce qu'on veut. Mais moi je connais bien sa pensée. Auprès des serviteurs j'en reste l'unique interprète et qui veut comprendre le Père doit m'écouter.

—Je l'entendais très aisément sans toi.

—Cela te semblait; mais tu comprenais mal. Il n'y a pas plusieurs 25 façons de comprendre le Père; il n'y a pas plusieurs façons de l'écouter. Il n'y a pas plusieurs façons de l'aimer; afin que nous soyons unis dans son amour.

—Dans sa Maison.

—Cet amour y ramène; tu le vois bien, puisque te voici de retour. 30 Dis-moi, maintenant: qu'est-ce qui te poussait à partir?

—Je sentais trop que la Maison n'est pas tout l'univers. Moi-même je ne suis pas tout entier dans celui que vous vouliez que je fusse. J'imaginais malgré moi d'autres cultures, d'autres terres, et des routes pour y courir, des routes non tracées; j'imaginais en moi 35 l'être neuf que je sentais s'y élancer. Je m'évadai.

—Songe à ce qui serait advenu si j'avais comme toi délaissé la

me, I would have been there.   21. to assume a superior tone.   22. virtue, merit.   23. reduce it. subjugate it.   24. to concur, contribute.   25. That

Maison du Père. Les serviteurs et les bandits auraient pillé tout notre bien.

—Peu m'importait alors, puisque j'entrevoyais d'autres biens . . .

—Que s'exagérait ton orgueil.[25] Mon frère, l'indiscipline a été. 5 De quel chaos l'homme est sorti, tu l'apprendras si tu ne le sais pas encore. Il en est mal sorti; de tout son poids naïf il y retombe dès que l'Esprit ne le soulève plus au-dessus. Ne l'apprends pas à tes dépens: [26] les éléments bien ordonnés qui te composent n'attendent qu'un acquiescement,[27] qu'un affaiblissement de ta part pour 10 retourner à l'anarchie . . . Mais ce que tu ne sauras jamais, c'est la longueur de temps qu'il a fallu à l'homme pour élaborer[28] l'homme. A présent que le modèle est obtenu, tenons-nous-y. «Tiens ferme ce que tu as»,[29] dit l'Esprit à l'Ange de l'Eglise,[30] et il ajoute: «afin que personne ne prenne ta couronne.» Ce que tu as, 15 c'est ta couronne, c'est cette royauté sur les autres et sur toi-même. Ta couronne, l'usurpateur la guette; il est partout; il rôde[31] autour de toi, en toi. Tiens ferme, mon frère! Tiens ferme.

—J'ai depuis trop longtemps lâché prise;[32] je ne peux plus refermer ma main sur mon bien.

20 —Si, si; je t'aiderai. J'ai veillé sur ce bien durant ton absence.

—Et puis, cette parole de l'Esprit, je la connais; tu ne la citais pas tout entière.

—Il continue ainsi, en effet: «Celui qui vaincra, j'en ferai une colonne dans le temple de mon Dieu, et il n'en sortira plus.»

25 —«Il n'en sortira plus». C'est là précisément ce qui me fait peur.

—Si c'est pour son bonheur.[33]

—Oh! j'entends bien. Mais dans ce temple, j'y étais . . .

—Tu t'es mal trouvé d'en sortir, puisque tu as voulu y rentrer.

—Je sais; je sais. Me voici de retour; j'en conviens.

30 —Quel bien peux-tu chercher ailleurs, qu'ici tu ne trouves en abondance? ou mieux: c'est ici seulement que sont tes biens.

—Je sais que tu m'as gardé des richesses.

—Ceux de tes biens que tu n'as pas dilapidés, c'est-à-dire cette part qui nous est commune, à nous tous: les biens fonciers.[34]

35 —Ne possédé-je donc plus rien en propre?

your pride exaggerated for itself (for its own profit).   26. at your expense.
27. willingness.   28. to fashion, work into shape.   29. see Apocalypse, iii,
11, 12.   30. Apoc., iii, 2. (Author's note.)   31. prowls.   32. let go.
33. Even if it is for the sake of his happiness.   34. landed property.

—Si; cette part spéciale de dons que notre Père consentira peut-être encore à t'accorder.

—C'est à cela seul que je tiens; je consens à ne posséder que cela.

—Orgueilleux! Tu ne seras pas consulté. Entre nous, cette part [5] est chanceuse; [35] je te conseille plutôt d'y renoncer. Cette part de dons personnels, c'est elle déjà qui fit ta perte; ce sont ces biens que tu dilapidas aussitôt.

—Les autres je ne les pouvais pas emporter.

—Aussi vas-tu les retrouver intacts. Assez pour aujourd'hui. [10] Entre dans le repos de la Maison.

—Cela va bien parce que je suis fatigué.

—Bénie soit ta fatigue, alors! A présent dors. Demain ta mère te parlera.

LA MÈRE

Prodigue enfant, dont l'esprit, aux propos de ton frère, regimbe [36] [15] encore, laisse à présent ton cœur parler. Qu'il t'est doux, à demi couché aux pieds de ta mère assise, le front caché dans ses genoux, de sentir sa caressante main incliner ta nuque rebelle!

—Pourquoi m'as-tu laissée si longtemps?

Et comme tu ne réponds que par des larmes: [20]

—Pourquoi pleurer à présent, mon fils? Tu m'es rendu. Dans l'attente de toi j'ai versé toutes mes larmes.

—M'attendiez-vous encore?

—Jamais je n'ai cessé de t'espérer. Avant de m'endormir, chaque soir, je pensais: s'il revient cette nuit, saura-t-il bien ouvrir la porte? [25] et j'étais longue à m'endormir. Chaque matin, avant de m'éveiller tout à fait, je pensais: Est-ce pas aujourd'hui qu'il revient? Puis je priais. J'ai tant prié, qu'il te fallait bien revenir.

—Vos prières ont forcé mon retour.

—Ne souris pas de moi, mon enfant. [30]

—O mère! je reviens à vous très humble. Voyez comme je mets mon front plus bas que votre cœur! Il n'est plus une de mes pensées d'hier qui ne devienne vaine aujourd'hui. A peine si je comprends, près de vous, pourquoi j'étais parti de la maison.

—Tu ne partiras plus? [35]

—Je ne puis plus partir.

---

35. risky, uncertain.   **36.** resists.   **37.** to experience the reality of.   **38.** wav-

—Qu'est-ce qui t'attirait donc au dehors?

—Je ne veux plus y songer: Rien . . . Moi-même.

—Pensais-tu donc être heureux loin de nous?

—Je ne cherchais pas le bonheur.

5 —Que cherchais-tu?

—Je cherchais . . . qui j'étais.

—Oh! fils de tes parents, et frère entre tes frères.

—Je ne ressemblais pas à mes frères. N'en parlons plus; me voici de retour.

10 —Si; parlons-en encore: Ne crois pas si différents de toi, tes frères.

—Mon seul soin désormais c'est de ressembler à vous tous.

—Tu dis cela comme avec résignation.

—Rien n'est plus fatigant que de réaliser [37] sa dissemblance. Ce

15 voyage à la fin m'a lassé.

—Te voici tout vieilli, c'est vrai.

—J'ai souffert.

—Mon pauvre enfant! Sans doute ton lit n'était pas fait tous les soirs, ni pour tous tes repas la table mise?

20 —Je mangeais ce que je trouvais et souvent ce n'était que fruits verts ou gâtés dont ma faim faisait nourriture.

—N'as-tu souffert du moins que de la faim?

—Le soleil du milieu du jour, le vent froid du cœur de la nuit, le sable chancelant [38] du désert, les broussailles [39] où mes pieds

25 s'ensanglantaient, rien de tout cela ne m'arrêta, mais—je ne l'ai pas dit à mon frère—j'ai dû servir . . .

—Pourquoi l'avoir caché?

—De mauvais maîtres qui malmenaient [40] mon corps, exaspéraient mon orgueil, et me donnaient à peine de quoi manger. C'est alors

30 que j'ai pensé: Ah! servir pour servir! [41] . . . En rêve j'ai revu la maison; je suis rentré.

Le fils prodigue baisse à nouveau le front que tendrement sa mère caresse.

—Qu'est-ce que tu vas faire à présent?

35 —Je vous l'ai dit: m'occuper de ressembler à mon grand frère; régir nos biens; comme lui prendre femme . . .

—Sans doute tu penses à quelqu'un, en disant cela.

ering.   **39.** brambles.   **40.** abused, handled roughly.   **41.** why serve for the sake of serving? (If I must serve, let it at least be in my father's house.)

—Oh! n'importe laquelle sera la préférée, du moment que vous l'aurez choisie. Faites comme vous avez fait pour mon frère.

—J'eusse voulu la choisir selon ton cœur.

—Qu'importe! mon cœur avait choisi. Je résigne [42] un orgueil qui m'avait emporté loin de vous. Guidez mon choix. Je me soumets, 5 vous dis-je. Je soumettrai de même mes enfants; et ma tentative ainsi ne me paraîtra plus si vaine.

—Écoute, il est à présent un enfant dont tu pourrais déjà t'occuper.

—Que voulez-vous dire, et de qui parlez-vous? 10

—De ton frère cadet, qui n'avait pas dix ans quand tu partis, que tu n'as reconnu qu'à peine et qui pourtant . . .

—Achevez, mère; de quoi vous inquiéter, à présent?

—En qui pourtant tu aurais pu te reconnaître, car il est tout pareil à ce que tu étais en partant. 15

—Pareil à moi?

—A celui que tu étais, te dis-je, non pas encore hélas! à celui que tu es devenu.

—Qu'il deviendra.

—Qu'il faut le faire aussitôt devenir.[43] Parle lui; sans doute il 20 t'écoutera, toi, prodigue. Dis-lui bien quel déboire [44] était sur la route; épargne-lui . . .

—Mais qu'est-ce qui vous fait vous alarmer ainsi sur mon frère? Peut-être simplement un rapport de traits . . .

—Non, non; la ressemblance entre vous deux est plus profonde. 25 Je m'inquiète à présent pour lui de ce qui ne m'inquiétait d'abord pas assez pour toi-même. Il lit trop, et ne préfère pas toujours les bons livres.

He has bad friends

—N'est-ce donc que cela?

—Il est souvent juché [45] sur le plus haut point du jardin, d'où 30 l'on peut voir le pays, tu sais, par-dessus les murs.

—Je m'en souviens. Est-ce là tout?

—Il est bien moins souvent auprès de nous que dans la ferme.

—Ah! qu'y fait-il?

—Rien de mal. Mais ce n'est pas les fermiers, c'est les goujats [46] 35 les plus distants de nous qu'il fréquente, et ceux qui ne sont pas

---

42. give up. 43. That we must make him become immediately (i.e., make him pass through the stage of prodigal son without ever leaving his father's house). 44. vexation. 45. perched. 46. common, vulgar laborers.

du pays. Il en est un surtout, qui vient de loin, qui lui raconte des
histoires.

—Ah! le porcher.[47]

—Oui. Tu le connaissais? . . . Pour l'écouter, ton frère chaque
5 soir le suit dans l'étable des porcs; il ne revient que pour dîner, sans
appétit, et les vêtements pleins d'odeur. Les remontrances n'y font
rien; il se raidit [48] sous la contrainte. Certains matins, à l'aube,
avant qu'aucun de nous ne soit levé, il court accompagner jusqu'à
la porte ce porcher quand il sort paître son troupeau.

10   —Lui, sait qu'il ne doit pas sortir.

—Tu le savais aussi! Un jour il m'échappera, j'en suis sûre. Un
jour il partira . . .

—Non, je lui parlerai, mère. Ne vous alarmez pas.

—De toi, je sais qu'il écoutera bien des choses. As-tu vu comme
15 il te regardait le premier soir? De quel prestige tes haillons [49] étaient
couverts! puis la robe de pourpre dont le père t'a revêtu. J'ai craint
qu'en son esprit il ne mêle un peu l'un à l'autre, et que ce qui
l'attire ici, ce ne soit d'abord le haillon. Mais cette pensée à
présent me paraît folle; car enfin, si toi, mon enfant, tu avais pu
20 prévoir tant de misère, tu ne nous aurais pas quittés, n'est-ce pas?

—Je ne sais plus comment j'ai pu vous quitter, vous, ma mère.

—Eh bien! tout cela, dis-le-lui.

—Tout cela je le lui dirai demain soir. Embrassez-moi maintenant
sur le front comme lorsque j'étais petit enfant et que vous me
25 regardiez m'endormir. J'ai sommeil.

—Va dormir. Je m'en vais prier pour vous tous.

DIALOGUE AVEC LE FRÈRE PUÎNÉ [50]

C'est, à côté de celle du prodigue, une chambre point étroite
aux murs nus. Le prodigue, une lampe à la main, s'avance près du
lit où son frère puîné repose, le visage tourné vers le mur. Il com-
30 mence à voix basse, afin, si l'enfant dort, de ne pas le troubler dans
son sommeil.

—Je voudrais te parler, mon frère.

—Qu'est-ce qui t'en empêche?

—Je croyais que tu dormais.

47. swineherd.   48. stiffens.   49. rags.   50. Younger.   51. unresponsive,
stubborn.   52. sat up.   53. You are mistaken about our brother.   54. Were

—On n'a pas besoin de dormir pour rêver.

—Tu rêvais; à quoi donc?

—Que t'importe! Si déjà moi je ne comprends pas mes rêves, ce n'est pas toi, je pense, qui me les expliqueras.

—Ils sont donc bien subtils? Si tu me les racontais, j'essaierais. **5**

—Tes rêves, est-ce que tu les choisis? Les miens sont ce qu'ils veulent, et plus libres que moi . . . Qu'est-ce que tu viens faire ici? Pourquoi me déranger dans mon sommeil?

—Tu ne dors pas, et je viens te parler doucement.

—Qu'as-tu à me dire?   **10**

—Rien, si tu le prends sur ce ton.

—Alors adieu.

Le prodigue va vers la porte, mais pose à terre la lampe qui n'éclaire plus que faiblement la pièce, puis, revenant, s'assied au bord du lit et dans l'ombre caresse longuement le front détourné **15** de l'enfant.

—Tu me réponds plus durement que je ne fis jamais à ton frère. Pourtant je protestais aussi contre lui.

L'enfant rétif [51] s'est redressé [52] brusquement.

—Dis: c'est le frère qui t'envoie?   **20**

—Non, petit; pas lui, mais notre mère.

—Ah! Tu ne serais pas venu de toi-même.

—Mais je viens pourtant en ami.

A demi soulevé sur son lit, l'enfant regarde fixement le prodigue.

—Comment quelqu'un des miens saurait-il être mon ami?   **25**

—Tu te méprends sur notre frère [53] . . .

—Ne me parle pas de lui! Je le hais . . . Tout mon cœur, contre lui, s'impatiente. Il est cause que je t'ai répondu durement.

—Comment cela?

—Tu ne comprendrais pas.   **30**

—Dis cependant . . .

Le prodigue berce son frère contre lui, et déjà l'enfant adolescent s'abandonne:

—Le soir de ton retour, je n'ai pas pu dormir. Toute la nuit je songeais: J'avais un autre frère, et je ne le savais pas. C'est pour **35** cela que mon cœur a battu si fort, quand, dans la cour de la maison, je t'ai vu t'avancer couvert de gloire.

—Hélas! j'étais couvert alors de haillons.

—Oui, je t'ai vu; mais déjà glorieux. Et j'ai vu ce qu'a fait notre père: il a mis à ton doigt un anneau, un anneau tel que n'en a pas notre frère. Je ne voulais interroger à ton sujet personne; je savais seulement que tu revenais de très loin, et ton regard, à table . . .

5 —Étais-tu du festin? [54]

—Oh! je sais bien que tu ne m'as pas vu; durant tout le repas tu regardais au loin sans rien voir. Et, que le second soir tu aies été parler au père, c'était bien,[55] mais le troisième . . .

—Achève.

10 —Ah! ne fût-ce qu'un mot d'amour [56] tu aurais pourtant bien pu me le dire!

—Tu m'attendais donc?

—Tellement! Penses-tu que je haïrais à ce point notre frère si tu n'avais pas été causer et si longuement avec lui ce soir-là?

15 Qu'est-ce que vous avez pu vous dire? Tu sais bien, si tu me ressembles, que tu ne peux rien avoir de commun avec lui.

—J'avais eu de graves torts envers lui.

—Se peut-il?

—Du moins envers notre père et notre mère. Tu sais que j'avais

20 fui de la maison.

—Oui, je sais. Il y a longtemps, n'est-ce pas?

—A peu près quand j'avais ton âge.

—Ah! . . . Et c'est là ce que tu appelles tes torts?

—Oui, ce fut là mon tort, mon péché.

25 —Quand tu partis, sentais-tu que tu faisais mal?

—Non; je sentais en moi comme une obligation de partir.

—Que s'est-il donc passé depuis? pour changer ta vérité d'alors en erreur.

—J'ai souffert.

30 —Et c'est cela qui te fait dire: j'avais tort?

—Non, pas précisément: c'est cela qui m'a fait réfléchir.

—Auparavant tu n'avais donc pas réfléchi?

—Si, mais ma débile [57] raison s'en laissait imposer par mes désirs.

35 —Comme plus tard par la souffrance. De sorte qu'aujourd'hui, tu reviens . . . vaincu.

—Non, pas précisément; résigné.

you at the banquet? **55.** that you went to speak to our father on the second evening was all right. **56.** had it been only a single word of love. **57.** weak.

—Enfin, tu as renoncé à être celui que tu voulais être.

—Que mon orgueil me persuadait d'être.

L'enfant reste un instant silencieux, puis brusquement sanglote et crie:

—Mon frère! je suis celui que tu étais en partant. Oh! dis: 5 n'as-tu donc rencontré rien que de décevant sur la route? Tout ce que je pressens au dehors, de différent d'ici, n'est-ce donc que mirage? tout ce que je sens en moi de neuf, que folie? Dis: qu'as-tu rencontré de désespérant sur ta route? Oh! qu'est-ce qui t'a fait revenir? 10

—La liberté que je cherchais, je l'ai perdue; captif, j'ai dû servir.

—Je suis captif ici.

—Oui, mais servir de mauvais maîtres; ici, ceux que tu sers sont tes parents.

—Ah! servir pour servir, n'a-t-on pas cette liberté de choisir du 15 moins son servage?

—Je l'espérais. Aussi loin que mes pieds m'ont porté, j'ai marché, comme Saül à la poursuite de ses ânesses,[58] à la poursuite de mon désir; mais, où l'attendait un royaume, c'est la misère que j'ai trouvée. Et pourtant . . . 20

—Ne t'es-tu pas trompé de route?

—J'ai marché devant moi.

—En es-tu sûr? Et pourtant il y a d'autres royaumes, encore, et des terres sans roi, à découvrir.

—Qui te l'a dit? 25

—Je le sais. Je le sens. Il me semble déjà que j'y domine.

—Orgueilleux!

—Ah! ah! ça c'est ce que t'a dit notre frère. Pourquoi, toi, me le redis-tu maintenant? Que n'as-tu gardé cet orgueil! Tu ne serais pas revenu. 30

—Je n'aurais donc pas pu te connaître.

—Si, si, là-bas, où je t'aurais rejoint, tu m'aurais reconnu pour ton frère; même il me semble encore que c'est pour te retrouver que je pars.

—Que tu pars? 35

—Ne l'as-tu pas compris? Ne m'encourages-tu pas toi-même à partir?

58. see I Samuel, x (Saul, seeking his father's lost asses, was found by Samuel and named to succeed him as king of Israel). 59. unconquered. 60. head

—Je voudrais t'épargner le retour; mais en t'épargnant le départ.

—Non, non, ne me dis pas cela; non, ce n'est pas cela que tu veux dire. Toi aussi, n'est-ce pas, c'est comme un conquérant que
5 tu partis.

—Et c'est ce qui me fit paraître plus dur le servage.

—Alors, pourquoi t'es-tu soumis? Étais-tu si fatigué déjà?

—Non, pas encore; mais j'ai douté.

—Que veux-tu dire?

10 —Douté de tout, de moi; j'ai voulu m'arrêter, m'attacher enfin quelque part; le confort que me promettait ce maître m'a tenté
. . . oui, je le sens bien à présent; j'ai failli.

Le prodigue incline la tête et cache son regard dans ses mains.

—Mais d'abord?

15 —J'avais marché longtemps à travers la grande terre indomptée.[59]

—Le désert?

—Ce n'était pas toujours le désert.

—Qu'y cherchais-tu?

—Je ne le comprends plus moi-même.

20 —Lève-toi de mon lit. Regarde, sur la table, à mon chevet,[60] là, près de ce livre déchiré.[61]

—Je vois une grenade [62] ouverte.

—C'est le porcher qui me la rapporta l'autre soir, après n'être pas rentré de trois jours.

25 —Oui, c'est une grenade sauvage.

—Je le sais; elle est d'une âcreté [63] presque affreuse; je sens pourtant que, si j'avais suffisamment soif, j'y mordrais.

—Ah! je peux donc te le dire à présent: c'est cette soif que dans le désert je cherchais.

30 —Une soif dont seul ce fruit non sucré désaltère [64] . . .

—Non; mais il fait aimer cette soif.

—Tu sais où le cueillir?

—C'est un petit verger abandonné, où l'on arrive avant le soir. Aucun mur ne le sépare plus du désert. Là coulait un ruisseau;
35 quelques fruits demi-mûrs pendaient aux branches.

—Quels fruits?

of a bed. **61.** cf. Envoi of Gide's *Les nourritures terrestres:* «Jette mon livre; dis-toi bien que ce n'est là qu'une des mille postures possibles en face de la vie. Cherche la tienne.» **62.** pomegranate. **63.** bitterness. **64.** quenches.

—Les mêmes que ceux de notre jardin; mais sauvages. Il avait fait très chaud tout le jour.

—Écoute; sais-tu pourquoi je t'attendais ce soir? C'est avant la fin de la nuit que je pars. Cette nuit; cette nuit, dès qu'elle pâlira . . . J'ai ceint mes reins,[65] j'ai gardé cette nuit mes sandales.　5

—Quoi! ce que je n'ai pas pu faire, tu le feras? . . .

—Tu m'as ouvert la route, et de penser à toi me soutiendra.

—À moi de t'admirer; à toi de m'oublier, au contraire. Qu'emportes-tu?

—Tu sais bien que, puîné, je n'ai point part à l'héritage. Je pars　10 sans rien.

—C'est mieux.

—Que regardes-tu donc à la croisée?[66]

—Le jardin où sont couchés nos parents morts.[67]

—Mon frère . . . (et l'enfant, qui s'est levé du lit, pose, autour　15 du cou du prodigue, son bras qui se fait aussi doux que sa voix) —Pars avec moi.

—Laisse-moi! laisse-moi! je reste à consoler notre mère. Sans moi tu seras plus vaillant. Il est temps à présent. Le ciel pâlit. Pars sans bruit. Allons! embrasse-moi, mon jeune frère: tu emportes tous　20 mes espoirs. Sois fort; oublie-nous, oublie-moi. Puisses-tu ne pas revenir . . . Descends doucement. Je tiens la lampe . . .

—Ah! donne-moi la main jusqu'à la porte.

—Prends garde aux marches du perron . . .

QUESTIONS

1. Quels changements significatifs Gide fait-il dans son adaptation de la parabole rapportée par Saint Luc xv, 11–32?
2. Quelle est la «double inspiration» dont parle l'auteur dans sa petite préface au lecteur?
3. Quel symbolisme ou quels divers symbolismes trouvez-vous dans les figures du Père, de la Mère, des trois fils, de la Maison, de l'héritage (biens fonciers, biens personnels)? Y a-t-il un sens particulier dans le fait que le frère puîné part sans héritage?
4. Quelle critique religieuse exprime-t-il dans ce symbolisme?
5. Par quelle nouvelle leçon morale Gide remplace-t-il la simple

65. I have girded my loins (Biblical expression). **66.** casement window. **67.** This is an allusion to Gide's polemic with Barrès. The latter attacked les déracinés (cf. his novel of this title, published in 1897), Gide has defended them all his life.

leçon biblique de la miséricorde de Dieu envers le pécheur repenti?

6. Que cherchait l'enfant prodigue dans ses voyages sinon le bonheur?

7. Précisez cette «ferveur» qu'il avait découverte hors de la maison paternelle.

8. Quelle est l'attitude de Gide envers les plaisirs? la souffrance? la liberté de l'homme? la sincérité? la personnalité humaine?

9. Quelle est, en revanche, la doctrine morale du fils aîné? Quel aspect de cette doctrine répugne à l'enfant prodigue? Est-ce que l'auteur trouve des qualités quelconques dans cette doctrine?

10. Pourquoi l'enfant prodigue est-il revenu? S'il s'est véritablement repenti pourquoi encourage-t-il son frère cadet de s'évader? Est-il hypocrite?

11. Y a-t-il une justification biblique pour les portraits des deux frères aînés?

12. Par quel procédé principal Gide développe-t-il sa pensée?

13. Comment cherche-t-il à varier son dialogue?

14. Comment évite-t-il le danger de laisser dégénérer son histoire en pur discours moral?

15. Jusqu'à quel point la description est-elle importante dans l'histoire?

16. Quelle est la signification de la «grenade» sauvage, vers la fin?

17. Cette histoire a-t-elle une véritable action, un mouvement réel? Commentez la structure, surtout du point de vue du développement des sentiments de l'enfant prodigue.

18. Quels vous paraissent les traits dominants du style de Gide? Y a-t-il des faiblesses? N'y a-t-il aucune artificialité dans le style?

19. Est-ce que Gide tient sa promesse, faite dans la préface, d'introduire une piété très personnelle dans son histoire?

20. Quelle espérance Gide nous donne-t-il à la fin que le frère cadet réussira là où l'enfant prodigue a failli?

Marcel Proust

(1871–1922)

MARCEL PROUST was born in Paris in 1871. His father, Adrien Proust, was a professor at the École de Médecine; his mother, to whom he was deeply devoted, was of Jewish origin. From the age of nine the boy was a chronic asthmatic, and this state of permanent illness is reflected in the morbid sensitivity of his literary work. In his later years, in order to protect himself from noises and odors, he spent most of his time in a cork-lined room. Proust attended the Lycée Condorcet in Paris, and in his twenties began writing articles for the *Revue blanche*. He attracted attention by his skill at literary *pastiches* and by his translations of Ruskin (*Sesame and Lilies* and the *Bible of Amiens*). The story included here is from *Les plaisirs et les jours* (1896), a collection of psychological studies of love and aristocratic society.

Being an invalid, Proust traveled little. During his childhood he spent summers at Illiers, a village near Chartres, which is the Combray of *Du côté de chez Swann*, and at Cabourg, the Balbec of the novels. His only other trip was to Venice in 1900 (described in *Albertine disparue*). In Paris he frequented various *salons*, notably that of Mme de Caillavet. His interest in the details of aristocratic life was extreme, and he even resorted to tipping servants at the Ritz for the purpose of extracting personal information.

Proust's masterpiece—in many ways the outstanding literary production of the twentieth century—is a novel cycle, *A la recherche du temps perdu*, consisting of seven successive novels. The first of these, *Du côté de chez Swann*, was rejected by many publishers but was finally accepted by Grasset in 1913, some years after the author had become almost entirely bedridden. The second novel, *A l'ombre des jeunes filles en fleurs*, was delayed by the war and did not appear until 1918. From then on, Proust's writing became a race with death; *Le côté de Guermantes* (1920) and *Sodome et Gomorrhe* (1921–1922) were published before he died, but the remainder of the series—*La prisonnière* (1923), *Albertine disparue* (1925), and *Le temps retrouvé* (1927)—appeared posthumously, based on manuscripts.

As its title implies, *A la recherche du temps perdu* is in large part Proust's attempt to recapture his own past. Conscious memory, he feels, is useless for such a purpose, since it can furnish only an intellectual abstraction. Thus the key to the whole work is the conception of involuntary memory. If we reexperience sensations that we once felt in the past—such as the taste of a cake dipped in tea—we relive all the experiences associated with them. The past comes back to us vividly, as it really was; the flight of time has stopped, we feel ourselves to be immortal; and the moment of immortality can be preserved by the miracle of art. These theories derive from the philosopher Bergson, whom Proust greatly admired.

A la recherche du temps perdu is also remarkable as a panorama of upper-middle-class and aristocratic society in France during the period 1870–1920. Nowhere have the psychology and organization of snobbishness been more exhaustively explored. To this task Proust brings not only unusual powers of observation and analysis, but also a strong sense of humor; such characterizations as those of Madame Verdurin and her coterie are masterpieces of satire. The society he depicts is in process of decay, and many of the characters portrayed are sexually abnormal; the sinister yet ridiculous figure of M. de Charlus is one of the most powerful portraits of a homosexual in literature. It is highly probable, moreover, that even the supposedly normal love of the narrator for Gilberte and Albertine is merely transposed homosexuality. Thus the Proustian representation of love is specialized—extremely subjective, marked by intense jealousy and invariably unhappy, it can be regarded as a malady.

In Proust's world no permanence is to be found in human relationships; not only is love illusory, but all Proust's men and women are in a constant state of evolution and change, until in the last two novels they suddenly become hideously old. Obsessed as he was by the fluidity of phenomena, it is perhaps natural that he should turn to art as the one thing of permanent value in this world. Thus his analyses of music, in the works of the composer

Vinteuil (possibly César Franck); of art, in the paintings of Elstir (perhaps Monet); and of literature, in the personality of Bergotte (partly Anatole France), are extraordinarily subtle and interesting. Furthermore, Proust, who was without religious faith, believed that he could attain not merely figurative but actual immortality through his own art; he regarded A la recherche du temps perdu as his best claim to personal salvation.

The work as a whole, despite its scope, presents a remarkable unity of construction; it may indeed be compared to a musical composition in which themes constantly reappear within an orderly plan. The first part of Du côté de chez Swann, entitled Combray, deals with the narrator's childhood and is a sort of prelude, containing the major themes of the work: the flight of time, memory, love, jealousy, art; it also presents several masterly characterizations, such as bedridden Aunt Léonie and the servant Françoise; consequently the reader who wishes to gain some idea of the entire novel cycle cannot do better than to read this introductory section.

Certain passages of La confession d'une jeune fille are suggestive of themes which appear later in A la recherche du temps perdu. Even this brief story reveals the subtlety of self-analysis which is typical of the great novel cycle. Like the narrator in Du côté de chez Swann, the jeune fille is morbidly sensitive and lacking in will power; and like him, she is excessively attached to her mother. In Combray, the little boy cannot go to sleep unless his mother kisses him good-night, and she tries in vain to educate him to greater self-control. «Ce qui désolait ma mère, c'était mon manque de volonté»: this sentence, from the story reproduced here, might equally well have been taken from the first half of Du côté de chez Swann.

We have seen the importance of involuntary memory in Proust's work; the past, he feels, can be recaptured only through the evocative power of a sensation reexperienced. This theme, which is to be the basis of A la recherche du temps perdu, is foreshadowed in the Confession.

Proust frequently insists, throughout his work, that we are naturally impelled to fall in love with people who are likely to make us suffer. The jeune fille of this story likewise illustrates this principle, since it is with the most «pervers et méchant» of the young men that she falls in love. The masochism of Proustian love is, of course, often matched by an equal sadism. The reader will probably feel this to be true of the scene before the mirror, where the *jeune fille* speaks of the «férocité de la part du corps qui jouit»; and it seems evident that, in her passionate love for her mother, there is also a certain delight in inflicting pain.

Finally, a sentence in the first paragraph of the *Confession* contains the whole subject of *Albertine disparue:* «L'absence n'est-elle pas pour qui aime la plus certaine, la plus efficace, la plus vivace, la plus indestructible, la plus fidèle des présences?»

Thus it can be seen that the *Confession d'une jeune fille* may almost, like *Combray*, be considered as a kind of prelude to *A la recherche du temps perdu*; and it is hoped that many readers of this story will go on to the great novel cycle.

BIBLIOGRAPHY

C. A. A. Blondel, *La psychographie de Marcel Proust* (1932).
E. R. Curtius, *Marcel Proust* (1928).
A. Dandieu, *Marcel Proust; sa révélation psychologique* (1930).
Ramon Fernandez, *Proust* (1944).
A. Feuillerat, *Comment Marcel Proust a composé son roman* (1934).
Harold March, *The Two Worlds of Marcel Proust* (1948).
Léon Pierre-Quint, *Marcel Proust; sa vie, son œuvre* (1925; revised ed., 1928, 1935; Eng. tr., 1927).
Edmund Wilson, *Axel's Castle* (1931). The chapter on Marcel Proust deals particularly with the biographical significance of *La confession d'une jeune fille*.
Certain volumes of the series *Cahiers Marcel Proust* are very useful.

⌇

LA CONFESSION D'UNE JEUNE FILLE

Les désirs des sens nous entrainent çà et là, mais l'heure passée, que rapportez-vous? des remords de conscience et de la dissipation d'esprit. On sort dans la joie et souvent on revient dans la tristesse, et les plaisirs du soir attristent le matin. Ainsi la joie des sens flatte d'abord, mais à la fin elle blesse et elle tue.

—(*Imitation de Jésus-Christ,*[1] Livre I, c. xviii).

I

Parmi l'oubli qu'on cherche aux fausses allégresses,
Revient plus virginal à travers les ivresses,
Le doux parfum mélancolique du lilas.

—Henri de Régnier[2]

Enfin la délivrance approche. Certainement j'ai été maladroite, j'ai mal tiré,[3] j'ai failli me manquer. Certainement il aurait mieux valu mourir du premier coup, mais enfin on n'a pas pu extraire la balle et les accidents au cœur[4] ont commencé. Cela ne peut plus être bien long. Huit jours pourtant! cela peut encore durer huit 5 jours! pendant lesquels je ne pourrai faire autre chose que m'ef‧forcer de ressaisir l'horrible enchaînement.[5] Si je n'étais pas si faible, si j'avais assez de volonté pour me lever, pour partir, je voudrais aller mourir aux Oublis, dans le parc où j'ai passé tous mes étés jusqu'à quinze ans. Nul lieu n'est plus plein de ma mère, tant 10 sa présence, et son absence plus encore, l'imprégnèrent de sa personne. L'absence n'est-elle pas pour qui aime la plus certaine, la plus efficace, la plus vivace, la plus indestructible, la plus fidèle des présences?

Ma mère m'amenait aux Oublis[6] à la fin d'avril, repartait au 15 bout de deux jours, passait deux jours encore au milieu de mai, puis revenait me chercher dans la dernière semaine de juin. Ses venues si courtes étaient la chose la plus douce et la plus cruelle. Pendant ces deux jours elle me prodiguait[7] des tendresses dont habituellement, pour m'endurcir et calmer ma sensibilité maladive, elle 20

1. a medieval devotional book, sometimes attributed to Thomas à Kempis.
2. a late symbolist poet (1864–1936).   3. aimed, fired.   4. heart complications.   5. recapture the horrible sequence of events.   6. name of a country house.   7. she lavished on me.   8. I would call her back so often that I

était très avare. Les deux soirs qu'elle passait aux Oublis, elle
venait me dire bonsoir dans mon lit, ancienne habitude qu'elle
avait perdue, parce que j'y trouvais trop de plaisir et trop de peine,
que je ne m'endormais plus à force de la rappeler [8] pour me dire
5 bonsoir encore, n'osant plus à la fin, n'en ressentant que davantage
le besoin passionné, inventant toujours de nouveaux prétextes, mon
oreiller brûlant à retourner,[9] mes pieds gelés qu'elle seule pourrait
réchauffer dans ses mains . . . Tant de doux moments recevaient
une douceur de plus de ce que je sentais que c'étaient ceux-là
10 où ma mère était véritablement elle-même et que son habituelle
froideur devait lui coûter beaucoup. Le jour où elle repartait, jour
de désespoir où je m'accrochais à sa robe jusqu'au wagon, la sup-
pliant de m'emmener à Paris avec elle, je démêlais [10] très bien le
sincère au milieu du feint, sa tristesse qui perçait sous ses reproches
15 gais et fâchés par ma tristesse «bête, ridicule» qu'elle voulait m'apprendre à dominer, mais qu'elle partageait. Je ressens encore mon
émotion d'un de ces jours de départ (juste cette émotion intacte,
pas altérée [11] par le douloureux retour d'aujourd'hui) d'un de ces
jours de départ où je fis la douce découverte de sa tendresse si
20 pareille et si supérieure à la mienne. Comme toutes les découvertes,
elle avait été pressentie, devinée, mais les faits semblaient si souvent
y contredire! Mes plus douces impressions sont celles des années où
elle revint aux Oublis, rappelée parce que j'étais malade. Non seulement elle me faisait une visite de plus sur laquelle je n'avais pas
25 compté, mais surtout elle n'était plus alors que douceur et tendresse
épanchées [12] sans dissimulation ni contrainte. Même dans ce
temps-là où elles n'étaient pas encore adoucies, attendries par la
pensée qu'un jour elles viendraient à me manquer,[13] cette douceur,
cette tendresse étaient tant pour moi que le charme des con-
30 valescences me fut toujours mortellement triste: le jour approchait
où je serais assez guérie pour que ma mère pût repartir, et jusque-là
je n'étais plus assez souffrante pour qu'elle ne reprît pas les
sévérités, la justice sans indulgence d'avant.
   Un jour, les oncles chez qui j'habitais aux Oublis m'avaient
35 caché que ma mère devait arriver, parce qu'un petit cousin était
venu passer quelques heures avec moi, et que je ne me serais pas
assez occupée de lui dans l'angoisse joyeuse de cette attente. Cette

couldn't get to sleep.   9. to be turned over.   10. I could detect.   11. impaired.   12. poured forth.   13. I should come to miss them.   14. secretive

cachotterie [14] fut peut-être la première des circonstances indépen-
dantes de ma volonté qui furent les complices de toutes les dispositions pour le mal que, comme tous les enfants de mon âge,
et pas plus qu'eux alors, je portais en moi. Ce petit cousin qui
avait quinze ans—j'en avais quatorze—était déjà très vicieux et 5
m'apprit des choses qui me firent frissonner aussitôt de remords
et de volupté.[15] Je goûtais à l'écouter, à laisser ses mains caresser
les miennes, une joie empoisonnée à sa source même; bientôt j'eus
la force de le quitter et je me sauvai dans le parc avec un besoin
fou de ma mère que je savais, hélas! être à Paris, l'appelant partout 10
malgré moi par les allées. Tout à coup, passant devant une charmille,[16] je l'aperçus sur un banc, souriante et m'ouvrant les bras. Elle
releva son voile pour m'embrasser, je me précipitai contre ses joues
en fondant en larmes;[17] je pleurai longtemps en lui racontant
toutes ces vilaines choses qu'il fallait l'ignorance de mon âge pour 15
lui dire et qu'elle sut écouter divinement, sans les comprendre,
diminuant leur importance avec une bonté qui allégeait[18] le
poids de ma conscience. Ce poids s'allégeait, s'allégeait; mon âme
écrasée, humiliée montait de plus en plus légère et puissante,
débordait, j'étais tout âme. Une divine douceur émanait de ma 20
mère et de mon innocence revenue. Je sentis bientôt sous mes
narines une odeur aussi pure et aussi fraîche. C'était un lilas dont
une branche cachée par l'ombrelle de ma mère était déjà fleurie
et qui, invisible, embaumait.[19] Tout en haut des arbres, les oiseaux
chantaient de toutes leurs forces. Plus haut, entre les cimes vertes, 25
le ciel était d'un bleu si profond qu'il semblait à peine l'entrée
d'un ciel où l'on pourrait monter sans fin. J'embrassai ma mère.
Jamais je n'ai retrouvé la douceur de ce baiser. Elle repartit le
lendemain et ce départ-là fut plus cruel que tous ceux qui avaient
précédé. En même temps que la joie il me semblait que c'était 30
maintenant que j'avais une fois péché, la force, le soutien nécessaires qui m'abandonnaient.

Toutes ces séparations m'apprenaient malgré moi ce que serait
l'irréparable qui viendrait un jour, bien que jamais à cette époque
je n'aie sérieusement envisagé la possibilité de survivre à ma mère. 35
J'étais décidée à me tuer dans la minute qui suivrait sa mort. Plus
tard, l'absence porta d'autres enseignements plus amers encore,

act. **15.** (sensual) delight. **16.** arbor. **17.** bursting into tears.
18. eased. **19.** was spreading its fragrance. **20.** were to prove untrue.

qu'on s'habitue à l'absence, que c'est la plus grande diminution
de soi-même, la plus humiliante souffrance de sentir qu'on n'en
souffre plus. Ces enseignements d'ailleurs devaient être démentis [20]
dans la suite. Je repense surtout maintenant au petit jardin où
5 je prenais avec ma mère le déjeuner du matin et où il y avait
d'innombrables pensées.[21] Elles m'avaient toujours paru un peu
tristes, graves comme des emblèmes, mais douces et veloutées,[22]
souvent mauves, parfois violettes, presque noires, avec de gracieuses
et mystérieuses images jaunes, quelques-unes entièrement blanches
10 et d'une frêle innocence. Je les cueille toutes maintenant dans mon
souvenir, ces pensées, leur tristesse s'est accrue d'avoir été comprises,
la douceur de leur velouté est à jamais disparue.

II

Comment toute cette eau fraîche de souvenirs a-t-elle pu jaillir [23]
encore une fois et couler dans mon âme impure d'aujourd'hui sans
15 s'y souiller? Quelle vertu possède cette matinale [24] odeur de lilas
pour traverser tant de vapeurs fétides sans s'y mêler et s'y affaiblir?
Hélas! en même temps qu'en moi, c'est bien loin de moi, c'est
hors de moi que mon âme de quatorze ans se réveille encore. Je
sais bien qu'elle n'est plus mon âme et qu'il ne dépend plus de
20 moi qu'elle la redevienne. Alors pourtant je ne croyais pas que
j'en arriverais un jour à la regretter. Elle n'était que pure, j'avais à
la rendre forte et capable dans l'avenir des plus hautes tâches.
Souvent aux Oublis, après avoir été avec ma mère au bord de
l'eau pleine des jeux du soleil et des poissons, pendant les chaudes
25 heures du jour,—ou le matin et le soir me promenant avec elle dans
les champs, je rêvais avec confiance cet avenir qui n'était jamais
assez beau au gré de son amour, de mon désir de lui plaire, et des
puissances sinon de volonté, au moins d'imagination et de sentiment qui s'agitaient en moi, appelaient tumultueusement la des-
30 tinée où elles se réaliseraient et frappaient à coups répétés à la
cloison [25] de mon cœur comme pour l'ouvrir et se précipiter hors
de moi, dans la vie. Si, alors, je sautais de toutes mes forces, si
j'embrassais mille fois ma mère, courais au loin en avant comme
un jeune chien, ou restée indéfiniment en arrière à cueillir des
35 coquelicots [26] et des bleuets,[27] les rapportais en poussant des cris,

21. pansies.   22. velvet-like.   23. spring up.   24. early-morning.
25. (literally) partition; (here) door.   26. poppies.   27. cornflowers.

c'était moins pour la joie de la promenade elle-même et de ces cueillettes[28] que pour épancher mon bonheur de sentir en moi toute cette vie prête à jaillir, à s'étendre à l'infini, dans des perspectives plus vastes et plus enchanteresses que l'extrême horizon des forêts et du ciel que j'aurais voulu atteindre d'un seul bond. 5 Bouquets de bleuets, de trèfles[29] et de coquelicots, si je vous emportais avec tant d'ivresse, les yeux ardents, toute palpitante, si vous mc faisiez rire et pleurer, c'est que je vous composais avec toutes mes espérances d'alors, qui maintenant, comme vous, ont séché, ont pourri, et sans avoir fleuri comme vous, sont retournées 10 à la poussière.

Ce qui désolait ma mère, c'était mon manque de volonté. Je faisais tout par l'impulsion du moment. Tant qu'elle fut toujours donnée par l'esprit ou par le cœur, ma vie, sans être tout à fait bonne, ne fut pourtant pas vraiment mauvaise. La réalisation de 15 tous mes beaux projets de travail, de calme, de raison, nous préoccupait pardessus tout, ma mère et moi, parce que nous sentions, elle plus distinctement, moi confusément, mais avec beaucoup de force, qu'elle ne serait que l'image projetée dans ma vie de la création par moi-même et en moi-même de cette volonté qu'elle avait conçue et 20 couvée.[30] Mais toujours je l'ajournais[31] au lendemain. Je me donnais du temps, je me désolais parfois de le voir passer, mais il y en avait encore tant devant moi! Pourtant j'avais un peu peur, et sentais vaguement que l'habitude de me passer ainsi de vouloir commençait à peser sur moi de plus en plus fortement à mesure 25 qu'elle prenait plus d'années, me doutant tristement que les choses ne changeraient pas tout d'un coup, et qu'il ne fallait guère compter, pour transformer ma vie et créer ma volonté, sur un miracle qui ne m'aurait coûté aucune peine. Désirer avoir de la volonté n'y suffisait pas. Il aurait fallu précisément ce que je ne 30 pouvais sans volonté: le vouloir.[32]

III

Et le vent furibond de la concupiscence
Fait claquer votre chair ainsi qu'un vieux drapeau.
—Baudelaire[33]

---

28. flower pickings.   29. clover.   30. brooded upon.   31. I kept putting it off.   32. I should have had to do precisely what I could not do without will power: to will it.   33. one of the greatest poets of modern times (1821– 1867), a precursor of symbolism, author of *Les fleurs du mal* (1857).

Pendant ma seizième année, je traversai une crise qui me rendit souffrante. Pour me distraire, on me fit débuter dans le monde. Des jeunes gens prirent l'habitude de venir me voir. Un d'entre eux était pervers et méchant. Il avait des manières à la fois douces
5 et hardies. C'est de lui que je devins amoureuse. Mes parents l'apprirent et ne brusquèrent rien [34] pour ne pas me faire trop de peine. Passant tout le temps où je ne le voyais pas à penser à lui, je finis par m'abaisser en lui ressemblant autant que cela m'était possible. Il m'induisait à mal faire presque par surprise, puis
10 m'habitua à laisser s'éveiller en moi de mauvaises pensées auxquelles je n'eus pas une volonté à opposer, seule puissance capable de les faire rentrer dans l'ombre infernale d'où elles sortaient. Quand l'amour finit, l'habitude avait pris sa place et il ne manquait pas de jeunes gens immoraux pour l'exploiter. Complices de mes
15 fautes, ils s'en faisaient aussi les apologistes en face de ma conscience. J'eus d'abord des remords atroces, je fis des aveux qui ne furent pas compris. Mes camarades me détournèrent [35] d'insister auprès de mon père. Ils me persuadaient lentement que toutes les jeunes filles faisaient de même et que les parents feignaient
20 seulement de l'ignorer. Les mensonges que j'étais sans cesse obligée de faire, mon imagination les colora bientôt des semblants d'un silence qu'il convenait de garder sur une nécessité inéluctable. [36] A ce moment je ne vivais plus bien; je rêvais, je pensais, je sentais encore.
25 Pour distraire et chasser tous ces mauvais désirs, je commençai à aller beaucoup dans le monde. Ses plaisirs desséchants [37] m'habituèrent à vivre dans une compagnie perpétuelle, et je perdis avec le goût de la solitude le secret des joies que m'avaient données jusque-là la nature et l'art. Jamais je n'ai été si souvent au concert
30 que dans ces années-là. Jamais, tout occupée au désir d'être admirée dans une loge élégante, je n'ai senti moins profondément la musique. J'écoutais et je n'entendais rien. Si par hasard j'entendais, j'avais cessé de voir tout ce que la musique sait dévoiler. [38] Mes promenades aussi avaient été comme frappées de stérilité. Les
35 choses qui autrefois suffisaient à me rendre heureuse pour toute la journée, un peu de soleil jaunissant l'herbe, le parfum que les

34. took no precipitate action.   35. dissuaded.   36. soon threw over them the veil of a silence that it seemed well to keep concerning unavoidable actions.
37. withering.   38. reveal.   39. hosts, inhabitants.   40. diametrically op-

feuilles laissent s'échapper avec les dernières gouttes de pluie, avaient perdu comme moi leur douceur et leur gaieté. Les bois, le ciel, les eaux semblaient se détourner de moi, et si, restée seule avec eux face à face, je les interrogeais anxieusement, ils ne murmuraient plus ces réponses vagues qui me ravissaient autrefois. 5 Les hôtes [39] divins qu'annoncent les voix des eaux, des feuillages et du ciel daignent visiter seulement les cœurs qui, en habitant en eux-mêmes, se sont purifiés.

C'est alors qu'à la recherche d'un remède inverse [40] et parce que je n'avais pas le courage de vouloir le véritable qui était si près, et 10 hélas! si loin de moi, en moi-même, je me laissai de nouveau aller aux plaisirs coupables, croyant ranimer par là la flamme éteinte par le monde. Ce fut en vain. Retenue par le plaisir de plaire, je remettais de jour en jour la décision définitive, le choix, l'acte vraiment libre, l'option pour la solitude. Je ne renonçai pas à l'un 15 de ces deux vices pour l'autre. Je les mêlai. Que dis-je? chacun se chargeant de briser tous les obstacles de pensée, de sentiment, qui auraient arrêté l'autre, semblait aussi l'appeler. J'allais dans le monde pour me calmer après une faute, et j'en commettais une autre dès que j'étais calme. C'est à ce moment terrible, après l'in- 20 nocence perdue, et avant le remords d'aujourd'hui, à ce moment où de tous les moments de ma vie j'ai le moins valu, que je fus le plus appréciée de tous. On m'avait jugée une petite fille prétentieuse et folle; maintenant, au contraire, les cendres de mon imagination étaient au goût du monde qui s'y délectait.[41] Alors que je 25 commettais envers ma mère le plus grand des crimes, on me trouvait à cause de mes façons tendrement respectueuses envers elle, le modèle des filles. Après le suicide de ma pensée, on admirait mon intelligence, on raffolait [42] de mon esprit. Mon imagination desséchée, ma sensibilité tarie,[43] suffisaient à la soif des plus 30 altérés de vie spirituelle, tant cette soif était factice,[44] et mensongère comme la source où ils croyaient l'étancher.[45] Personne d'ailleurs ne soupçonnait le crime secret de ma vie, et je semblais à tous la jeune fille idéale. Combien de parents dirent alors à ma mère que si ma situation eût été moindre et s'ils avaient pu songer à moi, ils 35 n'auraient pas voulu d'autre femme pour leur fils! Au fond de ma conscience oblitérée, j'éprouvais pourtant de ces louanges indues [46]

posed. 41. reveled in it. 42. peop le were crazy about. 43. dried up.
44. artificial. 45. quench it. 46. undeserved. 47. shaken. 48. compel.

une honte désespérée; elle n'arrivait pas jusqu'à la surface, et j'étais tombée si bas que j'eus l'indignité de les rapporter en riant aux complices de mes crimes.

IV

«À quiconque a perdu ce qui ne se retrouve jamais . . . jamais!»
—Baudelaire

L'hiver de ma vingtième année, la santé de ma mère, qui n'avait
5 jamais été vigoureuse, fut très ébranlée.[47] J'appris qu'elle avait le cœur malade, sans gravité d'ailleurs, mais qu'il fallait lui éviter tout ennui. Un de mes oncles me dit que ma mère désirait me voir me marier. Un devoir précis, important se présentait à moi. J'allais pouvoir prouver à ma mère combien je l'aimais. J'acceptai la
10 première demande qu'elle me transmit en l'approuvant, chargeant ainsi, à défaut de volonté, la nécessité, de me contraindre[48] à changer de vie. Mon fiancé était précisément le jeune homme qui, par son extrême intelligence, sa douceur et son énergie, pouvait avoir sur moi la plus heureuse influence. Il était, de plus, décidé
15 à habiter avec nous. Je ne serais pas séparée de ma mère, ce qui eût été pour moi la peine la plus cruelle.

Alors j'eus le courage de dire toutes mes fautes à mon confesseur. Je lui demandai si je devais le même aveu à mon fiancé. Il eut la pitié de m'en détourner, mais me fit prêter le serment[49] de ne
20 jamais retomber dans mes erreurs et me donna l'absolution. Les fleurs tardives que la joie fit éclore[50] dans mon cœur que je croyais à jamais stérile portèrent des fruits. La grâce de Dieu, la grâce de la jeunesse, —où l'on voit tant de plaies se refermer d'elles-mêmes par la vitalité de cet âge—m'avaient guérie.
25 Si, comme l'a dit saint Augustin, il est plus difficile de redevenir chaste que de l'avoir été, je connus alors une vertu difficile. Personne ne se doutait que je valais infiniment mieux qu'avant et ma mère baisait chaque jour mon front qu'elle n'avait jamais cessé de croire pur sans savoir qu'il était régénéré. Bien plus, on me fit
30 à ce moment, sur mon attitude distraite, mon silence et ma mélancolie dans le monde, des reproches injustes. Mais je ne m'en fâchais pas: le secret qui était entre moi et ma conscience satisfaite me procurait assez de volupté. La convalescence de mon

49. give oath.   50. bloom.   **51.** be careful with her.   **52.** relapse.

âme—qui me souriait maintenant sans cesse avec un visage semblable à celui de ma mère et me regardait avec un air de tendre reproche à travers ses larmes qui séchaient—était d'un charme et
d'une langueur infinis. Oui, mon âme renaissait à la vie. Je ne
comprenais pas moi-même comment j'avais pu la maltraiter, la 5
faire souffrir, la tuer presque. Et je remerciais Dieu avec effusion
de l'avoir sauvée à temps.

C'est l'accord de cette joie profonde et pure avec la fraîche
sérénité du ciel que je goûtais le soir où tout s'est accompli.
L'absence de mon fiancé, qui était allé passer deux jours chez sa 10
sœur, la présence à dîner du jeune homme qui avait la plus grande
responsabilité dans mes fautes passées, ne projetaient pas sur cette
limpide soirée de mai la plus légère tristesse. Il n'y avait pas un
nuage au ciel qui se reflétait exactement dans mon cœur. Ma
mère, d'ailleurs, comme s'il y avait eu entre elle et mon âme, 15
malgré qu'elle fût dans une ignorance absolue de mes fautes, une
solidarité mystérieuse, était à peu près guérie. «Il faut la ménager [51]
quinze jours, avait dit le médecin, et après cela il n'y aura plus de
rechute [52] possible!» Ces seuls mots étaient pour moi la promesse
d'un avenir de bonheur dont la douceur me faisait fondre en 20
larmes. Ma mère avait ce soir-là une robe plus élégante que de
coutume, et, pour la première fois depuis la mort de mon père,
déjà ancienne pourtant de dix ans, elle avait ajouté un peu de
mauve à son habituelle robe noire. Elle était toute confuse [53]
d'être ainsi habillée comme quand elle était plus jeune, et triste 25
et heureuse d'avoir fait violence à sa peine et à son deuil pour me
faire plaisir et fêter ma joie. J'approchai de son corsage un œillet [54]
rose qu'elle repoussa d'abord, puis qu'elle attacha, parce qu'il
venait de moi, d'une main un peu hésitante, honteuse. Au moment
où on allait se mettre à table, j'attirai près de moi vers la fenêtre 30
son visage délicatement reposé de ses souffrances passées, et je
l'embrassai avec passion. Je m'étais trompée en disant que je n'avais
jamais retrouvé la douceur du baiser aux Oublis. Le baiser de ce
soir-là fut aussi doux qu'aucun autre. Ou plutôt ce fut le baiser
même des Oublis qui, évoqué par l'attrait [55] d'une minute pareille, 35
glissa doucement du fond du passé et vint se poser entre les joues
de ma mère encore un peu pâles et mes lèvres.

On but à mon prochain mariage. Je ne buvais jamais que de l'eau

53. embarrassed. **54.** carnation. **55.** called up by the charm. **56.** all

à cause de l'excitation trop vive que le vin causait à mes nerfs. Mon oncle déclara qu'à un moment comme celui-là, je pouvais faire une exception. Je revois très bien sa figure gaie en prononçant ces paroles stupides . . . Mon Dieu! mon Dieu! j'ai tout confessé
5 avec tant de calme, vais-je être obligée de m'arrêter ici? Je ne vois plus rien! Si . . . mon oncle dit que je pouvais bien à un moment comme celui-là faire une exception. Il me regarda en riant en disant cela, je bus vite avant d'avoir regardé ma mère dans la crainte qu'elle ne me le défendît. Elle dit doucement: «On ne
10 doit jamais faire une place au mal, si petite qu'elle soit.» Mais le vin de Champagne était si frais que j'en bus encore deux autres verres. Ma tête était devenue très lourde, j'avais à la fois besoin de me reposer et de dépenser mes nerfs. On se levait de table: Jacques s'approcha de moi et me dit en me regardant fixement:
15 —Voulez-vous venir avec moi; je voudrais vous montrer des vers que j'ai faits.

Ses beaux yeux brillaient doucement dans ses joues fraîches, il releva lentement ses moustaches avec sa main. Je compris que je me perdais et je fus sans force pour résister. Je dis toute tremblante:
20 —Oui, cela me fera plaisir.

Ce fut en disant ces paroles, avant même peut-être, en buvant le second verre de vin de Champagne que je commis l'acte vraiment responsable, l'acte abominable. Après cela, je ne fis plus que me laisser faire.[56] Nous avions fermé à clef les deux portes, et lui, son
25 haleine sur mes joues, m'étreignait,[57] ses mains furetant le long de mon corps. Alors tandis que le plaisir me tenait de plus en plus, je sentais s'éveiller, au fond de mon cœur, une tristesse et une désolation infinies; il me semblait que je faisais pleurer l'âme de ma mère, l'âme de mon ange gardien, l'âme de Dieu. Je n'avais jamais
30 pu lire sans des frémissements d'horreur le récit des tortures que des scélérats font subir à des animaux, à leur propre femme, à leurs enfants; il m'apparaissait confusément maintenant que dans tout acte voluptueux et coupable il y a autant de férocité de la part du corps qui jouit, et qu'en nous autant de bonnes intentions,
35 autant d'anges purs sont martyrisés et pleurent.

Bientôt mes oncles auraient fini leur partie de cartes et allaient revenir. Nous allions les devancer, je ne faillirais plus,[58] c'était la

I did was to allow myself to be led.   57. clasped me in his arms.   58. We would leave before they returned, I would never do anything wrong again.

dernière fois . . . Alors, au-dessus de la cheminée, je me vis dans la glace. Toute cette vague angoisse de mon âme n'était pas peinte sur ma figure, mais toute elle respirait, des yeux brillants aux joues enflammées et à la bouche offerte, une joie sensuelle, stupide et brutale. Je pensais alors à l'horreur de quiconque m'ayant vue tout 5 à l'heure embrasser ma mère avec une mélancolique tendresse, me verrait ainsi transfigurée en bête. Mais aussitôt se dressa dans la glace, contre ma figure, la bouche de Jacques, avide sous ses moustaches. Troublée jusqu'au plus profond de moi-même, je rapprochai ma tête de la sienne, quand en face de moi je vis, oui 10 je le dis comme cela était, écoutez-moi puisque je peux vous le dire, sur le balcon, devant la fenêtre, je vis ma mère qui me regardait hébétée.[59] Je ne sais si elle a crié, je n'ai rien entendu, mais elle est tombée en arrière et est restée la tête prise entre deux barreaux [60] du balcon . . .   15

Ce n'est pas la dernière fois que je vous le raconte: je vous l'ai dit, je me suis presque manquée, je m'étais pourtant bien visée,[61] mais j'ai mal tiré. Pourtant on n'a pas pu extraire la balle et les accidents au cœur ont commencé. Seulement je peux rester encore huit jours comme cela et je ne pourrai cesser jusque-là de raisonner 20 sur les commencements et de voir la fin. J'aimerais mieux que ma mère m'ait vu commettre d'autres crimes encore et celui-là même, mais qu'elle n'ait pas vu cette expression joyeuse qu'avait ma figure dans la glace. Non, elle n'a pu la voir . . . C'est une coïncidence . . . elle a été frappée d'apoplexie une minute avant 25 de me voir . . . Elle ne l'a pas vue . . . Cela ne se peut pas! Dieu qui savait tout ne l'aurait pas voulu.

QUESTIONS

1. Pourquoi est-ce que ce récit est écrit à la première personne?
2. Est-ce que l'on pourrait transformer cette histoire en pièce de théâtre? Expliquez les raisons de votre réponse.
3. Dans quelle mesure est-ce que l'analyse du caractère de la jeune fille est objective?
4. Quelle est la faiblesse fondamentale du caractère de la jeune fille?
5. Quel est le rôle joué par le sentiment du péché dans cette histoire?
6. Retracer l'évolution du caractère de la jeune fille.
7. Quels étaient les sentiments de la jeune fille envers sa mère?

59. dazedly.   60. balusters.   61. but I had carefully aimed at myself.

8. Quelle est l'importance de chacune des quatre sections dans la construction de cette nouvelle?

9. Pourquoi est-ce que la jeune fille tombe amoureuse du plus pervers et méchant des jeunes gens qu'elle rencontre?

10. Quelle semble être la conception proustienne de l'amour?

11. Comment expliquer le fait que la jeune fille accepte le premier parti qu'on lui propose en mariage?

12. Est-ce que vous pourriez imaginer une histoire analogue à celle-ci et qui s'appellerait *La confession d'un jeune homme*?

13. Cette nouvelle est surtout une analyse d'âme; quelle est, cependant, l'importance du monde extérieur?

14. Quels sont les traits essentiels du style de l'auteur de cette nouvelle?

Georges Duhamel

(1884–   )

G EORGES DUHAMEL (Denis Thévenin), the son of a physician, studied medicine but, except for his work as military surgeon during the First World War, has devoted his life to writing. When he was about twenty-two years of age, he joined a group of young artists, musicians, and writers who attempted a coöperative plan of living by renting a house in Créteil, near Paris. This venture, called the Abbaye, lasted about two years. Meanwhile Duhamel began writing plays, and between 1911 and 1913 he succeeded in having three of them performed. For a short time he was literary critic for the Mercure de France, but at the outbreak of war he joined the medical corps. Much of his military experience was near the front lines, and the sight of so much agony and suffering made a profound impression on his writing. Two notable volumes, Vie des martyrs (1917) and Civilisation (1918), were the fruit of his observations of the wounded and the dying, as well as of those who were in attendance on them. With ironic clarity the author portrayed in a series of stories both the heroism and the callousness, the devotion and the selfishness, of his characters.

Duhamel's literary fame, evidenced by his election to the French Academy, stems chiefly from two series of novels, the Cycle de Salavin and the Chronique des Pasquier. The central character of the first group is a sensitive introvert and the plots revolve about his confused and ineffectual attempts to find happiness. The Pasquier family is a varied group of individuals in a Parisian middle-class setting, and the author's accomplishment is the vivid portrayal of their minds. Duhamel is also an essayist; his opinions have aroused some controversy, for he is a violent enemy of the machine era and advocates a return to simplicity of living. A visit to America occasioned his most outspoken warning against industrialization, the *Scènes de la vie future* (1930).

Clear and precise in his observation, Duhamel yet presents in his fictional work the mysterious and irrational soul of people and even of things. The story *L'épave*, from the volume *Les hommes abandonnés* (1921), is an admirable example of this sober and methodical attention to detail blended with the picture of powerful, instinctive passions which are latent but ready, given the proper circumstances, to spring to life. Other stories in *Les hommes abandonnés* indicate to what degree the author is interested in the hidden and atavistic nature of man. In *On ne saurait tout dire*, the religious fanaticism of Swiss mountaineers suddenly changes a festival into a scene of bloodthirsty violence. *Le voiturier* and *Origine et prospérité des singes* depict the resurgence of old superstitions among the rural folk of Normandy and Burgundy. The inability of man to understand his own subconscious thought is the theme of *Nouvelle rencontre de Salavin*, and the psychological mysteries of a home for the aged occupy much of *La chambre de l'horloge*. Everywhere Duhamel combines the exact, exterior aspects of reality with the hidden, incomprehensible realm of man's dream and thought. Often his characters do not realize just what motivates their actions. It is this defeat of the rational nature of man which allies his writing with much of the philosophical and fictional productions of our time. One senses in Duhamel the continuation of the enigmas of the mind propounded by Dostoevski's characters or by Bergson's disquisitions on the nature of consciousness.

BIBLIOGRAPHY

César Santelli, *Georges Duhamel* (1925).
André Thérive, *Georges Duhamel* (1927).

~

L'ÉPAVE

La route traversait le village du nord au sud, suivant à distance respectueuse le rivage de la mer. Astreinte [1] à mille servitudes, préoccupée de ses descentes et de ses montées, la route se livrait à

1. Subjected.　　2. name of an imaginary river in the Basque country.

maintes contorsions avant d'aller, en deux bonds, sauter la rivière
Ouabia,[2] au sommet du delta sablonneux.[3]

Les maisons du village ne semblaient prêter que peu d'attention
à la route; elles s'écartaient sur son passage, mais ne cédaient guère
à son attrait: éparpillées [4] dans la campagne verte, elles adoraient 5
l'orient. Leurs façades, au toit tiré de côté comme un béret,
regardaient, vers les montagnes, l'endroit d'où le soleil jaillit.
Toutes les maisons étaient accroupies [5] dans cette posture et
conservaient sur leurs vitres, jusqu'au crépuscule, un reflet de
l'extase matinale. Vers le ponant,[6] vers la mer, d'où viennent les 10
embruns, l'écume et les nuages,[7] elles ne tendaient que d'épaisses
murailles borgnes,[8] à l'épreuve de la tempête.

A l'écart de la route, il y avait une petite place publique, en
équilibre sur un mamelon.[9] L'église se dressait là, parmi les tombes,
les ifs [10] et des buissons que mars tourmentait. La place était bornée 15
par l'auberge Irigoyen, par la maison du cordier [11] Inchauspe, et
par la boucherie dont une muraille, large, haute et complètement
nue, servait pour la pelote.[12]

Il était plus de six heures du soir. Des garçons, leur journée
finie, fumaient, devisaient [13] et lançaient des balles contre le mur 20
rose.

Iraçabal, le boucher, sortit de chez lui, les pieds nus dans des
sabots arrosés de sang. Il vint rejoindre, à la terrasse de l'auberge,
des hommes, mi-paysans, mi-marins, dont les maisons jalonnaient
la côte [14] et qui, selon le jour et la saison, bricolaient [15] sur la 25
grève [16] ou dans les champs. Il y avait là Pecotche, Oxyhamburu
et son gendre Mendiburu, tous trois secs et rugueux comme des
ceps,[17] avec un visage à grands traits, sculpté rudement dans un
bois fauve [18] et vert. Iraçabal demanda du vin et Mendiburu commença péniblement à parler du bœuf qu'il lui fallait vendre et 30
dont son cœur ne parvenait point à se séparer.

L'auberge Irigoyen s'ornait, sur la place publique, de six platanes
nains, au tronc ocellé,[19] dont la tête s'échevelait [20] à quatre mètres

3. sandy. 4. scattered about. 5. crouching. 6. west. 7. wet haze,
spray, and clouds. 8. one-eyed, i.e., with few windows and doors.
9. rounded mound. 10. yew trees. 11. ropemaker. 12. pelota or jai alai
(the national game of the Basques). 13. chatted. 14. stood at intervals
along the shore. 15. did all kinds of jobs. 16. beach. 17. rough as
grapevine stems. 18. yellow, tawny. 19. dwarf plane trees with spotted
bark. 20. made a tousled mass. 21. gnarled branches. 22. the Furies

du sol et répandait des rameaux noueux,[21] tordus comme les serpents de la furie.[22]

Sous les platanes, les hommes parlaient presque à voix basse. Un long gémissement se déroulait dans l'espace, sorti, comme 5 d'une gorge, des mécaniques du cordier, car Inchauspe, artisan silencieux et obstiné, travaillait, depuis cinquante ans, aussi longtemps que dure la lumière et souvent davantage.

C'étaient là tous les bruits du village. Au-dessous d'eux, régnait une chose qui n'était pas le silence, mais ce qui tenait lieu de si- 10 lence en cet endroit depuis le début du monde: la respiration grondante de la mer.

Le soleil n'était pas encore couché. Il effleurait le flot,[23] comme un fer que le forgeron va tremper.[24] Il éclairait toutes les choses par-dessous et leur arrachait des confidences que midi ne connaît 15 point.

Vers le sud, on apercevait deux belles montagnes, l'une en forme de tour crénelée, l'autre de soc de charrue,[25] elles étaient recouvertes d'un pelage roux,[26] avec de minuscules villages empourprés.

Au nord, une grande falaise d'argile [27] obstruait l'horizon. Elle 20 était vêtue d'herbe rase et creusée de ravines profondes. La mer et la pluie conspiraient à sa ruine; mais, majestueuse encore, elle portait à sa crête, comme un cimier,[28] les ruines d'un hameau construit jadis par les naufrageurs et les corsaires.[29]

Le vent soufflait de l'ouest; il avait charrié [30] toute la journée des 25 nuages furieux qui s'étaient évanouis à l'approche du soir. Le flot était gonflé de colère, poussé maintenant par la brise et la marée, à la fois. On voyait les vagues arriver du large et sauter à tour de rôle la barre d'écueils submergés [31] qui, à une portée de fusil du rivage, formait comme une défense avancée. L'obstacle franchi, les lames 30 arrivaient pêle-mêle, en se bousculant, jusqu'aux mamelons glaiseux [32] sur lesquels était bâti le village; et l'on entendait des détonations profondes, comme si le village eût été attaqué dans ses fondations par les divinités souterraines.

Mais le vent, la mer haletante, le soleil semblable à un brandon,[33]

of Greek and Roman mythology are represented with serpents entwined in their hair.   23. touched the surface of the waves.   24. the blacksmith is about to plunge into water.   25. plowshare.   26. reddish fur (i.e., the vegetation on the hills).   27. clay cliff.   28. helmet.   29. shipwreckers and pirates.   30. borne along.   31. hidden reefs.   32. clay.   33. fire-

le lent et invincible hérissement[34] des herbes appelées par le printemps, tout cela laissait le village en proie à une paix profonde, car le cœur des hommes était serein.

Le facteur parut; on avait aperçu sa casquette en mouvement par-dessus la haie de tamarins. Il déboucha donc sur la place et [5] Yochepa Haramburu, la femme du sandalier, lui dit un salut bas et ardent qu'il fut seul à entendre:

—Agur[35] Capandeguy!

Le facteur Capandeguy avait trente ans et de durs muscles montagnards. Il fit, de sa lèvre rasée, un sourire mystérieux; puis il [10] s'engouffra dans la maison des postes où l'on voyait évoluer[36] la silhouette de Mlle Darridole, fidèle à ses registres, à son guichet, à ses sonneries grelottantes.

Maria Ancibure, la sage-femme,[37] sortit du jardinet fumé de varech[38] où elle donnait des soins à quelques herbes potagères; elle [15] vint jusqu'à la maison basse où habitait Irola, le carrier,[39] avec sa femme féconde entre toutes les femmes du pays.

Maria Ancibure enfonça la tête entre les pots de géranium grimpant et cria dans le noir de la maison:

—Pas pour ce soir, Gachonchia? [20]

Une voix paresseuse répondit:

—Je ne sens rien encore ce soir, Maria; mais n'allez plus au loin, Maria, ce n'est plus l'heure.

A l'approche de la nuit, le village sortit peu à peu toutes ses créatures, comme s'il désirait les compter avant de s'enfoncer une [25] fois de plus dans les ténèbres. Anchugarro, le charcutier,[40] posa une chaise devant le seuil de sa boutique et alluma une pipe de tabac.

Le boulanger Apesteguy parut à son tour. Il cuisait pendant le jour et, venant d'achever sa besogne, il montra son torse nu dont les poils noirs étaient chargés de farine. [30]

Sous les platanes, les buveurs achevaient à voix haute leur conciliabule.[41] Iraçabal frappait sur la table et Mendiburu tendit à regret sa main calleuse pour toper,[42] donner parole et abandonner enfin le bœuf cher à son cœur.

La porte de l'église grinça et Mlle Ipoutcha, l'institutrice, montra [35]

brand. **34.** bristling. **35.** "Good day," the usual Basque greeting.
36. moving about. **37.** midwife. **38.** fertilized with seaweed (pronounce varεk). **39.** quarryman, quarry worker. **40.** pork butcher. **41.** deliberations. **42.** shake hands on a bargain. **43.** steep path. **44.** locks of hair.

son visage illuminé d'une grande dévotion. Mlle Ipoutcha était une fille de quarante ans, tout entière tournée vers les choses de la religion. Elle traversa la place en baissant vers ses souliers, qu'elle portait larges et plats, un regard chargé de tristesse et de décence.

5   Des pêcheurs montaient le raidillon [43] qui conduisait à la pente pavée sur laquelle ils tiraient leurs barques. Les pêcheurs vinrent choisir une table à la terrasse Irigoyen et ils se mirent à boire. L'un d'eux, qui était jeune, bien fait et qu'on appelait Idiart, se leva presque aussitôt. On le vit disparaître vers la falaise d'argile; dès

10   qu'il fut dans le chemin creux, une fille au visage ambré, avec deux belles mèches [44] tordues sur les tempes, se jeta sur lui et lui serra le bras. Elle disait:

—Pourquoi le père Idiart ne veut-il pas, Piarrès?

Et Piarrès répondait comme tous les jours:

15   —Il voudra demain.

Ils se prirent par la taille et s'en furent vers les ruines du village des corsaires, comme les animaux en mal d'amour [45] qui retournent, pour s'unir, au berceau de leur espèce.

Sous les platanes, les pêcheurs jouaient aux dés. Ils riaient, ils

20   semblaient disposés à la joie. Ils convièrent le douanier [46] Berteretche, avec qui, d'habitude, ils ne frayaient guère [47] et, jusqu'à nuit noire, ils se passèrent le cornet de cuir.[48]

Une petite lampe s'alluma dans une chambre, en contre-bas de la place. On aperçut l'intérieur de la pièce et le pâle visage bouffi

25   de Barroumères, l'épicier. C'était un homme mal portant qui végétait dans ce réduit comme une salade sous une futaille.[49] Depuis des années, il ne mettait plus le pied dehors.

La nuit s'épaississait. On vit passer des ouvriers qui travaillaient dans les terres et rentraient tard à la maison.

30   Mariana Caillabu, qui avait été au-devant de son homme, sur la route, revint avec lui, traînant deux enfants à ses cottes [50] et serrant contre sa mamelle le nouveau-né du mois même. Caillabu était gâcheur de plâtre [51] et misérable. Il marchait vite vers la chaumière où l'attendait la soupe; et les deux enfants suivaient à grand'peine

35   en se cramponnant aux trousses de Mariana.[52]

L'abbé Méric sortit du presbytère avant la nuit noire. Il s'assit sur

45. in heat.   46. custom-house representative.   47. with whom they did not associate very much.   48. leather cup (for throwing dice).   49. barrel, cask.   50. skirts.   51. cement mixer, mason's assistant.   52. hanging to

le banc de bouleau [53] et alluma une longue pipe qu'il protégeait, avec la main, contre le vent.

Les buveurs cessaient de jouer et de boire. Ils regardaient, en hochant la tête, Aldacourrou, le chaudronnier,[54] qui racontait comment Arcuby avait été arrêté pour avoir volé cette grande bassine 5 de cuivre rouge[55] qui circulait dans le village à la saison des confitures. Les hommes écoutaient, bouche bée,[56] et tous approuvaient la justice vigilante qui punit les voleurs de chaudrons.

Le ciel était tout à fait noir, avec trois failles [57] violettes à l'occident. Les mécaniques d'Inchauspe cessèrent de gémir et il n'y eut 10 plus, pour envelopper les âmes, que le grondement régulier du rivage.

Peu à peu, toutes les femmes, tous les hommes rentrèrent dans les maisons. On surprenait, de-ci de-là, une voix rauque et sonore qui disait les choses simples et éternelles de la vie de chaque jour. 15

On entendit battre des volets; mais point grincer [58] de serrures. Vers huit heures, le village entier s'endormit, paisiblement, toutes portes ouvertes.

Le vent poursuivait sa chasse furieuse, comme un être d'un autre monde qui ne connaît pas le repos des hommes. 20

A trois heures de la nuit, Mariana se réveilla pour allaiter son nouveau-né. Elle serrait la fragile petite tête contre sa poitrine et disait, en dormant à demi:

—Bois, mon amour.

Pendant que Mariana donnait le sein à son enfant, elle entendit 25 comme un son de trompe,[59] long, déchirant, mêlé aux bourrasques.[60] Elle posa le bébé dans la caisse pleine de fucus [61] et tendit l'oreille. D'obscurs souvenirs lui conseillaient d'écouter, d'écouter à travers les brouillards du sommeil.

Elle écouta. Il lui semblait que, depuis des siècles de siècles, elle 30 se réveillait la nuit, parmi des hommes et des femmes farouches, pour guetter les bruits accourus du fond de l'étendue marine.

Puis elle se leva, comme une somnambule, passa une jupe [62] et ouvrit la porte de la masure.[63]

Mariana's clothing. **53.** birchwood bench. **54.** tinker, boilersmith. **55.** copper pan. **56.** open-mouthed. **57.** fissures. **58.** grating sound. **59.** horn. **60.** gusts of wind. **61.** box full of seaweed. **62.** put on a skirt. **63.** hovel (synonym of **taudis** and **cahute**, which the author also uses).

Caillabu se retourna dans le lit et cria:

—Attention, Mariana, le froid te fera perdre ton lait.

Mais elle marchait vers la grève, guidée par une force intérieure. Elle n'était pas seule, elle se sentait environnée d'une multitude
5 d'ombres.

La douche glacée d'une lame, sur ses jambes nues, la réveilla sans la désenchanter. Elle penchait son corps en avant et regardait avidement dans l'abîme de la nuit où nul œil n'aurait pu discerner quoi que ce fût.

10 La mer était encore forte; elle montait. Une vague faillit renverser Mariana et la mouilla jusqu'au ventre. Mariana recula un peu et se baissa. Quelque chose qui n'était pas un galet [64] roula sur ses pieds. Elle se baissa dans le noir et ramassa un, puis deux corps durs, plats, réguliers comme de petites boîtes. Elle se prit à
15 les tourner et retourner entre ses doigts en regagnant la maison.

Elle poussa doucement la porte et fit flamber une allumette. Elle contemplait, avec des yeux vagues et dilatés, ce qu'elle rapportait de la mer: deux boîtes de fer blanc, soudées, peintes en jaune et rouge, avec des mots d'une langue qu'elle ne comprenait
20 pas.

A ce moment, Caillabu se rencogna dans le fond du lit,[65] en grondant:

—Ferme la porte!

Mariana prit un panier, sortit et ferma la porte derrière elle.
25 Elle retourna vers la plage; dès qu'elle eut les pieds baignés par les lames, elle se baissa pour chercher à tâtons.[66] Le flot ne cessait de jeter à la côte d'autres boîtes, toutes pareilles aux premières. Mariana les ramassait hâtivement et les jetait dans son panier.

Quand il fut plein, elle revint vers la maison; elle passa derrière
30 la bauge où grognait une truie,[67] entra dans le bûcher[68] et disposa son butin,[69] à l'aveuglette, sous les fagots. Puis elle repartit.

Elle fit le voyage un grand nombre de fois. Elle commençait à être lasse et soufflait comme une mule poussive.[70] En revenant avec sa vingtième charge, elle entendit la voix hoquetante[71] du
35 nourrisson qui l'appelait dans l'intérieur du taudis. Mais Mariana ne se possédait plus; elle poursuivit sa besogne.[72]

64. pebble, stone. 65. huddled deep in his bed. 66. blindly. 67. the shed where a sow was grunting. 68. woodshed. 69. booty. 70. asthmatic. 71. gasping. 72. task, labor. 73. shoals. 74. jagged.

Comme elle retournait une fois de plus à la côte, le ciel se lava d'une clarté verte. Au large, vers la barre grondante des récifs,[73] on apercevait une silhouette énorme, déchiquetée,[74] comme d'un navire perdu. Mariana n'y prit pas trop garde; elle savait bien que la chose était là; le jour ne lui apprenait rien. Elle se baissa et la 5 première lueur de l'aube lui montra le flot montant chargé de débris innombrables, et de boîtes, de milliers de boîtes.

Elle regagna la cahute et réveilla Caillabu.

Caillabu passa son pantalon et demanda la soupe.

Mariana murmura d'une voix enrouée: [75]   10

—Il n'y a pas de soupe. Viens voir.

Elle entraîna dans le bûcher Caillabu titubant.[76] Et Caillabu aperçut, derrière les fagots, un immense tas de boîtes de sardines.

—Viens vite, dit Mariana.

Elle le conduisit à la plage.   15

Rauque, obstinée, la voix du nourrisson s'angoissait dans la masure. Caillabu ne dit rien, il comprit. Le jour se levait lentement. L'homme regarda l'ombre du navire échoué [77] et les débris charriés par les vagues. Il se baissa et ramassa, silencieux, pressé.

Tous deux travaillèrent encore une grande heure. Après quoi le 20 soleil envoya un rayon écarlate entre les nuages, et le monde entier frissonna.

Caillabu achevait de couvrir d'herbe et de terre l'étrange trésor.

—Fais la soupe, maintenant, dit-il.

Mariana avait tiré de la caisse l'enfant exténué.[78] Elle le pendit à 25 sa mamelle et se prit à trembler de tout son corps.

Dès l'aurore le bruit se répandit dans le village qu'un grand voilier était venu donner à la côte pendant la nuit et que la marée achevait de le mettre en pièces sur les brisants [79] où il avait échoué. 30

La nouvelle atteignit le village à son extrémité sud. En quelques secondes, elle se propagea jusqu'au nord; elle volait comme le feu, comme l'épidèmie; de nouveaux foyers s'allumaient de toutes parts sans qu'on sût quelle rumeur, quelle flammèche [80] avait incendié les âmes.   35

Irola, le pic à l'épaule, partait vers les carrières creusées dans le pied des collines. Il était déjà hors de la portée des voix et trop

---

75. hoarse.   76. staggering.   77. wrecked.   78. exhausted.   79. reefs.
80. spark, flame.   81. pathways.   82. wedged the door shut with a stone.

avant dans les sentes [81] pour apercevoir la mer. Le sort voulut qu'il se retournât juste à temps pour remarquer quatre hommes qui couraient sur la route en agitant les bras. Irola revint, d'instinct, vers le village et, ce jour-là, il ne reprit plus le chemin des car-
5 riers.

Etcheverry, le sonneur, qui était monté dans le clocher, en descendit sans avoir touché les cordes et dit à Idiart qui se rasait devant sa fenêtre:

—Il y a un grand voilier sur la barre.

10 Idiart posa son rasoir et partit.

Anchugarro, qui traversait la place en tirant un porc par l'oreille, entendit le propos d'Etcheverry. D'un grand coup de pied il poussa le porc dans l'étable; il cala le portail avec un galet [82] et se mit à courir beaucoup plus vite que ne courent les hommes de son
15 âge.

Devant lui, dans le raidillon des pêcheurs, il vit dévaler Pecotche et Haramburu et maints autres, sortis de leur maison comme si quelque mystérieux signal les en eût extraits.

En peu d'instants, ils furent à la plage. Elle était déjà couverte
20 d'hommes, de femmes et d'enfants. Une petite foule frangeait le flot comme une écume noire.[83] Au delà, il y avait les vagues pressées l'une derrière l'autre; plus loin, la barre de récifs et, sur elle, l'épave.

C'était un vieux voilier pansu, l'étrave en l'air, des lambeaux de toile empêtrés dans ses mâts rompus.[84] Toute la coque [85] était
25 ouverte, dépecée. On voyait saillir les grandes pièces de la char-pente,[86] arquées comme les côtes d'une charogne.[87] La mer, à chaque lame, assaillait cette carcasse, la secouait, la grugeait,[88] la vidait de son contenu.

Ce contenu paraissait prodigieux; c'était une quantité infinie
30 de boîtes de sardines. Aussi loin que l'œil pouvait distinguer les objets, la mer se montrait chargée de ces boîtes, et l'on ne com-prenait pas qu'un seul navire pût porter une si grande fortune. Les vagues, en se cabrant,[89] montraient, dans leur transparence, les petites boîtes plates, innombrables comme les poissons d'un
35 banc.[90] Au fur et à mesure que les vagues venaient s'épuiser sur le

---

83. fringed the water's edge like a line of black foam.   84. potbellied sailing vessel with its prow upended and with torn pieces of canvas entangled in its broken masts.   85. hull.   86. framework.   87. rounded like the ribs of a carcass.   88. ate away a piece of it.   89. as they reared up.   90. school

sable, elles jetaient leur richesse, comme un joueur qui lance ses cartes sur une table. Mais, tout de suite, elles se ressaisissaient de leur bien pour le rejeter encore plus fort et plus loin.

Les gens du village couraient au bord de l'eau et dans l'eau. Ils ne se parlaient point; ils semblaient en proie à un démon, ils 5 semblaient occupés à une danse antique et sacrée. Ils se baissaient, ramassaient des boîtes et couraient les mettre en tas sur le sable, au pied des mamelons herbus.

Anchugarro releva son tablier [91] et commença de l'emplir. Pecotche quitta bientôt la plage, chargé comme un baudet.[92] Quelques 10 minutes après, on le vit reparaître, avec une brouette,[93] et il se mit à faire voyage sur voyage entre la grève et sa maison.

Mendiburu avait amoncelé ses boîtes à l'entrée du chemin creux. Il partit et revint en hâte, piquant [94] le bœuf, conduisant la charrette à larges roues pleines qui lui servait d'ordinaire à transporter 15 le fumier d'algues et les galets.

La foule s'accroissait, s'allongeait, s'étirait [95] sans cesse, s'agitait, s'exaspérait. Des hommes entraient dans l'eau; ils marchaient au-devant des vagues et tendaient les bras pour saisir au vol les boîtes mêlées à l'écume. 20

Irola faisait son tas près de la rivière. Advint qu'en voulant l'emporter il se trompa et prit des boîtes au tas d'Oxyhamburu, son voisin.

Irola et Oxyhamburu se regardèrent avec fureur et, aussitôt, comme deux mâtins,[96] ils se jetèrent l'un sur l'autre. Ils se portaient 25 des coups de poings au visage et se donnaient du sabot dans le bas-ventre.[97] Oxyhamburu, qui était le plus âgé, prit la fuite en crachant ses dents et Irola se remit à la besogne.

Mendiburu emplissait sa charrette. Quand il eut fini, il remonta le chemin creux. Il emportait des caisses entières bondées de 30 boîtes et de sciure.[98]

La mer était étale [99] quand apparut le douanier Berteretche. Il s'arrêta près du pont de la rivière, regardant tout de loin, cependant que Mayalène Berteretche, sa femme, lui parlait. Elle disait: 35

—Laisse faire, Hiliar, puisque c'est le hasard.

(of fish). **91.** apron. **92.** donkey. **93.** wheelbarrow. **94.** goading. **95.** stretched out. **96.** mastiffs. **97.** kicked each other in the stomach. **98.** full of cans and sawdust. **99.** slack. **100.** wooden chest. **101.** arm-

Berteretche ne répondait pas et frappait la route avec sa canne.

Alors Mayalène ajouta tout bas:

—Tu ne veux donc pas que j'y aille, Hiliar?

Berteretche murmura quelques mots inintelligibles et s'en alla,
5 en se retournant plus de vingt fois. Il avait le cœur gros et n'aimait
plus son rude métier.

Dès qu'il l'eut quittée, Mayalène se prit à courir. Elle vint
rejoindre les autres, entra dans l'eau et ramassa des boîtes. Chaque
fois que son tablier était plein, elle partait en haletant et allait
10 cacher sa trouvaille sous le bahut [100] de sa maison.

A huit heures, Irola rentra chez lui avec deux sacs bondés de
boîtes. Il trouva sa femme Gachonchia couchée et tourmentée
par les douleurs de l'enfantement. Irola avait obtenu déjà sept
petits de Gachonchia et il ne prêtait qu'une médiocre importance
15 à ces choses. Il dit:

—Je vais chercher Maria Ancibure.

La sage-femme n'était pas chez elle. Irola retourna donc à la
plage et aperçut Maria Ancibure qui était entrée dans l'eau
jusqu'aux aisselles [101] et qui s'agitait comme une possédée. Il
20 lui dit:

—Gachonchia est dans les douleurs.

Elle répondit:

—Tout de suite, tout de suite!

Deux secondes après, Irola et Maria Ancibure ne pensaient plus
25 à Gachonchia.

Ils avaient bien autre chose à penser: la mer commençait à se
retirer, elle donnait affaire à tout le village rassemblé devant elle.
Elle ne se lassait point de jeter à la côte une multitude de boîtes
qui tournoyaient dans la crête des vagues et brillaient à chaque
30 rayon de soleil.

Vers neuf heures, apparut Mlle Ipoutcha. Ne voyant venir
aucun de ses élèves, elle avait prêté l'oreille aux rumeurs, et elle
arrivait, avec son air austère de vieille fille macérée.[102]

Elle demeura plusieurs minutes à l'écart, en proie à un malaise
35 exquis et violent qui était la tentation. Puis, brusquement, elle
releva ses jupes et traversa la rivière Ouabia pour gagner l'autre
côté da la plage, où la foule était moins épaisse. Elle se lança dans
l'eau avec une âpre ivresse. Ceux qui regardaient autre chose que

pits.   102. made skinny by privation.   103. flannelette.   104. pale and

leur travail purent voir que Mlle Ipoutcha portait des pantalons de pilou [103] à carreaux écossais.

Mlle Ipoutcha se mit à ramasser des boîtes.

Vers le même temps, l'épicier Barroumères, qui n'était pas sorti de chez lui depuis quatre années, se précipita sur la plage où 5 besognaient déjà sa femme et ses enfants.

Barroumères était blême et hydropique.[104] Il entra dans l'eau et fit une ample récolte.[105]

Haramburu, qui menait l'étrange pêche à son côté, lui dit en riant: 10

—Ça va mieux, Barroumères?

L'épicier regarda le marchand de sandales avec des yeux énormes, bordés de chair saignante, et il se remit à la tâche, comme un homme qui n'entend plus rien, qui ne comprend plus rien.

L'abbé Méric, ayant quitté sa soutane et ses souliers à boucles, 15 ne fut plus qu'un athlète en culottes courtes. La pipe aux dents, il se jeta dans l'eau. Il avait dit sa messe, il se sentait le cœur léger, et, comme il était brave homme, il criait à ses ouailles: [106]

—Il ne faut pas que toute cette bonne marchandise soit perdue!

L'abbé Méric mit un grand nombre de boîtes à l'abri dans la 20 cuisine du presbytère. Entre temps, il eut la généreuse pensée de demander à Iraçabal si l'on savait ce qu'il était advenu des marins naufragés. Iraçabal, homme laconique répondit simplement:

—Sais pas.

Il n'y avait plus, dans les maisons du village, que Gachonchia, 25 qui criait pour elle seule, une vingtaine d'enfants en bas âge, la grand'mère Irigoyen, en train de mourir au fond d'une alcôve, et Mlle Darridole, employée des postes.

De sa chambre du premier étage, Mlle Darridole pouvait contempler la mer. A plusieurs reprises, la postière monta et con- 30 templa. A dix heures, saisie d'une résolution subite, elle sortit du bureau et ferma la porte à clef. Comme elle retirait la clef, la sonnerie du téléphone se mit à frémir. Mlle Darridole, n'étant pas sûre d'avoir entendu, courut vers la plage. A tout hasard, elle emportait son cabas à provisions.[107] 35

La mer descendit jusqu'à midi.

Jusqu'à midi, le village entier la poursuivit dans sa retraite,

afflicted with dropsy. 105. harvest. 106. members of his flock. 107. market basket. 108. harassing. 109. constantly pillaging. 110. keel.

la harcelant[108] comme une armée en déroute et la pillant sans
trêve.[109]

Les gens des hameaux voisins étaient accourus, secrètement
prévenus, comme les mouches par une odeur.

5   Quelques-uns étaient fiers de leur butin et en parlaient à qui
voulait entendre. La plupart dissimulaient leur capture.

L'épave, demeurée à la merci des coups de mer, était presque
complètement disloquée. La quille[110] avait cédé dans son milieu
et l'immense débris évoquait maintenant un animal à l'échine[111]
10 brisée dont le squelette se désagrège.[112] De pesantes pièces de bois
flottaient dans la baie, au gré des courants et des souffles. Parfois
l'une d'elles, au milieu d'un grand jaillissement d'écume, venait
donner comme un bélier[113] sur les brisants.

La foule, épuisée, se réveillait d'une sorte de rêve enivrant et
15 s'effritait[114] avec lenteur. Les hommes et les femmes regagnaient
le village d'où beaucoup ne revenaient plus. Il y avait, dans leur
regard, quelque chose d'âpre,[115] de farouche, avec de la lassitude et
de l'étonnement. Tout respirait en eux l'assouvissement[116] d'une
passion antique, endormie pendant des siècles.

20 Vers trois heures après-midi, on vit arriver sur la grève les
gendarmes de la commune et des étrangers habillés de noir. Les
gendarmes regardaient autour d'eux, dans la crainte de rencontrer
leurs femmes; mais il n'y avait plus là que des loqueteux[117] sans
importance et des paysans obstinés qui repêchaient des poutres[118]
25 et les hâlaient, avec des câbles, hors de la portée du flot.

Les gens de la terre, tard venus à la curée,[119] creusaient le sable
avec leurs mains pour trouver encore quelque chose.

Une sourde agitation tourmenta le village pendant toute la
soirée.

30 En rentrant chez lui, Irola, dès le seuil entendit les vagisse-
ments[120] d'un nouveau-né. Il fit un crochet[121] jusqu'à la maison de
Maria Ancibure et ramena la sage-femme, échevelée, exténuée, les
mains tremblantes, les vêtements plaqués au corps par l'eau de
mer.

35 En pénétrant tous deux dans la chambre, ils virent qu'en effet une

---

111. spine.   112. is coming apart.   113. battering ram.   114. diminished.
115. harsh.   116. gratification.   117. ragged individuals.   118. beams.
119. the scramble for booty (the image is taken from hunting, the quarry
being that part of the killed game which is left for the dogs).
120. wailing.   121. changed his direction.   122. hearth.   123. frame.

petite créature gémissait dans le pêle-mêle des draps. Un ruisseau de sang coulait jusqu'à l'âtre [122] et Gachonchia, toute blanche, était évanouie.

Iraçabal rencontra Mendiburu devant le mur de la pelote et les deux hommes se prirent de querelle. Mendiburu annonça qu'il 5 ne voulait plus vendre le bœuf et c'est ainsi qu'il manqua, pour la première fois de sa vie, à la parole donnée.

L'auberge Irigoyen ferma brusquement sa porte. La servante, en accrochant les volets, expliquait aux voisins qu'on venait de trouver la grand'mère Irigoyen morte au fond de son alcôve. Elle 10 était morte sans avoir reçu les sacrements et l'on cherchait en vain l'abbé Méric pour savoir s'il était temps encore d'administrer les saintes huiles.

Capandeguy, le facteur, revint d'une tournée lointaine. Il était seul à n'avoir tiré aucun profit de l'événement. Il eut une violente 15 dispute avec Haramburu, le sandalier, et lui fendit le sourcil d'un coup de poing.

Yochepa Haramburu pleurait contre le chambranle [123] de la porte. Capandeguy s'en fut de maison en maison et réclama sa part. Mais, déjà, toutes les maisons étaient nettes et il eût été 20 impossible d'y trouver la moindre boîte de sardines.

Apesteguy ne voulut pas cuire pendant la nuit. Il se mit au lit en annonçant que le village n'aurait point de pain le lendemain.

Anchugarro tua le porc à la nuit tombante. Le charcutier avait bu plus que de raison. Il ne parvenait pas à égorger [124] convenable- 25 ment l'animal, qui, pendant une grande heure, emplit le village de cris stridents.

Dans la chaumière des Caillabu, une bougie brûlait près du lit. Mariana, saisie d'une grande fièvre, grelottait sous les couvertures. Mais, ardemment, à voix basse, elle entretenait Caillabu de l'achat 30 d'une vache. La pièce enfumée s'emplissait d'ombre et de pro- jets.

A nuit pleine, Idiart quitta la place publique et monta le chemin de la falaise. Dès qu'il fut dans les tamarins, il siffla doucement, à plusieurs reprises. 35

La fille aux cheveux tordus ne vint pas ce soir-là, et Idiart erra

---

124. butcher.   125. was bolting.   126. lanterns.   127. the wreckers lighted fires on animals' horns, setting the beasts loose to confuse navigators by moving lights.

seul, pendant une partie de la nuit, aux abords des ruines hantées
jadis par les corsaires.

Peu à peu le silence se fit. Les mécaniques du cordier n'avaient
pas gémi de toute la longue journée. Inchauspe n'avait pas travaillé;
5 il était descendu de bonne heure à la grève et n'était pas encore de
retour. On ne savait plus rien de lui.

La détonation régulière du rivage reprit peu à peu possession
de l'espace. Mais, de minute en minute, on entendait grincer des
serrures. Le village verrouillait [125] toutes ses portes.

10 Vers huit heures, un grand calme régna. Ce n'était pas le calme
de tous les jours. Le sommeil errait de maison en maison, comme
un chien chassé qui ne trouve asile nulle part.

Deux ou trois petites lumières couraient sur la grève. Des
misérables, lanterne au poing, cherchaient encore dans la marée
15 montante. Et leurs quinquets [126] dansaient, comme les feux que
jadis, par les nuits sombres, les naufrageurs attachaient aux cornes
d'un bouc.[127]

QUESTIONS

1. Comment les procédés descriptifs de l'auteur rendent-ils vivants
les choses inanimées? Citez comme exemples la route et les
maisons.

2. Quelles étaient les occupations des villageois le soir?

3. Comment l'auteur rappelle-t-il au lecteur le voisinage de la mer?

4. Est-ce que l'auteur réussit à individualiser ses nombreux personnages? Comment?

5. Quelle sorte de paysage est évoquée par les descriptions?

6. Quels rapports devons-nous voir entre le paysage et les habitants?

7. Qu'est-ce que la brève rencontre entre le facteur et la femme du
sandalier nous révèle?

8. Décrivez Mlle Darridole et Mlle Ipoutcha.

9. Quels épisodes démontrent la nature primitive de ce peuple?

10. Quelle est l'atmosphère du village au moment où il sombre dans
le sommeil?

11. Comment expliquez-vous les actes de Mariana?

12. Indiquez comment la nouvelle du naufrage gagne tout le village.

13. Pourquoi les habitants cachent-ils leur trouvaille?

14. Quels changements est-ce que l'idée de butin produit dans les
habitudes des personnages?

15. Comment l'auteur montre-t-il que toute notion de devoir est effacée par celle de gain?

16. Après la récolte, quels phénomènes révèlent la surexcitation des villageois?

17. Opposez les deux descriptions du soir dans l'histoire.

18. Est-ce que le style de cette histoire vous paraît surtout impressionniste ou réaliste? Pourquoi?

François Mauriac

(1885–   )

MAURIAC has told many of the spiritual truths about his early life in *Le mystère Frontenac* (1933), where we find a particularly vulnerable boy to whom his mother says: «Combien de fois t'ai-je dit que tu n'es pas seul? Jésus habite les cœurs des enfants. Quand tu as peur, il faut l'appeler, il te consolera.» The child replies, «Non, parce que j'ai fait de grands péchés . . .» We are close to the Mauriac who entitled an early book of essays *Quelques cœurs inquiets* and who has considered steadily the hold of evil upon human beings.

François Mauriac was born in 1885 in Bordeaux, where he was brought up according to a devout and severe Catholic discipline. In 1910 Barrès praised Mauriac's first book of poems, *Les mains jointes* (1909). Mauriac was started on the journeys of the imagination which were never to take him far from Bordeaux or from the Landes, the flat country of pine forests to the south.

Mauriac's art is almost inseparable from the lonely country houses, the tenant farmhouses, the little towns spaced far apart in the forests where Bernard Desqueyroux, the husband of Thérèse, hunts the woodcock and the dove. *Le baiser au lépreux*, Mauriac's first important novel, published when he was thirty-seven, is firmly planted in a little market town of the pineland. With its profound curé, its calmly carnal natives, its Péloueyre family which branches through several of Mauriac's works, and its immediate problem of a sensitive, unintelligent girl dying of repulsion for a meager little man she cannot love, *Le baiser au lépreux* expressed at one stroke many of Mauriac's preoccupations. The sinister Félicité Cazenave of *Genitrix* was a Péloueyre before her marriage. *Genitrix* (1923) turns with a remarkable force and concision about forty-year-old Fernand Cazenave, «vieil enfant pourri» by the unrelenting contact of his mother. *Le baiser au lépreux* and *Genitrix*, it must be admitted, are touchstones by which we recognize the repetitiousness of some of Mauriac's later productions. *Le désert de l'amour* (1925) reverts, between a beginning and an ending in Paris, to the situation of a Bordeaux doctor and his estranged son miserably in love with the same woman. For Mauriac the true big city, the city which stirred him as a boy, is not Paris but Bordeaux.

Indeed, Mauriac's imagination seems to lose sureness as it leaves the Landes behind. *Ce qui était perdu* (1930) gives us a glimpse of Thérèse Desqueyroux abandoned on a park bench. Otherwise, in the exaggerated drug addicts, wastrels, dried-up writers of *Ce qui était perdu* and other novels centering in Paris we no longer find the natural concrete equivalents for Mauriac's states of spirit. We become aware that Mauriac cannot create many different characters in different environments, that he is not a novelist of manners.

Henry James believed that the major novelist was the man who wrote the moral history of his time. Since his time, we commonly accept as major the novelist who brings a major innovation in form. Mauriac has not been able to write the moral history of more than a few types of people. Far from being an innovator, he holds Joyce, Virginia Woolf, and their new techniques in something resembling horror. «En un mot,» he writes in *Le romancier et ses personnages* (1933), «dans l'individu, le romancier isole et immobilise une passion, et dans le groupe il isole et immobilise un individu.» Immeasurably inferior to Balzac in scope, Mauriac continues this Balzacian conception of the novelist's procedure. What is it, then, that combines with Mauriac's power for evoking atmosphere to make him, in our opinion, a major novelist?

It is, no doubt, the moral sense pervading Mauriac's characters, the moral law by which they are judged and which, if they have a long history, as Thérèse does, they finally obey. There are resemblances between Mauriac and Hawthorne. Hawthorne wrote "romances." Mauriac tries by rather extreme artistic simplifications to bring form out of "real life." Mauriac has said that a novel is a question of «éclairage.» Hawthorne in the Preface to *The House of the Seven Gables* writes that the storyteller "may so manage his atmospherical medium as to bring out or mellow the lights and deepen and enrich the shadows." Above all, both writers, in their novels which are really one novel, tell, in terms of a region, of the struggle between good and evil. Hawthorne drew from the remains of Calvinism in his Puritan culture, Mauriac drew from the deep springs of Pascal and his Jansenism, a sense of election, for good sometimes, but oftener for evil.

«Le drame de Thérèse,» Mauriac says, «était de n'avoir pas su elle-même ce qui l'avait poussée à ce goût criminel.» Since Mauriac believes with St. Paul that all people have more or less criminal inclinations, Thérèse becomes a type, artistically exaggerated, of humankind. *Thérèse chez le docteur* has a long foreground and a further prolongation. In the novel which bears her name (published in 1927) Thérèse Desqueyroux, during a forest fire which is like the outward sign of her inward trouble, watches her husband Bernard carelessly triple his dose of heart medicine. That night he is ill—the medicine contains arsenic. Thérèse says nothing about the extra dose. The terrible idea forms in her, the impulse to be revenged for the cloddishness of her husband, the mediocrity of her existence. She poisons Bernard, but slowly, inconclusively, is caught and forever disgraced, though out of a bourgeois sense of honor and interest the family forestalls a conviction. Finally she is allowed to go to Paris. She is a young woman with many acres of pines in her own name. Mauriac leaves her, at the end of *Thérèse Desqueyroux*, in the rue Royale, eager for what existence may bring. It brings her, of course, nothing. She has not succeeded in poisoning Bernard, but she has poisoned her own soul. Mauriac was possessed by Thérèse as Thérèse was possessed by evil. In 1933 he published two «plongées» into the later life of his character, *Thérèse chez le docteur* and *Thérèse à l'hôtel*. Through the wreck and muck of her life Thérèse seeks and finds, in our story, only the gross simplifications of the so-called psychiatrist, and, in the other, the assurances of a pious young man that she is looking for the wrong kind of love. But this is not the end of Thérèse. In *La fin de la nuit* (1935) Thérèse is middle-aged, ridden by heart disease, though still with her fatal gift for making herself loved by those whom she does not love. This time the victim is the young man whom her own daughter wants to marry. After having offered to give her property to her daughter, after having shown herself unadorned to the young man and done her best to destroy his illusion, after a time of madness, Thérèse goes back to the

Landes to escape with some gentleness from the shadow of her
life toward «la lumière de la mort.» Like Hester Prynne in *The
Scarlet Letter*, like humanity, Thérèse is liberated at last by acts of
self-sacrifice.

BIBLIOGRAPHY

Charles Du Bos, *François Mauriac et le problème du romancier
catholique* (1933).
Ramon Fernandez, review of *Genitrix*, *Nouvelle revue française*,
February, 1924.
Amélie Fillon, *François Mauriac* (1936).
Jean-Paul Sartre, "*M. François Mauriac et la liberté*," *Nouvelle revue
française*, February, 1939.

⌐⌐

THÉRÈSE CHEZ LE DOCTEUR

Mais non, Mademoiselle, je vous répète que le docteur ne
travaille pas ce soir. Vous pouvez vous retirer.

A peine le docteur Elisée Schwartz eut-il surpris, à travers la
cloison, ces paroles de Catherine, qu'il ouvrit la porte du cabinet
et, sans regarder sa femme, s'adressa à la secrétaire: 5
—Je vous appellerai dans un instant. Ici, vous n'avez d'ordres à
recevoir que de moi.

Catherine Schwartz soutint le regard insolent de Mlle Parpin,
sourit, prit un livre, et s'approcha de la porte-fenêtre. Les volets
n'avaient pas été fermés; l'eau ruisselait sur la terrasse de ce   10
sixième étage; le lustre allumé dans le cabinet du docteur éclairait
le pavage luisant de pluie. Les yeux de Catherine suivirent, un
instant, le double cordon lumineux des réverbères dans une rue
lointaine de Grenelle, entre d'obscures usines endormies. Elisée
avait obéi, songeait-elle, comme il faisait depuis vingt années, au   15
plaisir de la contredire et de l'humilier. Mais déjà, il devait recevoir
son châtiment: qu'avait-il à dicter, aujourd'hui, à Mlle Parpin?
Peut-être trois ou quatre pages . . . L'étude sur la *Sexualité de
Blaise Pascal* [1] n'avançait guère; depuis que le grand psychiâtre se

1. mathematician, physicist, philosopher, apologist of the Christian religion,
one of the great writers of the seventeenth century, author of *Les provinciales*

piquait[2] d'écrire en marge de l'histoire littéraire, il y trouvait
chaque jour plus de difficulté.

La secrétaire était demeurée debout, face à la porte du maître, et
elle avait des yeux de chienne fidèle. Catherine prit un livre, essaya
5 de lire. La lampe était posée sur une table moderne très basse, et
bien que le divan fût lui-même peu élevé, elle dut s'asseoir sur le
tapis pour y voir clair. La leçon de piano de la petite fille, à l'étage
supérieur, n'empêchait pas Mme Schwartz d'entendre la T.S.F.[3]
chez le voisin. La *Mort d'Yseult* fut brusquement coupée et
10 remplacée par une chanson française de café-concert. Le jeune
ménage d'en dessous se disputait: une porte claqua.

Peut-être alors, Catherine se souvint-elle du silence, dans l'hôtel
entre cour et jardin [4] qu'avaient habité ses parents, rue de Babylone.
En épousant, à la veille de la guerre, ce jeune docteur alsacien,
15 mâtiné de juif,[5] Catherine de Borresche n'avait pas cédé seulement
au prestige d'une intelligence qui lui apparaissait alors sans défaut,
ni même au charme physique de cet homme, à cette puissance de
domination dont aujourd'hui encore il accablait d'innombrables
malades. Non, entre 1910 et 1913, la fille du baron de Borresche
20 avait réagi avec violence contre sa famille; elle avait exécré ce père
affreux à voir, d'une laideur presque criminelle, ce fantoche [6] dont
le docteur Elisée Schwartz venait, deux fois par semaine, remonter
la mécanique.[7] Elle ne méprisait pas moins la vie étroite de sa
mère. C'était une bravade, en ce temps-là, pour une jeune fille de
25 son monde, que de pousser ses études jusqu'à la licence ès lettres [8]
et que de fréquenter la Sorbonne. Schwartz, à peine entrevu en de
rapides déjeuners, et dont la voix retentissait, à l'extrême bout de
la table, dans les dîners d'apparat,[9] avait représenté aux yeux de la
jeune fille, le progrès, la sainte science. Elle avait dressé ce mariage
30 entre elle et le monde qu'elle rejetait.[10] Au vrai, le savant déjà
illustre, secrétaire de la Ligue des Droits de l'Homme, n'eût pas
demandé mieux que d'entrer par la grande porte [11] dans l'hôtel de
Borresche, de faire sa paix avec la famille; il fut au moment d'y

and *Pensées*.   2. had taken it upon himself.   3. **télégraphie sans fil,**
radio.   4. house with a carriage entrance, having a courtyard on one side
and a garden on the other.   5. with a streak of Jew in him.   6. puppet.
7. wind up the machinery.   8. a degree roughly equivalent to our Master of
Arts.   9. formal dinners.   10. She had raised up this marriage as a barrier
between herself and the world which she was rejecting.   11. would have

réussir. Déjà, il avait monté ses batteries et n'y renonça que lorsqu'il se sentit deviné par sa fiancée. Ainsi, dès le premier jour, commença de se jouer entre eux cette comédie: à chaque instant, Schwartz, surveillé par Catherine, ravalait [12] son snobisme et rentrait dans son rôle de savant à l'avant-garde des idées. 5

Il se vengeait, surtout devant témoins, multipliait les procédés brutaux, les paroles grossières. Après vingt années, il avait pris le pli [13] de l'humilier en toute occasion: c'était au point qu'il lui arrivait, comme ce soir, de le faire par entraînement [14] et sans l'avoir voulu. 10

A cinquante ans, il gardait, sous d'épais cheveux gris une noble tête. Sa figure bronzée, tannée, mais où le sang affleurait,[15] était de celles qui résistent le mieux au temps. Il avait encore la peau vivante de la jeunesse, une bouche saine. Voilà sans doute ce qui retenait Catherine, pensait le monde (car les gens qu'elle avait fuis l'avaient 15 rejointe, attirés justement par ses idées de gauche). On disait aussi «qu'elle aimait à être battue». Mais ceux qui avaient connu sa mère, la baronne de Borresche, trouvaient qu'à son insu,[16] cette affranchie lui ressemblait beaucoup, jusque dans son attitude distraite ou trop aimable, et même, en dépit du changement des modes, dans sa 20 mise [17] stricte.

Rien qui fût moins dans son «style» que d'être assise sur le tapis, comme elle était, ce soir-là. Ses cheveux courts grisonnaient un peu; ils ne recouvraient pas la nuque décharnée.[18] Elle avait une figure petite, un mufle froncé de carlin,[19] un regard clair et direct. 25 La bouche trop mince était déformée par un tic [20] qui faisait croire, à tort, qu'elle riait des gens et se moquait d'eux.

Mlle Parpin, debout, feuilletait les illustrés [21] accumulés sur une console, et où les clients du docteur avaient laissé des empreintes digitales.[22] La secrétaire, courtaude,[23] trop grasse, aurait eu besoin 30 d'un corset. Comme la sonnerie du téléphone l'appelait dans l'antichambre, elle ferma ostensiblement la porte pour signifier à Mme Schwartz qu'elle n'avait pas le droit d'écouter: geste vain, car tout

asked nothing better than to enter by the front door.   **12.** swallowed.
13. had formed the habit.   **14.** through force of habit.   **15.** flowed close
to the surface, giving a ruddy hue.   **16.** without her being aware of it.
17. dress.   **18.** emaciated neck.   **19.** a wrinkled pugdog muzzle.
20. twitching.   **21.** magazines.   **22.** fingerprints.   **23.** shortish.   **24.** night

s'entendait d'une pièce à l'autre, même lorsque la leçon de piano
et la T.S.F. faisaient rage chez les voisins. D'ailleurs, la secrétaire,
au téléphone, élevait de plus la voix:

—Je vais vous donner un rendez-vous, Madame? . . . Voir le
5 docteur à cette heure-ci? Vous n'y songez pas! . . . Mais non,
Madame, inutile d'insister . . . Mais, Madame, il ne peut vous
l'avoir promis . . . Non, Madame, vous confondez: le docteur
Elisée Schwartz ne fréquente pas les boîtes de nuit [24] . . . Je ne
puis vous en empêcher, mais je vous avertis que vous vous dérangez
10 pour rien . . .

Mlle Parpin pénétra dans le cabinet du docteur par une porte qui
ouvrait sur le vestibule. Catherine n'eut pas à tendre l'oreille pour
entendre ses exclamations:

—Une folle, Monsieur, qui prétend que vous lui avez promis de
15 la recevoir à n'importe quelle heure du jour ou de la nuit . . .
Elle dit qu'elle vous a rencontré, il y a deux ans, dans un bar . . .
le Gerlis? le Gernis? je n'ai pas bien entendu.

—Et vous l'avez éconduite? gronda le docteur. Qui vous a permis
de prendre cette initiative? De quoi vous mêlez-vous? [25]

20 Elle balbutia qu'il était plus de dix heures et qu'elle ne pouvait
supposer qu'il consentirait . . . Il lui cria de lui f . . . la paix
avec ses suppositions. Il savait fort bien qui était cette cliente: un
sujet remarquable . . . Encore une occasion perdue, à cause d'une
idiote . . .

25 —Mais, Monsieur, elle a dit qu'elle serait là dans une demi-
heure . . .

—Ah! elle vient quand même?

Il parut ému, déconcerté, hésita quelques secondes:

—Eh bien, vous l'introduirez immédiatement et vous irez prendre
30 votre métro.[26]

A ce moment, Catherine pénétra dans le cabinet. Le docteur, qui
s'était rassis devant sa table, se leva à demi et lui demanda ce qu'elle
désirait, d'un ton rogue.

—Tu ne recevras pas cette femme, Elis?

35 Elle se tenait debout devant lui, le corps serré dans une robe de
jersey marron, anguleuse, étroite de hanches, la nuque raide. La
lumière du lustre faisait battre ses paupières sans cils,[27] et sa main

clubs.   **25.** What business is it of yours?   **26.** subway.   **27.** made her
lashless eyelids flutter.   **28.** As long as you don't have the door padded.

droite, longue et belle, était immobile contre sa gorge, les doigts accrochés au collier de corail.

—Alors, tu écoutes aux portes, maintenant?

Elle sourit comme elle eût fait pour une parole plaisante:

—Tant que tu n'auras pas fait matelasser la porte,[28] tant que tu n'auras pas recouvert de liège les murs, le plafond et le plancher . . . Pour un appartement où tant de pauvres êtres se confessent, c'est même assez comique . . .

—C'est bon . . . maintenant, laisse-moi travailler.

Un autobus descendait en trombe la rue[29] de Boulainvilliers. Catherine, la main sur le loquet, se retourna:

—Et, naturellement, Mlle Parpin dira à cette femme que tu ne reçois pas?

Il s'avança vers elle, les mains au fond des poches, balançant de lourdes épaules, l'air costaud,[30] et lui demanda «si ça la prenait souvent». Il alluma une cigarette caporal et ajouta:

—Sais-tu seulement de quoi il s'agit?[31]

Catherine, appuyée au radiateur, répondit qu'elle le savait fort bien:

—Je me rappelle cette soirée: en février ou mars, il y a trois ans, à l'époque où tu sortais beaucoup; tu m'as tout raconté, en rentrant; cette obsédée qui t'avait fait promettre . . .

Il arrondissait le dos,[32] regardait le tapis, il semblait avoir honte.

Catherine s'assit sur le divan de cuir qu'Elisée appelait son confessionnal et où tant de milliers de malheureux avaient balbutié, ânonné des mensonges,[33] à la recherche du secret de leur vie qu'ils feignaient de ne pas connaître . . . On entendait, à la T.S.F., une voix grave, d'une stupidité impressionnante, qui recommandait les meubles signés Lévikhan. Les autos cornaient toujours à ce croisement de rues. Le silence ne commençait à régner qu'à partir de minuit, à moins qu'il n'y eût une réception dans l'immeuble. Le docteur leva les yeux et vit Mlle Parpin, debout près de la petite table où était disposée la machine à écrire. Il lui ordonna d'aller dans le vestibule et d'attendre l'arrivée de cette dame. Lorsqu'elle fut sortie, Catherine déclara d'un ton net:

—Tu ne la recevras pas.

—Nous verrons bien.

---

29. roared down the street. 30. looking big. 31. Do you even know what it's all about? 32. hunched his shoulders. 33. had stammered,

—Tu ne la recevras pas, il y a du danger . . .

—Dis plutôt que tu es jalouse . . .

Elle éclata d'un rire franc, d'une fraîcheur imprévue.

—Ah! non . . . mon pauvre gros . . . jalouse, moi?

5 Elle parut un instant songer, avec nostalgie, au temps où elle était jalouse. Puis, soudain:

—Tu n'as pas plus envie que moi de deux balles de revolver . . . Ça n'arrive jamais? Rappelle-toi Pozzi . . . Tu dis que je ne la connais pas, que je ne l'ai jamais vue? Je me rappelle mot pour mot 10 ce que tu m'as raconté, ce soir-là . . . J'ai une mémoire terrible, dès qu'il s'agit de toi. Rien n'est perdu, pas une syllabe de ce que tu articules en ma présence. Il me semble que, sans l'avoir jamais vue, je la reconnaîtrais, cette femme de type tartare, la seule en costume tailleur [34] au milieu de tes belles amies au dos nu, la seule 15 portant un chapeau enfoncé jusqu'aux yeux . . . Et, à la fin de la soirée elle l'a enlevé, a secoué ses cheveux courts, découvrant un front magnifique [35] . . . Rappelle-toi, tu étais un peu ivre, quand tu m'as rapporté cela . . . tu rabâchais: «Un front magnifique, construit comme une tour . . .» Tu ne te rappelles pas que tu 20 répétais cela? Et tu ajoutais: «Il faut se méfier des femmes qui ont le type Kalmouk . . .» [36] Même à présent, tu t'en méfies,[37] avoue le . . . Tu brûles d'éconduire cette fille.[38] Si tu la reçois, ce sera par fausse honte . . .

Elisée ne répondit par aucune injure. Il n'y avait là personne 25 devant qui faire le brave. Il dit seulement, à mi-voix: «J'ai promis.»

Ils se turent, attentifs à ce grondement, dans les entrailles de l'immeuble, et qui signifiait la mise en marche [39] de l'ascenseur. Le docteur murmura: «Ce ne peut pas être elle . . . Elle a dit: une demi-heure . . .» Chacun des époux s'isolait dans ses pensées, se 30 souvenant, peut-être, de cette époque où le docteur suivait à la trace la fameuse Zizi Bilaudel. Alors, il faillit déceler [40] au monde sa vraie nature. «On se moque de toi,» lui répétait chaque jour Catherine. Il s'était caché d'elle pour prendre des leçons particulières [41] de tango; et dans les boîtes où Zizi et sa bande le traînaient 35 chaque nuit, les jeunes gens pouffaient [42] lorsque le colosse dansait,

---

faltered out lies. **34.** tailored suit. **35.** baring a splendid forehead. **36.** Kalmuk, Mongolian. **37.** were repeating over and over. **38.** you're dying to show this girl out. **39.** starting up. **40.** almost gave away. **41.** private. **42.** doubled up with laughter. **43.** strained. **44.** French

avec un air appliqué et tendu.[43] Il ruisselait, il devait aller aux lavabos pour changer de col. A cette époque, le peintre Bilaudel n'avait pas encore épousé Zizi, mais elle portait déjà son nom et, sans être ce qui s'appelle reçue, elle s'était fait quelques relations parmi les gens du monde les plus faciles. Cette blonde épaisse, 5 qu'on disait être «très Renoir»[44] méritait sa réputation d'intelligence: de ces créatures qu'une vie effrénée n'avilit pas, du moins apparemment, qui ramènent un butin immense d'explorations où de moins habiles se fussent perdues. Mais les êtres qu'elle traînait après soi, dans quelle boue les avait-elle ramassés? Catherine 10 racontait partout, à cette époque, que le docteur y découvrait d'admirables sujets d'études et que le savant trouvait son compte à cette passade[45] . . . Cette bourde[46] fut généralement crue. Il était vrai, pourtant, qu'une femme de cette bande l'intéressait, qu'elle seule avait le pouvoir de détourner son attention lorsque 15 Zizi Bilaudel dansait avec des garçons plus jeunes, cette même femme qui vient de téléphoner, qui sera là d'une minute à l'autre.

Catherine s'approcha de son mari, qui feignait de lire, et lui mit la main sur l'épaule: 20

—Écoute: rappelle-toi ce qu'elle t'avait avoué, le soir où tu lui as fait cette promesse de la recevoir à n'importe quelle heure: elle était harcelée par le désir du meurtre, depuis qu'elle avait tenté d'empoisonner son mari . . . Elle avait toutes les peines du monde à ne pas céder . . . Et c'est cette femme avec qui tu vas t'enfermer, 25 à onze heures du soir!

—Si c'était vrai, elle ne me l'aurait pas dit. Elle me faisait marcher[47] . . . Et puis, quand il y aurait du danger? Pour qui me prends-tu?

Elle fixa sur lui ses prunelles candides et, sans élever la voix: 30

—Tu as peur, Elis: regarde tes mains.

Il les enfonça dans ses poches, souleva les épaules, inclina brièvement la tête à droite:

—Oust! et un peu vite! et que je ne te revoie pas jusqu'à demain matin. 35

Catherine, très calme, ouvrit la porte du vestibule. Alors, il cria à

impressionist painter (1841–1919), whose romantic portraits of women are very appealing.   **45.** that the scientist in Schwartz was getting something out of this passing affair.   **46.** blunder.   **47.** She was stringing me along.

la secrétaire, assise sur la banquette, d'introduire cette dame dès son arrivée, et de déguerpir.[48]

La porte refermée, Catherine et Mlle Parpin restèrent, une seconde, dans le noir. Puis, la secrétaire alluma le lustre.

5   —Madame!

Catherine, déjà engagée dans l'escalier qui conduisait aux chambres, se retourna et vit les joues mouillées de la grosse fille.

—Madame, ne vous éloignez pas?

Il n'y avait plus trace d'insolence dans sa voix. Elle suppliait:

10   —Il faut que cette femme se sente surveillée; il faut qu'elle sache que quelqu'un se tient dans la pièce voisine . . . Et si je restais aussi? ajouta-t-elle soudain. Nous ne serions pas trop de deux [49] . . . Mais non, il l'a défendu . . .

—Oh! ce serait facile de le lui dissimuler . . .

15   La secrétaire secoua la tête et murmura: «Plus souvent!» [50] Elle flairait une ruse pour lui faire perdre sa place. Mme Schwartz la dénoncerait: jamais le docteur ne pardonnerait la moindre infraction. Les deux femmes se turent: cette fois, c'était bien l'ascenseur. Catherine dit à mi-voix:

20   —Introduisez-la, et puis allez dormir en paix. Il n'arrivera rien au docteur, cette nuit, je vous le certifie. Voilà vingt ans que je veille sur lui; je ne vous ai pas attendue, Mademoiselle.

Et elle disparut dans l'escalier obscur, mais, le palier atteint, descendit quelques marches et se pencha sur la rampe.

25   Les portes de l'ascenseur claquèrent; un bref coup de sonnette . . . Impossible de voir le visage de celle devant qui Mlle Parpin s'effaçait. Une voix douce demandait si c'était bien ici qu'habitait le docteur Schwartz. Mais l'inconnue défendit vivement son sac que la secrétaire voulait lui enlever, en même temps que

30   le parapluie ruisselant.

Mlle Parpin rejoignit alors Catherine, assise sur une marche et lui souffla, d'un air terrifié, que l'étrangère sentait le whisky . . . Elles tendirent l'oreille; la voix du docteur résonnait seule. Catherine demanda comment cette femme était habillée: un manteau

35   sombre, un col de chinchilla qui paraissait usé.

—Ce qui m'inquiète, Madame, c'est son sac; elle le serrait sous son bras . . . Il faudrait tâcher de le lui prendre . . . Elle cache peut-être un revolver . . .

48. clear out, get out.   49. Two of us wouldn't be too many.   50. Not a

Le rire de l'inconnue éclata; puis, le docteur reprit la parole. Catherine exhorta Mlle Parpin «à ne pas se monter la tête,[51] à être raisonnable». La secrétaire lui saisit la main avec effusion et ne put retenir un «merci» dont elle sentit aussitôt le ridicule. Du haut des marches, Catherine, sans indulgence, observait la pauvre fille devant la glace, arrangeant son chapeau, poudrant ses joues échauffées. Elle partit enfin.

Alors, de nouveau, Catherine s'accroupit sur une marche. Les voix de son mari et de la femme alternaient, paisibles, sans éclats. Que c'était étrange d'entendre Elis, sans être vue de lui! Elle aurait juré que c'était un autre homme qui parlait, un homme plutôt bénin, qu'elle ne connaissait pas. Elle comprenait pourquoi les clients de son mari lui répétaient souvent: «Il est charmant, vous savez, très gentil, très doux. . .»

La femme, elle, avait le verbe trop haut, au gré de Catherine.[52] Peut-être était-elle excitée par l'alcool? Ce rire un peu fou réveillait l'angoisse de l'épouse aux aguets.[53] Elle descendit à pas légers, se glissa dans le salon et, sans allumer de lampe, s'assit.

En face d'elle, à travers le store de tulle, la terrasse, pleine de pluie, brillait comme un lac. Au delà, les lumières de Grenelle[54] piquaient la nuit pluvieuse. Le docteur, sur le ton d'une conversation dans le monde, parlait de Zizi Bilaudel, s'informait du sort de sa bande.

—Elle est bien dispersée, aujourd'hui, docteur . . . Les «bandes joyeuses», je commence à en avoir l'expérience, elles se désagrègent vite . . . J'en ai usé déjà pas mal, quand j'y songe . . . De celle qui vous a entraîné dans son remous, pendant quelques semaines, docteur, il ne reste guère que les Bilaudel et moi. Palaisy, vous vous souvenez, ce garçon splendide, qui buvait terriblement (et tout cet alcool tournait en joie . . .), il a la moelle atteinte[55] et il finit de vivre en Languedoc, chez ses parents. Et le petit surréaliste[56] si féroce, celui qui essayait de nous faire peur comme les enfants lorsqu'ils se couvrent la tête d'une serviette et se déguisent en brigands (il fronçait les sourcils, portait les cheveux hérissés, se

chance! **51.** to get worked up. **52.** talked too stridently to suit Catherine. **53.** on the watch. **54.** section in the southwestern part of Paris. **55.** the core rotted. **56.** member of the literary group, formed about 1920 and flourishing for a decade, that was devoted to expressing a reality beyond the

composait une mine patibulaire, et, quoi qu'il fît, ressemblait à un ange) . . . Nous lui demandions si son suicide, c'était pour demain matin . . . Moi, je ne riais pas, parce que l'héroïne, ce n'est pas comme les autres drogues, ça finit toujours mal . . . Oui, le mois dernier, au téléphone . . . Azévédo, pour faire une farce, l'a appelé en pleine nuit, sans se nommer, et lui a dit que Dora le trompait avec Raymond . . . C'était une blague . . . On le disait, mais on savait que ce n'était pas vrai . . . Azévédo a entendu une voix flegmatique: «Vous êtes sûr, vraiment?» et puis, un coup sec . . .

L'inconnue parlait vite, un peu haletante; Catherine ne comprit pas ce que répondait le docteur, trop attentive à cet accent affectueux et grave qu'il n'avait jamais eu avec elle. Dans le salon obscur, face à ces vitres ruisselantes, devant ces toits submergés, ces réverbères à l'infini, elle se répétait que cet homme, pour elle seule, faisait étalage de sa férocité . . . oui, pour elle seule.

—Oh! insistait la femme, ne vous gênez pas, vous pouvez me parler d'Azévédo . . . Ce que je m'en moque, maintenant! Non ce n'est pas vrai . . . Aucun amour n'est jamais tout à fait fini. Je devrais le haïr . . . mais il garde à mes yeux le prestige du mal qu'il m'a fait. Il a beau n'être plus pour moi que ce qu'il est: [57] un type capable de gagner de l'argent à la Bourse, dans les périodes où ça monte tout le temps, il n'en reste pas moins celui qui a tiré de ma chair toute cette douleur. Les êtres les plus médiocres demeurent grands par ce qu'ils détruisent. C'est à cause de ce néant que j'ai descendu ces degrés, que je me suis enfoncée un peu plus, que j'ai atteint la dernière porte . . .

Le docteur demanda d'un ton mièvre:

—Chère petite Madame, vous a-t-il au moins guérie de l'amour?

Catherine tressaillit: cet éclat de rire de l'inconnue (comme une étoffe déchirée) devait, croyait-elle, traverser les sept plafonds de l'immeuble, retentir jusque dans la cave.

—Serais-je ici, à onze heures du soir? . . . Dès mon entrée, vous n'avez donc pas vu que je brûlais? A quoi vous sert toute votre science?

Il répartit, avec bonne humeur, qu'il ne se piquait pas de sorcellerie.

accepted and obvious.   **57.** even though I do know him now for exactly what

—Je ne tiens compte que de ce que vous me racontez . . . Je suis un homme qui écoute, et rien de plus . . . Je vous aide à débrouiller votre écheveau.[58]

—On ne livre que ce qu'on veut . . .

—Quelle erreur, Madame! Dans ce cabinet, les gens découvrent 5 surtout ce qu'ils souhaiteraient de dissimuler. Ou du moins, je ne retiens que ce qu'ils voudraient cacher et qui leur échappe, et je le leur montre; et je leur désigne par son nom cette petite bête qui grouille; [59] et ils n'en ont plus peur . . .

—Vous avez tort de vous fier à nos paroles . . . Quelle puissance 10 de mensonge l'amour développe en nous! . . . Tenez, quand j'ai rompu avec Azévédo, il m'a rendu mes lettres. Tout un soir, je suis restée devant cette liasse: qu'elle me paraissait légère! J'avais cru qu'il aurait fallu une valise pour contenir cette correspondance, le tout tenait dans une grande enveloppe. Je la posai devant moi. 15 A la pensée de ce que cela renfermait de souffrance—vous allez vous moquer de moi!—j'éprouvais un sentiment de respect et de terreur (j'en étais sûre! ça vous fait rire . . .) C'était au point que je n'osais en relire aucune. Tout de même, je me suis décidée à rouvrir la plus terrible: je me rappelais ce jour d'agonie où je l'avais 20 écrite, au Cap Ferret,[60] en août; un simple hasard m'a détournée du suicide ce jour-là . . . Donc, après trois ans, et lorsque j'étais enfin guérie, cette lettre tremblait de nouveau au bout de mes doigts . . . Eh bien, le croiriez-vous? Elle m'apparut si anodine que je crus m'être trompée de feuillet . . . Mais non, je ne pouvais 25 douter que ce fussent bien là les lignes écrites au bord de la mort; elles ne trahissaient rien qu'une pauvre désinvolture, le souci de dissimuler mon horrible douleur, comme j'eusse fait d'une plaie de ma chair, par pudeur, pour ne pas dégoûter ni apitoyer le bien-aimé . . . C'est comique, vous ne trouvez pas, docteur, ces roueries 30 qui ne réussissent jamais? J'avais cru, pauvre idiote, que cette indifférence affectée rendrait Azévédo jaloux . . . Toutes les autres lettres étaient fabriquées, comme celle-là . . . Rien de moins naturel, de moins spontané que les agissements de l'amour . . . Mais je ne vous apprends rien, c'est votre métier; vous le savez mieux que 35 personne; quand j'aime, je ne cesse jamais de supputer, de com-

he is.   **58.** unravel your skein, i.e., straighten yourself out.   **59.** squirms. **60.** cape on the Atlantic, southwest of Bordeaux.   **61.** had faltered.

biner, de prévoir, avec une maladresse si constante qu'elle devrait finir par attendrir celui qui en est l'objet, au lieu de l'irriter, comme elle fait toujours . . .

Catherine Schwartz, dans le noir, ne perdait pas une syllabe de 5 ces paroles, étrangement coupées, non point selon le rythme de la phrase, mais comme si la voix eût fait défaut [61] brusquement. Pourquoi s'adressait-elle à Elis? se demandait Catherine. Pourquoi à lui, précisément, ces confidences? Elle avait envie d'ouvrir la porte du cabinet, de crier à l'inconnue: «Il n'a rien à vous donner, il ne 10 peut rien pour vous que de vous enfoncer davantage dans cette boue. J'ignore à qui il faudrait vous adresser, mais pas à lui, pas à lui!»

—Je gagerais, chère petite Madame, que vous ne parleriez pas si bien de l'amour si vous ne vous étiez laissée prendre encore . . . 15 Ce n'est pas vrai?

Il s'exprimait doucement, paternel, tranquille, gentil. Mais ce fut d'un ton vulgaire, presque grossier, que sa visiteuse l'interrompit:

—Bien sûr! ça sauterait aux yeux de n'importe qui . . . ne vous 20 mettez pas en frais [62] pour me faire parler. Croyez-vous que je sois venue pour autre chose que pour parler? Si vous quittiez la pièce, je m'adresserais à cette table, à ce mur.

Catherine prit alors nettement conscience de la faute grave qu'elle était en train de commettre: une femme de médecin qui 25 écoute aux portes, qui surprend les secrets confiés à son mari . . . Ses joues devinrent brûlantes. Elle se leva, passa par le vestibule, gravit le petit escalier jusqu'à sa chambre, qu'un lustre illuminait tout entière. Elle s'approcha de la glace, regarda longuement cette figure ingrate avec laquelle il lui fallait traverser sa vie. La lumière, 30 les objets familiers la rassuraient. Qu'avait-elle craint? Quel péril? D'ailleurs, cette femme n'était pas la première venue . . .

A ce moment, un éclat de voix la fit tressaillir. La porte de la chambre n'était qu'entre-bâillée; elle la poussa, descendit quelques marches—pas assez pour comprendre ce que criait la visiteuse (car 35 elle criait). Il suffirait de descendre encore un peu, et Catherine ne perdrait plus une parole. Secret professionnel . . . Mais la vie d'Elis était peut-être en jeu . . . Catherine cède encore à la

62. don't put yourself out.   63. in such times as these.   64. general de-

tentation, s'assied sur le divan de l'entrée. Une seconde, le bruit de
l'ascenseur l'empêche de rien entendre. Puis de nouveau:
— . . . Vous saisissez, docteur? J'avais été séparée de Phili
pendant tout l'été. Je n'ai jamais eu besoin de personne, pas même
d'Azévédo, comme j'ai besoin de Phili: hors de sa présence,   5
j'étouffe. Il m'avait donné divers prétextes d'affaires, d'invitations,
pour m'écarter. Au vrai, il cherchait à se marier richement. Mais
par le temps qui court [63] . . . Et puis il est déjà divorcé, oui, à
vingt-quatre ans . . . Moi, j'errais, pendant ce temps-là. Je ne puis
pas vous dire ce qu'a été ma vie: j'attendais ses lettres. Dans chaque 10
ville, je ne m'intéressais qu'au guichet de la poste restante.[64] Pour
moi, les voyages, c'est toujours la poste restante.

Catherine savait bien qu'elle n'écoutait plus par simple devoir:
il ne s'agissait plus, pour elle, de secourir son mari en cas d'attaque.
Non: elle cédait à une curiosité irrépressible—elle qui avait poussé   15
la discrétion jusqu'au scrupule, jusqu'à la manie! Mais cette voix
inconnue la fascinait, et en même temps, elle ne pouvait supporter
la pensée de la déception qui attendait cette malheureuse. Elis
n'était même pas capable de la comprendre; pas même d'avoir
pitié d'elle. Comme ses autres victimes, il la pousserait à s'assouvir.[65] 20
La délivrance de l'esprit par l'assouvissement de la chair: c'était à
cela que se ramenait sa méthode.[66] La même clé immonde lui
servait pour interpréter l'héroïsme, le crime, la sainteté, le renoncement . . . Ces idées traversaient confusément l'esprit de Catherine
sans qu'elle perdît un mot de ce qui se disait dans le cabinet.   25

— . . . Vous imaginez ma surprise quand je m'aperçus que les
lettres de Phili devenaient plus longues, qu'il semblait les écrire
avec attention, avec le désir de me consoler, de me rendre heureuse?
A mesure que l'été s'écoulait, elles se multipliaient, et bientôt
devinrent quotidiennes.   30

—C'était pendant la semaine que je passe, chaque année, auprès
de ma fille. Elle a maintenant onze ans. Son institutrice l'amène
dans un endroit que je désigne d'avance, mais qui doit être au moins
à cinq cents kilomètres de Bordeaux: c'est une exigence de mon
mari. Jours affreux: j'ignore si la petite connaît l'accusation qui   35
pèse sur moi, en tout cas, je lui fais peur. L'institutrice s'arrange
toujours pour que ce ne soit pas moi qui leur verse à boire . . .

livery window.   **65.** satisfy herself.   **66.** that was what his method boiled
down to.   **67.** legal decision that there are no grounds for prosecution (this

Vous comprenez: je suis capable de tout. Comme l'a dit mon mari,
à l'époque du drame, le soir même du non-lieu [67] (je crois encore
entendre son accent traînant de Landais—: «Vous n'espériez tout
de même pas qu'on allait vous laisser la petite? Il faut la mettre à
5 l'abri de [68] vos drogues, elle aussi. Moi empoisonné, c'était elle qui
à vingt et un ans, aurait hérité des terres . . . Après le mari, l'enfant! Ça ne vous aurait pas fait peur de la supprimer!») Tout de
même, on me la confie une semaine par an; je la traîne au restaurant, au cirque . . . Mais il ne s'agit pas de cela . . . Je vous
10 disais que les lettres de Phili me rendaient heureuse, je ne souffrais
plus. Il lui tardait de [69] me revoir; il montrait plus d'impatience que
moi-même; j'étais heureuse, paisible . . . Cela devait paraître sur
ma figure; Marie avait moins peur de moi; un soir, à Versailles, sur
un banc du Petit-Trianon,[70] je lui ai caressé les cheveux . . .
15 Pauvre idiote! Je croyais, j'espérais . . . J'en étais venue à remercier
Dieu, à bénir la vie . . .

De nouveau, Catherine se lève, remonte vers sa chambre, les
joues en feu. Elle se sent criminelle derrière cette porte: elle com-
met le plus affreux des vols. Que va faire Elis de ce pauvre être qui
20 se vide ainsi, à ses pieds? A peine Catherine est-elle assise, qu'elle
se relève, retrouve sur les marches son poste d'écoute. L'inconnue
parle toujours:

—Il m'attendait à la sortie de la gare, à sept heures du matin.
Songez donc, c'était trop beau. Je vis sa pauvre mine, usée, traquée.
25 Il y a un moment très court quand on revoit celui qu'on aime,
après une longue absence, où il nous apparaît tel qu'il est, sans rien
de ce que notre folie lui prête . . . N'est-ce pas, docteur? Une
seconde où nous pouvons surprendre les trucs [71] de la passion . . .
Mais nous aimons trop notre souffrance pour en profiter. Il m'en-
30 traîna au café d'Orsay. Nous parlâmes à bâtons rompus,[72] nous
reprenions contact . . . Il m'interrogea sur la résine, sur les pins,
sur les poteaux de mines [73] (c'était l'époque où je touche les revenus
de mes propriétés). Je lui dis en riant qu'il faudrait, cette année,
se serrer la ceinture. Finie, la résine! Les Américains ont inventé
35 un succédané de la térébenthine.[74] On ne vend plus de bois: les

was the official outcome of Thérèse's case).   68. shelter her from.   69. He
was longing to.   70. a small château built in the Palace Park at Versailles
during the reign of Louis XV.   71. wiles.   72. by fits and starts.
73. beams, props for mine tunnels.   74. a substitute for turpentine.   75. vil-

scieries d'Argelouse [75] débitent [76] des sapins de Pologne et laissent pourrir sur pied les pins qui poussent à leur porte. La ruine, enfin, comme pour tout le monde . . . A mesure que je parlais, Phili pâlissait. Il insista pour savoir si l'on ne pouvait pas vendre les pins, même à vil prix, et comme je protestais que ce serait un désastre, je 5 sentis son attention se retirer de moi. En même temps que les pins d'Argelouse, je tombais à rien. Vous comprenez, docteur? Je ne pleurais pas, je riais; je riais de moi, vous pensez bien! Lui, il était à mille lieues . . . Il ne me voyait plus. Il faut avoir subi ce supplice pour comprendre ce que cela signifie. Ne plus même exister 10 aux yeux de celui qui, pour nous, existe seul . . . On ferait n'importe quoi pour attirer son attention, n'importe quelle imprudence . . . Vous ne devinerez jamais celle que j'ai commise, docteur . . .

—Ce n'est pas difficile à deviner. . . Vous lui avez raconté une 15 histoire de votre passé . . . cette accusation . . .

—Comment le savez-vous? Oui, c'est cela que j'ai fait . . . Je n'ignorais pas que quelqu'un tenait Phili, le faisait chanter,[77] pouvait le faire arrêter (mais il ne faut pas que je vous parle de cela). Alors je lui ai raconté ma propre histoire . . . 20

—Et ça l'intéressait?

—Ah! vous pouvez me croire! Il m'écoutait avec une attention terrible . . . J'avais vaguement peur; je sentais que j'avais eu tort de me livrer. Je l'intéressais, maintenant, mais je l'intéressais trop, vous comprenez! J'ai d'abord redouté un chantage. Non, ce n'était 25 pas ça . . . D'ailleurs, comment me faire chanter? Je ne risque plus rien: mon affaire est classée.[78] Non, une autre idée lui est venue; il a pensé que je pourrais lui servir . . .

—Lui servir? mais pour quoi?

—Vous êtes stupide, docteur? Pour accomplir l'acte devant lequel 30 lui-même recule . . . Une fois le coup fait, il jure qu'il m'épousera, que nous serons liés à jamais puisque je le tiendrai et qu'il me tiendra. Il a un plan, il assure que je ne cours aucun risque. Ce que j'ai fait une fois, je pourrais le refaire. Il faut vous dire que son ennemi, celui qui peut, d'un mot, le perdre, habite la campagne: 35 un petit propriétaire, presque un paysan, dans le Sud-Ouest. Il a des vignes. Je me suis déjà introduite chez lui, pour acheter son vin.

lage south of Bordeaux. **76.** saw up. **77.** was blackmailing him.
78. case filed away, over and done with. **79.** brokerage. **80.** storeroom for

Vous savez que les femmes font maintenant tous les métiers et,
entre autres, du courtage;[79] je lui ai fait réussir quelques affaires.
Nous allons au chai,[80] nous goûtons le vin . . . Vous comprenez?
Nous buvons dans la même tasse. Il est connu pour être un
5 ivrogne . . . Il a déjà eu de petites attaques . . . Ça n'étonnerait
pas . . . Et vous savez que, à la campagne, le médecin des morts,
ça n'existe pas: aucun contrôle[81] . . .
　　Elle s'interrompit. Le docteur ne répondait rien. Le cœur de
Catherine, dans l'escalier obscur, battait follement. Et de nouveau
10 elle entendit la voix de l'inconnue. Mais c'était une autre voix:
　—Sauvez-moi, docteur . . . Il ne me laisse aucun répit . . . Je
finirai par céder. C'est un être effroyable, et pourtant il a l'aspect
d'un enfant . . . Quelle est cette puissance qui envahit parfois ces
êtres au visage d'ange? Ils allaient encore en classe, il y a si peu
15 d'années . . . Croyez-vous au démon, docteur? Croyez-vous que
le mal soit quelqu'un?
　　Catherine ne put supporter le rire de son mari. Elle ferma derrière
elle la porte de sa chambre, tomba à genoux contre le lit, se boucha
les oreilles, demeura longtemps ainsi, prostrée, abîmée, ne pensant
20 à rien . . . Et soudain, son nom retentit, crié par une voix plein de
terreur. Elle se précipita, descendit en hâte, pénétra dans le cabinet.
Elle ne vit pas d'abord son mari et le crut tué. Mais elle l'entendit:
　—Ce n'est pas à toi qu'elle en veut[82] . . . Tout de même, prends
garde . . . Désarme-la vite! . . . Elle est armée.
25　　Elle comprit que le docteur était accroupi derrière le bureau.
L'inconnue, appuyée contre le mur, avait entr'ouvert son sac et y
tenait sa main droite cachée. Elle regardait devant elle, fixement.
Catherine, sans hâte, lui saisit le poignet: la femme ne résista pas,
laissa tomber son sac, serrant le poing sur quelque chose qui n'était
30 pas un revolver. Le docteur s'était relevé, blême, et oubliait de
cacher ses mains tremblantes, appuyées sur le bureau. Catherine,
tenant toujours le poignet de la femme, s'efforçait de lui desserrer
les doigts. Enfin, un paquet, enveloppé de papier blanc, tomba sur
le tapis.

35　　L'inconnue regardait Catherine. Elle enleva sa toque et découvrit
un front trop vaste, des cheveux coupés, pauvres et rares, déjà

wine.　　81. in the country there's no such thing as a coroner, there's no check.
82. It isn't you that she has it in for.

grisonnants: ni poudre ni rouge n'apparaissait sur les joues creuses, sur ces lèvres ravalées,[83] sur ces pommettes. La peau jaune tournait au marron sous les yeux.

Elle ne fit aucun geste pour empêcher Catherine de ramasser le paquet et de déchiffrer ce qui était inscrit sur l'enveloppe: une 5 simple étiquette de pharmacien. La femme ouvrit la porte, tenant toujours son chapeau. Dans le vestibule, elle dit qu'elle avait un parapluie. Catherine lui demanda doucement:

—Voulez-vous que je téléphone pour faire venir une voiture? Il pleut beaucoup. 10
Elle secoua sa petite tête. Catherine la précéda dans l'escalier, alluma la minuterie.

—Vous ne mettez pas votre chapeau?

Et comme elle n'obtenait aucune réponse, Catherine prit la toque et en coiffa elle-même l'inconnue, lui boutonna son manteau, 15 releva le col de chinchilla. Il aurait fallu lui sourire, mettre une main sur son épaule . . . Catherine la vit disparaître dans l'escalier; elle hésita une seconde, puis rentra dans l'appartement.

Le docteur était debout, au milieu de la pièce, les mains dans les poches. Il ne regardait pas Catherine: 20

—Tu avais raison: une folle de la pire espèce; désormais, je serai prudent. Elle a feint d'avoir un revolver . . . N'importe qui s'y serait trompé. Tu ne me demandes pas comment c'est arrivé? Voilà: après m'avoir servi sa petite histoire, elle m'a sommé de la guérir . . . Sa fureur a éclaté lorsque j'ai voulu lui montrer que 25 c'était déjà beaucoup de lui avoir permis de dévider son écheveau, qu'elle y voyait plus clair maintenant, qu'elle pourrait mener le jeu, obtenir de son type ce qu'elle en attendait, sans rien faire de ce qu'il exigeait d'elle . . . Tu ne l'as pas entendu crier? Elle m'a traité de voleur: «Vous faites semblant[84] de vouloir guérir l'âme 30 et vous ne croyez pas à l'âme . . . Psychiâtre, ça signifie médecin de l'âme, et vous dites que l'âme n'existe pas . . .» Enfin, tu connais l'antienne[85] . . . Une tendance au plus bas mysticisme, en plus de ce qu'elle a déjà . . . Pourquoi ris-tu, Catherine? Qu'est-ce que ç'a de drôle? 35
Il observait sa femme avec étonnement. Il ne lui avait jamais vu cette figure rayonnante de bonheur. Les deux bras pendants, ses mains un peu écartées de la robe, elle dit enfin:

83. compressed.   **84.** You pretend.   **85.** refrain.

—Il m'a fallu vingt années . . . mais enfin, c'est fini! Je suis délivrée, Elis, je ne t'aime plus.

QUESTIONS

1. Comment Mauriac nous révèle-t-il dès le début du récit le caractère du docteur Schwartz? Que peut signifier le fait qu'il travaille à une étude sur la *Sexualité de Blaise Pascal?*
2. Pourquoi Catherine avait-elle d'abord été attirée par Schwartz? Quel rôle avait-il cherché à jouer depuis? Quel rôle lui est imposé par Catherine?
3. Comment Schwartz prend-il sa revanche sur Catherine? Comment voit-elle les façons d'agir du docteur?
4. Faites ressortir les différences physiques et morales entre les époux. Comment sont-elles mises en relief par l'auteur?
5. Jean-Paul Sartre a dit que Mauriac, par contraste avec Hemingway et Faulkner, fait avancer son dialogue d'une façon théatrale, avec un manque de spontanéité et trop de direction. Commentez ce jugement d'après le commencement de *Thérèse chez le docteur.*
6. Dans quelles circonstances le docteur a-t-il fait la connaissance de Thérèse?
7. Esquissez l'évolution des sentiments de Mlle Parpin envers Catherine.
8. Pourquoi Catherine s'étonne-t-elle du ton que le docteur adopte envers Thérèse?
9. Qu'est devenue la «bande» dont Thérèse et le docteur avaient fait partie? Que signifie pour Mauriac ce groupe et sa dissolution?
10. Diriez-vous que cette manière de développer l'histoire—Thérèse et le docteur en tête-à-tête, Catherine aux écoutes—est une réussite artistique?
11. Qu'est-ce qui pousse Catherine à faire preuve d'une telle indiscrétion? la curiosité?
12. Que pensez-vous de Thérèse? de sa conduite passée et présente? de ses observations touchant la psychologie de l'amour?
13. Pourquoi Catherine avait-elle envie de crier à Thérèse, «Il n'a rien à vous donner»?
14. Que représente pour Thérèse son dernier amour?
15. D'après ce que vous savez de Mauriac, discutez ces paroles de Thérèse: «Quelle est cette puissance qui envahit parfois ces êtres au visage d'ange?»
16. Que contenait le paquet de Thérèse? Comment expliquez-vous son geste?

17. Catherine voit enfin l'inconnue. Est-ce que cette description de Thérèse la présente telle que vous l'aviez imaginée?

18. Trouvez-vous satisfaisantes les explications que donne le docteur après le départ de Thérèse?

19. Comment comprenez-vous les dernières paroles de Catherine?

20. Le critique et penseur Ortega y Gasset parle de ce qu'il appelle *infrarrealismo*, «une immersion au-dessous du niveau de la perspective naturelle,» une pénétration en profondeur vers les menus sentiments, apparences, événements de la vie négligés comme insignifiants par le roman d'autrefois. Quels détails dans *Thérèse chez le docteur* sont cherchés au-dessous du niveau de l'attention ordinaire? Comment est-ce que Mauriac nous présente en quelque sorte l'infini dans la minutie?

Jean Giono

(1895–   )

PERHAPS nowhere in contemporary French literature is there to be found a more fervent statement of a man's condemnation of civilization and of his affirmation of nature than that in four of Giono's books: *Jean le bleu, Le chant du monde, Que ma joie demeure,* and *Les vraies richesses.* The English reader is tempted to see in Giono a contemporary Thoreau, but he soon misses the combination of warm passion for the facts of nature and of intellectual Puritanism that is Thoreau's. He finds instead an appealing flood of lush prose which tends to conceal the truisms and contradictions of a primitive but present-day naturism.

Fundamental to this naturism is a pacifism which stems from Giono's participation in the horrors of the First World War at the age of nineteen, described in *Le grand troupeau* (1931). This pacifism becomes an almost anarchistic creed as developed in two later books, *Refus d'obéissance* (1937) and *Précisions* (1939). During the Second World War Giono gained a certain unpopularity by spreading his gospel of nonintervention. But whatever the inconsistencies of his philosophy, it is always expressed in a rich poetic style.

Giono's gift for direct imagery has its fullest expression in his many novels idealizing peasant life in the sunny foothills of the Alps. His early works include three short novels, *Colline* (1920; published in English as *Hill of Destiny,* 1929), *Un de Baumugnes* (1929; *Lovers Are Never Losers,* 1931), and *Regain* (1930; *Harvest,* 1939). In 1932 came both the volume of penetrating short stories entitled *Solitude de la pitié* and the autobiographical fragment, *Jean le bleu* (*Blue Boy,* 1946), from which the short story, *La femme du boulanger,* was extracted and published in 1935.

Born in 1895 at Manosque, Basses-Alpes, of French-Italian stock, Giono tells how he early learned to distinguish Bach from Mozart,

Scarlatti from Rameau, and how Hesiod, Homer, and the Bible became an essential part of him, both as a boy and as a man. He
recounts wry, earthy stories of the peasants in whom he professes
to see embodied the joys of the good life. In these stories he has
caught the savor of the seasons, the smell of places, and the essence
of people as only a poet can. In this distorted, highly individual
world the search for the innermost nature of reality and the innermost reality of nature extends from the soil of the hills and fields
and valleys, as in *Les vraies richesses* (1936), to the stars above, as
in *Le serpent d'étoiles* (1933) and *Le poids du ciel* (1938).

The mysticism of Giono, the nature-lover, finds more ample expression in the trilogy, *Le chant du monde* (1934; *The Song of the
World*, 1937), *Que ma joie demeure* (1935; *Joy of Man's Desiring*,
1940), and *Batailles dans la montagne* (1937). This amplitude,
compounded of protracted images and an intoxication with words,
becomes at times grandiloquence and even turgidity, making
Giono's prose occasionally somewhat too rich. His interest in symbol and metaphor resulted in a study of Melville, *Pour saluer
Melville*, in 1940. Giono frequently demonstrates an ability to
create a well-knit if limited dramatic situation, as shown by the
movie version of *The Baker's Wife* in 1939, and also in his play,
Lanceurs de graines, which achieved wide European success in 1937.
With *Triomphe de la vie* (1942), it was evident that he still has
a great deal to say to the world. Not a compromise of his philosophy
but a less utopian point of view, and not an elimination of his
verbal exuberance but an effort toward discipline, could make of
Giono a writer of the first rank.

BIBLIOGRAPHY

P. Brodin, *Maîtres et témoins* (1943).
C. Michelfelder, *Jean Giono et les religions de la terre* (1938).
A. Rousseaux, *Littérature du vingtième siècle* (1938).

~~

LA FEMME DU BOULANGER

La femme du boulanger s'en alla avec le berger des Conches. Ce
boulanger était venu d'une ville de la plaine pour remplacer le

pendu. C'était un petit homme grêle et roux. Il avait trop longtemps gardé le feu du four devant lui à hauteur de poitrine et il
s'était tordu comme du bois vert. Il mettait toujours des maillots
de marin, blancs à raies bleues. On ne devait jamais en trouver
5 d'assez petits. Ils étaient tous faits pour des hommes, avec un
bombu ¹ à la place de la poitrine. Lui, justement, il avait un creux
là et son maillot pendait comme une peau flasque sous son cou.
Ça lui avait donné l'habitude de tirer sur le bas de son tricot et il
s'allongeait devant lui jusqu'au-dessous de son ventre.
10   —Tu es pitoyable, lui disait sa femme.
Elle, elle était lisse et toujours bien frottée; avec des cheveux si
noirs qu'ils faisaient un trou dans le ciel derrière sa tête. Elle les
lissait serrés à l'huile et au plat de la main et elle les attachait sur
sa nuque en un chignon ² sans aiguilles. Elle avait beau secouer la
15 tête, ça ne se défaisait pas. Quand le soleil le touchait, le chignon
avait des reflets violets comme une prune. Le matin, elle trempait
ses doigts dans la farine et elle se frottait les joues. Elle se parfumait
avec de la violette ou bien avec de la lavande. Assise devant la porte
de la boutique elle baissait la tête sur son travail de dentelle et tout
20 le temps elle se mordait les lèvres. Dès qu'elle entendait le pas d'un
homme elle mouillait ses lèvres avec sa langue, elle les laissait un
peu en repos pour qu'elles soient bien gonflées, rouges, luisantes et,
dès que l'homme passait devant elle, elle levait les yeux.
C'était vite fait. Des yeux comme ça, on ne pouvait pas les laisser
25 longtemps libres.
    —Salut, César.
    —Salut, Aurélie.
Sa voix touchait les hommes partout, depuis les cheveux jusqu'aux pieds.
30   Le berger, c'était un homme clair comme le jour. Plus enfant que
tout. Je le connaissais bien. Il savait faire des sifflets avec les
noyaux de tous les fruits. Une fois, il avait fait un cerf-volant ³ avec
un journal, de la glu ⁴ et deux cannes. Il était venu à notre petit
campement.
35   —Montez avec moi, il avait dit, on va le lancer.
Lui, il avait ses moutons sur le devers ⁵ nord, où l'herbe était
noire.
    —Quand le vent portera, je le lâcherai.

1. bulge.   2. knot of hair.   3. kite.   4. birdlime.   5. slope (of a hill).

Il était resté longtemps, debout sur la crête d'un mur, le bras en
l'air et il tenait entre ses deux doigts l'oiseau imité.

Le vent venait.

—Lâche-le, dit l'homme noir.

Le berger clignait de l'œil.   5

—Je le connais, moi, le vent.

Il lâcha le cerf-volant à un moment où tout semblait dormir; rien
ne bougeait, même pas la plus fine pointe des feuilles.

Le cerf-volant quitta ses doigts et il se mit à glisser sur l'air plat,
sans monter, sans descendre, tout droit devant lui.   10

Il s'en alla planer sur les aires; [6] les poules se hérissaient sur leurs
poussins et les coqs criaient au faucon.[7]

Il tomba là-bas derrière dans les peupliers.

—Tu vois, le vent, dit le berger.

Il se toucha le front avec les doigts et il se mit à rire.   15

Tous les dimanches matin il venait chercher le pain de la ferme.
Il attachait son cheval à la porte de l'église. Il passait les guides
dans la poignée de la porte et, d'un seul tour de main, il faisait un
nœud qu'on ne pouvait plus défaire.

Il regardait sa selle. Il tapait sur le derrière du cheval.   20

—S'il vous gêne, poussez-le, disait-il aux femmes qui voulaient
entrer à l'église.

Il se remontait les pantalons et il venait à la boulangerie.

Le pain, pour les Conches, c'était un sac de quarante kilos. Au
début, il était toujours préparé d'avance, prêt à être chargé sur le 25
cheval. Mais, Aurélie avait du temps toute la semaine pour calculer,
se mordre les lèvres, s'aiguiser l'envie.[8] Maintenant, quand le berger
arrivait, il fallait emplir le sac.

—Tenez d'un côté, disait-elle.

Il soutenait les bords du sac d'un côté. Aurélie tenait de l'autre 30
côté d'une main, et de l'autre main elle plaçait les pains dans le sac.
Elle ne les lançait pas; elle les posait au fond du sac; elle se baissait
et elle se relevait à chaque pain, et comme ça, plus de cent fois elle
faisait voir ses seins, plus de cent fois elle passait avec son visage
offert près du visage du berger, et lui il était là, tout ébloui de tout 35
ça et de l'amère odeur de femme qui se balançait devant lui dans
la pleine lumière du matin de dimanche.

—Je vais t'aider.

6. fields.   **7.** cried their warning against the falcons.   **8.** sharpen her desire.

Elle lui disait «tu» brusquement, après ça.

—Je me le charge seul.

C'était à lui, alors, de se faire voir.[9] Pour venir à cheval, il mettait toujours un mince pantalon de coutil [10] blanc bien serré au ventre
5 par sa ceinture de cuir; il avait une chemise de toile blanche un peu raide, en si gros fil [11] qu'elle était comme empesée,[12] autour de lui. Il ne la boutonnait pas, ni du bas, ni du col, elle était ouverte comme une coque d'amande mûre et, dans elle, on voyait tout le torse du berger, mince de taille, large d'épaule, bombu, roux comme
10 un pain et tout herbeux d'un beau poil noir frisé comme du plantain vierge.

Il se baissait vers le sac, de face. Il le saisissait de ses bonnes mains bien solides; ses bras durcissaient. D'un coup, il enlevait le poids, sans se presser, avec la sûreté de ses épaules; il tournait douce-
15 ment tout son buste d'huile, et voilà, le sac était chargé.

Pas plus pour lui. Ça disait.[13]

—Ce que je fais, je le fais lentement et bien.

Puis il allait à son cheval. Il serrait le sac par son milieu, avec ses deux mains pour lui faire comme une taille, il le plaçait en
20 besace sur le garrot [14] de sa bête, il défaisait son nœud de guides et, pendant que le cheval tournait, sans étrier, d'un petit saut toujours précis, il se mettait en selle.

Et voilà!

—Elle n'a rien porté,[15] dit le boulanger, ni pour se couvrir ni rien.
25 C'était un grand malheur. On entrait dans la boulangerie toute ouverte. Il [16] faisait tout voir. On allait jusque dans la chambre, là-bas, derrière le four. L'armoire n'était pas défaite; la commode était bien fermée. Elle avait laissé sur le marbre son petit trousseau de clefs, propre, tout luisant, comme en argent.
30 —Tenez. . . .

Il ouvrait les tiroirs.

—Elle n'a pas pris de linge; ni ses chemises en tricot.

Il fouillait dans le tiroir de sa femme avec ses mains pleines de son.[17]

9. to show off.   10. duck (cloth).   11. thread.   12. starched.   13. That was all he needed to do (in order to show off). His intention was obvious. 14. withers, i.e., ridge between shoulder bones.   15. She took nothing with her.   16. He (the baker).   17. bran.   18. skunk.   19. After all.

Il chercha même dans le linge sale. Il sortit un de ses tricots qui sentait comme une peau de putois.[18]

—Qu'est-ce que vous voulez,[19] disaient les femmes, ça se sentait venir.

—A quoi? dit-il.   5

Et il les regarda avec ses petits yeux gris aux paupières rouges. On sut bien vite qu'Aurélie et le berger étaient partis pour les marécages.

Il n'y avait qu'une route pour les collines, et nous gardions les moutons en plein au milieu, l'homme noir et moi.   10

On monta nous demander:

—Vous n'avez pas vu passer Aurélie?

—Non.

—Ni de jour ni de nuit?

—Ni de jour ni de nuit. De jour, nous ne bougeons pas de là. De 15 nuit, nous allons justement nous coucher dans le sentier parce que c'est plus chaud, et, précisément cette nuit, nous avons lu à la lanterne jusqu'au liseré [20] du jour.

Ce devait être cette lumière qui avait fait rebrousser chemin aux amoureux.   20

Ils avaient dû monter tout de suite vers les collines et attendre que la lumière s'éteignît. On trouva même une sorte de bauge [21] dans les lavandes et d'où on pouvait nous guetter.

Le berger savait bien qu'on ne pouvait passer que là. D'un côté c'était l'apic [22] de Crouilles, de l'autre côté les pentes traîtres vers 25 Pierrevert.

Dans l'après-midi, quatre garçons montèrent à cheval. Un s'en alla sans grand espoir aux Conches pour qu'on regarde dans les greniers. L'autre alla à la gare voir si on n'avait pas délivré de billets. Les deux autres galopèrent l'un au nord, l'autre au sud, le long de 30 la voie jusqu'aux deux gares de côté. On n'avait donné de billet à personne dans les trois gares. Celui qui était parti pour les Conches rentra tard et saoul comme un soleil.

Il avait raconté ça à M. d'Arboise, le maître des Conches, puis aux dames. On avait fouillé les granges en bandes. On avait ri. 35 M. d'Arboise avait raconté des histoires du temps qu'il était capitaine aux dragons. Ça avait fait boire des bouteilles.

D'avoir galopé ainsi après une femme, de s'être frotté contre les

20. border, edge, crack.   **21.** den, lair, nest.   **22.** cliff, bluff.   **23.** very

dames des Conches tout l'après-midi, le garçon en était plus rouge
encore que de vin.

Il tapait sur l'épaule du boulanger.

—Je te la trouvais, dit-il, je te la ramenais, mais je te la baisais [23]
5 en route.

Le boulanger était là, sous la lampe à pétrole. On ne voyait bien
que son visage parce qu'il était plus petit que tout le monde et que
le visage des autres était dans l'ombre. Lui, il était là avec ses joues
de terre [24] et ses yeux rouges et il regardait au-delà de tout, et il
10 tapotait du plat des doigts le froid du comptoir à pain.

—Oui, oui, disait-il.

—Avec tout ça, dit César en sortant, vous verrez qu'on va encore
perdre le boulanger. C'est beau, oui, l'amour, mais il faut penser
qu'on mange. Et alors? Il va falloir encore patrouiller [25] à Sainte-
15 Tulle pour aller chercher du pain. Je ne dis pas, mais, si elle avait
eu un peu de tête, elle aurait dû penser à ça.

—Bonsoir, merci, disait le boulanger de dessus sa porte.

Le lendemain, César et Massot s'en allèrent dans le marais. Ils y
restèrent tout le jour à patauger à la muette [26] et à fouiller comme
20 des rats. Vers le soir seulement, ils montèrent sur la digue et ils ap-
pelèrent de tous les côtés:

—Aurélie! Aurélie!

Un vol de canards monta vers l'est puis il tourna du côté du soleil
couchant et il s'en alla dans la lumière.

25 Le souci de César, c'était le pain. Un village sans pain, qu'est-ce
que c'est? Perdre son temps, fatiguer les bêtes pour aller chercher
du pain à l'autre village. Il y avait plus que ça encore. On allait
avoir la farine de cette moisson et chez qui porter la farine, chez
qui avoir son compte de pain, sa taille de bois où l'on payait les
30 kilos d'un simple cran au couteau? [27] Si le boulanger ne prenait pas
le dessus [28] de son chagrin, il faudrait vendre la farine au courtier,[29]
et puis, aller chercher son pain, les sous à la main.

—Quand on a le cul un peu turbulent,[30] tu vois ce que ça peut
faire; où ça nous mène?

35 De trois jours, le boulanger ne démarra pas du four.[31] Les

vulgar expression meaning "seduced." **24.** pasty. **25.** patrol (ride).
26. wading silently.   **27.** notch in a stick whereby one paid for each kilogram
with a simple stroke of the knife.   **28.** did not overcome.   **29.** broker.
30. When one gets all "het" up.   **31.** didn't budge from his oven.   **32.** The

fournées se mûrissaient [32] comme d'habitude. César avait prêté sa femme pour servir. Elle était au comptoir. Et, celle-là, il ne fallait pas lui conter ni berger ni marécages: elle était là, sombre à mâcher ses grosses moustaches, et, le poids juste, c'était le poids juste. Le quatrième jour, il n'y eut plus l'odeur du pain chaud dans le village. 5

Massot entre-bâilla la porte:

—Alors, ça va la boulange? [33]

—Ça va, dit le boulanger.

—Il chauffe, ce four?

—Non. 10

—A cause?

—Repos, dit le boulanger. Il reste encore du pain d'hier.

Puis, il sortit en savates, en pantalon tordu, en tricot flottant. Il alla au cercle. Il s'assit près de la table de zinc, derrière le fusain [34] de la terrasse. Il tapa à la vitre: 15

—Une absinthe.

Sans cette odeur de pain chaud, et sous le gros [35] du soleil, le village avait l'air tout mort. Le boulanger se mit à boire, puis il roula une cigarette. Il laissa le paquet de tabac là, à côté de lui, sur la table, près de la bouteille de pernod. 20

Le ciel avait un petit mouvement venant du sud. Au-dessus des toits passait de temps en temps cette laine [36] légère que le vent emporte en soufflant dans les roseaux. Le clocher sonna l'heure. Sur la place, des petites filles jouaient à la marelle [37] en chantant:

Onze heures! 25
Comme en toute heure,
Le petit Jésus est dans mon cœur.
Qu'il y fasse une demeure . . .

Maillefer arrangeait les montres derrière sa fenêtre. Il avait mis sa pancarte: «Maillefer Horloger»; il aurait dû mettre aussi 30 «pêcheur». La grosse patience (et il en faut pour guetter au long-œil [38] la maladie d'une petite roue) s'était entassée dans lui. On l'appelait «Maillefer-patience». Il attendait une heure, deux, un jour, deux, un mois, deux. Mais, ce qu'il attendait, il l'avait.

—J'attends, je l'ai, il disait. 35

ovenfuls (of bread) kept on baking. **33.** baking. **34.** spindle-tree hedge.
35. full heat. **36.** wool, down. **37.** hopscotch. **38.** magnifying glass.

On l'appelait aussi «Jattenjelai» pour le distinguer de son frère.

—Maillefer lequel?

—Maillefer-patience.

Ils étaient patients l'un et l'autre.

5　—Le jattenjelai.

Comme ça on savait.

Il pêchait de nature.[39] Souvent, en traversant les marais, on voyait comme un tronc d'arbre debout. Ça ne bougeait pas. Même si c'était en mars et qu'un coup de grêle se mette à sonner sur les 10 eaux, Maillefer ne bougeait pas. Il arrivait avec de pleins carniers [40] de poissons. Il avait eu une longue lutte une fois contre un brochet.[41] Quand on lui en parlait maintenant il se tapait sur le ventre.

—Il est là, disait-il.

Il avait de grosses lèvres fiévreuses, rouges et gonflées comme des 15 pommes d'amour [42] et une langue toute en sang qui ne perdait jamais son temps à parler. Il ne l'employait que pour manger, mais alors, il la faisait bien travailler, surtout s'il mangeait du poisson, et on la voyait parfois sortir de sa bouche pour lécher la rosée de sauce sur ses moustaches. Il avait des mains lentes, des pieds lents, 20 un regard gluant qui pouvait rester collé contre les vitres, comme une mouche, et une grosse tête, dure, poilue, juste de la couleur du bois de buis.[43]

Un soir, il arriva:

—Je les ai vus, il dit.

25　—Viens vite, dit César. Et il le tira chez le boulanger.

—Je les ai vus, dit encore Maillefer.

—Où? Qu'est-ce qu'elle fait? Comment elle est? Elle a maigri? Qu'est-ce qu'elle t'a dit?

—Patience, dit Maillefer.

30　Il sortit; il entra chez lui, il vida son carnier sur la table. Le boulanger, César, Massot, Benoît et le Taulaire, tout ça l'avait suivi. On ne demandait rien, on savait que ce n'était pas la peine.

Il vida son carnier sur la table. Il y avait de l'herbe d'eau et puis quatorze gros poissons. Il les compta, il les vira dessus-dessous; il 35 les regarda. Il chercha dans l'herbe. Il fouilla son carnier. Il tira à la fin un tout petit poisson bleu de fer à mufle [44] jaune et tout rouillé [45] sur le dos.

---

39. He was a born fisherman.　**40.** gamebags.　**41.** pike.　**42.** tomatoes.
43. boxwood.　**44.** snout.　**45.** rusty, rust-colored.　**46.** kind of fish.

—Une caprille, [46] dit-il. Tu me la mettras sur le gril et, ne la vide pas, [47] c'est une grive d'eau. [48]

Il se tourna vers tout le monde.

—Alors? dit-il.

—Alors, à toi, dit César.

Il raconta qu'étant planté dans le marais, à sa coutume, et juste comme il guettait cette caprille—un poisson rare, et ça fait des pertuis [49] à travers les oseraies [50] pour aller dans des biefs [51] perdus, et ça saute sur l'herbe comme des sauterelles, et ça s'en va sur les chemins comme des hommes pour changer d'eau—bref, juste 10 comme il guettait cette caprille, il avait entendu, comme dans l'air, une pincée [52] de petits bruits follets. [53]

—Des canards? je me dis. Non, pas des canards. Des râles? [54] je me dis. Ça pointait et ça roulait pas comme des râles. Non, pas des râles. Des poissons-chiens? [55] . . .   15

—Elle chantait? dit le boulanger.

—Patience, dit Maillefer, tu es bien pressé!

Oui, il avait entendu une chanson. A la longue, on pouvait dire que c'était une chanson. C'était le grand silence partout dans le marécage. Il ne pouvait y avoir dans les marais rien de vivant à 20 cette heure que les poissons, le vent d'été et les petits frémissements de l'eau. Aurélie chantait. Maillefer pêcha la caprille par un coup spécial du poignet: lancer, tourner, tirer. Il fit deux, trois fois le mouvement sous le pauvre œil du boulanger.

Après ça, Maillefer marcha. L'air frémissait sous la chanson 25 d'Aurélie. Il se mit à guetter ça comme le frisson d'une truite qui sommeille, qui se fait caresser le ventre par les racines du cresson: un pas, deux pas, ça ne clapote pas sous le pas de Maillefer, il a le coup pour tirer la jambe et il sait enfoncer son pied l'orteil premier; l'eau s'écarte sans bruit comme de la graisse. C'est long, mais c'est 30 sûr.

Il trouva d'abord un nid de pluviers. [56] La mère était sur les œufs. Elle ne se leva pas, elle ne bougea pas même une plume. Elle regarda Maillefer en cloussant doucement. Il trouva après un plonge de saurisson. [57] Les poissons-femmes [58] étaient là au plein noir du 35

47. don't clean it.   48. water thrush.   49. openings.   50. places where water willows grow.   51. stretches of water.   52. pinch, series.   53. odd little noises.   54. rail (type of small crane).   55. catfish.   56. plover.
57. herring's hole.   58. females.   59. where the water (river) widens.

trou, avec des ventres blancs, gonflés d'œufs et qui éclairaient l'eau comme des croissants de lune.

Il fit le tour du trou sans réveiller un saurisson.

Il entendait maintenant bien chanter et, de temps en temps, le
5 berger qui disait:

—Rélie!

Et, après ça, il y avait un silence. Maillefer ne bougeait plus, puis, au bout d'un moment, la voix reprenait et Maillefer se remettait à marcher à travers le marais.

10 —C'est une île, dit-il.

—Une île? dit César.

—Oui, une île.

—Où? dit Massot.

—Dans le gras de l'eau,[59] juste en face Vinon.

15 Le berger avait monté une cabane avec des fascines [60] de roseau. Aurélie était couchée au soleil, toute nue sur l'aire d'herbe.

—Toute nue? dit le boulanger.

Maillefer se gratta la tête. Il regarda ses poissons morts sur la table. Il y avait une femelle de brochet. Elle devait s'être servie de
20 tout son corps pour mourir. Sur l'arête [61] de son ventre, entre son ventre et le golfe de sa queue, son petit trou s'était ouvert et la lumière de la lampe éclairait la petite profondeur rouge.

—Elle faisait sécher sa lessive, dit Maillefer, pour excuser.

Le boulanger voulait partir tout de suite. C'est César, Massot et
25 les autres qui l'empêchèrent. Rien n'y faisait: [62] ni les plonges, ni la nuit, ni les trous de boue.

—Si tu y vas, tu y restes.[63]

—Tant pis.

—A quoi ça servira?

30 —Tant pis, j'y vais.

—C'est un miracle si tu t'en sors.

—Tant pis.

—Tu ne sais pas où c'est.

Enfin, César dit:

35 —Et puis, ça n'est pas ta place.

Ça, c'était une raison. Le boulanger commença à se faire mou dans leurs mains et on arriva à l'arrangement. On enverrait le curé et l'instituteur, tous les deux. Le curé était vieux mais l'instituteur

60. bundles.   61. ridge.   62. Nothing could stop him.   63. you will never

était jeune, et puis, il avait des bottes en toile cirée. Il n'aurait qu'à porter le curé sur ses épaules jusqu'à une petite plaque de terre dure, un peu au delà de la digue. De là, la voix s'entendait, surtout la voix de curé.

—Il est habitué à parler, lui. 5

L'instituteur irait jusqu'à la cabane. Ça n'était pas pour brusquer.[64] Il fallait faire entendre à Aurélie que c'était bien beau . . .

—C'est bien beau l'amour, dit César, mais il faut qu'on mange.

. . . que c'était bien beau mais qu'ici il y avait un comptoir, du pain à peser, de la farine à mettre en compte, et puis, un 10 homme . . .

—Somme toute, ajouta César en regardant le boulanger, si l'instituteur ne pouvait pas faire seul, il sifflerait et, de là-bas de sa terre ferme, le curé reprendrait l'histoire. En parlant un peu fort, il pourrait faire l'affaire sans se mouiller les pieds. 15

Le lendemain, le curé et l'instituteur partaient sur le même cheval.

A la nuit, l'instituteur arriva.

Tout le monde prenait le frais devant les portes.

—Entrez chez vous, dit-il, et fermez tout. D'abord, c'est dix 20 heures et, un peu plus tôt un peu plus tard, vous avez assez pris de frais. Et puis, le curé est en bas près de la croix avec Aurélie. Elle ne veut pas rentrer tant qu'il y a du monde dans la rue. Le curé n'a rien porté pour se couvrir. Il commence à faire froid en bas, d'autant qu'il [65] est mouillé. Moi, je vais me changer. Allez, 25 entrez chez vous et fermez les portes.

Vers les minuit, le boulanger vint frapper chez Mme Massot.

—Tu n'aurais pas un peu de tisane des quatre fleurs?[66]

—Si, je descends.

Elle lui donna des quatre fleurs. Elle ajouta une poignée de 30 tilleul.[67]

—Mets ça aussi, dit-elle, ça la fera dormir.

Le reste fut préparé à volets fermés dans toutes les maisons.

Catherine vint la première, dès le matin. Elle frottait ses semelles sur la terre parce que ses varices étaient lourdes.[68] Il fallait surtout 35 oublier qu'Aurélie n'en avait pas. De dessus le seuil, Barielle re-

come back (you will drown).   **64.** One must not proceed harshly.   **65.** especially since he.   **66.** mixed tea, four-flower tea.   **67.** linden flowers (for tea).   **68.** her varicose veins made it difficult for her to walk.   **69.** Your

gardait sa femme Catherine; elle tourna la tête vers lui avant d'entrer à la boulangerie. Il avait ses mains derrière le dos, mais on voyait quand même qu'il tenait solidement au manche de pioche.

—Bonjour Aurélie.

5 —Bonjour Catherine.

—Donne-m'en six kilos.

Aurélie pesa sans parler.

—Je m'assieds, dit Catherine. Mes varices me font mal. Quelle chance tu as de ne pas en avoir!

10 Après ça, Massotte:

—Tu as bien dormi?

—Oui.

—Ça se voit. Tu as l'œil comme du clairet.[69]

Puis, Alphonsine et Mariette:

15 —Fais voir comment tu fais pour nouer ton chignon?

—Seulement, il faut avoir des cheveux comme les tiens.

—Pèse, Alphonsine, si c'est lourd.

—Bien sûr, alors, avec des cheveux comme ça, pas besoin d'épingles.

20 Vers les dix heures, Aurélie n'était pas encore venue sur le pas de sa porte. Elle restait toujours dans l'ombre de la boutique. Alors, César passa devant la boulangerie. Il croyait être prêt, il n'était pas prêt. Il ne s'arrêta pas. Il fit le tour de l'église, le tour du lavoir et il passa encore une fois. Il s'arrêta.

25 —Oh! Aurélie!

—Oh! César!

—Et qu'est-ce que tu fais là-bas dedans? Viens un peu prendre l'air.

Elle vint au seuil. Ses yeux étaient tout meurtris.[70] Elle avait 30 défait ses cheveux pour les faire soupeser à Alphonsine et Mariette. Les belles lèvres avaient un peu de dégoût, comme si elles avaient trop mangé de confiture.

—Quel beau temps! dit César.

—Oui.

35 Ils regardèrent le ciel.

—Une petite pointe de vent marin. Tu devrais venir à la maison, dit César, la femme voudrait te donner un morceau de sanglier.[71]

A midi, le boulanger chargea son four en plein avec des fagots

eyes sparkle like claret. **70.** bloodshot. **71.** boar meat.

de chêne bien sec. Il n'y avait pas de vent; l'air était plat comme une pierre; la fumée noire retomba sur le village avec toute son odeur de terre, de paix et de victoire.

QUESTIONS

1. Dans quelle mesure Giono emploie-t-il le langage campagnard et technique en dehors des dialogues? Quel effet produit-il ainsi?
2. Comment le vocabulaire employé dans les conversations ajoute-t-il à la couleur locale?
3. Quelles réactions le départ d'Aurélie provoque-t-il chez les habitants du village?
4. Pourquoi Giono passe-t-il entièrement sous silence l'aspect moral du problème?
5. Commentez le pittoresque des personnages secondaires (l'Horloger, etc.)
6. Pourquoi Aurélie accepte-t-elle de revenir au village?
7. Quelle est l'importance de «la boulangerie» dans la vie du village?
8. Les différentes parties du récit sont-elles bien liées entre elles?
9. Pensez-vous que le récit de Maillefer soit trop long?
10. Quel rôle la sensualité joue-t-elle dans cette histoire?
11. Que pensez-vous du personnage du boulanger?
12. Quel est le rôle de la nature dans l'histoire?

◢

SOLITUDE DE LA PITIÉ

Ils étaient assis contre le portillon de la gare. Ils ne savaient quel parti prendre, regardant la patache [1] puis la route huilée de pluie. L'après-midi d'hiver était là dans la boue blanche et plate comme un linge tombé de l'étendoir.

Le plus gros des deux se dressa. Il fouilla des deux côtés dans sa grande housarde [2] de velours, puis il cura [3] du bout des doigts la petite poche de charpentier. Le postillon grimpait sur le siège. Il faisait déjà claquer la langue et les chevaux dressaient l'oreille. L'homme cria: «Attendez.» Puis il dit au compagnon: «Viens,» et celui-là vint. Il flottait, tout maigre, dans une épaisse houppelande [4] de berger à bout d'usage. Le cou sortait de la bure, [5] décharné comme une tresse de fer.

---

1. old-fashioned stagecoach without springs. 2. wide-topped breeches.
3. dug around in. 4. warmly lined greatcoat. 5. rough homespun.

—C'est pour où? demanda le gros.

—Pour la ville.

—C'est combien?

—Dix sous.

5   —Monte, dit le gros.

Il se baissa, écarta les pans de la houppelande, haussa la jambe de l'autre jusqu'au marchepied:

—Monte, il lui dit,[6] fais effort, vieux.

Il fallait laisser le temps à la demoiselle de ramasser ses cartons
10 et de se pousser. Elle avait un bon nez tout blanc à grosse ligne et elle savait qu'on voyait son nez sous la poudre de riz,[7] alors elle regardait toujours un peu de côté comme d'un air méchant, et c'est pour ça que le gros lui dit: «Pardon, Mademoiselle.» Il y avait, en face, une madame[8] potelée, douillette, dans un manteau avec de
15 la fourrure au col et aux manches; un commis-voyageur qui se serrait contre la madame, et, pour mieux la toucher au bas des seins avec son coude, il mit son pouce dans l'entournure[9] de son gilet.

—Appuie-toi là, dit le gros en haussant l'épaule.

L'autre pencha sa tête et la posa.

20   Il avait de beaux yeux immobiles comme de l'eau morte.

On[10] allait au pas parce que ça montait. Le bleu des yeux accompagnait le passage des arbres. Sans cesse, comme pour les compter. Puis, on traversa des champs plats et il n'y eut plus rien dans la vitre que le ciel gris tout pareil. Le regard s'immobilisa comme un
25 clou. Il allait se planter droit dans la madame potelée mais il avait l'air de regarder au travers, plus loin, tout triste, comme un regard de mouton.

La dame serra son col de fourrure. Le commis-voyageur toucha le devant de son pantalon pour voir si c'était bien boutonné. La
30 demoiselle tira sur sa jupe comme pour l'allonger.

Ce regard était toujours planté au même endroit. Il y déchirait, il y faisait du pus comme une épine.

La dame essuya ses lèvres avec la peau de son gant; elle sécha ses lèvres qui luisaient d'une salive douce. Le commis-voyageur toucha
35 encore le devant de son pantalon puis il déroula son bras plié en

6. colloquial for **lui dit-il.**   7. rice powder; used as an inexpensive face powder.   8. lady (popular and slightly ironical).   9. armhole.   10. the stagecoach.   11. popular expression for **quelqu'un.**   12. just the same.

imitant un [11] qui a la crampe. Il essaya de fixer en face ce regard
d'eau morte mais il baissa les yeux puis il mit la main comme sur
son cœur. Le portefeuille y était bien. Il le palpa quand même [12]
dans son contour et dans son épaisseur.

Une ombre emplit la voiture; la petite ville accueillait l'avenue 5
de la gare avec ses deux bras de maisons pleins de dartres.[13] Elle
présentait d'un côté un «Hôtel du Commerce et des jardins,» de
l'autre, trois épiceries jalouses et aigres.

Monsieur le Curé débourra sa pipe dans le bassin aux offrandes,
le cendrier était là-bas sur le rebord du prie-dieu. Il mit la pipe 10
chaude à l'étui. Il s'agissait maintenant de classer par rues et par
maisons ces numéros des Veillées Religieuses qu'il allait distribuer
aux abonnés. Il manquait trois livraisons. Il souleva les livres et un
numéro de La Croix tout étalé. A la fin, elles étaient là, sous le
paquet de fressure [14] de porc que son frère venait d'apporter. «Ça [15] 15
n'a pas plus de soin . . .» Une couverture était tachée. Il l'inclinait
dans le jour gris de la fenêtre pour voir si ça [16] se voyait bien, si, en
le donnant de biais [17] . . . ou bien alors, il n'y avait qu'à le donner, tel que,[18] à Mᵐᵉ Puret la lampiste: elle n'y voit guère; elle a
toujours les doigts pleins de pétrole; elle croira que c'est elle. 20
Il y avait aussi, là, sur le plancher et laissée aussi par l'Adolphe,[19]
une plaque de fumier d'écurie à l'empreinte d'un talon. M. le Curé
se leva et, à petits coups de pointe de soulier, poussa l'ordure
jusqu'à l'âtre.[20]
—Marthe, on a sonné. 25
—Quoi? demanda Marthe en poussant la porte de la cuisine.
—On a sonné, je dis.
Sur la servante, la mince ficelle du tablier départageait [21] les
grosses mamelles et le ventre.
—Encore. Aussi Monsieur, vous pourriez un peu [22] aller voir. 30
Toujours monter, descendre, moi, avec mes jambes . . . mon em-
physème . . . Vous en verrez la fin,[23] à la fin.
On sonna encore une fois.

13. blotches of decay suggestive of a skin disease.   **14.** giblets.   **15.** the
brother (popular and slightly derogatory use of the neuter for a person).
16. the greasy spot on the cover.   **17.** by handing it (the magazine) at a
tilted angle (in order to hide the spot).   **18.** just as it was.   **19.** Note the
popular use of the definite article with a proper name.   **20.** hearth.   **21.** sep-
arated.   **22.** for once.   **23.** You'll be the death of me.   **24.** get my whole

—Allez un peu voir, vous. Si c'est peu de chose, vous le réglerez en bas. Avec ce temps, ceux qui montent me salissent partout.[24]

Elle avait la figure toute mouillée de graisse.

—C'est en plaçant les bardes [25] de lard, elle dit. Le gardemanger
5 est trop haut. Une a glissé et je l'ai retenue avec la joue.

—Voilà, cria le curé dans le couloir.

Puis il tira les verroux et ouvrit la porte.

—Bonjour Monsieur, dit le gros.

Le maigre aux yeux bleus était là derrière à grelotter dans sa
10 houppelande.

—On ne peut pas donner, dit le curé en les voyant.

Le gros retira son chapeau. Le maigre porta la main en l'air, le regard planté dans le curé.

—Vous n'auriez pas quelque petit travail? dit le gros.
15 —Un travail?

Et le curé avait l'air de réfléchir, mais en même temps il poussait doucement la porte.

—Un travail.

Il ouvrit la porte en plein.
20 —Entrez, il dit.

Le gros qui avait remis son chapeau l'enleva encore à la précipitée.[26]

—Merci bien, monsieur le Curé, merci bien.

Et il râcla ses souliers au râcloir, et il entra en courbant un peu
25 l'échine, malgré la haute imposte [27] de la porte.

L'autre ne dit rien, il entra, tout haut [28] et les pieds sales; il suivait les gestes du curé avec le froid triste de ses yeux bleus.

On entrait dans un couloir charretier parce que la cure avait été dans le temps une maison à seigneurs des champs. Venait après
30 une cour carrée; dans cette cour, les escaliers s'appuyaient puis montaient à grands élans carrés comme la cour.[29]

—Attendez-moi là, se souvint de dire le curé en regardant les pieds boueux.

Il monta.
35 Le gros eut un petit sourire en silence.

—Tu vois, ça va aller, il dit. Vingt sous qu'on a dépensés . . .

house dirty.	25. slices.	26. popular for **précipitamment**.	27. transom.
28. erect.	29. the stairs seemed to balance themselves and then to rise in

—Marthe . . . , dit le curé en entrant, puis aussitôt:

—Qu'est-ce que tu fais là?

C'était un plat posé chaud sur la table de bois blanc et là-dedans la fressure grésillait avec des morceaux de foie violets comme des fleurs et des ris [30] en grappe.

—Une «picoche»,[31] dit Marthe.

Et elle se mit à verser en mince fil un vin épais à parfum de cep.[32]

La graisse bouillante se tut.

—C'est pour ce soir? demanda le curé.

—Oui.

—Dis-moi, Marthe, sais-tu à quoi j'ai pensé? Si on profitait [33] de se faire arranger le tuyau de la pompe?

—Faudrait descendre dans le puits, dit Marthe qui réglait le fil du vin.

—Eh oui, dit le curé.

Elle ne dit rien, puis elle releva le goulot [34] d'un coup sec; elle porta le plat au feu.

—Et vous le trouverez, vous, celui qui descendra? Vous savez ce qu'il a dit, le plombier. Il n'avait pas envie de se tuer. C'est un vieux puits, et puis, de ce temps,[35] vous le trouverez, vous? . . .

—Écoute: il y en a deux, en bas, qui demandent quelque chose à faire. Ça a l'air de gens qui ont besoin.

—Alors, faut profiter, dit Marthe, parce que, vous savez, le plombier, il n'y descendra jamais, il me l'a dit. S'ils ont besoin, faut profiter.

—Voilà ce dont il s'agit, dit le curé. Nous avons une pompe, et le tuyau de plomb était cramponné [36] contre la paroi du puits. Le crampon ou les crampons ont dû lâcher. Le tuyau s'est décollé, on pourrait dire, et il fait le serpent dans le vide. Il pèse comme ça sur les boulons [37] du haut et ça pourrait s'arracher en plein.[38] J'ai de ces crampons justement. Il faudrait descendre . . .

—Il est profond votre puits? demanda le gros.

—Non, dit le curé, non, oui, enfin, pas trop, vous savez, c'est un puits de maison: quinze, vingt mètres au plus.

great surges along the four walls of the courtyard.   30. sweetbread.   31. the local name for the recipe.   32. vine.   33. Suppose we take this opportunity. 34. neck (of a bottle).   35. under the present conditions.   36. clamped. 37. bolts.   38. completely.   39. trough.   40. flakes of rust.   41. cassock.

—Il est loin?

—Non, il est là.

Le curé marcha vers un côté de la cour et le gros suivait, et l'autre
suivait dans sa houppelande. C'était un portillon dans le mur et,
5 dessous, une auge [39] en vieille pierre mangée d'eau. Il ouvrit le
portillon, les gonds crièrent et il tomba deux ou trois peaux de
rouille [40] sur les dalles.

—Voilà, vous voyez.

Le puits souffla une aigre haleine de plantes de nuit et d'eau pro-
10 fonde. Il y eut le «sssglouf» d'une pierraille détachée et qui tomba.
Le curé, très en arrière, se pencha, et en même temps il reculait son
derrière et on entendait se crisper ses orteils dans son soulier.

—Voilà, vous voyez.

Il eut l'air de vouloir s'excuser.

15 —Comme vous êtes deux, dit-il.

Le gros regarda alors son compagnon. Il était là, toujours flottant
dans sa houppelande grise. Il n'avait pas de visage, sauf les yeux, les
yeux bleus froids, toujours plantés dans la soutane [41] noire du curé
mais regardant au travers et par delà, l'âme triste du monde.

20 Il tremblait et il avalait péniblement sa salive à grands coups de
pomme d'Adam.

—Bon, monsieur le Curé, dit le gros, ça fera,[42] je suis seul, mais
ça fera.

Marthe parut au balcon de la galerie.

25 —Monsieur le Curé, ça va être l'heure de votre leçon de musique.

A ce moment, juste on sonnait. Il alla ouvrir: c'était un petit
garçon blond dans un beau paletot de laine.

—Montez, monsieur René, dit le curé, je vous suis.

Il revint vers les hommes.

30 —Le mur est peut-être un peu mauvais, dit-il.

—Mets-toi là, vieux, dit le gros.

Il y avait, au fond de la cour, une porte. Derrière on entendait
courir et crier des lapins.

—Mets-toi là, assieds-toi. Tu n'as pas froid, pas trop? . . .

35 Puis il s'assit à côté et il commença à délacer ses souliers.

—J'aime mieux pieds nus. On se retient des ongles . . .

Puis il déboutonna son pantalon housarde et il le retira.

42. we'll take care of it.   43. moves more freely.   44. in groups of three.

—La jambe joue mieux,[43] et puis c'est lourd. Mets-le sur toi ça te tiendra chaud.

La respiration du puits fumait dans l'air froid de la cour.

—Si j'ai besoin, je crierai, dit-il au moment où il enjamba le rebord. 5

Il se tenait encore des mains et on voyait encore sa tête. Il regardait en bas dans le noir; on sentait qu'il était en train d'assujettir ses pieds.

—Je vois les trous, vieux, ça va aller.

Il disparut. 10

On entendait un air d'harmonium: une spirale de notes montantes qui s'accrochaient trois en trois [44] et dardaient, semblait-il, jusqu'au ciel le balancement d'une tête de serpent.

C'était joué assez habilement par M. le Curé, puis, repris après un silence, par les mains gourdes de M. René. 15

Le jour diminua.

Sur la galerie de bois, là-haut au premier étage, il y avait une rangée de pots à cactus et un pot avec une touffe de violettes. L'homme regarda les fleurs. La nuit coulait dans la cour comme le fil d'une fontaine; bientôt, on ne vit plus les fleurs; la nuit montait 20 jusqu'au deuxième étage.

L'homme se dressa. Il s'approcha du puits, chercha l'ouverture en tâtonnant de la main. Il se pencha. On entendait en bas, semblait-il, une espèce de râclement.

—Hé, il cria. 25

—Hé, répondit l'autre, d'en bas.

Ça vint au bout d'un moment, tout étouffé dans un matelas d'air.

—Tiens-toi bien, dit l'homme.

—Oui, répondit la voix. Puis elle demanda: Et toi, là-haut, ça va?

L'homme revint s'asseoir au moment où Marthe ouvrait la porte 30 et paraissait à la galerie du premier, une lampe à la main.

—Vous y verrez comme ça, monsieur René?

«Tirez la porte.»

Le garçon blond tira la porte. Marthe regarda dans la cour.

—Ils sont partis, je crois, dit-elle. 35

Le gros marcha dans l'ombre. On entendait ses pieds boueux claquer sur les dalles froides.

—Tu es là? il demanda.

—Oui.

—Donne-moi mes pantalons. C'est fini.

—Fait pas chaud, dit-il, encore une fois vêtu.

5 La maison était toute silencieuse sauf le grésillement d'une friture qui coulait du premier.

Il appela:

—Monsieur le Curé.

La friture empêchait. Il cria:

10 —Monsieur le Curé.

—Quoi? demanda Marthe.

—C'est fait, dit l'homme.

—Quoi? demanda encore Marthe.

—La pompe.

15 —Ah! Bon, je vais voir.

Elle rentra dans la cuisine et essaya de donner un coup de pompe à l'évier. L'eau coula. Monsieur le Curé lisait près du poêle dans le grésillement de la friture.

—Ça coule, elle dit.

20 Il leva à peine les yeux.

—Bon, va les payer.

—Combien je donne? Ça a été vite fait, somme toute.[45]

—. . . et tirez bien la porte . . .

Mais elle les accompagna, les regarda sortir, puis enclincha 25 durement le loquet,[46] poussa le verrou,[47] mit la barre.

Il tombait une pluie tenace et froide.

Sous le réverbère, l'homme ouvrit sa main. C'était dix sous. Les yeux bleus regardaient la petite pièce et la main toute mâchurée [48] d'égratignures et de boue.

30 —Tu te fatigueras, dit-il, je te suis une chaîne, moi, malade. Tu te fatigueras, laisse-moi.

—Non, dit le gros. Viens.

QUESTIONS

1. Comment interprétez-vous le titre de cette nouvelle?
2. Quelle sorte d'amitié y a-t-il entre les deux compagnons?

45. after all.   46. engaged the latch.   47. threw the bolt.   48. chewed up; bruised.

3. Quelle est la valeur du passage qui raconte le voyage dans la patache?

4. Quel genre de personnage est le curé?

5. Quel jugement moral est contenu dans la scène finale?

6. Comment pourrait-on définir le réalisme de Giono dans cette nouvelle?

7. Commentez la peinture des caractères chez Giono.

8. Quel caractère trouvez-vous le mieux esquissé?

9. Relevez les images les plus intéressantes dans le style de Giono et commentez-les.

10. Trouvez-vous que Giono a bien conduit l'action dans cette nouvelle?

Antoine de Saint Exupéry

(1900–1944)

A NTOINE DE SAINT EXUPÉRY was born in Lyon in
1900, of an old French family. After World War I he became a pilot and participated in the pioneering development by French companies of flying routes from France to Africa
and connecting various points on the Dark Continent. For a year
he was chief of the airport at Cape Juby on the Rio de Oro. In this
position he frequently had to go to the rescue of mail planes forced
down in rugged country populated by hostile natives.

In the next stage of his career Saint Exupéry piloted mail planes
over South American routes. He was responsible in large part for
the successful development of the line south from Buenos Aires.
Meanwhile in 1929 the young adventurer published his first novel,
Courrier sud, which, despite its overly romantic plot, showed strong
qualities of originality and richness of imagery. It combined keen
psychological insight into the relationship between man, woman,
and career, with a lyrical prose hymning the life of action. A second
novel, *Vol de nuit*, was hailed almost immediately as a masterpiece
of this new kind of epic literature. André Gide wrote an enthusiastic preface praising the freshness of Saint Exupéry's style and the
quiet heroism of his characters: «Je crois que ce qui me plaît surtout dans ce récit frémissant, c'est sa noblesse.» To the key themes
of his earlier book, the pilot's unique vision of the earth and the
changed attitudes toward his fellow beings which result therefrom,
the author adds here the far-reaching problem of the leader: Does
his responsibility for the accomplishment of a group project justify
his risking the lives or happiness of his subordinates?

Saint Exupéry was awarded the Prix Fémina for this book in
December, 1931, and the English translation (*Night Flight*) was

published in the United States the following year. With the formation of the Air-France monopoly in 1933, which consolidated twelve pioneer lines, including the Ligne Latécoères with which Saint Exupéry was associated, and the consequent reduction of personnel, the novelist was forced out of his job. Perhaps a spell of introspection following this event led him to take up journalism and to visit the U.S.S.R. in 1935. Later he toured by plane the countries bordering the Mediterranean, lecturing at the various ports of call. In the same year he took part in a long-distance flying competition which almost cost him his life but served as an index of his huge popularity if we may judge from press comments at the time. In May, 1936, he visited besieged Madrid as a correspondent. In 1938 on a flight from North to South America his plane crashed and he suffered nearly fatal injuries.

The selection below is taken from Saint Exupéry's third novel, *Terre des hommes*, which is generally considered his masterwork. It presents his style at its mature best in its utmost refinement and beautiful proportioning, yet with that simplicity of perfection which the author himself describes in referring to airplanes. *Terre des hommes*, which is really not so much a novel as a series of poetic evocations based on the real experiences of the aviator and his comrades, turns upon us the full shy gaze of Antoine de Saint Exupéry in sincere love and searching. One has only to read *Les camarades*, with its central concern of responsibility, staunchness, and humanism, to see why Jean-Paul Sartre has classed Saint Exupéry together with André Malraux and himself as "our generation."

One other novel, *Pilote de guerre*, is a story based on Saint Exupéry's experiences as a reconnaissance flyer during the first period of Franco-German hostilities in World War II. The enlarged horizon of war serves as a new and vaster backdrop to the poet-pilot as he flies into the zone of death. Saint Exupéry was reported missing in a flight over southern France in 1944. A posthumous volume of meditations, *Citadelle*, was published in 1948.

BIBLIOGRAPHY

Daniel Anet,   *Antoine de Saint Exupéry: poète, romancier, moraliste* (1946).
Pierre Brodin,   *Les écrivains français de l'entre-deux-guerres* (1942).

Yves Lévy, "Antoine de Saint Exupéry," *Paru* (Monaco) (août-septembre, 1945).

Maurice Martin du Gard, "Saint Exupéry," *Nouvelles littéraires* (19 déc. 1931).

John Miller and Eliot Fay, "Bibliographie de Saint Exupéry," *The French Review* (March, 1946).

Robert Van Gelder, "A talk with Antoine de Saint Exupéry. The French poet, pilot, and philosopher describes his methods of work," *New York Times Book Review* (January 19, 1941).

Amérique française (Montréal), Numéro d'hommage à Saint Exupéry (mars 1943).

Confluences (1947), No. 12–14.

LES CAMARADES

I

Quelques camarades, dont Mermoz, fondèrent la ligne française de Casablanca à Dakar, à travers le Sahara insoumis. Les moteurs d'alors ne résistant guère, une panne [1] livra Mermoz aux Maures; ils hésitèrent à le massacrer, le gardèrent quinze jours prisonnier, 5 puis le revendirent. Et Mermoz reprit ses courriers au-dessus des mêmes territoires.

Lorsque s'ouvrit la ligne d'Amérique, Mermoz, toujours à l'avant-garde, fut chargé d'étudier le tronçon [2] de Buenos-Aires à Santiago, et, après un pont sur le Sahara, de bâtir un pont au-dessus des 10 Andes. On lui confia un avion qui plafonnait à [3] cinq mille deux cents mètres. Les crêtes de la Cordillière s'élèvent à sept mille mètres. Et Mermoz décolla [4] pour chercher des trouées. Après le sable, Mermoz affronta la montagne, ces pics qui, dans le vent, lâchent leur écharpe de neige, ce pâlissement des choses avant 15 l'orage, ces remous [5] si durs qui, subis entre deux murailles de rocs, obligent le pilote à une sorte de lutte au couteau.[6] Mermoz s'engageait dans ces combats sans rien connaître de l'adversaire, sans savoir si l'on sort en vie de telles étreintes.[7] Mermoz «essayait» pour les autres.

---

1. engine trouble.   2. stretch, leg.   3. whose absolute ceiling was.
4. took off.   5. air currents.   6. hand-to-hand fight.   7. grip, struggle.

Enfin, un jour, à force «d'essayer», il se découvrit prisonnier des Andes.

Echoués,[8] à quatre mille mètres d'altitude, sur un plateau aux parois [9] verticales, son mécanicien et lui cherchèrent pendant deux jours à s'évader. Ils étaient pris. Alors, ils jouèrent leur dernière 5 chance, lancèrent l'avion vers le vide, rebondirent durement sur le sol inégal, jusqu'au précipice, où ils coulèrent.[10] L'avion, dans la chute, prit enfin assez de vitesse pour obéir de nouveau aux commandes. Mermoz le redressa face à une crête,[11] toucha la crête, et, l'eau fusant de toutes les tubulures crevées dans la nuit par le gel,[12] 10 déjà en panne après sept minutes de vol, découvrit la plaine chilienne, sous lui, comme une terre promise.

Le lendemain, il recommençait.

Quand les Andes furent bien explorées, une fois la technique des traversées bien au point,[13] Mermoz confia ce tronçon à son 15 camarade Guillaumet et s'en fut explorer la nuit.

L'éclairage de nos escales [14] n'était pas encore réalisé, et sur les terrains d'arrivée, par nuit noire, on alignait en face de Mermoz la maigre illumination de trois feux d'essence.

Il s'en tira et ouvrit la route. 20

Lorsque la nuit fut bien apprivoisée,[15] Mermoz essaya l'Océan. Et le courrier, dès 1931, fut transporté, pour la première fois, en quatre jours, de Toulouse à Buenos-Aires. Au retour, Mermoz subit une panne d'huile au centre de l'Atlantique Sud et sur une mer démontée.[16] Un navire le sauva, lui, son courrier et son équipage. 25

Ainsi Mermoz avait défriché [17] les sables, la montagne, la nuit et la mer. Il avait sombré [18] plus d'une fois dans les sables, la montagne, la nuit et la mer. Et quand il était revenu, ç'avait toujours été pour repartir.

Enfin après douze années de travail, comme il survolait une fois 30 de plus l'Atlantique Sud, il signala par un bref message qu'il coupait le moteur arrière droit. Puis le silence se fit.

La nouvelle ne semblait guère inquiétante, et, cependant, après dix minutes de silence, tous les postes radios de la ligne de Paris

8. forced down. 9. walls. 10. sank. 11. tilted its nose in the direction of a peak. 12. spurting through all the pipes burst by the frost in the night. 13. perfected. 14. landing fields. 15. tamed. 16. enraged, stormy sea. 17. lit.. cleared for cultivation; here, cleared for air traffic. 18. foundered.

jusqu'à Buenos-Aires, commencèrent leur veille dans l'angoisse. Car si dix minutes de retard n'ont guère de sens dans la vie journalière, elles prennent dans l'aviation postale une lourde signification. Au cœur de ce temps mort, un événement encore inconnu se trouve
5 enfermé. Insignifiant ou malheureux, il est désormais révolu.[19] La destinée a prononcé son jugement, et, contre ce jugement, il n'est plus d'appel:[20] une main de fer a gouverné un équipage vers l'amerrissage[21] sans gravité ou l'écrasement. Mais le verdict n'est pas signifié[22] à ceux qui attendent.
10   Lequel d'entre nous n'a point connu ces espérances de plus en plus fragiles, ce silence qui empire[23] de minute en minute comme une maladie fatale? Nous espérions, puis les heures se sont écoulées et, peu à peu, il s'est fait tard. Il nous a bien fallu comprendre que nos camarades ne rentreraient plus, qu'ils reposaient dans cet
15 Atlantique Sud dont ils avaient si souvent labouré le ciel. Mermoz, décidément, s'était retranché[24] derrière son ouvrage, pareil au moissonneur qui, ayant bien lié sa gerbe,[25] se couche dans son champ.

Quand un camarade meurt ainsi, sa mort paraît encore un acte
20 qui est dans l'ordre du métier, et, tout d'abord, blesse peut-être moins qu'une autre mort. Certes, il s'est éloigné celui-là, ayant subi sa dernière mutation d'escale,[26] mais sa présence ne nous manque pas encore en profondeur comme pourrait nous manquer le pain.
   Nous avons en effet l'habitude d'attendre longtemps les rencon-
25 tres. Car ils sont dispersés dans le monde, les camarades de ligne, de Paris à Santiago du Chili, isolés un peu comme des sentinelles qui ne se parleraient guère. Il faut le hasard des voyages pour rassembler, ici ou là, les membres dispersés de la grande famille professionnelle. Autour de la table d'un soir, à Casablanca, à Dakar, à Buenos-
30 Aires, on reprend, après des années de silence, ces conversations interrompues, on se renoue aux[27] vieux souvenirs. Puis l'on repart. La terre ainsi est à la fois déserte et riche. Riche de ces jardins secrets, cachés, difficiles à atteindre, mais auxquels le métier nous ramène toujours, un jour ou l'autre. Les camarades, la vie peut-être
35 nous en écarte, nous empêche d'y beaucoup penser, mais ils sont

---

19. irrevocable.   20. in legal vocabulary, appeal.   21. cf. atterrisage.
22. made known.   23. gets worse.   24. had taken shelter.   25. sheaf.
26. transfer (of station).   27. one renews one's ties with.   28. flaring up.

quelque part, on ne sait trop où, silencieux et oubliés, mais tellement fidèles! Et si nous croisons leur chemin, ils nous secouent par
les épaules avec de belles flambées de joie! [28] Bien sûr, nous avons
l'habitude d'attendre . . .

Mais peu à peu nous découvrons que le rire clair de celui-là nous 5
ne l'entendrons plus jamais, nous découvrons que ce jardin-là nous
est interdit pour toujours. Alors commence notre deuil véritable
qui n'est point déchirant mais un peu amer.

Rien, jamais, en effet, ne remplacera le compagnon perdu. On ne
se crée point de vieux camarades. Rien ne vaut le trésor de tant de 10
souvenirs communs, de tant de mauvaises heures vécues ensemble,
de tant de brouilles,[29] de réconciliations, de mouvements du cœur.
On ne reconstruit pas ces amitiés-là. Il est vain, si l'on plante un
chêne, d'espérer s'abriter bientôt sous son feuillage.

Ainsi va la vie. Nous nous sommes enrichis d'abord, nous avons 15
planté pendant des années, mais viennent les années où le temps
défait ce travail et déboise.[30] Les camarades, un à un, nous retirent
leur ombre. Et à nos deuils se mêle désormais le regret secret de
vieillir.

Telle est la morale que Mermoz et d'autres nous ont enseignée. 20
La grandeur d'un métier est, peut-être, avant tout, d'unir des
hommes: il n'est qu'un luxe véritable, et c'est celui des relations
humaines.

En travaillant pour les seuls biens matériels, nous bâtissons nous-
mêmes notre prison. Nous nous enfermons solitaires, avec notre 25
monnaie de cendre qui ne procure rien qui vaille de vivre.

Si je cherche dans mes souvenirs ceux qui m'ont laissé un goût
durable, si je fais le bilan [31] des heures qui ont compté, à coup sûr
je retrouve celles que nulle fortune ne m'eût procurées. On n'achète
pas l'amitié d'un Mermoz, d'un compagnon que les épreuves vécues 30
ensemble ont lié à nous pour toujours.

Cette nuit de vol et ses cent mille étoiles, cette sérénité, cette
souveraineté de quelques heures, l'argent ne les achète pas.

Cet aspect neuf du monde après l'étape [32] difficile, ces arbres,
ces fleurs, ces femmes, ces sourires fraîchement colorés par la vie 35
qui vient de nous être rendue à l'aube, ce concert des petites choses
qui nous récompensent, l'argent ne les achète pas.

29. quarrels.   30. deforests.   31. balance sheet.   32. stage (of a journey).

Ni cette nuit vécue en dissidence[33] et dont le souvenir me revient.

Nous étions trois équipages de l'Aéropostale échoués à la tombée du jour sur la côte de Rio de Oro. Mon camarade Riguelle s'était
5 posé d'abord, à la suite d'une rupture de bielle;[34] un autre camarade, Bourgat, avait atterri à son tour pour recueillir son équipage, mais une avarie sans gravité[35] l'avait aussi cloué au sol. Enfin, j'atterris, mais quand je survins la nuit tombait. Nous décidâmes de sauver l'avion de Bourgat, et, afin de mener à bien[36] la réparation, d'at-
10 tendre le jour.

Une année plus tôt, nos camarades Gourp et Erable, en panne ici, exactement, avaient été massacrés par les dissidents. Nous savions qu'aujourd'hui aussi un rezzou[37] de trois cents fusils cam-pait quelque part à Bojador. Nos trois atterrissages, visibles de
15 loin, les avaient peut-être alertés, et nous commencions une veille qui pouvait être la dernière.

Nous nous sommes donc installés pour la nuit. Ayant débarqué des soutes[38] à bagages cinq ou six caisses de marchandises, nous les avons vidées et disposées en cercle et, au fond de chacune d'elles,
20 comme au creux d'une guérite,[39] nous avons allumé une pauvre bougie, mal protégée contre le vent. Ainsi, en plein désert, sur l'écorce nue de la planète, dans un isolement des premières années du monde, nous avons bâti un village d'hommes.

Groupés pour la nuit sur cette grande place de notre village, ce
25 coupon[40] de sable où nos caisses versaient une lueur tremblante, nous avons attendu. Nous attendions l'aube qui nous sauverait, ou les Maures. Et je ne sais ce qui donnait à cette nuit son goût de Noël. Nous nous racontions des souvenirs, nous nous plaisantions et nous chantions.

30 Nous goûtions cette même ferveur légère qu'au cœur d'une fête bien préparée. Et cependant, nous étions infiniment pauvres. Du vent, du sable, des étoiles. Un style dur pour trappistes.[41] Mais, sur cette nappe mal éclairée, six ou sept hommes qui ne possédaient plus rien au monde, sinon leurs souvenirs, se partageaient d'invisi-
35 bles richesses.

---

33. in dissident (hostile) territory.   34. connecting rod.   35. minor motor trouble.   36. to carry out successfully.   37. raiding party (of Arabs). 38. holds.   39. sentry box.   40. cut-off portion.   41. monks belonging to

Nous nous étions enfin rencontrés. On chemine longtemps côte à côte, enfermé dans son propre silence, ou bien l'on échange des mots qui ne transportent rien. Mais voici l'heure du danger. Alors on s'épaule l'un à l'autre. On découvre que l'on appartient à la même communauté. On s'élargit par la découverte d'autres con- 5 sciences. On se regarde avec un grand sourire. On est semblable à ce prisonnier délivré qui s'émerveille de l'immensité de la mer.

II

Guillaumet, je dirai quelques mots sur toi, mais je ne te gênerai point en insistant avec lourdeur sur ton courage ou sur ta valeur professionnelle. C'est autre chose que je voudrais décrire en racon- 10 tant la plus belle de tes aventures.

Il est une qualité qui n'a point de nom. Peut-être est-ce la «gravité», mais le mot ne satisfait pas. Car cette qualité peut s'accompagner de la gaîté la plus souriante. C'est la qualité même du charpentier qui s'installe d'égal à égal [42] en face de sa pièce de bois, 15 la palpe,[43] la mesure et, loin de la traiter à la légère, rassemble à son propos toutes ses vertus.

J'ai lu, autrefois, Guillaumet, un récit où l'on célébrait ton aventure, et j'ai un vieux compte à régler avec cette image infidèle. On t'y voyait, lançant des boutades [44] de «gavroche»,[45] comme si le 20 courage consistait à s'abaisser à des railleries de collégien, au cœur des pires dangers et à l'heure de la mort. On ne te connaissait pas, Guillaumet. Tu n'éprouves pas le besoin, avant de les affronter, de tourner en dérision tes adversaires. En face d'un mauvais orage, tu juges: «Voici un mauvais orage». Tu l'acceptes et tu le me- 25 sures.

Je t'apporte ici, Guillaumet, le témoignage de mes souvenirs.

Tu avais disparu depuis cinquante heures, en hiver, au cours d'une traversée des Andes. Rentrant du fond de la Patagonie, je rejoignis le pilote Deley à Mendoza. L'un et l'autre, cinq jours durant, nous 30 fouillâmes,[46] en avion, cet amoncellement [47] de montagnes, mais sans rien découvrir. Nos deux appareils ne suffisaient guère. Il nous semblait que cent escadrilles,[48] naviguant pendant cent années,

the Trappist order. 42. on equal terms. 43. feels (with his fingers). 44. sallies, wisecracks. 45. urchin (from character in Hugo's *Les misérables*). 46. searched through. 47. pile. 48. squadrons. 49. buttresses.

n'eussent pas achevé d'explorer cet énorme massif dont les crêtes
s'élèvent jusqu'à sept mille mètres. Nous avions perdu tout espoir.
Les contrebandiers mêmes, des bandits qui, là-bas, osent un crime
pour cinq francs, nous refusaient d'aventurer, sur les contreforts [49]
5 de la montagne, des caravanes de secours: «Nous y risquerions notre
vie» nous disaient-ils. «Les Andes, en hiver, ne rendent point les
hommes.» Lorsque Deley ou moi atterrissions à Santiago, les officiers chiliens, eux aussi, nous conseillaient de suspendre nos explorations. «C'est l'hiver. Votre camarade, si même il a survécu à
10 la chute, n'a pas survécu à la nuit. La nuit, là-haut, quand elle passe
sur l'homme, elle le change en glace.» Et lorsque, de nouveau, je
me glissais entre les murs et les piliers géants des Andes, il me
semblait, non plus te rechercher, mais veiller ton corps,[50] en silence,
dans une cathédrale de neige.

15   Enfin, au cours du septième jour, tandis que je déjeunais entre
deux traversées, dans un restaurant de Mendoza, un homme poussa
la porte et cria, oh! peu de chose:
—Guillaumet . . . vivant!
Et tous les inconnus qui se trouvaient là s'embrassèrent.

20   Dix minutes plus tard, j'avais décollé, ayant chargé à bord deux
mécaniciens, Lefebvre et Abri. Quarante minutes plus tard, j'avais
atterri le long d'une route, ayant reconnu, à je ne sais quoi, la voiture
qui t'emportait je ne sais où, du côté de San Raphaël. Ce fut une
belle rencontre; nous pleurions tous, et nous t'écrasions dans nos
25 bras, vivant, ressuscité, auteur de ton propre miracle. C'est alors
que tu exprimas, et ce fut ta première phrase intelligible, un admirable orgueil d'homme: «Ce que j'ai fait, je te le jure, jamais aucune
bête ne l'aurait fait».

Plus tard, tu nous racontas l'accident.

30   Une tempête qui déversa cinq mètres d'épaisseur de neige, en
quarante-huit heures, sur le versant chilien des Andes, bouchant
tout l'espace, les Américains de la Pan-Air avaient fait demi-tour.
Tu décollais pourtant à la recherche d'une déchirure dans le ciel.
Tu le découvrais un peu plus au sud, ce piège, et maintenant, vers
35 six mille cinq cents mètres, dominant les nuages qui ne plafon-
naient qu'à six mille, et dont émergeaient seules les hautes crêtes,
tu mettais le cap sur [51] l'Argentine.

50. watch over your dead body.   51. you set your course for, you headed for.

Les courants descendants donnent parfois aux pilotes une bizarre sensation de malaise. Le moteur tourne rond,[52] mais l'on s'enfonce.[53] On cabre[54] pour sauver son altitude, l'avion perd sa vitesse et devient mou: on s'enfonce toujours. On rend la main,[55] craignant maintenant d'avoir trop cabré, on se laisse dériver[56] sur la droite ou 5 la gauche pour s'adosser à[57] la crête favorable, celle qui reçoit les vents comme un tremplin,[58] mais l'on s'enfonce encore. C'est le ciel entier qui semble descendre. On se sent pris, alors, dans une sorte d'accident cosmique. Il n'est plus de refuge. On tente en vain le demi-tour pour rejoindre, en arrière, les zones où l'air vous 10 soutenait, solide et plein comme un pilier. Mais il n'est plus de pilier. Tout se décompose, et l'on glisse dans un délabrement[59] universel vers le nuage qui monte mollement, se hausse jusqu'à vous, et vous absorbe.

«J'avais déjà failli me faire coincer,[60] nous disais-tu, mais je n'étais 15 pas convaincu encore. On rencontre des courants descendants au-dessus de nuages qui paraissent stables, pour la simple raison qu'à la même altitude ils se recomposent indéfiniment. Tout est si bizarre en haute montagne . . . »

Et quels nuages! . . .   20

«Aussitôt pris, je lâchai les commandes, me cramponnant au siège pour ne point me laisser projeter au dehors. Les secousses étaient si dures que les courroies me blessaient aux épaules et eussent sauté. Le givrage,[61] de plus, m'avait privé net de tout horizon instru- mental[62] et je fus roulé comme un chapeau, de six mille à trois 25 mille cinq.

A trois mille cinq j'entrevis une masse noire, horizontale, qui me permit de rétablir l'avion. C'était un étang que je reconnus: la Laguna Diamante. Je la savais logée au fond d'un entonnoir,[63] dont un des flancs, le volcan Maipu, s'élève à six mille neuf cents mètres. 30 Quoique délivré du nuage, j'étais encore aveuglé par d'épais tour- billons[64] de neige, et ne pouvais lâcher mon lac sans m'écraser contre un des flancs de l'entonnoir. Je tournai donc autour de la lagune, à trente mètres d'altitude, jusqu'à la panne d'essence. Après

---

52. keeps on running.   **53.** one sinks.   **54.** rears (noses up).   **55.** eases the reins (eases off on the stick).   **56.** drift.   **57.** to lean back against. **58.** springboard. (The pilot seeks the winds deflected upward from the moun- tain to counteract the downward currents.)   **59.** collapse into ruins. **60.** It had almost gotten me into a jam once.   **61.** the frosting (on the windowpanes).   **62.** artificial horizon.   **63.** funnel.   **64.** whirlwinds.

deux heures de manège,[65] je me posai et capotai.[66] Quand je me dégageai de l'avion, la tempête me renversa. Je me rétablis sur mes pieds, elle me renversa encore. J'en fus réduit à me glisser sous la carlingue [67] et à creuser un abri dans la neige. Je m'enveloppai là de
5 sacs postaux et, quarante-huit heures durant, j'attendis.

Après quoi, la tempête apaisée, je me mis en marche. Je marchai cinq jours et quatre nuits.»

Mais que restait-il de toi, Guillaumet? Nous te retrouvions bien, mais calciné,[68] mais racorni,[69] mais rapetissé comme une vieille! Le
10 soir même, en avion, je te ramenais à Mendoza où des draps blancs coulaient sur toi comme un baume. Mais ils ne te guérissaient pas. Tu étais encombré de ce corps courbatu,[70] que tu tournais et retournais, sans parvenir à le loger dans le sommeil. Ton corps n'oubliait pas les rochers ni les neiges. Ils te marquaient. J'observais
15 ton visage noir, tuméfié, semblable à un fruit blet [71] qui a reçu des coups. Tu étais très laid, et misérable, ayant perdu l'usage des beaux outils de ton travail: tes mains demeuraient gourdes,[72] et quand, pour respirer, tu t'asseyais sur le bord de ton lit, tes pieds gelés pendaient comme deux poids morts. Tu n'avais même pas
20 terminé ton voyage, tu haletais [73] encore, et, lorsque tu te retournais contre l'oreiller, pour chercher la paix, alors une procession d'images que tu ne pouvais retenir, une procession qui s'impatientait dans les coulisses,[74] aussitôt se mettait en branle [75] sous ton crâne. Et elle défilait.[76] Et tu reprenais vingt fois le combat contre des en-
25 nemis qui ressuscitaient de leurs cendres.

Je te remplissais de tisanes: [77]

—Bois, mon vieux!

—Ce qui m'a le plus étonné . . . tu sais . . .

Boxeur vainqueur, mais marqué des grands coups reçus, tu re-
30 vivais ton étrange aventure. Et tu t'en délivrais par bribes.[78] Et je t'apercevais, au cours de ton récit nocturne, marchant, sans piolet,[79] sans cordes, sans vivres, escaladant [80] des cols [81] de quatre mille cinq

65. maneuvering.   **66.** capsized.   **67.** cockpit.   **68.** charred.   **69.** shriveled.   **70.** stiff, aching.   **71.** overripe.   **72.** numb.   **73.** you were panting, gasping (for breath).   **74.** wings (of a theater).   **75.** started bustling. **76.** marched past.   **77.** herb teas.   **78.** scraps.   **79.** ice axe.   **80.** climbing up.   **81.** passes.   **82.** "skunk."   **83.** you opened up each day a little more

cents mètres, ou progressant le long de parois verticales, saignant des pieds, des genoux et des mains, par quarante degrés de froid. Vidé peu à peu de ton sang, de tes forces, de ta raison, tu avançais avec un entêtement de fourmi, revenant sur tes pas pour contourner l'obstacle, te relevant après les chutes, ou remontant celles des 5 pentes qui n'aboutissaient qu'à l'abîme, ne t'accordant enfin aucun repos, car tu ne te serais pas relevé du lit de neige.

Et, en effet, quand tu glissais, tu devais te redresser vite, afin de n'être point changé en pierre. Le froid te pétrifiait de seconde en seconde, et, pour avoir goûté, après la chute, une minute de repos 10 de trop, tu devais faire jouer, pour te relever, des muscles morts.

Tu résistais aux tentations. «Dans la neige, me disais-tu, on perd tout instinct de conservation. Après deux, trois, quatre jours de marche, on ne souhaite plus que le sommeil. Je le souhaitais. Mais je me disais: Ma femme, si elle croit que je vis, croit que je marche. 15 Les camarades croient que je marche. Ils ont tous confiance en moi. Et je suis un salaud [82] si je ne marche pas.»

Et tu marchais, et, de la pointe du canif, tu entamais, chaque jour un peu plus, l'échancrure de tes souliers,[83] pour que tes pieds, qui gelaient et gonflaient, y pussent tenir. 20

Tu m'as fait cette étrange confidence:

«Dès le second jour, vois-tu, mon plus gros travail fut de m'empêcher de penser. Je souffrais trop, et ma situation était par trop désespérée. Pour avoir le courage de marcher, je ne devais pas la considérer. Malheureusement, je contrôlais mal mon cerveau, il 25 travaillait comme une turbine. Mais je pouvais lui choisir encore ses images. Je l'emballais sur [84] un film, sur un livre. Et le film ou le livre défilaient en moi à toute allure. Puis ça me ramenait à ma situation présente. Immanquablement. Alors je le lançais sur d'autres souvenirs . . .» 30

Une fois cependant, ayant glissé, allongé à plat ventre dans la neige, tu renonças à te relever. Tu étais semblable au boxeur qui, vidé d'un coup de toute passion, entend les secondes tomber une à une dans un univers étranger, jusqu'à la dixième qui est sans appel.

«J'ai fait ce que j'ai pu et je n'ai point d'espoir, pourquoi m'ob- 35 stiner dans ce martyre?» Il te suffisait de fermer les yeux pour faire la paix dans le monde. Pour effacer du monde les rocs, les glaces et les neiges. A peine closes, ces paupières miraculeuses, il n'était plus

the cut-out parts of your shoes.   **84.** I got it all excited about.   **85.** was

ni coups, ni chutes, ni muscles déchirés, ni gel brûlant, ni ce poids
de la vie à traîner quand on va comme un bœuf, et qu'elle se fait
plus lourde qu'un char. Déjà, tu le goûtais, ce froid devenu poison,
et qui, semblable à la morphine, t'emplissait maintenant de béati-
5 tude. Ta vie se réfugiait autour du cœur. Quelque chose de doux et
de précieux se blottissait[85] au centre de toi-même. Ta conscience
peu à peu abandonnait les régions lointaines de ce corps qui, bête
jusqu'alors gorgée de souffrances, participait déjà de l'indifférence
du marbre.

10 Tes scrupules mêmes s'apaisaient. Nos appels ne t'atteignaient
plus, ou, plus exactement, se changeaient pour toi en appels de
rêve. Tu répondais heureux par une marche de rêve, par de longues
enjambées[86] faciles, qui t'ouvraient sans efforts les délices des
plaines. Avec quelle aisance tu glissais dans un monde devenu si
15 tendre pour toi! Ton retour, Guillaumet, tu décidais, avare, de nous
le refuser.

Les remords vinrent de l'arrière-fond[87] de ta conscience. Au songe
se mêlaient soudain des détails précis. «Je pensais à ma femme. Ma
police d'assurance lui épargnerait la misère. Oui, mais l'assur-
20 ance . . .»

Dans le cas d'une disparition, la mort légale est différée de quatre
années. Ce détail t'apparut éclatant, effaçant les autres images.
Or tu étais étendu à plat ventre sur une forte pente de neige.
Ton corps, l'été venu, roulerait avec cette boue vers une des mille
25 crevasses des Andes. Tu le savais. Mais tu savais aussi qu'un rocher
émergeait à cinquante mètres devant toi: «J'ai pensé: si je me
relève, je pourrai peut-être l'atteindre. Et si je cale[88] mon corps
contre la pierre, l'été venu on le retrouvera.»

Une fois debout, tu marchas deux nuits et trois jours.
30 Mais tu ne pensais guère aller loin:
«Je devinai la fin à beaucoup de signes. Voici l'un d'eux. J'étais
contraint de faire halte toutes les deux heures environ, pour fendre
un peu plus mon soulier, frictionner de neige mes pieds qui gonflaient, ou simplement pour laisser reposer mon cœur. Mais vers les
35 derniers jours je perdais la mémoire. J'étais reparti depuis longtemps
déjà, lorsque la lumière se faisait en moi: j'avais chaque fois oublié
quelque chose. La première fois, ce fut un gant, et c'était grave par
ce froid! Je l'avais déposé devant moi et j'étais reparti sans le

snuggling. **86.** strides. **87.** the uttermost depth. **88.** prop up.

ramasser. Ce fut ensuite ma montre. Puis mon canif. Puis ma
boussole.[89] A chaque arrêt je m'appauvrissais . . .
    Ce qui sauve c'est de faire un pas. Encore un pas. C'est toujours
le même pas que l'on recommence . . .»

    «Ce que j'ai fait, je te le jure, jamais aucune bête ne l'aurait   5
fait.» Cette phrase, la plus noble que je connaisse, cette phrase qui
situe l'homme, qui l'honore, qui rétablit les hiérarchies vraies, me
revenait à la mémoire. Tu t'endormais enfin, ta conscience était
abolie, mais de ce corps démantelé, fripé,[90] brûlé, elle allait renaître
au réveil, et de nouveau le dominer. Le corps, alors, n'est plus 10
qu'un bon outil, le corps n'est plus qu'un serviteur. Et, cet orgueil
du bon outil, tu savais l'exprimer aussi, Guillaumet:
    «Privé de nourriture, tu t'imagines bien qu'au troisième jour de
marche . . . mon cœur, ça n'allait plus très fort . . . Eh bien! le
long d'une pente verticale, sur laquelle je progressais, suspendu 15
au-dessus du vide, creusant des trous pour loger mes poings, voilà
que mon cœur tombe en panne. Ça hésite, ça repart. Ça bat de
travers.[91] Je sens que s'il hésite une seconde de trop, je lâche. Je ne
bouge plus et j'écoute en moi. Jamais, tu m'entends? Jamais en
avion je ne me suis senti accroché d'aussi près à mon moteur, que 20
je ne me suis senti, pendant ces quelques minutes-là, suspendu à
mon cœur. Je lui disais: Allons, un effort! Tâche de battre encore
. . . Mais c'était un cœur de bonne qualité! Il hésitait, puis repartait toujours . . . Si tu savais combien j'étais fier de ce cœur!»

    Dans la chambre de Mendoza où je te veillais, tu t'endormais 25
enfin d'un sommeil essoufflé. Et je pensais: Si on lui parlait de son
courage, Guillaumet hausserait les épaules. Mais on le trahirait aussi
en célébrant sa modestie. Il se situe bien au delà de cette qualité
médiocre. S'il hausse les épaules, c'est par sagesse. Il sait qu'une fois
pris dans l'événement, les hommes ne s'en effraient plus. Seul 30
l'inconnu épouvante les hommes. Mais, pour quiconque l'affronte,
il n'est déjà plus l'inconnu. Surtout si on l'observe avec cette
gravité lucide. Le courage de Guillaumet, avant tout, est un effet
de sa droiture.[92]
    Sa véritable qualité n'est point là. Sa grandeur c'est de se sentir 35
responsable. Responsable de lui, du courrier et des camarades qui

89. compass.   **90.** crumpled, worn.   **91.** crazily.   **92.** honesty.   **93.** spaded.

espèrent. Il tient dans ses mains leur peine ou leur joie. Responsable
de ce qui se bâtit de neuf, là-bas, chez les vivants, à quoi il doit par-
ticiper. Responsable un peu du destin des hommes, dans la mesure
de son travail.

5 Il fait partie des êtres larges qui acceptent de couvrir de larges
horizons de leur feuillage. Etre homme, c'est précisément être
responsable. C'est connaître la honte en face d'une misère qui ne
semblait pas dépendre de soi. C'est être fier d'une victoire que les
camarades ont remportée. C'est sentir, en posant sa pierre, que l'on
10 contribue à bâtir le monde.

On veut confondre de tels hommes avec les toréadors ou les
joueurs. On vante leur mépris de la mort. Mais je me moque bien
du mépris de la mort. S'il ne tire pas ses racines d'une responsabilité
acceptée, il n'est que signe de pauvreté ou d'excès de jeunesse.
15 J'ai connu un suicidé jeune. Je ne sais plus quel chagrin d'amour
l'avait poussé à se tirer soigneusement une balle dans le cœur. Je
ne sais à quelle tentation littéraire il avait cédé en habillant ses
mains de gants blancs, mais je me souviens d'avoir ressenti en face
de cette triste parade une impression non de noblesse mais de
20 misère. Ainsi, derrière ce visage aimable, sous ce crâne d'homme, il
n'y avait rien eu, rien. Sinon l'image de quelque sotte petite fille
semblable à d'autres.

Face à cette destinée maigre, je me rappelais une vraie mort
d'homme. Celle d'un jardinier, qui me disait: «Vous savez . . .
25 parfois je suais quand je bêchais.[93] Mon rhumatisme me tirait la
jambe, et je pestais [94] contre cet esclavage. Eh bien, aujourd'hui, je
voudrais bêcher, bêcher dans la terre. Bêcher ça me paraît tellement
beau! On est tellement libre quand on bêche! Et puis, qui va
tailler [95] aussi mes arbres?» Il laissait une terre en friche.[96] Il laissait
30 une planète en friche. Il était lié d'amour à toutes les terres et à
tous les arbres de la terre. C'était lui le généreux, le prodigue, le
grand seigneur! C'était lui, comme Guillaumet, l'homme courageux,
quand il luttait au nom de sa Création, contre la mort.

QUESTIONS

1. Dégagez, expliquez et jugez les images employées par Saint Exupéry.

94. cursed.　95. prune.　96. fallow.

2. Saint Exupéry emploie souvent les mots dans un sens elliptique. Trouvez quelques exemples.

3. Décrivez la technique narrative employée dans le récit de l'aventure de Guillaumet. Comparez cette technique avec celle des histoires d'aventure ordinaires.

4. Quel effet produit sur vous l'alternance de narration et de réflexion?

5. Quelle attitude envers la nature se dégage de ce chapitre?

6. Est-ce que l'aventure de Guillaumet vous paraît vraisemblable?

7. Décrivez et analysez les réactions d'un aviateur devant la mort d'un de ses camarades.

8. Quel est le caractère du héros tel que le conçoit l'auteur? Pensez-vous que cette conception soit psychologiquement vraisemblable?

9. L'humanisme de Saint Exupéry est contenu dans cette phrase: «Ce que j'ai fait, je te le jure, jamais aucune bête ne l'aurait fait.» Développez cette idée.

10. En quoi consiste l'idéal de la camaraderie?

11. Mettez en lumière la fonction des deux derniers paragraphes vis à vis des idées qui se dégagent du chapitre entier.

12. Discutez cette phrase: «Il n'est qu'un luxe véritable, c'est celui des relations humaines.» Pensez-vous que ce soit là une attitude typique pour un aviateur?

13. Pour Saint Exupéry la notion de *courage* n'a pas de sens profond. Expliquez ceci et donnez votre propre opinion.

14. Sartre a dit que Saint Exupéry, Malraux et lui font partie d'une même génération. Trouvez-vous des rapports entre ces auteurs qui montrent une certaine parenté d'esprit?

André Malraux

(1901–   )

ANDRÉ MALRAUX was born in Paris in 1901 of a middle-class family. He received his training at the Paris School of Oriental Studies, where he specialized in Oriental archaeology. In 1923 he took part in an archaeological expedition in French Indo-China, where he became interested in colonial and social problems. He joined the Young Annam League, which fought for the dominion status of Indo-China; then went to China and became an important member of the Kuomintang. He participated in the National Liberation Movement in 1925, was a member of the Committee of Twelve—a coalition of the Kuomintang and the Chinese Communist party—and was finally appointed Propaganda Commissioner for the provinces of Kwangsi and Kwantung during the 1927 Revolution.

His first three novels tell of his experiences in the Chinese Revolution: *Les conquérants* (*The Conquerors*, 1928); *La voie royale* (*The Royal Way*, 1930), and *La condition humaine* (*Man's Fate*, 1933). This last novel won him the highly esteemed Goncourt Prize.

During the reaction which followed the revolution in China, Malraux left on an archaeological tour in Persia, Afghanistan, and Arabia. Back in France he continued his revolutionary activities, and wrote, in 1935, *Le temps du mépris* (*Days of Wrath*), in which he related episodes in the life of a German underground leader during the Nazi domination. In 1936 he joined the anti-Franco forces in Spain, commanded an air corps, and wrote in 1937 *L'espoir* (*Man's Hope*), in which he vividly described scenes in the Spanish War. He volunteered during the Franco-German War of 1939–1940, was a very active member of the French Free Forces of the Interior, and is now one of the leaders of General de Gaulle's Rassemblement du Peuple Français.

Malraux's life and works are a most sincere and ardent attempt to understand man's fate and uphold man's hope. It is only through social revolution and love of woman that man can find or lose his dignity. Malraux emphasizes the necessity of action and risk, of passion, of brotherhood, if one is to avoid the sterile intellectuality and stagnant conventionality of modern life. He occupies a place between Barrès and Gide on the one hand and the Existentialist writers on the other. His novels exerted, especially in the 1930's, a considerable influence on French youth.

The action of La condition humaine (Man's Fate, 1933) takes place in China in the year 1927. The old regime is being attacked both by the Kuomintang under Chiang Kai-shek, and by the Chinese Communist party. The insurrection in Shanghai is successful, but a Communist uprising against Chiang Kai-shek ends with the execution or exile of the Communists. Among the characters of the story, two emerge as the most representative: Kyo, the typical Communist intellectual, who finally is arrested and takes poison; and Tchen, the typical terrorist, haunted by the idea of his own death, and seeking a solution to his life through terroristic activities. Both characters symbolize two of the main features of Malraux's thought: the yearning for "engagement," for brotherhood, and the constant presence of the idea of death which threatens to deprive love and revolution alike of their meaning.

The following extracts relate the attempts made by Tchen and his friends on Chiang Kai-shek's life. This attempt is the turning-point of the story, as it is the Communists' last chance in Shanghai. The end of the novel tells of the arrest and death of Kyo.

BIBLIOGRAPHY

Pierre Brodin, Les écrivains français de l'entre-deux-guerres (1942).
Haakon M. Chevalier, "André Malraux: the return of the hero," Kenyon Review, II (1940).
W. M. Frohock, "Le temps du mépris," Romanic Review, XXXIX (1948), 130–139.
H. A. Mason, "Malraux and His Critics," Scrutiny, XIV (1947), 162–171.
Claude Mauriac, Malraux, ou le mal du héros, Paris, 1946.
Gaëtan Picon, André Malraux, Paris, 1945.
Marcel Savane, André Malraux, Paris, 1946.

Geoffrey Stone, "André Malraux: from death to revolution," American Review, VII (1936).

⟋

L'ATTENTAT CONTRE LA VIE DE CHANG-KAÏ-SHEK

Une heure.

En avance, Tchen marchait le long du quai, une serviette sous le bras, croisant[1] un à un les Européens dont il connaissait les visages: à cette heure, presque tous allaient boire, se rencontrer, au bar du Shanghaï-Club ou des hôtels voisins. Une main se posa
5 doucement sur son épaule, par derrière. Il sursauta, tâta la poche intérieure où était caché son revolver.

—Il y a bien longtemps que nous ne nous sommes rencontrés, Tchen . . . Voulez-vous . . .

Il se retourna; c'était le pasteur Smithson,[2] son premier maître.
10 Il reconnut aussitôt son beau visage d'Américain un peu Sioux, si ravagé maintenant.

—. . . que nous fassions route ensemble?

—Oui.

Tchen préférait, pour plus de sûreté et d'ironie, marcher en
15 compagnie d'un blanc: il avait une bombe dans sa serviette. Le veston correct qu'il portait ce matin lui donnait l'impression que sa pensée même était gênée; la présence d'un compagnon complétait ce déguisement,—et, par une obscure superstition, il ne voulait pas blesser le pasteur. Il avait compté les voitures pendant
20 une minute, ce matin, pour savoir (pair ou impair) s'il réussirait: réponse favorable. Il était exaspéré contre lui-même. Autant causer avec Smithson, se délivrer par là de son irritation.

Elle n'échappait pas au pasteur, mais il se méprit:

—Vous souffrez, Tchen?
25 —Nong.[3]

Il gardait de l'affection à son ancien maître, mais non sans rancune.

Le vieillard passa son bras sous le sien.

—Je prie pour vous chaque jour, Tchen. Qu'avez-vous trouvé à la
30 place de la foi que vous avez quittée?

---

1. meeting.   2. clergyman in charge of the Lutheran College in Shanghai where Tchen received his education.   3. **non**.   4. **ton**.   5. a good front.

Il le regardait avec une affection profonde, qui pourtant n'avait rien de paternel, comme s'il se fût offert. Tchen hésita:

—. . . Je ne suis pas de ceux dont s'occupe le bonheur . . .

—Il n'y a pas que le bonheur, Tchen, il y a la paix.

—Nong. Pas pour moi. 5

—Pour tous . . .

Le pasteur ferma les yeux, et Tchen eut l'impression de tenir sous son bras celui d'un aveugle.

—Je ne cherche pas la paix. Je cherche . . . le contraire.

Smithson le regarda, sans cesser de marcher: 10

—Prenez garde à l'orgueil.

—Qui vous dit que je n'aie pas trouvé ma foi?

—Quelle foi politique rendra compte de la souffrance du monde?

—J'aime mieux la diminuer que d'en rendre compte. Le tong[4] de votre voix est plein de . . . d'humanité. Je n'aime pas l'humanité 15 qui est faite de la contemplation de la souffrance.

—Êtes-vous sûr qu'il y en ait une autre, Tchen?

—Attendez: difficile à expliquer . . . Il y en a une autre, du moins, qui n'est pas faite que d'elle . . .

—Quelle foi politique détruira la mort . . . 20

Le ton du pasteur n'était pas d'interrogation; de tristesse, plutôt . . .

—Je vous ai dit que je ne cherchais pas la paix.

—La paix . . .

Le pasteur se tut. Ils marchaient. 25

—Mon pauvre petit, reprit-il enfin, chacun de nous ne connaît que sa propre douleur.» Son bras serrait celui de Tchen. «Croyez-vous que toute vie réellement religieuse ne soit pas une conversion de chaque jour? . . .»

Tous deux regardaient le trottoir, semblaient n'être plus en con- 30 tact que par leurs bras. «. . . de chaque jour . . .», répéta le pasteur avec une force lasse, comme si ces paroles n'eussent été que l'écho d'une obsession. Tchen ne répondait pas. Cet homme parlait de lui-même et disait la vérité. Comme lui, celui-là vivait sa pensée; il était autre chose qu'une loque avide. Sous le bras gauche, la 35 serviette et la bombe; sous le bras droit, ce bras serré: «. . . une conversion de chaque jour . . .» Cette confidence à ton de secret donnait au pasteur une perspective soudaine et pathétique. Si près du meurtre, Tchen s'accordait à toute angoisse.

—Chaque nuit, Tchen, je prierai pour que Dieu vous délivre de l'orgueil. (Je prie surtout la nuit: elle est favorable à la prière.) S'il vous accorde l'humilité, vous serez sauvé. Maintenant je trouve et je suis votre regard, que je ne pouvais rencontrer tout à l'heure . . .

5   C'était avec sa souffrance, non avec ses paroles, que Tchen était entré en communion: cette dernière phrase, cette phrase de pêcheur qui croit sentir le poisson, appelait en lui une colère qui montait péniblement, sans chasser tout à fait une furtive pitié. Il ne comprenait plus rien à ses sentiments.

10   —Écoutez bien, dit-il. Dans deux heures, je tuerai.

Il fixa son regard dans les yeux de son compagnon cette fois. Sans raison, il éleva vers son visage sa main droite qui tremblait, la crispa au revers de son veston correct:

—Vous trouvez toujours mon regard?

15   Non. Il était seul. Encore seul. Sa main quitta son veston, s'accrocha au revers de celui du pasteur comme s'il eût voulu le secouer; celui-ci posa la main sur la sienne. Ils restaient ainsi, au milieu du trottoir, immobiles, comme prêts à lutter; un passant s'arrêta. C'était un blanc, et il crut à une altercation.

20   —C'est un atroce mensonge, dit le pasteur à mi-voix.

Le bras de Tchen retomba. Il ne pouvait même pas rire. «Un mensonge!» cria-t-il au passant. Celui-ci haussa les épaules et s'éloigna. Tchen se retourna tout d'une pièce et partit presque en courant.

25   Il trouva enfin ses deux compagnons, à plus d'un kilomètre. «Beaucoup de face» [5] avec leurs chapeaux fendus, leurs vêtements d'employés, choisis pour justifier leurs serviettes dont l'une contenait une bombe, et la seconde des grenades. Souen [6]—nez busqué,[7] Chinois de type peau-rouge [8]—songeait, ne regardait rien; Pei [6] . . .

30 jamais auparavant Tchen ne s'était aperçu à quel point ce visage semblait adolescent. Les lunettes rondes d'écaille [9] en accentuaient peut-être la jeunesse. Ils partirent, atteignirent l'avenue des Deux-Républiques; toutes boutiques ouvertes, elle reprenait vie sous le ciel trouble.

35   L'auto de Chang-Kaï-Shek arriverait dans l'avenue par une étroite rue perpendiculaire. Elle ralentirait pour tourner. Il fallait la voir venir, et lancer la bombe lorsqu'elle ralentirait. Elle passait chaque jour entre une heure et une heure et quart: le général déjeunait à

6. Chinese Communist.   7. hooked nose.   8. redskin, Indian.   9. tortoise

l'européenne. Il fallait donc que celui qui surveillerait la petite rue, dès qu'il verrait l'auto, fît signe aux deux autres. La présence d'un marchand d'antiquités, dont le magasin s'ouvrait juste en face de la rue, l'aiderait; à moins que l'homme n'appartînt à la police. Tchen voulait surveiller lui-même. Il plaça Peï dans l'avenue, tout près de 5 l'endroit où l'auto terminerait sa courbe avant de reprendre de la vitesse; Souen, un peu plus loin. Lui, Tchen, préviendrait et lancerait la première bombe. Si l'auto ne s'arrêtait pas, atteinte ou non, les deux autres lanceraient leurs bombes à leur tour. Si elle s'arrêtait, ils viendraient vers elle: la rue était trop étroite pour qu'elle tournât. 10 Là était l'échec possible: manqués, les gardes debout sur le marchepied ouvriraient le feu pour empêcher quiconque d'approcher.

Tchen et ses compagnons devaient maintenant se séparer. Il y avait sûrement des mouchards [10] dans la foule, sur tout le chemin suivi par l'auto. D'un petit bar chinois, Peï allait guetter le geste de 15 Tchen; de plus loin, Souen attendrait que Peï sortît. Peut-être l'un au moins des trois serait-il tué, Tchen sans doute. Ils n'osaient rien se dire. Ils se séparèrent sans même se serrer la main.

Tchen entra chez l'antiquaire et demanda à voir des petits bronzes de fouilles.[11] Le marchand tira d'un tiroir une trop grosse poignée 20 de petites boîtes de satin violet, posa sur la table sa main hérissée de cubes, et commença à les y disposer. Ce n'était pas un Shanghaïen, mais un Chinois du Nord ou du Turkestan: ses moustaches et sa barbe rares mais floues, ses yeux bridés étaient d'un Musulman de basse classe, et aussi sa bouche obséquieuse; mais non son visage 25 sans arêtes, de bouc à nez plat. Celui qui dénoncerait un homme trouvé sur le passage du général avec une bombe recevrait une grosse somme d'argent et beaucoup de considération parmi les siens. Et ce bourgeois riche était peut-être un partisan sincère de Chang-Kaï-Shek. 30

—Y a-t-il longtemps que vous êtes à Shanghaï? demanda-t-il à Tchen. Que pouvait être ce singulier client? Sa gêne, son absence d'abandon, de curiosité pour les objets exposés, l'inquiétaient. Ce jeune homme n'avait pas l'habitude de porter des habits européens. Les grosses lèvres de Tchen, malgré son profil aigu, le rendaient 35 sympathique. Le fils de quelque riche paysan de l'intérieur? Mais les gros fermiers ne collectionnaient pas les bronzes anciens.

shell.   **10.** informers.   **11.** objects of bronze found in old Chinese tombs. **12.** Chinese servant of Europeans in China.   **13.** art lover.   **14.** fibulas,

Achetait-il pour un Européen? Ce n'était pas un boy,[12] ni un courtier—et, s'il était amateur,[13] il regardait les objets qu'on lui montrait
avec bien peu d'amour: il semblait qu'il songeât à autre chose.

Car déjà Tchen surveillait la rue. De cette boutique il pouvait
5 voir à deux cents mètres. Pendant combien de temps verrait-il
l'auto? Mais comment calculer sous la curiosité de cet imbécile?
Avant tout, il fallait répondre. Rester silencieux comme il l'avait
fait jusque-là était stupide:

—Je vivais dans l'intérieur, dit-il. J'en ai été chassé par la guerre.
10 L'autre allait questionner à nouveau. Tchen sentait qu'il l'inquiétait. Le marchand se demandait maintenant s'il n'était pas un
voleur venu examiner son magasin pour le piller aux prochains
désordres; pourtant, ce jeune homme ne souhaitait pas voir les plus
belles pièces. Seulement des bronzes ou des figures de renards, et
15 d'un prix modéré. Les Japonais aiment les renards, mais ce client
n'était pas Japonais. Il fallait continuer à l'interroger adroitement.

—Sans doute habitez-vous le Houpé? La vie est devenue bien
difficile, dit-on, dans les provinces du centre.

Tchen se demanda s'il ne jouerait pas le demi-sourd. Il n'osa pas,
20 de crainte de sembler plus étrange encore.

—Je ne l'habite plus, répondit-il seulement. Son ton, la structure
de ses phrases, avaient, même en chinois, quelque chose de bref: il
exprimait directement sa pensée, sans employer les tournures
d'usage. Mais il pensa au marchandage.
25 —Combien? demanda-t-il en indiquant du doigt une des fibules [14]
à tête de renard qu'on trouve en grand nombre dans les tombeaux.

—Quinze dollars.

—Huit me semblerait un bon prix . . .

—Pour une pièce de cette qualité? Comment pouvez-vous
30 croire? . . . Songez que je l'ai payée dix . . . Fixez mon bénéfice
vous-même.

Au lieu de répondre, Tchen regardait Peï assis devant une petite
table dans son bar ouvert, un jeu de lumières sur les verres de ses
lunettes; celui-ci ne le voyait sans doute pas, à cause de la vitre du
35 magasin d'antiquités. Mais il le verrait sortir.

—Je ne saurais payer plus de neuf, dit-il enfin comme s'il eût
exprimé la conclusion d'une méditation. Encore me priverais-je
beaucoup.

buckles. **15.** rickshaw. **16.** bike. **17.** plank, i.e., unresponsive object.

Les formules, en ce domaine, étaient rituelles, et il les employait sans peine.

—C'est ma première affaire aujourd'hui, répondit l'antiquaire. Peut-être dois-je accepter cette petite perte d'un dollar, car la conclusion de la première affaire engagée est d'un présage favo- 5 rable . . .

La rue déserte. Un pousse,[15] au loin, la traversa. Un autre. Deux hommes sortirent. Un chien. Un vélo.[16] Les hommes tournèrent à droite; le pousse avait traversé. La rue déserte de nouveau; seul, le chien . . .   10

—Ne donneriez-vous pas, cependant, 9 dollars ½?

—Pour exprimer la sympathie que vous m'inspirez.

Autre renard en porcelaine. Nouveau marchandage. Tchen, depuis son achat, inspirait davantage confiance. Il avait acquis le droit de réfléchir: il cherchait le prix qu'il offrirait, celui qui cor- 15 respondait subtilement à la qualité de l'objet; sa respectable méditation ne devait point être troublée. «L'auto, dans cette rue, avance à 40 à l'heure, plus d'un kilomètre en deux minutes. Je la verrai pendant un peu moins d'une minute. C'est peu. Il faut que Peï ne quitte plus des yeux cette porte . . .» Aucune auto ne passait dans 20 cette rue. Quelques vélos . . . Il marchanda une boucle de ceinture en jade, n'accepta pas le prix du marchand, dit qu'il reprendrait la discussion plus tard. Un des commis apporta du thé. Tchen acheta une petite tête de renard en cristal, dont le marchand ne demandait que trois dollars. La méfiance du boutiquier n'avait 25 pourtant pas disparu tout à fait.

—J'ai d'autres très belles pièces, très authentiques, avec de très jolis renards. Mais ce sont des pièces de grande valeur, et je ne les conserve pas dans mon magasin. Nous pourrions convenir d'un rendez-vous . . .   30

Tchen ne disait rien.

— . . . à la rigueur, j'enverrais un de mes commis les chercher . . .

—Je ne m'intéresse pas aux pièces de grande valeur. Je ne suis pas, malheureusement, assez riche.

Ce n'était donc pas un voleur; il ne demandait pas même à les 35 voir. L'antiquaire montrait à nouveau la boucle de ceinture en jade, avec une délicatesse de manieur de momies; mais, malgré les paroles qui passaient une à une entre ses lèvres de velours gélatineux, malgré ses yeux concupiscents, son client restait indifférent, lointain . . .

C'était lui, pourtant, qui avait choisi cette boucle. Le marchandage est une collaboration, comme l'amour; le marchand faisait l'amour avec une planche.[17] Pourquoi donc cet homme achetait-il? Soudain, il devina: c'était un de ces pauvres jeunes gens qui se laissent
5 puérilement séduire par les prostituées japonaises de Tchapéï. Elles ont un culte pour les renards. Ce client achetait ceux-ci pour quelque serveuse ou fausse geisha; s'ils lui étaient si indifférents, c'est qu'il ne les achetait pas pour lui. (Tchen ne cessait d'imaginer l'arrivée de l'auto, la rapidité avec laquelle il devrait ouvrir sa ser-
10 viette, en tirer la bombe, la jeter.) Mais les geishas n'aiment pas les objets de fouilles . . . Peut-être font-elles exception lorsqu'il s'agit de petits renards? Le jeune homme avait acheté aussi un objet de cristal et un de porcelaine . . .

Ouvertes ou fermées, les boîtes minuscules étaient étalées sur la
15 table. Les deux commis regardaient, accoudés. L'un, très jeune, s'était appuyé sur la serviette de Tchen; comme il se balançait d'une jambe sur l'autre, il l'attirait hors de la table. La bombe était dans la partie droite, à trois centimètres du bord.

Tchen ne pouvait bouger. Enfin il étendit le bras, ramena la
20 serviette à lui, sans la moindre difficulté. Aucun de ces hommes n'avait senti la mort, ni l'attentat manqué; rien, une serviette qu'un commis balance et que son propriétaire rapproche de lui . . . Et soudain, tout sembla extraordinairement facile à Tchen. Les choses, les actes même n'existaient pas; tous étaient des songes qui nous
25 étreignent parce que nous leur en donnons la force, mais que nous pouvons aussi bien nier . . . A cet instant, il entendit la trompe d'une auto: Chang-Kaï-Shek.

Il prit sa serviette comme une arme, paya, jeta les deux petits paquets dans sa poche, sortit.
30 Le marchand le poursuivait, la boucle de ceinture qu'il avait refusé d'acheter à la main:

—Ce sont là des pièces de jade qu'aiment tout particulièrement les dames japonaises.

Cet imbécile allait-il foutre le camp![18]
35 —Je reviendrai.

Quel marchand ne connaît la formule? L'auto approchait, beaucoup plus vite qu'à l'ordinaire, sembla-t-il à Tchen, précédée de la Ford de la garde.

18. to beat it, scram (vulgar).   19. gutters.   20. entangled.   21. standing

—Allez-vous-en.

Plongeant sur eux, l'auto secouait sur les caniveaux [19] les deux
détectives accrochés à ses marchepieds. La Ford passa. Tchen,
arrêté, ouvrit sa serviette, posa sa main sur la bombe enveloppée
dans un journal. Le marchand glissa en souriant la boucle de cein- 5
ture dans la poche vide de la serviette ouverte. C'était la plus
éloignée de lui. Il barrait [20] ainsi les deux bras de Tchen:

—Vous paierez ce que vous voudrez.

—Allez-vous-en!

Stupéfait par ce cri, l'antiquaire regarda Tchen, la bouche ouverte 10
lui aussi.

—Ne seriez-vous pas un peu souffrant?» Tchen ne voyait plus
rien, mou comme s'il allait s'évanouir: l'auto passait.

Il n'avait pu se dégager à temps du geste de l'antiquaire. «Ce
client va se trouver mal», pensa celui-ci. Il s'efforça de le soutenir. 15
D'un coup, Tchen rabattit les deux bras tendus devant lui et partit
en avant. La douleur arrêta le marchand. Tchen courait presque.

—Ma plaque! cria le marchand. Ma plaque!

Elle était toujours dans la serviette. Tchen ne comprenait rien.
Chacun de ses muscles, le plus fin de ses nerfs, attendaient une 20
détonation qui emplirait la rue, se perdrait lourdement sous le ciel
bas. Rien. L'auto avait tourné, avait même sans doute maintenant
dépassé Souen. Et cet abruti restait là. Il n'y avait pas de danger,
puisque tout était manqué. Qu'avaient fait les autres? Tchen
commença à courir. «Au voleur!» cria l'antiquaire. Des marchands 25
parurent. Tchen comprit. De rage, il eut envie de s'enfuir avec cette
plaque, de la lancer n'importe où. Mais de nouveaux badauds
s'approchaient. Il la jeta à la figure de l'antiquaire et s'aperçut qu'il
n'avait pas refermé sa serviette. Depuis le passage de l'auto, elle
était restée ouverte, sous les yeux de ce crétin et des passants, la 30
bombe visible, plus même protégée par le papier qui avait glissé.
Il referma enfin la serviette avec prudence (il faillit la rabattre à
toute volée; il luttait de toute sa force contre ses nerfs). Le marchand regagnait au plus vite son magasin. Tchen reprit sa course.

—Eh bien? dit-il à Peï dès qu'il le rejoignit.   35
—Et toi?

Ils se regardèrent haletants, chacun voulant d'abord entendre
l'autre. Souen, qui s'approchait, les voyait ainsi empêtrés dans une
immobilité pleine d'hésitations et de velléités, de profil sur des

maisons floues; [21] la lumière très forte malgré les nuages détachait le profil d'épervier bonasse [22] de Tchen et la tête rondouillarde de Peï, isolait ces deux personnages aux mains tremblantes, plantés sur leurs ombres courtes de début d'après-midi parmi les passants
5 affairés et inquiets. Tous trois portaient toujours les serviettes: il était sage de ne pas rester là trop longtemps. Les restaurants n'étaient pas sûrs. Et ils ne s'étaient que trop réunis et séparés dans cette rue, déjà. Pourquoi? Il ne s'était rien passé . . .

—Chez Hemmelrich,[23] dit pourtant Tchen.
10 Ils s'engagèrent dans les ruelles.

—Qu'est-il arrivé? demanda Souen.

Tchen le lui expliqua. Peï, lui, avait été troublé lorsqu'il avait vu que Tchen ne quittait pas seul le magasin de l'antiquaire. Il s'était dirigé vers son poste de lancement, à quelques mètres du coin.
15 L'usage, à Shanghaï, est de conduire à gauche; l'auto tournait d'ordinaire au plus court, et Peï s'était placé sur le trottoir de gauche, pour lancer sa bombe de près. Or, l'auto allait vite; il n'y avait pas de voitures à ce moment dans l'avenue des Deux-Républiques. Le chauffeur avait tourné au plus large; il avait donc longé
20 l'autre trottoir, et Peï s'était trouvé séparé de lui par un pousse.

—Tant pis pour le pousse, dit Tchen. Il y a des milliers d'autres coolies qui ne peuvent vivre que de la mort de Chang-Kaï-Shek.

—J'aurais manqué mon coup.[24]

Souen, lui, n'avait pas lancé ses grenades parce que l'abstention
25 de ses camarades lui avait fait supposer que le général n'était pas dans la voiture.

Ils avançaient en silence entre les murs que le ciel jaunâtre et chargé de brume rendait blêmes, dans une solitude misérable criblée de détritus et de fils télégraphiques.
30 —Les bombes sont intactes, dit Tchen à mi-voix. Nous recommencerons tout à l'heure.

Mais ses deux compagnons étaient écrasés; ceux qui ont manqué leur suicide le tentent rarement à nouveau. La tension de leurs nerfs, qui avait été extrême, devenait trop faible. A mesure qu'ils
35 avançaient, l'ahurissement [25] faisait place en eux au désespoir.

---

out in profile against blurred houses.   22. sparrow hawk looking deceptively gentle.   23. phonograph dealer, whose house is used as a Communist meeting place.   24. I would have missed.   25. bewilderment.   26. clucking, i.e.,

—C'est ma faute, dit Souen.

Peï répéta:

—C'est ma faute.

—Assez, dit Tchen, excédé. Il réfléchissait, en poursuivant cette marche misérable. Il ne fallait pas recommencer de la même façon. Ce plan était mauvais, mais il était difficile d'en imaginer un autre. Il avait pensé que . . . Ils arrivaient chez Hemmelrich.

Du fond de sa boutique, Hemmelrich entendait une voix qui parlait en chinois, deux autres qui répondaient . . . Il lui était difficile d'entendre distinctement: au-dessus, l'enfant criait sans cesse. Mais les voix se turent et de courtes ombres, sur le trottoir, montrèrent que trois corps étaient là. La police? . . . Hemmelrich se leva, pensa au peu de crainte qu'inspireraient à des agresseurs son nez plat et ses épaules en avant de boxeur crevé, et marcha vers la porte. Avant que sa main eût atteint sa poche, il avait reconnu Tchen; il la lui tendit au lieu de tirer son revolver.

—Allons dans l'arrière-boutique, dit Tchen.

Tous trois passèrent devant Hemmelrich. Il les examinait. Une serviette chacun, non pas tenue négligemment, mais serrée par les muscles crispés du bras.

—Voici, dit Tchen dès que la porte fut refermée: peux-tu nous donner l'hospitalité quelques heures? A nous et à ce qu'il y a dans nos serviettes?

—Des bombes?

—Oui.

—Non.

Le gosse, là-haut, continuait à crier. Ses cris les plus douloureux étaient devenus des sanglots, et parfois de petits gloussements,[26] comme s'il eût crié pour s'amuser—d'autant plus poignants. Disques,[27] chaises, grillon,[28] étaient à tel point les mêmes que lorsque Tchen était venu là après le meurtre de Tang-Yen-Ta,[29] que Hemmelrich et lui se souvinrent ensemble de cette soirée. Il ne dit rien, mais Hemmelrich le devina:

—Les bombes, reprit-il, je ne peux pas en ce moment. S'ils trouvent des bombes ici, ils tueront la femme et le gosse.[30]

whimpering or gurgling. **27.** Records. **28.** cricket. **29.** This murder was committed by Tchen in the opening scene of the novel. **30.** Hemmel-

—Bong. Allons chez Shia [31] . . . A cette heure, il n'y a que le garçong.

—Comprends-moi, Tchen: le gosse est très malade, et la mère n'est pas brillante . . .

5 Il regardait Tchen, les mains tremblantes:

—Tu ne peux pas savoir, Tchen, tu ne peux pas savoir le bonheur que tu as d'être libre! . . .

—Si, je le sais.

Les trois Chinois sortirent . . .

10 De nouveau, Tchen et ses compagnons avaient quitté l'avenue: les cours et les ruelles étaient peu surveillées, l'auto du général n'y passait pas. «Il faut changer de plan», pensait Tchen, tête baissée, en regardant ses souliers bien-pensants [32] qui avançaient sous ses yeux, l'un après l'autre. Accrocher l'auto de Chang-Kaï-Shek avec 15 une autre auto conduite en sens inverse? mais toute auto pouvait être réquisitionnée par l'armée. Tenter d'employer le fanion [33] d'une légation pour protéger la voiture dont ils se serviraient était incertain, car la police connaissait les chauffeurs des ministres étrangers. Barrer la route avec une charrette? Chang-Kaï-Shek était toujours 20 jours précédé de la Ford de sa garde personnelle. Devant un arrêt suspect, gardes et policiers des marchepieds tireraient sur quiconque tenterait de s'approcher. Tchen écouta: depuis quelques instants, ses compagnons parlaient.

—Beaucoup de généraux abandonneront Chang-Kaï-Shek s'ils 25 savent qu'ils risquent réellement d'être assassinés, disait Peï. Il n'y a de foi que chez nous.

—Oui, dit Souen, on fait de bons terroristes avec les fils des suppliciés.

Tous deux l'étaient.

30 —Et quant aux généraux qui resteront, ajouta Peï, même s'ils doivent faire la Chine contre nous, ils la feront grande, parce qu'ils la feront sur leur propre sang.

—Non! dirent à la fois Tchen et Souen. Ni l'un ni l'autre n'ignoraient combien était élevé le nombre des nationalistes parmi 35 les communistes, parmi les intellectuels surtout.

Peï écrivait dans des revues vite interdites des contes d'une

rich's wife and kid. **31.** lamp dealer, whose shop is also a Communist meeting place. **32.** respectable (allusion to the bourgeois clothes worn by the three Communists). **33.** flag, banner. **34.** bellies. **35.** scurvy trick,

amertume douloureusement satisfaite d'elle-même, et des articles dont le dernier commençait par: «L'impérialisme étant gêné, la Chine songe à solliciter sa bienveillance une fois de plus, et à lui demander de remplacer par un anneau de nickel l'anneau d'or qu'il lui a rivé dans le nez . . .» Il préparait d'autre part une idéologie 5 du terrorisme. Pour lui, le communisme était seulement le vrai moyen de faire revivre la Chine.

—Je ne veux pas faire la Chine, dit Souen, je veux faire les miens, avec ou sans elle. Les pauvres. C'est pour eux que j'accepte de mourir, de tuer. Pour eux seulement . . . 10

C'est Tchen qui répondit:

—Tant que nous essaierons de lancer la bombe, ça ira mal. Trop de chances d'échec. Et il faut en finir aujourd'hui.

—S'y prendre autrement n'est pas plus facile, dit Peï.

—Il y a un moyen. 15

Les nuages bas et lourds avançaient dans le sens de leur marche, au-dessous du jour jaunâtre, avec un mouvement incertain et pourtant impérieux de destinées. Tchen avait fermé les yeux pour réfléchir, mais marchait toujours; ses camarades attendaient, regardant ce profil courbe qui avançait comme à l'ordinaire le long 20 des murs.

—Il y a un moyen. Et je crois qu'il n'y en a qu'un: il ne faut pas lancer la bombe; il faut se jeter sous l'auto avec elle.

La marche continuait à travers les cours défoncées où les enfants ne jouaient plus. Tous trois réfléchissaient. 25

Ils arrivèrent. Le commis les introduisit dans l'arrière-boutique. Ils restaient debout au milieu des lampes, serviettes sous le bras; ils finirent par les poser, prudemment. Souen et Peï s'accroupirent, à la chinoise.

—Pourquoi ris-tu, Tchen? 30

Il ne riait pas, il souriait, bien loin de l'ironie que lui prêtait l'inquiétude de Peï: stupéfait, il découvrait l'euphorie. Tout devenait simple. Son angoisse s'était dissipée. Il savait quelle gêne troublait ses camarades, malgré leur courage: lancer les bombes, même de la façon la plus dangereuse, c'était l'aventure; la résolu- 35 tion de mourir, c'était autre chose; le contraire, peut-être. Il commença à marcher de long en large. L'arrière-boutique n'était éclairée que par le jour qui pénétrait à travers le magasin. Le ciel étant gris, il régnait là une lumière plombée comme celle qui précède les orages; dans cette brume sale brillaient sur les panses [34] des lampes-tempête des effets de lumière, points d'interrogation renversés et parallèles. L'ombre de Tchen, trop confuse pour être une silhouette, avançait au-dessus des yeux inquiets des autres . . .

5 —Ce qui nous manque le plus c'est le sens du hara-kiri. Mais le Japonais qui se tue risque de devenir un dieu, ce qui est le commencement de la saloperie.[35] Non: il faut que le sang retombe sur les hommes—et qu'il y reste.

—J'aime mieux tenter de réussir, dit Souen—de réussir—plusieurs 10 attentats que de décider que je n'en tenterai qu'un parce qu'après je serai mort.

Pourtant, au-dessous des mots de Tchen, vibrant de leur timbre plus que de leur sens,—lorsque celui-ci exprimait sa passion en chinois, sa voix prenait une intensité extrême—un courant attirait 15 Souen, toute l'attention tendue, sans qu'il sût vers quoi.

—Il faut que je me jette sous l'auto, répondit Tchen.

Le cou immobile, ils le suivaient du regard, tandis qu'il s'éloignait et revenait; lui ne les regardait plus. Il trébucha [36] sur une des lampes posées par terre, se rattrapa au mur. La lampe tomba, se 20 cassa en tintant. Mais il n'y avait pas de place pour le rire. Son ombre redressée se détachait confusément au-dessus de leur tête sur les derniers rangs des lampes; Souen commençait à comprendre ce que Tchen attendait de lui; pourtant, méfiance de lui-même, ou défense contre ce qu'il prévoyait:

25 —Qu'est-ce que tu veux?

Tchen s'aperçut qu'il ne le savait pas. Il lui semblait lutter, non contre Souen, mais contre sa pensée qui le fuyait. Enfin:

—Que cela ne soit pas perdu.

—Tu veux que Peï et moi prenions l'engagement de t'imiter? 30 C'est bien cela?

—Ce n'est pas une promesse que j'attends. C'est un besoin.

Les reflets s'effaçaient sur les lampes. Le jour baissait dans la pièce sans fenêtre: sans doute les nuages s'amassaient-ils dehors . . . Soudain il comprit. Souen aussi comprenait:

35 —Tu veux faire du terrorisme une espèce de religion?

L'exaltation de Tchen devenait plus grande. Tous les mots étaient creux, absurdes, trop faibles pour exprimer ce qu'il voulait d'eux.

Pas une religion. Le sens de la vie. La . . .

treason.   36. stumbled, tripped.   37. knead.   38. jerky, abrupt.   39. rat-

Il faisait de la main le geste convulsif de pétrir,[37] et sa pensée semblait haleter comme une respiration.

«. . . La possession complète de soi-même. Totale. Absolue. La seule. Savoir. Ne pas chercher, chercher, tout le temps, des idées, des devoirs. Depuis une heure je ne sens plus rien de ce qui pesait 5 sur moi. Vous entendez? Rien.

Une telle exaltation le soulevait qu'il ne cherchait plus à les convaincre autrement qu'en leur parlant de lui:

—Je me possède moi-même. Mais pas une menace, une angoisse, comme toujours. Possédé, serré, serré, comme cette main serre 10 l'autre—(il la serrait de toute sa force), ce n'est pas assez, comme . . .

Il ramassa l'un des morceaux de verre de la lampe cassée. Un large éclat triangulaire, plein de reflets. D'un coup, il l'enfonça dans sa cuisse. Sa voix saccadée [38] était pénétrée d'une certitude sauvage, 15 mais il semblait bien plus posséder son exaltation qu'être possédé par elle. Pas fou du tout. A peine si les deux autres le voyaient encore, et pourtant, il emplissait la pièce. Souen commença à avoir peur:

—Je suis moins intelligent que toi, Tchen, mais pour moi . . . 20 pour moi, non. J'ai vu mon père pendu par les mains, battu à coups de rotin [39] sur le ventre, pour qu'il avouât où son maître avait caché l'argent qu'il ne possédait pas. C'est pour les nôtres que je combats, pas pour moi.

—Pour les nôtres, tu ne peux pas faire mieux que décider de 25 mourir. L'efficacité d'aucun homme ne peut être comparée à celle de l'homme qui a choisi cela. Si nous l'avions décidé, nous n'aurions pas manqué Chang-Kaï-Shek tout à l'heure. Tu le sais.

—Toi, tu as peut-être besoin de ça. Je ne sais pas . . .» Il se débattait. «Si j'étais d'accord, comprends-tu, il me semblerait que je 30 ne me fais pas tuer pour tous, mais . . .»

—Mais?

Presque complètement assombri, le mauvais jour de l'après-midi restait là sans disparaître tout à fait, éternel.

—Pour toi. 35

Une forte odeur de pétrole rappela à Tchen les touques [40] d'essence de l'incendie du poste, le premier jour de l'insurrection.[41] Mais tout plongeait dans le passé, même Souen, puisqu'il ne

tan cane, switch. **40.** cans. **41.** the first day of the Kuomintang insur-

voulait pas le suivre. Pourtant, la seule volonté que sa pensée présente ne transformât pas en néant, c'était de créer ces Juges condamnés, cette race de vengeurs. Cette naissance se faisait en lui, comme toutes les naissances; en le déchirant et en l'exaltant—
5 sans qu'il en fût le maître. Il ne pouvait plus supporter aucune présence. Il se leva.

—Toi qui écris, dit-il à Peï, tu expliqueras.

Ils reprirent les serviettes. Peï essuyait ses lunettes. Tchen releva son pantalon, banda sa cuisse avec un mouchoir sans laver la bles-
10 sure—pourquoi faire? elle n'aurait pas le temps de s'infecter—avant de sortir. «On fait toujours la même chose», se dit-il, troublé, pensant au couteau qu'il s'était enfoncé dans le bras.

—Je partirai seul, dit-il. Et je suffirai seul, ce soir.

—J'organiserai quand même quelque chose, répondit Souen.
15 —Ce sera trop tard.

Devant la boutique, Tchen fit un pas vers la gauche. Peï le suivait. Souen restait immobile. Un second pas. Peï le suivit encore. Tchen s'aperçut que l'adolescent, lunettes à la main—tellement plus humain, ce visage de gosse, sans verres sur les yeux—pleurait en silence.
20 —Où vas-tu?

—Je viens.

Tchen s'arrêta. Il l'avait toujours cru de l'avis de Souen; il lui montra celui-ci du doigt.

—J'irai avec toi, reprit Peï.
25 Il s'efforçait de parler le moins possible, la voix faussée, la pomme d'Adam secouée de sanglots silencieux.

—Témoigne d'abord.

Il crispa ses doigts dans les bras de Peï.

—Témoigne, répéta-t-il.
30 Il s'écarta. Peï resta sur le trottoir, la bouche ouverte, essuyant toujours ses verres de lunettes, comique. Jamais il n'eût cru qu'on pût être si seul.

10 heures et demie.

«Pourvu que l'auto ne tarde plus», pensa Tchen. Dans l'obscurité
35 complète, il n'eût pas été aussi sûr de son coup, et les derniers réverbères allaient bientôt s'éteindre. La nuit désolée de la Chine des rizières [42] et des marais avait gagné l'avenue presque abandonnée. Les lumières troubles des villes de brume qui passaient par

les fentes des volets [43] entr'ouverts, à travers les vitres bouchées,
s'éteignaient une à une; les derniers reflets s'accrochaient aux rails
mouillés, aux isolateurs du télégraphe; ils s'affaiblissaient de minute
en minute; bientôt Tchen ne les vit plus que sur les pancartes [44]
verticales couvertes de caractères dorés. Cette nuit de brume était 5
sa dernière nuit, et il en était satisfait. Il allait sauter avec la voiture,
dans un éclair en boule qui illuminerait une seconde cette avenue
hideuse et couvrirait un mur d'une gerbe de sang. La plus vieille
légende chinoise s'imposa à lui: les hommes sont la vermine de la
terre. Il fallait que le terrorisme devînt une mystique. Solitude, 10
d'abord: que le terroriste décidât seul, exécutât seul; toute la force
de la police est dans la délation; le meurtrier qui agit seul ne risque
pas de se dénoncer lui-même. Solitude dernière, car il est difficile à
celui qui vit hors du monde de ne pas rechercher les siens. Tchen
connaissait les objections opposées au terrorisme: répression po- 15
licière contre les ouvriers, appel au fascisme. La répression ne
pourrait être plus violente, le fascisme plus évident . . . Il ne
s'agissait pas de maintenir dans leur classe, pour la délivrer, les
meilleurs des hommes écrasés, mais de donner un sens à leur
écrasement même: que chacun s'instituât responsable et juge de la 20
vie d'un maître. Donner un sens immédiat à l'individu sans espoir
et multiplier les attentats, non par une organisation, mais par une
idée: faire renaître des martyrs. Peï, écrivant, serait écouté parce
que lui, Tchen, allait mourir: il savait de quel poids pèse sur toute
pensée le sang versé pour elle. Tout ce qui n'était pas son geste 25
résolu se décomposait dans la nuit derrière laquelle restait em-
busquée [45] cette automobile qui arriverait bientôt. La brume, nourrie
par la fumée des navires, détruisait peu à peu au fond de l'avenue
les trottoirs pas encore vides: des passants affairés y marchaient l'un
derrière l'autre, se dépassant rarement, comme si la guerre eût 30
imposé à la ville un ordre tout-puissant. Le silence général de leur
marche rendait leur agitation presque fantastique. Ils ne portaient
pas de paquets, d'éventaires, [46] ne poussaient pas de petites voitures;
cette nuit, il semblait que leur activité n'eût aucun but. Tchen
regardait toutes ces ombres qui coulaient sans bruit vers le fleuve, 35
d'un mouvement inexplicable et constant; n'était-ce pas le Destin
même, cette force qui les poussait vers le fond de l'avenue où l'arc

rection, March 22, 1927. 42. rice fields. 43. inside shutters 44. plac-
ards. 45. in ambush. 46. hawker's baskets. 47. headlights. 48. handle.

allumé d'enseignes à peine visibles devant les ténèbres du fleuve semblait les portes mêmes de la mort? Enfoncés en perspectives troubles, les énormes caractères se perdaient dans ce monde tragique et flou comme dans les siècles; et, de même que si elle fût venue, 5 elle aussi, non de l'état-major mais des temps bouddhiques, la trompe militaire de l'auto de Chang-Kaï-Shek commença à retentir sourdement au fond de la chaussée presque déserte. Tchen serra la bombe sous son bras avec reconnaissance. Les phares [47] seuls sortaient de la brume. Presque aussitôt, précédée de la Ford de garde, la 10 voiture entière en jaillit; une fois de plus il sembla à Tchen qu'elle avançait extraordinairement vite. Trois pousses obstruèrent soudain la rue, et les deux autos ralentirent. Il essaya de retrouver le contrôle de sa respiration. Déjà l'embarras était dispersé. La Ford passa, l'auto arrivait: une grosse voiture américaine, flanquée des 15 deux policiers accrochés à ses marchepieds; elle donnait une telle impression de force que Tchen sentit que, s'il n'avançait pas, s'il attendait, il s'en écarterait malgré lui. Il prit sa bombe par l'anse [48] comme une bouteille de lait. L'auto du général était à cinq mètres, énorme. Il courut vers elle avec une joie d'extatique, se jeta dessus, 20 les yeux fermés.

Il revint à lui quelques secondes plus tard: il n'avait ni senti ni entendu le craquement d'os qu'il attendait, il avait sombré dans un globe éblouissant. Plus de veste. De sa main droite il tenait un morceau de capot plein de boue ou de sang. A quelques mètres 25 un amas de débris rouges, une surface de verre pilé où brillait un dernier reflet de lumière, des . . . déjà il ne distinguait plus rien: il prenait conscience de la douleur, qui fut en moins d'une seconde au delà de la conscience. Il ne voyait plus clair. Il sentait pourtant que la place était encore déserte; les policiers craignaient-ils une 30 seconde bombe? Il souffrait de toute sa chair, d'une souffrance pas même localisable: il n'était plus que souffrance. On s'approchait. Il se souvint qu'il devait prendre son revolver. Il tenta d'atteindre sa poche de pantalon. Plus de poche, plus de pantalon, plus de jambe: de la chair hachée. L'autre revolver, dans la poche de sa 35 chemise. Le bouton avait sauté. Il saisit l'arme par le canon, la retourna sans savoir comment, tira d'instinct le cran d'arrêt [49] avec son pouce. Il ouvrit enfin les yeux. Tout tournait, d'une façon lente et invincible, selon un très grand cercle, et pourtant rien n'existait que la douleur. Un policier était tout près. Tchen voulut demander

49. safety catch.

si Chang-Kaï-Shek était mort, mais il voulait cela dans un autre monde; dans ce monde-ci, cette mort même lui était indifférente. De toute sa force, le policier le retourna d'un coup de pied dans les côtes. Tchen hurla, tira en avant, au hasard, et la secousse rendit plus intense encore cette douleur qu'il croyait sans fond. Il allait 5 s'évanouir ou mourir. Il fit le plus terrible effort de sa vie, parvint à introduire dans sa bouche le canon du revolver. Prévoyant la nouvelle secousse, plus douloureuse encore que la précédente, il ne bougeait plus. Un furieux coup de talon d'un autre policier crispa tous ses muscles: il tira sans s'en apercevoir . . .   10

Minuit.

Dès qu'il avait appris qu'une bombe avait été lancée contre Chang-Kaï-Shek, Hemmelrich avait couru aux nouvelles. On lui avait dit que le général était tué et le meurtrier en fuite; mais, devant l'auto retournée, le capot arraché, il avait vu le cadavre de Tchen sur le trottoir,—petit et sanglant, tout mouillé déjà par la 15 brume,—gardé par un soldat assis à côté; et appris que le général ne se trouvait pas dans l'auto.

QUESTIONS

1. Pourquoi ces trois hommes tiennent-ils leur serviette serrée contre leur corps?
2. Que veut dire Malraux par ces mots: «le bonheur d'être libre»? S'agit-il de la liberté politique?
3. Pourquoi Hemmelrich refuse-t-il de recevoir Tchen et ses amis? Les raisons vous paraissent-elles valables?
4. Définissez les positions respectives de Peï et de Souen.
5. Comment le terrorisme de Tchen peut-il lui donner le «sens de la vie»?
6. Pourquoi Tchen s'enfonce-t-il un éclat de verre dans la cuisse?
7. Pourquoi Souen abandonne-t-il Tchen? Est-il lâche?
8. Que veut dire Tchen par le mot «témoigne»?
9. Quel est le rapport entre la vieille légende chinoise et l'état d'esprit de Tchen?
10. Tchen a-t-il les caractéristiques d'un chef?
11. Comparez la mystique de Tchen à la mystique chrétienne.
12. Caractérisez la description de la mort de Tchen. Quels détails l'auteur a-t-il choisis et pourquoi?
13. Le fait que Chang-Kaï-Shek n'est pas mort ôte-t-il la valeur à l'action de Tchen?

Marcel Aymé

(1901–   )

MARCEL AYMÉ seemed not to be marked for a literary career and had no plans himself to become a writer. A long illness changed the whole trend of his hitherto adventurous and rather unsettled life. When he took to writing at the age of twenty-four, he had successively held positions as insurance broker, bricklayer, journalist, and salesman.

Aymé was born in 1901 in a small town in Burgundy, a section of east central France where people, and especially country people, are famous, according to a somewhat unreliable tradition, for enjoying life in a full and unrestrained way. At first he did not achieve meteoric literary success, but in 1929 he was awarded the Théophraste Renaudot Prize for his novel *La table aux crevés*, a brisk and rather bawdy episode of peasant life. Almost every year from 1929 to the beginning of World War II Aymé published either a full-length novel or a collection of short stories. Today he ranks, if not among the best, at least among the best-known writers in France.

One of his favorite subjects is country life, and *La table aux crevés* and *La jument verte*—probably his most famous novel— show his ability in this very difficult genre. The picture of country life he gives us is decidedly realistic; he does not conceal any of its aspects, however trivial or even crude. We are struck, on the contrary, by a sort of grandeur, both poetic and epic, which does not depend on details—some of which are revolting—but on the healthy, lusty, and quite unrestrained manner in which farmers, old and young, men and women, are made to behave. Love of course provides a number of hilarious and exciting scenes from which sentimentality is almost completely absent. Aymé is not blind to the ludicrous aspects of rural courtship and love making. Consequently he may be defined not only as "Gallic" but occasionally as *gaulois*. When he laughs—and we cannot help laughing with him—he never feels superior; he never criticizes—when he appears to do so, it is always with his tongue in his cheek. On the whole, Aymé's good-natured sympathy for every aspect of life is nothing but sympathy for those who enjoy life. He becomes sarcastic only when meeting people who lead narrow, shrunken lives, who feel that human nature is basically bad and ought to be checked all the time.

It is needless to enlarge upon his deeply felt although humorously expressed objections to Catholic morals. At the same time he is not anticlerical on principle; among his most engaging characters we are not infrequently surprised to find a good-natured, broad-minded priest. When reading his best pages, we cannot help being reminded of Rabelais.

Another genre for which Aymé seems particularly well gifted is the fantastic short story, best exemplified in *La carte*, which we have selected from *Le passe-murailles* (1943). A very simple device serves as a starting point for most of these stories. Describing everyday life, Aymé changes just one element; in the present case, the story is based on the assumption that time can be rationed, exactly as bread and coffee were rationed after the 1940 armistice. At first the reader is surprised and amused. Meanwhile Aymé goes on with his story as if everything were perfectly normal. While sticking as closely as possible to reality, he develops the initial fantastic assumption to its utmost logical consequences, showing its various implications—how, for instance, time rationing affects different people according to their age, sex, social group, position; how it complicates business relations, family life. In the long run, the reader forgets the original distortion of reality and comes to take it almost for granted.

Time rationing, the ability of a man to walk through walls, multiplication of bodies belonging to one soul—these are some of Aymé's most amusing distortions of reality. He also enjoys endowing animals with human speech and reasoning, as for example in *Les contes du chat perché*, a fine collection of short stories for children which was awarded the Chantecler Prize in 1939.

Marcel Aymé now lives in Paris among a group of artists, painters, and writers who have gathered in the famous section of Montmartre. In constant touch with the man in the street, he has come to have a very close understanding of middle- or lower-class people, whom he has depicted in such a novel as *La rue sans nom*. His realism is an accurate recording of gestures, attitudes, manners, and, above all, habits of speech. His treatment of Parisian slang is more genuine than that of most modern novelists and is all the funnier because it is interspersed with phrases of the most academic, stuffiest language.

Obviously Aymé cannot, and does not care to, compete with such giants as Gide, Proust, Malraux, and Mauriac. He is neither profound nor thought-provoking. He writes mainly for readers who enjoy good storytelling. He can narrate in the most engaging manner and apparently is not concerned with what critics and professors think of him. He gives the impression of being an amateur, which may explain why many faithful readers always eagerly await Aymé's forthcoming novel or collection of short stories. They are sure to be entertained in a manner which is both relaxing and intelligent.

LA CARTE [1]
Extraits du journal de Jules Flegmon

10 février.—Un bruit absurde court dans le quartier à propos de nouvelles restrictions. Afin de parer à la disette et d'assurer un meilleur rendement de l'élément laborieux de la population, il serait procédé à la mise à mort des consommateurs improductifs: [2]
5 vieillards, retraités, rentiers, chômeurs, et autres bouches inutiles. Au fond, je trouve que cette mesure serait assez juste. Rencontré [3] tout à l'heure, devant chez moi, mon voisin Roquenton, ce fougueux septuagénaire qui épousa, l'an passé, une jeune femme de vingt-quatre ans. L'indignation l'étouffait: «Qu'importe l'âge,
10 s'écriait-il, puisque je fais le bonheur de ma poupée jolie!» En des termes élevés, je lui ai conseillé d'accepter avec une joie orgueilleuse le sacrifice de sa personne au bien de la communauté.

1. Ration book.   2. It is rumored that nonproductive consumers will be put to death. (Here Aymé uses the technical language of a government report.)   3. i.e., **j'ai rencontré** (abbreviated diary style is used throughout

12 février.—Il n'y a pas de fumée sans feu. Déjeuné aujourd'hui avec mon vieil ami Maleffroi, conseiller à la préfecture de la Seine. Je l'ai cuisiné [4] adroitement, après lui avoir délié la langue avec une bouteille d'arbois.[5] Naturellement, il n'est pas question de mettre à mort les inutiles. On rognera [6] simplement sur leur temps de vie. 5 Maleffroi m'a expliqué qu'ils auraient droit à tant de jours d'existence par mois, selon leur degré d'inutilité. Il paraît que les cartes de temps sont déjà imprimées. J'ai trouvé cette idée aussi heureuse que poétique. Je crois me souvenir d'avoir dit là-dessus des choses vraiment charmantes. Sans doute un peu ému par le vin, Maleffroi 10 me regardait avec de bons yeux, tout embués par l'amitié.

13 février.—C'est une infamie! un déni de justice! un monstrueux assassinat! Le décret vient de paraître dans les journaux et voilà-t-il que pas [7] parmi «les consommateurs dont l'entretien n'est compensé par aucune contre-partie [8] réelle», figurent les artistes et les écri- 15 vains! A la rigueur, j'aurais compris que la mesure s'appliquât aux peintres, aux sculpteurs, aux musiciens. Mais aux écrivains! Il y a là une inconséquence,[9] une aberration, qui resteront la honte suprême de notre époque. Car, enfin, l'utilité des écrivains n'est pas à démontrer, surtout la mienne, je peux le dire en toute modestie. 20 Or, je n'aurai droit qu'à quinze jours d'existence par mois.

16 février.—Le décret entrant en vigueur [10] le 1er mars et les inscriptions [11] devant être prises dès le 18, les gens voués [12] par leur situation sociale à une existence partielle s'affairent à la recherche d'un emploi qui leur permette d'être classés dans la catégorie des 25 vivants à part entière.[13] Mais l'administration, avec une prévoyance diabolique, a interdit tout mouvement de personnel avant le 25 février.

L'idée m'est venue de téléphoner à mon ami Maleffroi pour qu'il m'obtienne un emploi de portier ou de gardien de musée dans les 30 quarante-huit heures. J'arrive trop tard. Il vient d'accorder la dernière place de garçon de bureau dont il disposait.

—Mais aussi, pourquoi diable avoir attendu jusqu'à aujourd'hui pour me demander une place?

the story).   **4.** slang for **interrogé.**   **5.** fairly good wine of the Jura Mountains.   **6.** will reduce.   **7.** isn't it awful that.   **8.** contribution (to society). **9.** inconsistency.   **10.** becoming effective.   **11.** registration at a government office to secure a ration book.   **12.** condemned.   **13.** a full ration of time.

—Mais comment pouvais-je supposer que la mesure m'atteindrait? Quand nous avons déjeuné ensemble, vous ne m'avez pas dit . . .

—Permettez. J'ai spécifié, on ne peut plus clairement, que la
5 mesure concernait tous les inutiles.

17 février.—Sans doute ma concierge me considère-t-elle déjà comme un demi-vivant, un fantôme, une ombre émergeant à peine des enfers, car ce matin, elle a négligé de m'apporter mon courrier. En descendant, je l'ai secouée d'importance.[14] «C'est, lui ai-je dit,
10 pour mieux gaver [15] les paresseux de votre espèce qu'une élite fait le sacrifice de sa vie.» Et, au fond, c'est très vrai. Plus j'y pense, plus ce décret me paraît injuste et inique.

Rencontré tout à l'heure Roquenton et sa jeune femme. Le pauvre vieux m'a fait pitié. En tout et pour tout, il aura droit à six jours
15 de vie par mois, mais le pis est que Mme Roquenton, en raison de sa jeunesse, ait droit à quinze jours. Ce décalage [16] jette le vieil époux dans une anxiété folle. La petite paraît accepter son sort avec plus de philosophie.

Au cours de cette journée, j'ai rencontré plusieurs personnes que
20 le décret n'atteint pas. Leur incompréhension et leur ingratitude à l'égard des sacrifiés me dégoûtent profondément. Non seulement cette mesure inique leur apparaît comme la chose la plus naturelle du monde, mais il semble bien qu'ils s'en réjouissent. On ne flétrira [17] jamais assez cruellement l'égoïsme des humains.

25 **18 février.**—Fait trois heures de queue à la mairie du dix-huitième arrondissement pour retirer ma carte de temps. Nous étions là, distribués en une double file, environ deux milliers de malheureux dévoués à l'appétit des masses laborieuses. Et ce n'était qu'une première fournée. La proportion des vieillards m'a paru être de la
30 moitié. Il y avait de jolies jeunes femmes aux visages tout alanguis de tristesse et qui semblaient soupirer: *Je ne veux pas mourir encore.* Les professionnelles de l'amour étaient nombreuses. Le décret les a durement touchées en réduisant leur temps de vie à sept jours par mois. Devant moi, l'une d'elles se plaignait d'être condamnée pour
35 toujours à sa condition de fille publique. En sept jours, affirmait-

14. I gave her a good talking to.   15. cram, gorge, stuff.   16. difference, discrepancy.   17. will stigmatize.   18. to become attached.   19. the real

elle, les hommes n'ont pas le temps de s'attacher.[18] Cela ne me
paraît pas si sûr. Dans les files d'attente, j'ai reconnu, non sans émotion, et, je dois l'avouer, avec un secret contentement, des camarades de Montmartre, écrivains et artistes: Céline, Gen Paul,
Daragnès, Fauchois, Soupault, Tintin, d'Esparbès[19] et d'autres.
Céline était dans un jour sombre. Il disait que c'était encore une
manœuvre des Juifs, mais je crois que sur ce point précis, sa
mauvaise humeur l'égarait. En effet, aux termes du décret, il est
alloué aux Juifs, sans distinction d'âge, de sexe, ni d'activité, une
demi-journée d'existence par mois. Dans l'ensemble, la foule était
irritée et houleuse. Les nombreux agents commis au service d'ordre
nous traitaient avec beaucoup de mépris, nous considérant évidemment comme un rebut d'humanité. A plusieurs reprises, comme
nous nous lassions de cette longue attente, ils ont apaisé notre
impatience à coups de pied au cul.[20] J'ai dévoré l'humiliation avec
une muette dignité, mais j'ai regardé fixement un brigadier de
police en rugissant mentalement un cri de révolte. Maintenant,
c'est nous qui sommes les damnés de la terre.[21]

J'ai pu enfin retirer ma carte de temps. Les tickets attenants,[22]
dont chacun vaut vingt-quatre heures d'existence, sont d'un bleu
très tendre, couleur de pervenche,[23] et si doux que les larmes m'en
sont venues aux yeux.

24 février.—Il y a une huitaine de jours, j'avais écrit à l'administration compétente[24] pour que mon cas personnel fût pris en considération. J'ai obtenu un supplément de vingt-quatre heures d'existence par mois. C'est toujours ça.[25]

5 mars.—Depuis une dizaine de jours, je mène une existence
fiévreuse qui m'a fait délaisser mon *Journal.* Pour ne rien laisser
perdre d'une vie aussi brève, j'ai quasiment perdu le sommeil de
mes nuits. En ces quatre derniers jours, j'aurai noirci plus de
papier qu'en trois semaines de vie normale et, toutefois, mon style
garde le même éclat, ma pensée la même profondeur. Je me
dépense au plaisir[26] avec la même frénésie. Je voudrais que toutes

names of well-known contemporary writers and artists.　20. a kick in the
pants.　21. a famous expression in the *Internationale* meaning the workers.
22. attached.　23. periwinkle, myrtle.　24. proper authority.　25. That's
better than nothing　26. I give myself up to pleasure.　27. a large piece.

les jolies femmes fussent à moi, mais c'est impossible. Toujours avec le désir de profiter de l'heure qui passe, et peut-être aussi dans un esprit de vengeance, je fais chaque jour deux très copieux repas au marché noir. Mangé à midi trois douzaines d'huîtres, deux œufs
5 pochés, un quartier [27] d'oie, une tranche de filet de bœuf, légume, salade, fromages divers, un entremets au chocolat, un pamplemousse [28] et trois mandarines.[29] En buvant mon café, et quoique l'idée de mon triste sort ne m'eût point abandonné, j'éprouvais un certain sentiment de bonheur. Deviendrais-je un parfait stoïcien?
10 En sortant du restaurant, je suis tombé [30] sur le couple Roquenton. Le bonhomme vivait aujourd'hui sa dernière journée du mois de mars. Ce soir, à minuit, son sixième ticket usé, il sombrera dans le non-être et y demeurera vingt-cinq jours.

7 mars.—Rendu visite à la jeune Mme Roquenton, provisoire-
15 ment veuve depuis la minuit. Elle m'a accueilli avec une grâce que la mélancolie rendait plus charmante. Nous avons parlé de choses et d'autres, et aussi de son mari. Elle m'a conté comment il s'était évanoui dans le néant. Ils étaient tous les deux couchés. A minuit moins une, Roquenton tenait la main de sa femme et lui adressait
20 ses dernières recommandations.[31] A minuit sonnant, elle a senti tout d'un coup la main de son compagnon fondre dans la sienne. Il ne restait plus à côté d'elle qu'un pyjama vide et un râtelier sur le traversin. Cette évocation nous a bien vivement émus. Comme Lucette Roquenton versait quelques larmes, je lui ai ouvert mes
25 bras.

12 mars.—Hier soir, à six heures, suis allé prendre un verre de sirop chez Perruque, l'académicien.[32] Comme on sait, l'administration, pour ne pas faire mentir leur réputation d'immortalité, accorde à ces débris [33] le privilège de figurer parmi les vivants à part entière.
30 Perruque a été ignoble de suffisance, d'hypocrisie et de méchanceté. Nous étions chez lui une quinzaine, tous des sacrifiés, qui vivions nos derniers tickets du mois. Perruque seul était à part entière. Il nous traitait avec bonté, comme des êtres diminués, impuissants.

---

28. grapefruit. 29. tangerines. 30. I came across. 31. advice.
32. member of the Académie Française, a self-perpetuating body of illustrious writers, artists, statesmen, generals, etc., jocularly referred to as "the Immortals." 33. decrepit beings. 34. made a terrific effort not to call him a rotten

Il nous plaignait avec une mauvaise flamme dans l'œil, nous promettant de défendre nos intérêts en notre absence. Il jouissait d'être, sur un certain plan, quelque chose de plus que nous. Me suis retenu à quatre pour ne pas le traiter de [34] vieux melon et de canasson refroidi. Ah! si je n'avais pas l'espoir de lui succéder un 5 jour!

13 mars.—Déjeuné à midi chez les Dumont. Comme toujours, ils se sont querellés et même injuriés.[35] Avec un accent de sincérité qui ne trompe pas, Dumont s'est écrié: «Si au moins je pouvais utiliser mes tickets de vie dans la deuxième quinzaine du mois, de façon 10 à ne jamais vivre en même temps que toi!» Mme Dumont a pleuré.

16 mars.—Lucette Roquenton est entrée cette nuit dans le néant. Comme elle avait une grande peur, je l'ai assistée dans ses derniers moments. Elle était déjà couchée lorsque, à neuf heures et demie, je suis monté chez elle. Pour lui éviter les affres [36] de la dernière 15 minute, je me suis arrangé pour retarder d'un quart d'heure la pendulette qui se trouvait sur la table de chevet. Cinq minutes avant le plongeon, elle a eu un accès de larmes.[37] Puis, croyant avoir encore vingt minutes de marge,[38] elle a pris le temps de se remettre à son avantage [39] dans un souci de coquetterie qui m'a paru assez 20 touchant. Au moment du passage, j'ai pris garde à ne pas la quitter des yeux. Elle était en train de rire à une réflexion que je venais de faire, et, soudain, son rire a été interrompu, en même temps qu'elle s'évanouissait à mon regard, comme si un illusionniste l'eût escamotée.[40] J'ai tâté la place encore chaude où reposait son corps, et 25 j'ai senti descendre en moi ce silence qu'impose la présence de la mort. J'étais assez péniblement impressionné. Ce matin même, à l'instant où j'écris ces lignes, je suis angoissé. Depuis mon réveil je compte les heures qui me restent à vivre. Ce soir, à minuit, ce sera mon tour. 30

Ce même jour, à minuit moins le quart, je reprends mon journal. Je viens de me coucher et je veux que cette mort provisoire me prenne la plume à la main, dans l'exercice de ma profession. Je trouve cette attitude assez crâne. J'aime cette forme de courage,

melon and a stiff broken-down nag. **35.** have called each other names. **36.** anguish, pangs, spasms. **37.** crying spell. **38.** twenty minutes left. **39.** repair her make-up. **40.** as if a magician had whisked her away.

élégante et discrète. Au fait, la mort qui m'attend est-elle bien réellement provisoire, et ne s'agit-il pas d'une mort pure et simple? Cette promesse de résurrection ne me dit rien qui vaille. Je suis maintenant tenté d'y voir une façon habile de nous colorer la
5 sinistre vérité. Si, dans quinze jours, aucun des sacrifiés ne ressuscite, qui donc réclamera pour eux? Pas leurs héritiers, bien sûr! et, quand ils [41] réclameraient, la belle consolation! Je pense tout à coup que les sacrifiés doivent ressusciter en bloc, le premier jour du mois prochain, c'est-à-dire le 1er avril. Ce pourrait être l'occasion d'un
10 joli poisson.[42] Je me sens pris d'une horrible panique et je . . .

1er avril.—Me voilà bien vivant. Ce n'était pas un poisson d'avril. Je n'ai d'ailleurs pas eu la sensation du temps écoulé. En me retrouvant dans mon lit, j'étais encore sous le coup de cette panique qui précéda ma mort. Mon journal était resté sur le lit, et j'ai voulu
15 achever la phrase où ma pensée restait accrochée, mais il n'y avait plus d'encre dans mon stylo. En découvrant que ma pendule était arrêtée à quatre heures dix, j'ai commencé à soupçonner la vérité. Ma montre était également arrêtée. J'ai eu l'idée de téléphoner à Maleffroi pour lui demander la date. Il ne dissimula pas sa mauvaise
20 humeur d'être ainsi tiré du lit au milieu de la nuit et ma joie d'être ressuscité le toucha médiocrement. Mais j'avais besoin de m'épancher.

—Vous voyez, dis-je, la distinction entre temps spatial et temps vécu n'est pas une fantaisie de philosophe. J'en suis la preuve. En
25 réalité, le temps absolu n'existe pas . . .

—C'est bien possible, mais il est tout de même minuit et demi, et je crois . . .

—Remarquez que c'est très consolant. Ces quinze jours pendant lesquels je n'ai pas vécu, ce n'est pas du temps perdu pour moi. Je
30 compte bien les récupérer plus tard.

—Bonne chance et bonne nuit, a coupé [43] Maleffroi.

Ce matin, vers neuf heures, je suis sorti et j'ai éprouvé la sensation d'un brusque changement. La saison me semblait avoir fait un bond appréciable. En vérité, les arbres s'étaient déjà transformés,
35 l'air était plus léger, les rues avaient un autre aspect. Les femmes étaient aussi plus printanières. L'idée que le monde a pu vivre sans moi m'a causé et me cause encore quelque dépit. Vu plusieurs

41. even if they.   42. April Fools' joke.   43. interrupted and hung up.

personnes ressuscitées cette nuit. Echange d'impressions. La mère Bordier m'a tenu la jambe [44] pendant vingt minutes à me raconter qu'elle avait vécu, détachée de son corps, quinze jours de joies sublimes et paradisiaques. La rencontre la plus drôle que j'aie faite est assurément celle de Bouchardon, qui sortait de chez lui. La mort provisoire l'avait saisi pendant son sommeil, dans la nuit du 15 mars. Ce matin, il s'est réveillé bien persuadé qu'il avait échappé à son destin. Il en profitait pour se rendre à un mariage qu'il croyait être pour aujourd'hui et qui, en réalité, a dû être célébré il y a quinze jours. Je ne l'ai pas détrompé.

2 avril.—Je suis allé prendre le thé chez les Roquenton. Le bonhomme est pleinement heureux. N'ayant pas eu la sensation du temps de son absence, les événements qui l'ont rempli n'ont aucune réalité dans son esprit. L'idée que, pendant les neuf jours où elle a vécu sans lui, sa femme aurait pu le tromper, lui paraît évidemment de la métaphysique. Je suis bien content pour lui. Lucette n'a pas cessé de me regarder avec des yeux noyés et languides. J'ai horreur de ces messages passionnés émis à l'insu d'un tiers.[45]

3 avril.—Je ne décolère pas depuis ce matin. Perruque, pendant que j'étais mort, a manœuvré pour que l'inauguration du musée Mérimée ait lieu le 18 avril. A l'occasion de cette fête, et le vieux fourbe ne l'ignore pas, je devais prononcer un discours très important qui m'eût entr'ouvert les portes de l'Académie. Mais le 18 avril, je serai dans les limbes.

7 avril.—Roquenton est mort encore un coup. Cette fois, il a accepté son sort avec bonne humeur. Il m'avait prié à dîner chez lui et, à minuit nous étions au salon, en train de boire le champagne. Au moment où il a fait le plongeon, Roquenton était debout, et nous avons vu soudain ses vêtements tomber en tas sur le tapis. En vérité c'était assez comique. Néanmoins, l'accès de gaîté auquel s'est laissée aller Lucette m'a paru inopportun.

12 avril.—Reçu ce matin une visite bouleversante, celle d'un homme d'une quarantaine d'années, pauvre, timide, et en assez

44. talked me to death.   **45.** without a third party's knowing it.   **46.** pen-

mauvaise condition physique. C'était un ouvrier malade, marié et
père de trois enfants, qui voulait me vendre une partie de ses
tickets de vie afin de pouvoir nourrir sa famille. Sa femme malade,
lui-même trop affaibli par les privations pour assurer un travail de
5 force, son allocation [46] lui permettait tout juste d'entretenir les
siens dans un état plus proche de la mort que de la vie. La proposition qu'il me fit de me vendre ses tickets de vie m'emplit de confusion. Je me faisais l'effet [47] d'un ogre de légende, un de ces
monstres de la fable antique, qui percevaient [48] un tribut de chair
10 humaine. Je bafouillai [49] une protestation et, refusant les tickets du
visiteur, lui offris une certaine somme d'argent sans contre-partie.
Conscient de la grandeur de son sacrifice, il en tirait un légitime
orgueil et ne voulait rien accepter qu'il n'eût payé d'un ou plusieurs
jours de son existence. N'ayant pu réussir à le convaincre, j'ai fini
15 par lui prendre un ticket. Après son départ, je l'ai fourré dans mon
tiroir, bien décidé à ne pas l'utiliser. Ainsi prélevée sur l'existence
d'un semblable, cette journée supplémentaire me serait odieuse.

14 avril.—Rencontré Maleffroi dans le métro. Il m'a expliqué que
le décret de réduction commençait à porter ses fruits. Les gens
20 riches se trouvant très atteints,[50] le marché noir a perdu d'impor-
tants débouchés et ses prix ont déjà baissé très sensiblement. En
haut lieu,[51] on espère en avoir bientôt fini avec cette plaie.[52]
En général, paraît-il, les gens sont mieux ravitaillés,[53] et Maleffroi
m'a fait observer que les Parisiens avaient meilleure mine. Cette
25 constatation m'a procuré une joie mélangée.
—Ce qui n'est pas moins appréciable, poursuivit Maleffroi, c'est
l'atmosphère de quiétude et d'allégement dans laquelle nous vivons
en l'absence de ces nouveaux rationnés. On se rend compte alors à
quel point les riches, les chômeurs, les intellectuels et les catins [54]
30 peuvent être dangereux dans une société où ils n'introduisent que
le trouble, l'agitation vaine, le dérèglement et la nostalgie de l'impossible.

15 avril.—Refusé une invitation pour ce soir chez les Carteret qui
me priaient de vouloir bien assister à leur «agonie».[55] C'est une

sion.   **47.** I looked upon myself as being.   **48.** levied.   **49.** splutter,
stammer.   **50.** affected.   **51.** In high government circles.   **52.** evil.
53. fed.   **54.** strumpets.   **55.** death throes.   **56.** the fast set.   **57.** is be-

mode qu'ont adoptée les gens swing [56] de réunir des amis à l'occasion de leur mort provisoire. Parfois, m'a-t-on dit, ces réunions donnent lieu à des mêlées orgiaques. C'est dégoûtant.

16 avril.—Je meurs ce soir. Aucune appréhension.

1er mai.—Cette nuit, en revenant à la vie, j'ai eu une surprise. La 5
mort relative (c'est l'expression à la mode) m'avait saisi debout et
mes vêtements s'étant affaissés sur le tapis, je me suis retrouvé tout
nu. Même aventure est arrivée chez le peintre Rondot qui avait
réuni une dizaine d'invités des deux sexes, tous candidats à la mort
relative. Ç'a dû être assez drôle. Le mois de mai s'annonce si beau 10
qu'il m'en coûte de renoncer aux quinze derniers jours.

5 mai.—Au cours de ma dernière tranche d'existence, j'avais eu
le sentiment d'une opposition naissante entre les vivants à part
entière et les autres. Il semble qu'elle s'accuse de plus en plus [57] et
on ne saurait, en tout cas, douter qu'elle existe. C'est d'abord une 15
jalousie réciproque. Cette jalousie s'explique aisément chez les
gens pourvus d'une carte de temps. On ne s'étonnera même pas
qu'elle se double d'une solide rancune à l'égard des privilégiés. Pour
ceux-ci, j'ai à chaque instant l'occasion de m'en rendre compte, ils
nous envient secrètement d'être les héros du mystère et de l'in- 20
connu, d'autant que cette barrière du néant qui nous sépare leur est
plus sensible [58] qu'à nous-mêmes qui n'en avons pas la perception.
La mort relative leur apparaît comme des vacances et ils ont l'impression d'être rivés à leur chaîne. D'une façon générale, ils ont
tendance à se laisser aller à une sorte de pessimisme et de hargne [59] 25
désagréable. Au contraire, le sentiment toujours présent de la fuite
du temps, la nécessité d'adopter un rythme de vie plus rapide incline les gens de ma catégorie à la bonne humeur. Je pensais à tout
cela à midi en déjeunant avec Maleffroi. Tantôt désabusé et ironique, tantôt agressif, il semblait prendre à cœur de me décourager 30
de mon sort et faisait valoir sa chance avec le désir évident de se
convaincre lui-même. Il me parlait comme on pourrait le faire à
un ami appartenant à une nation ennemie.

8 mai.—Ce matin, un individu est venu me proposer des tickets
de vie à deux cents francs pièce. Il en avait une cinquantaine à 35

coming more and more marked.   **58.** perceptible.   **59.** peevishness, can-

placer.[59] Je l'ai vidé sans y mettre de formes [61] et il ne doit qu à sa forte carrure [62] de n'avoir pas eu mon pied dans les fesses.

10 mai.—Il y aura quatre jours ce soir que Roquenton, pour la troisième fois, est entré dans la mort relative. Pas revu Lucette depuis, mais je viens d'apprendre qu'elle est entichée d'un vague petit jeune homme blond. Je vois d'ici l'animal, un jeune veau appartenant à l'espèce *swing*. Au demeurant, je m'en bats l'œil.[63] Cette petite bonne femme n'a aucun goût, je n'ai pas attendu aujourd'hui pour m'en apercevoir.

12 mai.—Le marché noir des tickets de vie est en train de s'organiser sur une vaste échelle. Des démarcheurs visitent les pauvres et les persuadent de vendre quelques jours de vie afin d'assurer à leurs familles des moyens de subsistance complémentaires. Les vieillards réduits à la retraite du travailleur, les femmes de prisonniers sans emploi sont également des proies faciles. Le cours du ticket s'établit actuellement entre deux cents et deux cent cinquante francs. Je ne pense pas qu'il monte beaucoup plus haut, car la clientèle des gens riches ou simplement aisés est malgré tout assez restreinte, si l'on a égard [64] au nombre des pauvres. En outre, beaucoup de gens se refusent à admettre que la vie humaine soit ainsi traitée comme vile marchandise. Pour ma part, je ne transigerai pas avec ma conscience.

14 mai.—Mme Dumont a égaré sa carte de temps. C'est fort gênant, car pour en obtenir une autre, il faut compter un délai d'au moins deux mois. Elle accuse son mari de la lui avoir cachée pour se débarrasser d'elle. Je ne crois pas qu'il ait l'âme aussi noire. Le printemps n'a jamais été aussi beau que cette année. J'ai regret de mourir après-demain.

16 mai.—Dîné hier chez la baronne Klim. Parmi les invités, Mgr Delabonne était le seul vivant à part entière. Quelqu'un ayant parlé du marché noir des tickets de vie, je me suis élevé contre une pratique que je jugeais honteuse. J'étais on ne peut plus sincère. Peut-être aussi souhaitais-je faire une bonne impression sur l'évêque qui dispose de plusieurs voix à l'Académie. J'ai senti tout de suite un

tankerousness.   **60.** sell.   **61.** I kicked him out unceremoniously. **62.** breadth of shoulder, strong frame.   **63.** I don't give a hoot.   **64.** con-

froid dans l'assistance. Monseigneur m'a souri avec bonté comme il eût fait aux confidences d'un jeune prêtre consumé d'ardeurs apostoliques. On parla d'autre chose. Après le dîner, au salon, la baronne m'entreprit,[65] d'abord à mi-voix, sur le marché noir des tickets de vie. Elle me remontra que mon immense et incontesté talent 5 d'écrivain, la profondeur de mes vues, le grand rôle que j'étais appelé à jouer me faisaient un devoir, une obligation morale de mettre des rallonges [66] à une existence consacrée à l'enrichissement de la pensée et à la grandeur du pays. Me voyant ébranlé, elle porta le débat devant les invités. Ceux-ci furent à peu près unanimes à blâmer 10 mes scrupules qui me dérobaient, sous une brume de fausse sentimentalité, les vrais chemins de la justice. Monseigneur, sollicité de donner un avis, refusa de trancher le cas, mais s'exprima en une parabole pleine de sens: un cultivateur laborieux manque de terre alors que ses voisins laissent les leurs en friche. A ces voisins négli- 15 gents, il achète une partie de leurs champs, les laboure, les ensemence [67] et récolte de grasses moissons qui profitent à tout le monde.

Je me suis laissé persuader par cette brillante assemblée et ce matin il me restait assez de conviction pour faire l'achat de cinq 20 tickets de vie. Pour mériter ce supplément d'existence, je me retirerai à la campagne où je travaillerai d'arrache-pied [68] à mon livre.

20 mai.—Suis en Normandie depuis quatre jours. Sauf quelques promenades à pied, mon temps est entièrement consacré au travail. Les cultivateurs ne connaissent guère la carte de temps. Les vieil- 25 lards eux-mêmes ont droit à vingt-cinq jours par mois. Comme il me faudrait un jour supplémentaire pour terminer un chapitre, j'ai demandé à un vieux paysan de me céder un ticket. Sur question, je lui ai répondu qu'à Paris le ticket s'achète deux cents francs. «Vous voulez rire! s'est-il écrié. Au prix où on nous achète le cochon sur 30 pied,[69] venir me proposer deux cents francs!» Je n'ai donc pas fait affaire. Je prends le train demain après-midi pour être à Paris dans la soirée et mourir chez moi.

3 juin.—Quelle aventure! Le train ayant eu un retard considérable, la mort provisoire m'a surpris quelques minutes avant d'arriver 35 à Paris. Je suis revenu à la vie dans le même compartiment, mais le

sidering. **65.** approached me on the subject of. **66.** extension leaves (as of a table). **67.** sow, plant. **68.** obstinately. **69.** Considering the price

wagon se trouvait à Nantes, sur une voie de garage. Et, naturellement, j'étais tout nu. Que d'ennuis et de vexations il m'a fallu subir:
j'en suis encore malade. Par bonheur, je voyageais avec une personne
de connaissance qui avait fait parvenir mes effets à domicile.

5   *4 juin.*—Rencontré Mélina Badin, l'actrice de l'Argos, qui m'a
raconté une histoire absurde. Certains de ses admirateurs ayant tenu
à lui céder une parcelle d'existence, elle s'est trouvée, le 15 mai
dernier, à la tête de [70] vingt et un tickets. Or, elle prétend les avoir
tous utilisés, si bien qu'elle aurait vécu trente-six jours dans le mois.
10 J'ai cru devoir plaisanter:
    —Ce mois de mai qui consent à s'allonger de cinq jours à votre
seul usage, est vraiment un mois galant, lui ai-je dit.
    Mélina paraissait sincèrement navrée de mon scepticisme. J'in-
cline à croire qu'elle a l'esprit dérangé.

15   *11 juin.*—Drame chez les Roquenton. Je n'ai appris la chose que
cet après-midi. Le 15 mai dernier, Lucette accueillait chez elle son
jeune pommadin [71] à poil blond et, à minuit, ils sombraient dans le
néant. A leur retour à la vie, ils ont repris corps dans le lit où ils
s'étaient endormis, mais ils ne s'y trouvaient plus seuls, car Roquen-
20 ton ressuscitait entre eux deux. Lucette et le blondin ont feint de
ne pas se connaître, mais Roquenton trouve que c'est bien invraisemblable.

  12 juin.—Les tickets de vie s'achètent à des prix astronomiques et
l'on n'en trouve plus à moins de cinq cents francs. Il faut croire
25 que les pauvres gens sont devenus plus avares de leur existence et
les riches plus avides. J'en ai acheté dix au début du mois, à deux
cents francs pièce et le lendemain de cet achat, je recevais d'Orléans
une lettre de mon oncle Antoine qui m'en envoyait neuf. Le pauvre
homme souffre si fort de ses rhumatismes qu'il a résolu d'attendre
30 dans le néant une amélioration de son état. Me voici donc à la tête
de dix-neuf tickets. Le mois ayant trente jours, j'en ai cinq de trop.
Je trouverai sans peine à les vendre.

  15 juin.—Hier soir, Maleffroi est monté chez moi. Il était d'excel-
lente humeur. Le fait que certaines personnes déboursent de grosses

we are paid for unslaughtered pigs.   **70.** in possession of.   **71.** fop, dandy.

sommes pour vivre, comme lui, un mois plein, lui a rendu l'optimisme. Il ne fallait rien de moins [72] pour le convaincre que le sort des vivants à part entière est enviable.

20 juin.—Je travaille avec acharnement. S'il fallait en croire certaines rumeurs, Mélina Badin ne serait pas si folle qu'il semble. En effet, nombre de personnes se flattent d'avoir vécu plus de trente et un jours pendant le dernier mois de mai. Pour ma part, j'en ai entendu plusieurs. Il ne manque naturellement pas de gens assez simples pour croire à ces fables.

22 juin.—Usant de représailles à l'égard de Lucette, Roquenton a acheté au marché noir pour une dizaine de mille francs de tickets qu'il réserve à son usage exclusif. Sa femme est dans le néant depuis dix jours déjà. Je crois qu'il regrette d'avoir été aussi sévère. La solitude paraît lui peser cruellement. Je le trouve changé, presque méconnaissable.

27 juin.—La fable selon laquelle le mois de mai aurait eu des rallonges pour quelques privilégiés, s'accrédite solidement. Laverdon, qui est pourtant un homme digne de foi, m'a affirmé qu'il avait vécu trente-cinq jours en ce seul mois de mai. Je crains que tous ces rationnements de temps n'aient dérangé beaucoup de cervelles.

28 juin.—Roquenton est mort hier matin, vraisemblablement de chagrin. Il ne s'agit pas de mort relative, mais de mort tout court.[73] On l'enterre demain. Le 1er juillet, en revenant à la vie, Lucette va se trouver veuve.

32 juin.—Il faut bien convenir que le temps a des perspectives encore inconnues. Quel casse-tête! [74] Hier matin, j'entre dans une boutique acheter un journal. Il portait la date du 31 juin.
—Tiens, dis-je, le mois a trente et un jours?
La marchande, que je connais depuis des années, me regarde d'un air incompréhensif. Je jette un coup d'œil sur les titres du journal et je lis:
«M. Churchill se rendrait à New-York entre le 39 et le 45 juin.»

72. Nothing more was necessary.   73. pure and simple.   74. difficult prob-

Dans la rue, j'attrape un bout de conversation entre deux hommes:

—Il faut que je sois à Orléans le 37, dit l'un d'eux.

Un peu plus loin, je tombe sur Bonrivage qui se promène, l'air
5 hagard. Il me fait part [75] de sa stupéfaction. J'essaie de le réconforter.
Il n'y a qu'à prendre les choses comme elles viennent. Vers le
milieu de l'après-midi, j'avais fait la remarque suivante: les vivants
à part entière n'ont pas la moindre conscience d'une anomalie dans
le déroulement du temps. Les gens de ma catégorie, qui se sont
10 introduits en fraude dans ce prolongement du mois de juin, sont
seuls à être déroutés. Maleffroi, à qui j'ai fait part de mes éton-
nements, n'y a rien compris et m'a cru maboule.[76] Mais que
m'importe ce bourgeonnement [77] de la durée! Depuis hier soir, je
suis amoureux fou. Je l'ai rencontrée justement chez Maleffroi.
15 Nous nous sommes vus, et au premier regard, nous nous sommes
aimés. Adorable Elisa.

34 *juin.*—Revu Elisa hier et aujourd'hui. J'ai enfin rencontré la
femme de ma vie. Nous sommes fiancés. Elle part demain pour un
voyage de trois semaines en zone non occupée. Nous avons décidé
20 de nous marier à son retour. Je suis trop heureux pour parler de
mon bonheur, même dans ce *journal.*

35 *juin.*—Conduit Elisa à la gare. Avant de monter dans son
compartiment, elle m'a dit:

—Je ferai l'impossible pour être rentrée avant le 60 juin.
25 A la réflexion, cette promesse m'inquiète. Car enfin, j'use aujourd'hui mon dernier ticket de vie. Demain, à quelle date serai-je?

1er *juillet.*—Les gens auxquels je parle du 35 juin ne comprennent
rien à mes paroles. Nulle trace de ces cinq jours dans leur mémoire.
Heureusement, j'ai rencontré quelques personnes qui les ont vécus
30 en fraude et j'ai pu en parler avec elles. Conversation d'ailleurs
curieuse. Pour moi, nous étions hier le 35 juin. Pour d'autres, c'était
hier le 32 ou le 43. Au restaurant, j'ai vu un homme qui a vécu
jusqu'au 66 juin, ce qui représente une bonne provision de tickets.

lem.   **75.** He tells me about.   **76.** crazy.   **77.** budding, growing, increase.

2 juillet.—Croyant Elisa en voyage, je ne voyais aucune raison de me manifester.[78] Un doute m'est venu et j'ai téléphoné chez elle. Elisa déclare ne pas me connaître, ne m'avoir jamais vu. De mon mieux, je lui explique qu'elle a vécu, sans s'en douter, des jours enivrants. Amusée, mais nullement convaincue, elle consent à me voir 5 jeudi. Je suis mortellement inquiet.

4 juillet.—Les journaux sont pleins de «l'Affaire des tickets». Le trafic des cartes de temps sera le gros scandale de la saison. En raison de l'accaparement des tickets de vie par les riches, l'économie réalisée sur les denrées alimentaires [79] est à peu près nulle. En outre, 10 certains cas particuliers soulèvent une grosse émotion. On cite, entre autres, celui du richissime M. Wadé, qui aurait vécu entre le 30 juin et le 1ᵉʳ juillet, mille neuf cent soixante-sept jours, soit la bagatelle de cinq ans et quatre mois. Rencontré tantôt [80] Yves Mironneau, le célèbre philosophe. Il m'a expliqué que chaque 15 individu vit des milliards d'années, mais que notre conscience n'a sur cet infini que des vues brèves et intermittentes, dont la juxtaposition constitue notre courte existence. Il a dit des choses beaucoup plus subtiles, mais je n'y ai pas compris grand'chose. Il est vrai que j'avais l'esprit ailleurs. Je dois voir Elisa demain. 20

5 juillet.—Vu Elisa. Hélas! Tout est perdu et je n'ai rien à espérer. Elle n'a d'ailleurs pas douté de la sincérité de mon récit. Peut-être même cette évocation l'a-t-elle touchée, mais sans réveiller en elle aucun sentiment de tendresse ou de sympathie. J'ai cru comprendre qu'elle avait de l'inclination pour Maleffroi. En tout cas, mon 25 éloquence a été inutile. L'étincelle qui a jailli entre nous, le soir du 31 juin, n'était qu'un hasard, celui d'une disposition du moment. Après ça, qu'on vienne me parler d'une affinité des âmes! Je souffre comme un damné. J'espère tirer de ma souffrance un livre qui se vendra bien. 30

6 juillet.—Un décret supprime la carte de temps. Ça m'est indifférent.

78. to show up.   **79.** foodstuffs.   **80.** iust now, a while ago.

QUESTIONS

1. Étudiez la logique selon laquelle Aymé développe les conséquences de l'hypothèse sur laquelle son histoire repose.
2. Comment Aymé mêle-t-il les détails réalistes et les détails fantastiques dans son histoire?
3. Quelle image de la société parisienne Aymé nous présente-t-il?
4. Pourquoi Aymé insiste-t-il tant sur l'histoire du couple Roquenton?
5. Étudiez comment est rendue présente l'atmosphère de la capitale française pendant l'occupation allemande.
6. Essayez de définir l'humour de Marcel Aymé dans cette nouvelle.
7. Discutez le marché noir dans *La carte*.
8. Discutez l'amour dans *La carte*.
9. Étudiez la valeur évocative des noms propres inventés par Aymé.
10. Comment les gens de lettres, l'Académie, l'Eglise sont-ils jugés par Aymé?
11. Analysez les différents éléments du style de Marcel Aymé dans cette nouvelle.
12. Marcel Aymé vous paraît-il avoir eu d'autres intentions que celle de divertir le lecteur en écrivant *La carte*?

La liberté d'homme de choisir sa destiné
To create a meaning for his life.

Jean-Paul Sartre

(1905–)

THE reputation of Jean-Paul Sartre assumed international pro-
portions just after the liberation of France in 1944 and it grew
considerably in the years immediately following World War II.
He was already known, however, and was considered a writer of unusual promise as early as 1938, when he published his novel *La
nausée*.

French literature in the past twenty years has been characterized
by philosophical preoccupations which it had never known to such
a degree in the past. Sartre is by far the most important representative of this tendency to introduce very complex philosophical ideas
into the structure of literary work. Indeed he is a professional philosopher. Born in 1905, he specialized in philosophical studies when
he entered the university, became a teacher of philosophy in Le
Havre and Paris. His philosophical works comprise an essay, *L'imagination;* another work entitled *L'imaginaire;* a study, *Théorie des
émotions;* and finally a huge treatise, *L'être et le néant* (*Being and
Nothingness*). In France Sartre is the most brilliant champion of
the philosophical school named existentialism, which dates back
to the Danish philosopher Kierkegaard in the nineteenth century
and prospered particularly in Germany with Husserl and Heideg-
ger. It is impossible to give in a few words an outline of such a vast
complex of thought. Suffice it to say that in its literary application
it dwells mainly on such notions as creative liberty in man, its
realization through action, the necessity for man to invent his own
good and to create his own values, and so on. These thoughts per-
vade the already considerable production of Sartre. Except for
poetry, he has tried every genre and excelled in each of them: short
stories, novels, plays for the legitimate theater and the screen, criticism. His novel *La nausée* describes the physical sensations which
the prodigiously intense feeling of mere existence creates in a man.

In 1939 appeared a series of short stories entitled Le mur, from which is taken our story, La chambre. Sartre has also begun publication of a long novel in four volumes, Les chemins de la liberté, of which two—L'âge de raison and Le sursis—appeared in 1945. These two have been translated into English. Sartre's theater also has found an interested public in the United States. Les mouches, Huis clos (No Exit), La putain respectueuse (The Respectful Prostitute), and Les Mains sales (Red Gloves) have been avidly discussed in New York by the theater-going public. Finally Sartre has published in different reviews, and particularly in Les temps modernes, of which he is the director, an important series of articles on questions of literary criticism, among which we mention only his enlightening essay, Qu'est-ce que la littérature? and his articles on Baudelaire and on Faulkner. Sartre freely acknowledges the considerable influence exercised upon his work as well as upon the French contemporary novel by American literature, especially as represented by Faulkner, Dos Passos, Hemingway, and Steinbeck.

The following short story, La chambre, is possibly the best of the collection in Le mur. A thorough study of the questions at the end of the story will help in uncovering some of its less obvious meanings.

BIBLIOGRAPHY

Marc Beigbeder,   L'homme Sartre (1947).

G. Bénézé et Cl. Cuénot,   Qu'est-ce que l'existentialisme (1947).

Maurice Blanchot,   «Les romans de Sartre,» L'arche (Oct., 1945).

Robert Campbell,   Jean-Paul Sartre ou une littérature philosophique (1945).

Claude-Edmonde Magny,   «Le système de Sartre,» Esprit (1er Mars 45).

R. Troisfontaines,   Le choix de J.-P. Sartre (1945).

J. Wahl,   Petite histoire de l'existentialisme (1947).

~~

LA CHAMBRE

I

Mme Darbédat tenait un rahat-loukoum [1] entre ses doigts. Elle
l'approcha de ses lèvres avec précaution et retint sa respiration de
peur que ne s'envolât à son souffle la fine poussière de sucre dont il
était saupoudré: [2] «Il est à la rose,» se dit-elle. Elle mordit brusquement dans cette chair vitreuse et un parfum de croupi [3] lui emplit _5
la bouche. «C'est curieux comme la maladie affine les sensations.»
Elle se mit à penser à des mosquées, à des Orientaux obséquieux
(elle avait été à Alger pendant son voyage de noce) et ses lèvres
pâles ébauchèrent un sourire: [4] le rahat-loukoum aussi était obséquieux. 10

Il fallut qu'elle passât, à plusieurs reprises, le plat de la main sur
les pages de son livre, parce qu'elles s'étaient, malgré ses précautions,
recouvertes d'une mince couche de poudre blanche. Ses mains
faisaient glisser, rouler, crisser [5] les petits grains de sucre sur le
papier lisse: «Ça me rappelle Arcachon,[6] quand je lisais sur la 15
plage.» Elle avait passé l'été de 1907 au bord de la mer. Elle portait
alors un grand chapeau de paille avec un ruban vert; elle s'installait
tout près de la jetée, avec un roman de Gyp [7] ou de Colette Yver.[8]
Le vent faisait pleuvoir sur ses genoux des tourbillons de sable et, de
temps à autre, elle secouait son livre en le tenant par les coins. 20
C'était bien la même sensation: seulement les grains de sable
étaient tout secs, tandis que ces petits graviers de sucre collaient un
peu au bout de ses doigts. Elle revit une bande de ciel gris perle
au-dessus d'une mer noire. «Eve n'était pas encore née.» Elle se
sentait tout alourdie de souvenirs et précieuse comme un coffret de 2y
santal.[9] Le nom du roman qu'elle lisait alors lui revint tout à coup
à la mémoire: il s'appelait Petite Madame,[10] il n'était pas ennuyeux.

1. Turkish Delight, a kind of candy.   2. with which it was sprinkled.
3. stagnant, foul (of water).   4. gave a faint smile.   5. give a rasping sound.
6. popular sea resort on the Atlantic, southwest of Bordeaux.   7. pseudonym
of the Countess de Martel de Janville (1849–1932), author of novels satirizing
fashionable society and political circles.   8. Colette Yver (1874–   ) began her writing career with stories of her childhood, then published novels in
which she showed her preoccupation with social problems and the place of
women in society.   9. sandalwood.   10. title of a novel by A. Lichtenberger,

Mais depuis qu'un mal inconnu la retenait dans sa chambre, Mme Darbédat préférait les Mémoires et les ouvrages historiques. Elle souhaitait que la souffrance, des lectures graves, une attention vigilante et tournée vers ses souvenirs, vers ses sensations les plus ex-
5 quises, la mûrissent comme un beau fruit de serre.

Elle pensa, avec un peu d'énervement, que son mari allait bientôt frapper à sa porte. Les autres jours de la semaine il venait seulement vers le soir, il la baisait au front en silence et lisait *Le Temps* en face d'elle, dans la bergère.[11] Mais, le jeudi, c'était «le jour» de M.
10 Darbédat: il allait passer une heure chez sa fille, en général de trois à quatre. Avant de sortir il entrait chez sa femme et tous deux s'entretenaient de leur gendre avec amertume. Ces conversations du jeudi, prévisibles jusqu'en leurs moindres détails, épuisaient Mme Darbédat. M. Darbédat remplissait la calme chambre de sa
15 présence. Il ne s'asseyait pas, marchait de long en large, tournait sur lui-même. Chacun de ses emportements blessait Mme Darbédat comme un éclat de verre. Ce jeudi-là, c'était pis encore que de coutume: à la pensée qu'il faudrait, tout à l'heure, répéter à son mari les aveux d'Eve et voir ce grand corps terrifiant bondir de
20 fureur, Mme Darbédat avait des sueurs. Elle prit un loukoum dans la soucoupe, le considéra quelques instants avec hésitation, puis elle le reposa tristement: elle n'aimait pas que son mari la vît manger des loukoums.

Elle sursauta en entendant frapper.
25 «Entre,» dit-elle d'une voix faible.

M. Darbédat entra sur la pointe des pieds.

«Je vais voir Eve,» dit-il comme chaque jeudi.

Mme Darbédat lui sourit.

«Tu l'embrasseras pour moi.»
30 M. Darbédat ne répondit pas et plissa le front d'un air soucieux: tous les jeudis à la même heure, une irritation sourde se mêlait en lui aux pesanteurs de la digestion.

«Je passerai voir Franchot en sortant de chez elle, je voudrais qu'il lui parle sérieusement et qu'il tâche de la convaincre.»
35 Il faisait des visites fréquentes au docteur Franchot. Mais en vain. Mme Darbédat haussa les sourcils. Autrefois, quand elle était bien portante, elle haussait volontiers les épaules. Mais depuis que la maladie avait alourdi son corps, elle remplaçait les gestes, qui

published in 1912.   11. easy chair.   12. crazy, cracked.   13. She never

l'eussent trop fatiguée, par des jeux de physionomie: elle disait oui avec les yeux, non avec les coins de la bouche; elle levait les sourcils au lieu des épaules.

«Il faudrait pouvoir le lui enlever de force.

—Je t'ai déjà dit que c'était impossible. D'ailleurs la loi est très 5 mal faite. Franchot me disait l'autre jour qu'ils ont des ennuis inimaginables avec les familles: des gens qui ne se décident pas, qui veulent garder le malade chez eux; les médecins ont les mains liées, ils peuvent donner leur avis, un point c'est tout. Il faudrait, reprit-il, qu'il fasse un scandale public ou alors qu'elle demande elle-même 10 son internement.

—Et ça, dit Mme Darbédat, ça n'est pas pour demain.

—Non.»

Il se tourna vers le miroir et, plongeant ses doigts dans sa barbe, il se mit à la peigner. Mme Darbédat regardait sans affection la 15 nuque rouge et puissante de son mari.

«Si elle continue, dit M. Darbédat, elle deviendra plus toquée [12] que lui, c'est affreusement malsain. Elle ne le quitte pas d'une semelle,[13] elle ne sort jamais sauf pour aller te voir, elle ne reçoit personne. L'atmosphère de leur chambre est tout simplement ir- 20 respirable. Elle n'ouvre jamais la fenêtre parce que Pierre ne veut pas. Comme si on devait consulter un malade! Ils font brûler des parfums, je crois, une saleté dans une cassolette,[14] on se croirait à l'église. Ma parole, je me demande quelquefois . . . elle a des yeux bizarres, tu sais. 25

—Je n'ai pas remarqué, dit Mme Darbédat. Je lui trouve l'air naturel. Elle a l'air triste, évidemment.

—Elle a une mine de déterrée.[15] Dort-elle? Mange-t-elle? Il ne faut pas l'interroger sur ces sujets-là. Mais je pense qu'avec un gaillard comme Pierre à ses côtés, elle ne doit pas fermer l'œil de la 30 nuit.»[16] Il haussa les épaules: «Ce que je trouve fabuleux, c'est que nous, ses parents, nous n'ayons pas le droit de la protéger contre ellemême. Note bien que Pierre serait mieux soigné chez Franchot. Il y a un grand parc. Et puis je pense, ajouta-t-il en souriant un peu, qu'il s'entendrait mieux avec des gens de son espèce. Ces êtres-là 35 sont comme les enfants, il faut les laisser entre eux; ils forment une

lets him out of her sight. 14. incense burner.   15. She looks as though she had risen from the grave. She looks ghastly.   16. she probably does not get a wink of sleep all night.   17. not of course, naturally, but (his own in-

espèce de franc-maçonnerie. C'est là qu'on aurait dû le mettre dès le premier jour et je dis: pour lui-même. C'était son intérêt bien entendu.»[17]

Il ajouta au bout d'un instant:

5 «Je te dirai que je n'aime pas la savoir seule avec Pierre, surtout la nuit. Imagine qu'il arrive quelque chose. Pierre a l'air terriblement sournois. (sneaky)

—Je ne sais pas, dit Mme Darbédat, s'il y a lieu de beaucoup s'inquiéter, attendu que c'est un air qu'il a toujours eu. Il donnait
10 l'impression de se moquer du monde. Pauvre garçon, reprit-elle en soupirant, avoir eu son orgueil et en être venu là.[18] Il se croyait plus intelligent que nous tous. Il avait une façon de te dire: «Vous avez raison» pour clore les discussions . . . C'est une bénédiction pour lui qu'il ne puisse pas voir son état.»

15 Elle se rappelait avec déplaisir ce long visage ironique, toujours un peu penché de côté. Pendant les premiers temps du mariage d'Eve, Mme Darbédat n'eût pas demandé mieux que d'avoir un peu d'intimité avec son gendre. Mais il avait découragé ses efforts: il ne parlait presque pas, il approuvait toujours avec précipitation
20 et d'un air absent.

M. Darbédat suivait son idée:

«Franchot m'a fait visiter son installation, dit-il, c'est superbe. Les malades ont des chambres particulières, avec des fauteuils de cuir, s'il te plaît, et des lits-divans. Il y a un tennis, tu sais, et ils
25 vont faire construire une piscine.»

Il s'était planté devant la fenêtre et regardait à travers la vitre en se dandinant[19] un peu sur ses jambes arquées. Soudain il pivota sur ses talons, les épaules basses, les mains dans les poches, en souplesse. Mme Darbédat sentit qu'elle allait se mettre à transpirer:
30 toutes les fois c'était la même chose; à présent il allait marcher de long en large comme un ours en cage et, à chaque pas, ses souliers craqueraient. «Mon ami, dit-elle, je t'en supplie, assieds-toi, tu me fatigues.» Elle ajouta en hésitant: «J'ai quelque chose de grave à te dire.»

35 M. Darbédat s'assit dans la bergère et posa ses mains sur ses genoux; un léger frisson parcourut l'échine de Mme Darbédat: le moment était venu, il fallait qu'elle parlât.

terest) if clearly understood.   18. to have come to that, be reduced to that.
19. swaying.   20. who would have caught on at once (to what she meant),

«Tu sais, dit-elle, avec une toux d'embarras, que j'ai vu Eve mardi.
—Oui.

—Nous avons bavardé sur un tas de choses, elle était très gentille,
il y a longtemps que je ne l'avais vue si en confiance. Alors je l'ai un
peu questionnée, je l'ai fait parler sur Pierre. Eh bien, j'ai appris, 5
ajouta-t-elle, embarrassée de nouveau, qu'elle tient *beaucoup* à
lui.

—Je le sais parbleu bien, dit M. Darbédat.»

Il agaçait un peu Mme Darbédat: il fallait toujours lui expliquer
minutieusement les choses, en mettant les points sur les *i*. Mme 10
Darbédat rêvait de vivre dans le commerce de personnes fines et
sensibles qui l'eussent toujours comprise à demi-mot.[20]

«Mais je veux dire, reprit-elle, qu'elle y tient *autrement que nous*
ne nous l'imaginions.»

M. Darbédat roula des yeux furieux et inquiets, comme chaque 15
fois qu'il ne saisissait pas très bien le sens d'une allusion ou d'une
nouvelle:

«Qu'est-ce que ça veut dire?

—Charles, dit Mme Darbédat, ne me fatigue pas. Tu devrais
comprendre qu'une mère peut avoir de la peine à dire certaines 20
choses.

—Je ne comprends pas un traître mot[21] à tout ce que tu me
racontes, dit M. Darbédat avec irritation. Tu ne veux tout de même
pas dire? . . .

—Eh bien si! dit-elle. 25

—Ils ont encore . . . encore à présent?

—Oui! Oui! Oui!» fit-elle agacée en trois petits coups secs.

M. Darbédat écarta les bras, baissa la tête et se tut.

«Charles, dit sa femme inquiète, je n'aurais pas dû te le dire.
Mais je ne pouvais pas garder ça pour moi. 30

—Notre enfant! dit-il d'une voix lente. Avec ce fou! Il ne la
reconnaît même plus, il l'appelle Agathe. Il faut qu'elle ait perdu
le sens de ce qu'elle se doit.»

Il releva la tête et regarda sa femme avec sévérité.

«Tu es sûre d'avoir bien compris? 35

—Il n'y avait pas de doute possible. Je suis comme toi, ajouta-
t-elle vivement; je ne pouvais pas la croire et d'ailleurs je ne la comprends pas. Moi, rien qu'à l'idée[22] d'être touchée par ce pauvre

who could have taken a hint.   21. I don't get a single word of it all.   22. the

malheureux . . . Enfin, soupira-t-elle, je suppose qu'il la tient
par là.

—Hélas! dit M. Darbédat. Tu te souviens de ce que je t'avais dit
quand il est venu nous demander sa main? Je t'ai dit: «Je crois qu'il
5 plaît trop à Eve.» Tu n'avais pas voulu me croire.»

Il frappa soudain sur la table et rougit violemment:

«C'est de la perversité! Il la prend dans ses bras et il l'embrasse
en l'appelant Agathe et en lui débitant toutes ses calembredaines [23]
sur les statues qui volent et je ne sais quoi! Et elle se laisse faire!
10 Mais qu'est-ce qu'il y a donc entre eux? Qu'elle le plaigne de tout
son cœur, qu'elle le mette dans une maison de repos où elle puisse
le voir tous les jours, à la bonne heure.[24] Mais je n'aurais jamais
pensé . . . Je la considérais comme veuve. Écoute, Jeannette, dit-il
d'une voix grave, je vais te parler franchement; eh bien, si elle a des
15 sens, j'aimerais encore mieux qu'elle prenne un amant!

—Charles, tais-toi!» cria Mme Darbédat.

M. Darbédat prit d'un air las le chapeau et la canne qu'il avait
déposés en entrant, sur un guéridon.

«Après ce que tu viens de me dire, conclut-il, il ne me reste pas
20 beaucoup d'espoir. Enfin je lui parlerai tout de même parce que
c'est mon devoir.»

Mme Darbédat avait hâte qu'il s'en allât.

«Tu sais, dit-elle pour l'encourager, je crois qu'il y a malgré tout
chez Eve plus d'entêtement que . . . d'autre chose. Elle sait qu'il
25 est incurable mais elle s'obstine, elle ne veut pas en avoir le
démenti.» [25]

M. Darbédat se flattait rêveusement la barbe.

«De l'entêtement? Oui, peut-être. Eh bien, si tu as raison, elle
finira par se lasser. Il n'est pas commode tous les jours et puis il
30 manque de conversation. Quand je lui dis bonjour, il me tend une
main molle et il ne parle pas. Dès qu'ils sont seuls, je pense qu'il
revient sur ses idées fixes: elle me dit qu'il lui arrive de crier comme
un égorgé [26] parce qu'il a des hallucinations. Des statues. Elles lui
font peur parce qu'elles bourdonnent.[27] Il dit qu'elles volent autour
35 de lui et qu'elles lui font des yeux blancs.»

Il mettait ses gants; il reprit:

very idea, the very thought.   23. absurdities, nonsense.   24. all right, fine.
25. she doesn't want to be proved wrong.   26. like a person whose throat is
being slit, like a stuck pig.   27. hum, buzz.   28. I don't deny it.

«Elle se lassera, je ne te dis pas.[28] Mais si elle se détraque auparavant? Je voudrais qu'elle sorte un peu, qu'elle voie du monde: elle rencontrerait quelque gentil garçon—tiens, un type comme Schröder qui est ingénieur chez Simplon, quelqu'un d'avenir,[29] elle le reverrait un petit peu chez les uns, chez les autres, et elle s'habituerait tout doucement à l'idée de refaire sa vie.»

Mme Darbédat ne répondit point, par crainte de faire rebondir la conversation. Son mari se pencha sur elle.

«Allons, dit-il, il faut que je parte.

—Adieu, papa, dit Mme Darbédat en lui tendant le front. Embrasse-la bien et dis-lui de ma part qu'elle est une pauvre chérie.»

Quand son mari fut parti, Mme Darbédat se laissa aller au fond de son fauteuil et ferma les yeux, épuisée. «Quelle vitalité», pensa-t-elle avec reproche. Dès qu'elle eut retrouvé un peu de force, elle allongea doucement sa main pâle et prit un loukoum dans la soucoupe, à tâtons et sans ouvrir les yeux.

Eve habitait avec son mari au cinquième étage d'un vieil immeuble,[30] rue du Bac. M. Darbédat grimpa lestement les cent douze marches de l'escalier. Quand il appuya sur le bouton de la sonnette, il n'était même pas essoufflé. Il se rappela avec satisfaction le mot de Mlle Dormoy: «Pour votre âge, Charles, vous êtes tout simplement merveilleux.» Jamais il ne se sentait plus fort ni plus sain que le jeudi, surtout après ces alertes escalades.[31]

Ce fut Eve qui vint lui ouvrir: «C'est vrai, elle n'a pas de bonne. Ces filles *ne peuvent pas* rester chez elle: je me mets à leur place.» Il l'embrassa: «Bonjour, la pauvre chérie.»

Eve lui dit bonjour avec une certaine froideur.

«Tu es un peu pâlotte, dit M. Darbédat en lui touchant la joue, tu ne prends pas assez d'exercice.»

Il y eut un silence.

«Maman va bien? demanda Eve.

—Couci couça.[32] Tu l'as vue mardi? Eh bien, c'est comme toujours. Ta tante Louise est venue la voir hier, ça lui a fait plaisir. Elle aime bien recevoir des visites, mais il ne faut pas qu'elles restent longtemps. Ta tante Louise venait à Paris avec les petits pour cette histoire d'hypothèques.[33] Je t'en ai parlé, je crois, c'est une drôle

29. somebody with a future. 30. a building. 31. brisk climb. 32. so-so (comme ci comme ça). 33. mortgages. 34. a queer story. 35. a

d'histoire.[34] Elie est passée à mon bureau pour me demander conseil. Je lui ai dit qu'il n'y avait pas deux partis à prendre: il faut qu'elle vende. Elle a trouvé preneur,[35] d'ailleurs: c'est Bretonnel. Tu te rappelles Bretonnel? Il s'est retiré des affaires à présent.»

5 Il s'arrêta brusquement: Eve l'écoutait à peine. Il songea avec tristesse qu'elle ne s'intéressait plus à rien. «C'est comme les livres. Autrefois il fallait les lui arracher. A présent elle ne lit même plus.»

«Comment va Pierre?

—Bien, dit Eve. Veux-tu le voir?

10 —Mais certainement, dit M. Darbédat avec gaieté, je vais lui faire une petite visite.»

Il était plein de compassion pour ce malheureux garçon, mais il ne pouvait le voir sans répugnance. «J'ai horreur des êtres malsains.» Evidemment, ce n'était pas la faute de Pierre: il avait une hérédité 15 terriblement chargée. M. Darbédat soupirait: «On a beau prendre des précautions, ces choses-là se savent toujours trop tard.» Non, Pierre n'était pas responsable. Mais, tout de même, il avait toujours porté cette tare[36] en lui; elle formait le fond de son caractère; ça n'était pas comme un cancer ou la tuberculose, dont on peut tou- 20 jours faire abstraction[37] quand on veut juger l'homme tel qu'il est en lui-même. Cette grâce nerveuse et cette subtilité qui avaient tant plu à Eve, quand il faisait sa cour, c'étaient des fleurs de folie. «Il était déjà fou quand il l'a épousée; seulement ça ne se voyait pas. On se demande, pensa M. Darbédat, où commence la responsa- 25 bilité, ou plutôt où elle s'arrête. En tout cas il s'analysait trop, il était tout le temps tourné vers lui-même. Mais, est-ce la cause ou l'effet de son mal?» Il suivait sa fille à travers un long corridor sombre:

«Cet appartement est trop grand pour vous, dit-il, vous devriez 30 déménager.

—Tu me dis ça toutes les fois, papa, répondit Eve, mais je t'ai déjà répondu que Pierre ne veut pas quitter sa chambre.»

Eve était étonnante: c'était à se demander si elle se rendait bien compte de l'état de son mari. Il était fou à lier[38] et elle respectait 35 ses décisions et ses avis comme s'il avait tout son bon sens.

«Ce que j'en dis, c'est pour toi, reprit M. Darbédat légèrement agacé. Il me semble que, si j'étais femme, j'aurais peur dans ces vieilles pièces mal éclairées. Je souhaiterais pour toi un appartement lumineux, comme on en a construit, ces dernières années, du côté d'Auteuil,[39] trois petites pièces bien aérées. Ils ont baissé le prix de leurs loyers parce qu'ils ne trouvent pas de locataires; ce serait le moment.» 5

Eve tourna doucement le loquet de la porte et ils entrèrent dans la chambre. M. Darbédat fut pris à la gorge par une lourde odeur d'encens. Les rideaux étaient tirés. Il distingua, dans la pénombre, une nuque maigre au-dessus du dossier d'un fauteuil: Pierre leur tournait le dos: il mangeait. 10

«Bonjour, Pierre, dit M. Darbédat en élevant la voix. Eh bien, comment allons-nous aujourd'hui?»

M. Darbédat s'approcha: le malade était assis devant une petite table; il avait l'air sournois.

«Nous avons mangé des œufs à la coque, dit M. Darbédat en 15 haussant encore le ton. C'est bon, ça!

—Je ne suis pas sourd», dit Pierre d'une voix douce.

M. Darbédat irrité, tourna les yeux vers Eve pour la prendre à témoin. Mais Eve lui rendit un regard dur et se tut. M. Darbédat comprit qu'il l'avait blessée. «Eh bien, tant pis pour elle.» Il était 20 impossible de trouver le ton juste avec ce malheureux garçon: il avait moins de raison qu'un enfant de quatre ans et Eve aurait voulu qu'on le traitât comme un homme. M. Darbédat ne pouvait se défendre d'attendre avec impatience le moment où tous ces égards ridicules ne seraient plus de saison.[40] Les malades l'agaçaient 25 toujours un peu—et tout particulièrement les fous parce qu'ils avaient tort. Le pauvre Pierre, par exemple, avait tort sur toute la ligne, il ne pouvait souffler mot[41] sans déraisonner et cependant il eût été vain de lui demander la moindre humilité, ou même une reconnaissance passagère de ses erreurs. 30

Eve ôta les coquilles d'œuf et le coquetier. Elle mit devant Pierre un couvert avec une fourchette et un couteau.

«Qu'est-ce qu'il va manger, à présent? dit M. Darbédat, jovial.

—Un bifteck.»

Pierre avait pris la fourchette et la tenait au bout de ses longs 35 doigts pâles. Il l'inspecta minutieusement puis il eut un rire léger:

«Ce ne sera pas pour cette fois, murmura-t-il en la reposant; j'étais prévenu.»

modern apartment houses.   **40.** timely.   **41.** utter one word.   **42.** sus-

Eve s'approcha et regarda la fourchette avec un intérêt passionné.
«Agathe, dit Pierre, donne m'en une autre.»

Eve obéit et Pierre se mit à manger. Elle avait pris la fourchette
suspecte et la tenait serrée dans ses mains sans la quitter des yeux:
5 elle semblait faire un violent effort. «Comme tous leurs gestes et
tous leurs rapports sont louches!» [42] pensa M. Darbédat.
Il était mal à l'aise.
«Attention, dit Pierre, prends-la par le milieu du dos à cause des
pinces.»
10 Eve soupira et reposa la fourchette sur la desserte.[43] M. Darbédat
sentit la moutarde lui monter au nez.[44] Il ne pensait pas qu'il fût
bon de céder à toutes les fantaisies de ce malheureux—même du
point de vue de Pierre, c'était pernicieux. Franchot l'avait bien dit:
«On ne doit jamais entrer dans le délire d'un malade.» Au lieu de
15 lui donner une autre fourchette, il aurait mieux valu le raisonner
doucement et lui faire comprendre que la première était toute
pareille aux autres. Il s'avança vers la desserte, prit ostensiblement [45]
la fourchette et en effleura les dents d'un doigt léger. Puis il se
tourna vers Pierre. Mais celui-ci découpait sa viande d'un air pai-
20 sible; il leva sur son beau-père un regard doux et inexpressif.
«Je voudrais bavarder un peu avec toi», dit M. Darbédat à Eve.
Eve le suivit docilement au salon. En s'asseyant sur le canapé,
M. Darbédat s'aperçut qu'il avait gardé la fourchette dans sa main.
Il la jeta avec humeur sur une console.
25 «Il fait meilleur ici, dit-il.
—Je n'y viens jamais.
—Je peux fumer?
—Mais oui, papa, dit Eve avec empressement. Veux-tu un
cigare?»
30 M. Darbédat préféra rouler une cigarette. Il pensait sans ennui à
la discussion qu'il allait entamer.[46] En parlant à Pierre, il se sentait
embarrassé de sa raison comme un géant peut l'être de sa force
quand il joue avec un enfant. Toutes ses qualités de clarté, de
netteté, de précision se retournaient contre lui. «Avec ma pauvre
35 Jeannette, il faut bien l'avouer, c'est un peu la même chose.» Certes
Mme Darbédat n'était pas folle, mais la maladie l'avait . . . as-

picious.   43. sideboard.   44. felt he was going to flare up.   45. ostentatiously.   46. to begin.   47. took after her father.   48. mascara.   49. one

soupie. Eve, au contraire, tenait de son père,[47] c'était une nature droite et logique; avec elle, la discussion devenait un plaisir. «C'est pour cela que je ne veux pas qu'on me l'abîme.» M. Darbédat leva les yeux; il voulait revoir les traits intelligents et fins de sa fille. Il fut déçu: dans ce visage autrefois si raisonnable et transparent, il y 5 avait maintenant quelque chose de brouillé et d'opaque. Eve était toujours très belle. M. Darbédat remarqua qu'elle s'était fardée avec grand soin, presque avec pompe. Elle avait bleui ses paupières et passé du rimmel [48] sur ses longs cils. Ce maquillage parfait et violent fit une impression pénible à son père: 10
«Tu es verte sous ton fard, lui dit-il, j'ai peur que tu ne tombes malade. Et comme tu te fardes à présent! Toi qui étais si discrète.»
Eve ne répondit pas et M. Darbédat considéra un instant avec embarras ce visage éclatant et usé, sous la lourde masse des cheveux noirs. Il pensa qu'elle avait l'air d'une tragédienne. «Je sais même 15 exactement à qui elle ressemble. A cette femme, cette Roumaine qui a joué Phèdre [49] en français au mur d'Orange.»[50] Il regrettait de lui avoir fait cette remarque désagréable: «Cela m'a échappé! Il vaudrait mieux ne pas l'indisposer pour de petites choses.»
«Excuse-moi, dit-il en souriant, tu sais que je suis un vieux 20 naturiste. Je n'aime pas beaucoup toutes ces pommades que les femmes d'aujourd'hui se collent [51] sur la figure. Mais c'est moi qui ai tort, il faut vivre avec son temps.»
Eve lui sourit aimablement. M. Darbédat alluma sa cigarette et en tira quelques bouffées. 25
«Ma petite enfant, commença-t-il, je voulais justement te dire: nous allons bavarder, nous deux, comme autrefois. Allons, assieds-toi et écoute-moi gentiment; il faut avoir confiance en son vieux papa.
—J'aime mieux rester debout, dit Eve. Qu'est-ce que tu as à me 30 dire?
—Je vais te poser une simple question, dit M. Darbédat un peu plus sèchement. A quoi tout cela te mènera-t-il?
—Tout cela? répéta Eve étonnée.
—Eh bien oui, tout, toute cette vie que tu t'es faite. Écoute, 35 reprit-il, il ne faut pas croire que je ne te comprenne pas (il avait eu une illumination soudaine). Mais ce que tu veux faire est au-

of the best of the tragedies of Racine. **50.** amphitheater at Orange, dating back to Hadrian's time. **51.** smear. **52.** wager. **53.** a beach on the

dessus des forces humaines. Tu veux vivre uniquement par l'imagination, n'est-ce pas? Tu ne veux pas admettre qu'il est malade?
Tu ne veux pas voir le Pierre d'aujourd'hui, c'est bien cela? Tu n'as
d'yeux que pour le Pierre d'autrefois. Ma petite chérie, ma petite
5 fille, c'est une gageure [52] impossible à tenir, reprit M. Darbédat.
Tiens, je vais te raconter une histoire que tu ne connais peut-être
pas: quand nous étions aux Sables-d'Olonne,[53] tu avais trois ans, ta
mère a fait la connaissance d'une jeune femme charmante qui avait
un petit garçon superbe. Tu jouais sur la plage avec ce petit garçon,
10 vous étiez hauts comme trois pommes,[54] tu étais sa fiancée. Quelque
temps plus tard, à Paris, ta mère a voulu revoir cette jeune femme;
on lui a appris qu'elle avait eu un affreux malheur: son bel enfant
avait été décapité par l'aile avant [55] d'une automobile. On a dit à
ta mère: «Allez la voir mais ne lui parlez surtout pas de la mort de
15 son petit, elle ne veut pas croire qu'il est mort.» Ta mère y est allée,
elle a trouvé une créature à moitié timbrée: [56] elle vivait comme si
son gamin existait encore; elle lui parlait, elle mettait son couvert à
table. Eh bien, elle a vécu dans un tel état de tension nerveuse qu'il
a fallu, au bout de six mois, qu'on l'emmène de force dans une
20 maison de repos où elle a dû rester trois ans. Non, mon petit, dit
M. Darbédat en secouant la tête, ces choses-là sont impossibles. Il
aurait bien mieux valu qu'elle reconnaisse courageusement la
vérité. Elle aurait souffert une bonne fois et puis le temps aurait
passé l'éponge.[57] Il n'y a rien de tel que de regarder les choses en
25 face, crois-moi.
    —Tu te trompes, dit Eve avec effort, je sais très bien que Pierre
est . . .»
    Le mot ne passa pas. Elle se tenait très droite, elle posait les
mains sur le dossier d'un fauteuil: il y avait quelque chose d'aride
30 et de laid dans le bas de son visage.
    «Eh bien . . . alors? demanda M. Darbédat étonné.
    —Alors quoi?
    —Tu . . . ?
    —Je l'aime comme il est, dit Eve rapidement et d'un air ennuyé.
35 —Ce n'est pas vrai, dit M. Darbédat avec force. Ce n'est pas vrai:
tu ne l'aimes pas; tu ne peux pas l'aimer. On ne peut éprouver de
tels sentiments que pour un être sain et normal. Pour Pierre, tu as

Atlantic coast frequented by bourgeois families of moderate means.   54. you
were just small tots.   55. front mudguard.   56. cracked.   57. would have

de la compassion, je n'en doute pas, et sans doute aussi tu gardes le souvenir des trois années de bonheur que tu lui dois. Mais ne me dis pas que tu l'aimes, je ne te croirai pas.»

Eve restait muette et fixait le tapis d'un air absent.

«Tu pourrais me répondre, dit M. Darbédat avec froideur. Ne 5 crois pas que cette conversation me soit moins pénible qu'à toi.

—Puisque tu ne me croiras pas.

—Eh bien, si tu l'aimes, s'écria-t-il exaspéré, c'est un grand malheur pour toi, pour moi et pour ta pauvre mère parce que je vais te dire quelque chose que j'aurais préféré te cacher: avant trois ans, 10 Pierre aura sombré dans la démence la plus complète,[58] il sera comme une bête.»

Il regarda sa fille avec des yeux durs: il lui en voulait[59] de l'avoir contraint, par son entêtement, à lui faire cette pénible révélation.

Eve ne broncha pas;[60] elle ne leva même pas les yeux. 15

«Je le savais.

—Qui te l'as dit? demanda-t-il stupéfait.

—Franchot. Il y a six mois que je le sais.

—Et moi qui lui avais recommandé de te ménager,[61] dit M. Darbédat avec amertume. Enfin, peut-être cela vaut-il mieux. Mais 20 dans ces conditions tu dois comprendre qu'il serait impardonnable de garder Pierre chez toi. La lutte que tu as entreprise est vouée à l'échec,[62] sa maladie ne pardonne pas. S'il y avait quelque chose à faire, si on pouvait le sauver à force de soins, je ne dis pas.[63] Mais regarde un peu: tu étais jolie, intelligente et gaie, tu te détruis par 25 plaisir et sans profit. Eh bien, c'est entendu, tu as été admirable mais voilà, c'est fini, tu as fait tout ton devoir, plus que ton devoir; à présent il serait immoral d'insister. On a aussi des devoirs envers soi-même, mon enfant. Et puis tu ne penses pas à nous. *Il faut,* répéta-t-il en martelant les mots,[64] que tu envoies Pierre à la clinique 30 de Franchot. Tu abandonneras cet appartement où tu n'as eu que du malheur et tu reviendras chez nous. Si tu as envie de te rendre utile et de soulager les souffrances d'autrui, eh bien, tu as ta mère. La pauvre femme est soignée par des infirmières, elle aurait bien besoin d'être un peu entourée.[65] Et *elle,* ajouta-t-il, elle pourra 35 apprécier ce que tu feras pour elle et t'en être reconnaissante.»

wiped the slate clean. **58.** sunk into complete insanity. **59.** he held it against her. **60.** did not flinch. **61.** treat you gently. **62.** doomed to failure. **63.** see note 28. **64.** emphasizing each word. **65.** surrounded,

Il y eut un long silence. M. Darbédat entendit Pierre chanter dans la chambre voisine. C'était à peine un chant du reste; plutôt une sorte de récitatif aigu et précipité. M. Darbédat leva les yeux sur sa fille:

5 «Alors, c'est non?

—Pierre restera avec moi, dit-elle doucement, je m'entends bien avec lui.[66]

—A condition de bêtifier [67] toute la journée.»

Eve sourit et lança à son père un étrange regard moqueur et
10 presque gai. «C'èst vrai, pensa M. Darbédat furieux, ils ne font pas que ça,[68] ils couchent ensemble.»

«Tu es complètement folle», dit-il en se levant.

Eve sourit tristement et murmura, comme pour elle-même:

«Pas assez.

15 —Pas assez? Je ne peux te dire qu'une chose, mon enfant, tu me fais peur.»

Il l'embrassa hâtivement et sortit. «Il faudrait, pensa-t-il en descendant l'escalier, lui envoyer deux solides gaillards qui emmèneraient de force ce pauvre déchet [69] et qui le colleraient sous la
20 douche [70] sans lui demander son avis.»

C'était un beau jour d'automne, calme et sans mystère; le soleil dorait les visages des passants. M. Darbédat fut frappé par la simplicité de ces visages; il y en avait de tannés et d'autres étaient lisses, mais ils reflétaient tous des bonheurs et des soucis qui lui
25 étaient familiers.

«Je sais très exactement ce que je reproche à Eve, se dit-il en s'engageant sur le boulevard Saint-Germain. Je lui reproche de vivre en dehors de l'humain. Pierre n'est plus un être humain: tous les soins, tout l'amour qu'elle lui donne, elle en prive un peu tous ces
30 gens-là. On n'a pas le droit de se refuser aux hommes; quand le diable y serait,[71] nous vivons en société.»

Il dévisageait les passants avec sympathie; il aimait leurs regards graves et limpides. Dans ces rues ensoleillées parmi les hommes, on se sentait en sécurité, comme au milieu d'une grande famille.

35 Une femme en cheveux [72] s'était arrêtée devant un étalage en plein air. Elle tenait une petite fille par la main.

attended, cared for. **66.** I get along well with him. **67.** to act stupidly.
68. that isn't all they do. **69.** wreck. **70.** throw him under the shower.
71. whatever might be the obstacles, whatever one might say about it.
72. hatless, bareheaded. **73. télégraphie sans fil,** i.e., radio. **74.** sharp.

«Qu'est-ce que c'est? demanda la petite fille en désignant un appareil de T.S.F.[73]

—Touche à rien, dit sa mère, c'est un appareil; ça fait de la musique.»

Elles restèrent un moment sans parler, en extase. M. Darbédat, 5 attendri, se pencha vers la petite fille et lui sourit.

II

«Il est parti.» La porte d'entrée s'était refermée avec un claquement sec; Eve était seule dans le salon: «Je voudrais qu'il meure.»

Elle crispa ses mains sur le dossier du fauteuil: elle venait de se rappeler les yeux de son père. M. Darbédat s'était penché sur Pierre 10 d'un air compétent; il lui avait dit: «C'est bon, ça!» comme quelqu'un qui sait parler aux malades; il l'avait regardé et le visage de Pierre s'était peint au fond de ses gros yeux prestes.[74] «Je le hais quand il le regarde, quand je pense qu'il le voit.»

Les mains d'Eve glissèrent le long du fauteuil et elle se tourna 15 vers la fenêtre. Elle était éblouie. La pièce était remplie de soleil, il y en avait partout: sur le tapis en ronds pâles; dans l'air, comme une poussière aveuglante. Eve avait perdu l'habitude de cette lumière indiscrète et diligente, qui furetait[75] partout, récurait tous les coins, qui frottait les meubles et les faisait reluire comme une bonne 20 ménagère. Elle s'avança pourtant jusqu'à la fenêtre et souleva le rideau de mousseline qui pendait contre la vitre. Au même instant, M. Darbédat sortait de l'immeuble; Eve aperçut tout à coup ses larges épaules. Il leva la tête et regarda le ciel en clignant des yeux puis il s'éloigna à grandes enjambées comme un jeune homme. «Il 25 se force, pensa Eve, tout à l'heure il aura son point de côté.»[76] Elle ne le haïssait plus guère: il y avait si peu de chose dans cette tête; à peine le minuscule souci de paraître jeune. Pourtant la colère la reprit quand elle le vit tourner au coin du boulevard Saint-Germain et disparaître. «Il pense à Pierre.» Un peu de leur vie s'était 30 échappée de la chambre close et traînait dans les rues, au soleil, parmi les gens. «Est-ce qu'on ne pourra donc jamais nous oublier?»

La rue du Bac était presque déserte. Une vieille dame traversait la chaussée à petits pas; trois jeunes filles passèrent en riant. Et puis des hommes, des hommes forts et graves qui portaient des serviettes 35 et qui parlaient entre eux. «Les gens normaux», pensa Eve, étonnée

and quick. **75.** nosed about, pried into everything. **76.** he'll have a pain

de trouver en elle-même une telle puissance de haine. Une belle femme grasse courut lourdement au-devant d'un monsieur élégant. Il l'entoura de ses bras et l'embrassa sur la bouche. Eve eut un rire dur et laissa tomber le rideau.

5 Pierre ne chantait plus, mais la jeune femme du troisième [77] s'était mise au piano; elle jouait une *Étude* de Chopin. Eve se sentait plus calme; elle fit un pas vers la chambre de Pierre mais elle s'arrêta aussitôt et s'adossa au mur avec un peu d'angoisse: comme chaque fois qu'elle avait quitté la chambre, elle était prise de 10 panique à l'idée qu'il lui fallait y rentrer. Pourtant elle savait bien qu'elle n'aurait pas pu vivre ailleurs: elle aimait la chambre. Elle parcourut du regard avec une curiosité froide, comme pour gagner un peu de temps, cette pièce sans ombres et sans odeur où elle attendait que son courage revînt. «On dirait le salon d'un dentiste.» 15 Les fauteuils de soie rose, le divan, les tabourets étaient sobres et discrets, un peu paternels; de bons amis de l'homme. Eve imagina que des messieurs graves et vêtus d'étoffes claires, tout pareils à ceux qu'elle avait vus de la fenêtre, entraient dans le salon en poursuivant une conversation commencée. Ils ne prenaient même pas le temps 20 de reconnaître les lieux; ils s'avançaient d'un pas ferme jusqu'au milieu de la pièce; l'un d'eux, qui laissait traîner sa main derrière lui comme un sillage, frôlait [78] au passage des coussins, des objets, sur les tables, et ne sursautait même pas à ces contacts. Et quand un meuble se trouvait sur leur chemin, ces hommes posés,[79] loin de 25 faire un détour pour l'éviter, le changeaient tranquillement de place. Ils s'asseyaient enfin, toujours plongés dans leur entretien, sans même jeter un coup d'œil derrière eux. «Un salon pour gens normaux», pensa Eve. Elle fixait le bouton de la porte close et l'angoisse lui serrait la gorge: «Il faut que j'y aille. Je ne le laisse 30 jamais seul si longtemps.» Il faudrait ouvrir cette porte; ensuite Eve se tiendrait sur le seuil, en tâchant d'habituer ses yeux à la pénombre et la chambre la repousserait de toutes ses forces. Il faudrait qu'Eve triomphât de cette résistance et qu'elle s'enfonçât jusqu'au cœur de la pièce. Elle eut soudain une envie violente de voir Pierre; 35 elle eût aimé se moquer avec lui de M. Darbédat. Mais Pierre n'avait pas besoin d'elle; Eve ne pouvait pas prévoir l'accueil qu'il lui réservait. Elle pensa soudain avec une sorte d'orgueil qu'elle

in his side. **77. du troisième étage,** on the fourth floor. **78.** touched lightly, brushed. **79.** calm, settled. **80.** was growing gray. **81.** opened

n'avait plus de place nulle part. «Les normaux croient encore que je suis des leurs. Mais je ne pourrais pas rester une heure au milieu d'eux. J'ai besoin de vivre là-bas, de l'autre côté de ce mur. Mais là-bas, on ne veut pas de moi.»

Un changement profond s'était fait autour d'elle. La lumière 5 avait vieilli, elle grisonnait: [80] elle s'était alourdie, comme l'eau d'un vase de fleurs, quand on ne l'a pas renouvelée depuis la veille. Sur les objets, dans cette lumière vieillie, Eve retrouvait une mélancolie qu'elle avait depuis longtemps oubliée: celle d'une après-midi d'automne qui finit. Elle regardait autour d'elle, hésitante, presque 10 timide: tout cela était si loin: dans la chambre il n'y avait ni jour ni nuit, ni saison, ni mélancolie. Elle se rappela vaguement des automnes très anciens, des automnes de son enfance puis, soudain, elle se raidit: elle avait peur des souvenirs.

Elle entendit la voix de Pierre. 15

«Agathe! Où es-tu?

—Je viens», cria-t-elle.

Elle ouvrit la porte et pénétra dans la chambre.

L'épaisse odeur de l'encens lui emplit les narines et la bouche, tandis qu'elle écarquillait les yeux [81] et tendait les mains en avant—le 20 parfum et la pénombre ne faisaient plus pour elle, depuis longtemps, qu'un seul élément, âcre et ouaté, [82] aussi simple, aussi familier que l'eau, l'air ou le feu—et elle s'avança prudemment vers une tache pâle qui semblait flotter dans la brume. C'était le visage de Pierre: le vêtement de Pierre (depuis qu'il était malade, il 25 s'habillait de noir) s'était fondu dans l'obscurité, Pierre avait renversé sa tête en arrière et fermé les yeux. Il était beau. Eve regarda ses longs cils recourbés, puis elle s'assit près de lui sur la chaise basse. «Il a l'air de souffrir», pensa-t-elle. Ses yeux s'habituaient peu à peu à la pénombre. Le bureau émergea le premier, puis le lit, puis 30 les objets personnels de Pierre, les ciseaux, le pot de colle, les livres, l'herbier, qui jonchaient [83] le tapis près du fauteuil.

«Agathe?»

Pierre avait ouvert les yeux, il la regardait en souriant.

«Tu sais, la fourchette? dit-il. J'ai fait ça pour effrayer le type. [84] 35 Elle n'avait presque rien.»

her eyes as wide as possible.   82. fuzzy, cotton-like.   83. were strewn over.
84. the guy (Eve's father).   85. pawed.   86. The bitch! (referring to the

Les appréhensions d'Eve s'évanouirent et elle eut un rire léger:
«Tu as très bien réussi, dit-elle, tu l'as complètement affolé.»
Pierre sourit.

«As-tu vu? Il l'a tripotée [85] un bon moment, il la tenait à pleines
mains. Ce qu'il y a, dit-il, c'est qu'ils ne savent pas prendre les
choses; ils les empoignent.

—C'est vrai», dit Eve.

Pierre frappa légèrement sur la paume de sa main gauche avec
l'index de sa main droite.

«C'est avec ça qu'ils prennent. Ils approchent leurs doigts et
quand ils ont attrapé l'objet, ils plaquent leur paume dessus pour
l'assommer.»

Il parlait d'une voix rapide et du bout des lèvres: il avait l'air
perplexe:

«Je me demande ce qu'ils veulent, dit-il enfin. Ce type est déjà
venu. Pourquoi me l'ont-ils envoyé? S'ils veulent savoir ce que je
fais, ils n'ont qu'à le lire sur l'écran, ils n'ont même pas besoin de
bouger de chez eux. Ils font des fautes. Moi je n'en fais jamais, c'est
mon atout. Hoffka, dit-il, hoffka.» Il agitait ses longues mains devant son front: «La garce! [86] Hoffka paffka suffka. En veux-tu davantage?

—C'est la cloche? demanda Eve.

—Oui. Elle est partie.» Il reprit avec sévérité: «Ce type, c'est un
subalterne. Tu le connais, tu es allée avec lui au salon.»

Eve ne répondit pas.

«Qu'est-ce qu'il voulait? demanda Pierre. Il a dû te le dire.»
Elle hésita un instant puis répondit brutalement:

«Il voulait qu'on t'enferme.»

Quand on disait doucement la vérité à Pierre, il se méfiait, il
fallait la lui assener [87] avec violence, pour étourdir et paralyser les
soupçons. Eve aimait encore mieux le brutaliser que lui mentir:
quand elle mentait et qu'il avait l'air de la croire, elle ne pouvait se
défendre d'une très légère impression de supériorité qui lui donnait
horreur d'elle-même.

«M'enfermer! répéta Pierre avec ironie. Ils déraillent.[88] Qu'est-ce
que ça peut me faire, des murs. Ils croient peut-être que ça va
m'arrêter. Je me demande quelquefois s'il n'y a pas deux bandes.[89]

bell, as shown by Eve's reply).   87. to strike.   88. They're off the track.
89. two gangs.   90. muddlers.   91. lay their cards on the table, put down

La vraie, celle du nègre. Et puis une bande de brouillons [90] qui
cherche à fourrer son nez là dedans et qui fait sottise sur sottise.»
   Il fit sauter sa main sur le bras du fauteuil et la considéra d'un air
réjoui:
   «Les murs, ça se traverse. Qu'est-ce que tu lui as répondu? de- 5
manda-t-il en se tournant vers Ève avec curiosité.
   —Qu'on ne t'enfermerait pas.»
   Il haussa les épaules.
   «Il ne fallait pas dire ça. Toi aussi tu as fait une faute à moins
que tu ne l'aies fait exprès. Il faut les laisser abattre leur jeu.» [91] 10
   Il se tut. Ève baissa tristement la tête: «Ils les empoignent!» De
quel ton méprisant il avait dit ça—et comme c'était juste. «Est-ce
que moi aussi j'empoigne les objets? J'ai beau m'observer,[92] je crois
que la plupart de mes gestes l'agacent. Mais il ne le dit pas.» Elle se
sentit soudain misérable, comme lorsqu'elle avait quatorze ans et 15
Mme Darbédat vive et légère, lui disait: «On croirait que tu ne sais
pas quoi faire de tes mains.» Elle n'osait pas faire un mouvement et,
juste à ce moment, elle eut une envie irrésistible de changer de
position. Elle ramena doucement ses pieds sous sa chaise effleurant
à peine le tapis. Elle regardait la lampe sur la table—la lampe dont 20
Pierre avait peint le socle [93] en noir—et le jeu d'échecs. Sur le
damier,[94] Pierre n'avait laissé que les pions noirs. Quelquefois il se
levait, il allait jusqu'à la table et prenait les pions un à un dans ses
mains. Il leur parlait, il les appelait Robots et ils paraissaient
s'animer d'une vie sourde entre ses doigts. Quand il les avait reposés, 25
Ève allait les toucher à son tour (elle avait l'impression d'être un
peu ridicule): ils étaient redevenus de petits bouts de bois mort
mais il restait sur eux quelque chose de vague et d'insaisissable,
quelque chose comme un sens.[95] «Ce sont ses objets, pensa-t-elle. Il
n'y a plus rien à moi dans la chambre.» Elle avait possédé quelques 30
meubles, autrefois. La glace et la petite coiffeuse en marqueterie [96]
qui venait de sa grand'mère et que Pierre appelait par plaisanterie:
ta coiffeuse. Pierre les avait entraînés avec lui: à Pierre seul les
choses montraient leur vrai visage. Ève pouvait les regarder pendant
des heures: elles mettaient un entêtement inlassable et mauvais à 35
la décevoir, à ne lui offrir jamais que leur apparence—comme au
docteur Franchot et à M. Darbédat. «Pourtant, se dit-elle avec

their hand.   **92.** Although I am careful about it, although I try to avoid it.
93. base.   **94.** checkerboard.   **95.** like a meaning.   **96.** The mirror and the

angoisse, je ne les vois plus tout à fait comme mon père. Ce n'est
pas possible que je les voie tout à fait comme lui.»

Elle remua un peu les genoux: elle avait des fourmis [97] dans les
jambes. Son corps était raide et tendu, il lui faisait mal; elle le sen-
5 tait trop vivant, indiscret: «Je voudrais être invisible et rester là; le
voir sans qu'il me voie. Il n'a pas besoin de moi; je suis de trop dans
la chambre.» Elle tourna un peu la tête et regarda le mur au-dessus
de Pierre. Sur le mur, des menaces étaient écrites. Eve le savait mais
elle ne pouvait pas les lire. Elle regardait souvent les grosses roses
10 rouges de la tenture murale [98] jusqu'à ce qu'elles se missent à danser
sous ses yeux. Les roses flamboyaient [99] dans la pénombre. La
menace était, la plupart du temps, inscrite près du plafond, à
gauche au-dessus du lit: mais elle se déplaçait quelquefois. «Il faut
que je me lève. Je ne peux pas—je ne peux pas rester assise plus
15 longtemps.» Il y avait aussi, sur le mur, des disques blancs qui
ressemblaient à des tranches d'oignon. Les disques tournèrent sur
eux-mêmes et les mains d'Eve se mirent à trembler: «Il y a des
moments où je deviens folle. Mais non, pensa-t-elle avec amertume,
je ne *peux pas* devenir folle. Je m'énerve, tout simplement.»
20 Soudain elle sentit la main de Pierre sur la sienne.

«Agathe», dit Pierre avec tendresse.

Il lui souriait mais il lui tenait la main du bout des doigts avec
une espèce de répulsion, comme s'il avait pris un crabe par le dos
et qu'il eût voulu éviter ses pinces.

25 «Agathe, dit-il, je voudrais tant avoir confiance en toi.»

Eve ferma les yeux et sa poitrine se souleva: «Il ne faut rien
répondre, sans cela il va se défier, il ne dira plus rien.»

Pierre avait lâché sa main:

«Je t'aime bien, Agathe, lui dit-il. Mais je ne peux pas te com-
30 prendre. Pourquoi restes-tu tout le temps dans la chambre?»

Eve ne répondit pas.

«Dis-moi pourquoi.

—Tu sais bien que je t'aime, dit-elle avec sécheresse.

—Je ne te crois pas, dit Pierre. Pourquoi m'aimerais-tu? Je dois
35 te faire horreur: je suis hanté.» Il sourit mais il devint grave tout
d'un coup:

«Il y a un mur entre toi et moi. Je te vois, je te parle, mais tu es

little inlaid dressing table.　　**97.** had pins and needles.　　**98.** wallpaper.
99. blazed.　　**100.** a barge.　　**101.** as he went along.　　**102.** dejected and mo-

de l'autre côté. Qu'est-ce qui nous empêche de nous aimer? Il me
semble que c'était plus facile autrefois. A Hambourg.

—Oui, dit Eve tristement.» Toujours Hambourg. Jamais il ne
parlait de leur vrai passé. Ni Eve ni lui n'avaient été à Hambourg.
«Nous nous promenions le long des canaux. Il y avait un cha- 5
land,[100] tu te rappelles? Le chaland était noir; il y avait un chien sur
le pont.»

Il inventait à mesure; [101] il avait l'air faux.

«Je te tenais par la main, tu avais une autre peau. Je croyais tout
ce que tu me disais. Taisez-vous», cria-t-il. 10

Il écouta un moment:

«Elles vont venir», dit-il d'une voix morne.[102]

Eve sursauta:

«Elles vont venir? Je croyais déjà qu'elles ne viendraient plus
jamais.» 15

Depuis trois jours, Pierre était plus calme; les statues n'étaient pas
venues. Pierre avait une peur horrible des statues, quoiqu'il n'en
convînt jamais. Eve n'en avait pas peur: mais quand elles se mettaient à voler dans la chambre, en bourdonnant, elle avait peur de
Pierre. 20

«Donne-moi le ziuthre»,[103] dit Pierre.

Eve se leva et prit le ziuthre: c'était un assemblage de morceaux
de carton que Pierre avait collés lui-même: il s'en servait pour conjurer les statues. Le ziuthre ressemblait à une araignée. Sur un des
cartons Pierre avait écrit: «Pouvoir sur l'embûche» [104] et sur un 25
autre «Noir». Sur un troisième il avait dessiné une tête rieuse avec
des yeux plissés: c'était Voltaire. Pierre saisit le ziuthre par une
patte et le considéra d'un air sombre.

«Il ne peut plus me servir, dit-il.

—Pourquoi? 30

—Ils l'ont inversé.

—Tu en feras un autre?»

Il la regarda longuement.

«Tu le voudrais bien», dit-il entre ses dents.

Eve était irritée contre Pierre. «Chaque fois qu'elles viennent, il 35
est averti; comment fait-il: il ne se trompe jamais.»

Le ziuthre pendait piteusement au bout des doigts de Pierre: «Il
trouve toujours de bonnes raisons pour ne pas s'en servir. Dimanche,

notonous.   103. word made up by Pierre.   104. Power over the ambush.

quand elles sont venues, il prétendait l'avoir égaré mais je le voyais,
moi, derrière le pot de colle et il ne pouvait pas ne pas le voir. Je
me demande si ça n'est pas *lui* qui les attire.» On ne pouvait jamais
savoir s'il était tout à fait sincère. A certains moments, Eve avait
5 l'impression que Pierre était envahi malgré lui par un foisonnement [105] malsain de pensées et de visions. Mais, à d'autres moments,
Pierre avait l'air d'inventer. «Il souffre. Mais jusqu'à quel point
croit-il aux statues et au nègre? Les statues en tout cas, je sais qu'il
ne les voit pas, il les entend seulement: quand elles passent, il dé-
10 tourne la tête; il dit tout de même qu'il les voit; il les décrit.» Elle se
rappela le visage rougeaud du docteur Franchot: «Mais, chère
madame, tous les aliénés [106] sont des menteurs; vous perdriez votre
temps si vous vouliez distinguer ce qu'ils ressentent réellement de
ce qu'ils prétendent ressentir.» Elle sursauta: «Qu'est-ce que Fran-
15 chot vient faire là dedans? Je ne vais pas me mettre à penser comme
lui.»

Pierre s'était levé, il alla jeter le ziuthre dans la corbeille à papiers:
«C'est comme *toi* que je voudrais penser», murmura-t-elle. Il marchait à petits pas, sur la pointe des pieds, en serrant les coudes
20 contre ses hanches, pour occuper le moins de place possible. Il
revint s'asseoir et regarda Eve d'un air fermé.

«Il faudra mettre des tentures noires, dit-il, il n'y a pas assez de
noir dans cette chambre.»

Il s'était tassé dans le fauteuil. Eve regarda tristement ce corps
25 avare, toujours prêt à se retirer, à se recroqueviller: [107] les bras, les
jambes, la tête avaient l'air d'organes rétractiles. Six heures son-
nèrent à la pendule; le piano s'était tu. Eve soupira: les statues ne
viendraient pas tout de suite; il fallait les attendre.

«Veux-tu que j'allume?»
30 Elle aimait mieux ne pas les attendre dans l'obscurité.

«Fais ce que tu veux», dit Pierre.

Eve alluma la petite lampe du bureau et un brouillard rouge envahit la pièce. Pierre aussi attendait.

Il ne parlait pas mais ses lèvres remuaient, elles faisaient deux
35 taches sombres dans le brouillard rouge. Eve aimait les lèvres de
Pierre. Elles avaient été, autrefois, émouvantes et sensuelles; mais
elles avaient perdu leur sensualité. Elles s'écartaient l'une de l'autre
en frémissant un peu et se rejoignaient sans cesse, s'écrasaient l'une

105. great number.   **106.** crazy people.   **107.** to curl up.   **108.** to

contre l'autre pour se séparer de nouveau. Seules, dans ce visage muré, elles vivaient; elles avaient l'air de deux bêtes peureuses. Pierre pouvait marmotter[108] ainsi pendant des heures sans qu'un son sortît de sa bouche et, souvent, Eve se laissait fasciner par ce petit mouvement obstiné. «J'aime sa bouche.» Il ne l'embrassait 5 plus jamais; il avait horreur des contacts: la nuit on le touchait, des mains d'hommes, dures et sèches, le pinçaient par tout le corps; des mains de femmes, aux ongles très longs, lui faisaient de sales caresses. Souvent il se couchait tout habillé mais les mains se glissaient sous ses vêtements et tiraient sur sa chemise. Une fois il avait 10 entendu rire et des lèvres bouffies[109] s'étaient posées sur ses lèvres. C'était depuis cette nuit-là, qu'il n'embrassait plus Eve.

«Agathe, dit Pierre, ne regarde pas ma bouche!»

Eve baissa les yeux.

«Je n'ignore pas qu'on peut apprendre à lire sur les lèvres,» 15 poursuivit-il avec insolence.

Sa main tremblait sur le bras du fauteuil. L'index se tendit, vint frapper trois fois sur le pouce et les autres doigts se crispèrent: c'était une conjuration. «Ça va commencer», pensa-t-elle. Elle avait envie de prendre Pierre dans ses bras. 20

Pierre se mit à parler très haut, sur un ton mondain:

«Te souviens-tu de San Pauli?»

Ne pas répondre. C'était peut-être un piège.

«C'est là que je t'ai connue, dit-il d'un air satisfait. Je t'ai soulevée à[110] un marin danois. Nous avons failli nous battre, mais j'ai payé 25 la tournée[111] et il m'a laissé t'emmener. Tout cela n'était que comédie.»

«Il ment, il ne croit pas un mot de ce qu'il dit. Il sait que je ne m'appelle pas Agathe. Je le hais quand il ment.» Mais elle vit ses yeux fixes et sa colère fondit. «Il ne ment pas, pensa-t-elle, il est à 30 bout. Il sent qu'elles approchent; il parle pour s'empêcher d'entendre.» Pierre se cramponnait des deux mains aux bras du fauteuil. Son visage était blafard;[112] il souriait.

«Ces rencontres sont souvent étranges, dit-il, mais je ne crois pas au hasard. Je ne te demande pas qui t'avait envoyée, je sais que tu 35 ne répondrais pas. En tout cas, tu as été assez habile pour m'éclabousser.»[113]

mumble. **109.** swollen. **110.** I took you away from. **111.** paid a round of drinks. **112.** pallid, wan. **113.** spatter (with mud). **114.** in the

Il parlait péniblement, d'une voix aiguë et pressée. Il y avait des mots qu'il ne pouvait prononcer et qui sortaient de sa bouche comme une substance molle et informe.

«Tu m'as entraîné en pleine fête,[114] entre des manèges [115] d'auto-
5 mobiles noires, mais derrière les autos il y avait une armée d'yeux rouges qui luisaient dès que j'avais le dos tourné. Je pense que tu leur faisais des signes, tout en te pendant à mon bras,[116] mais je ne voyais rien. J'étais trop absorbé par les grandes cérémonies du Couronnement.»

10 Il regardait droit devant lui, les yeux grands ouverts. Il se passa la main sur le front, très vite, d'un geste étriqué [117] et sans cesser de parler: il ne voulait pas cesser de parler.

«C'était le Couronnement de la République, dit-il d'une voix stridente, un spectacle impressionnant dans son genre à cause des
15 animaux de toute espèce qu'envoyaient les colonies pour la céré-monie. Tu craignais de t'égarer parmi les singes. J'ai dit parmi les singes, répéta-t-il d'un air arrogant, en regardant autour de lui. *Je pourrais dire parmi les nègres!* [118] Les avortons qui se glissent sous les tables et croient passer inaperçus sont découverts et cloués sur-
20 le-champ par mon Regard. La consigne [119] est de se taire, cria-t-il. De se taire. Tous en place et garde à vous [120] pour l'entrée des statues, c'est l'ordre. Tralala—Il hurlait et mettait ses mains en cornet [121] devant sa bouche—tralalala, tralalalala.»

Il se tut et Eve sut que les statues venaient d'entrer dans la
25 chambre. Il se tenait tout raide, pâle et méprisant. Eve se raidit aussi et tous deux attendirent en silence. Quelqu'un marchait dans le corridor: c'était Marie, la femme de ménage, elle venait sans doute d'arriver. Eve pensa: «Il faudra que je lui donne de l'argent pour le gaz.» Et puis les statues se mirent à voler; elles passaient
30 entre Eve et Pierre.

Pierre fit «Han»,[122] et se blottit dans le fauteuil en ramenant ses jambes sous lui. Il détournait la tête; de temps à autre il ricanait mais des gouttes de sueur perlaient à son front. Eve ne put sup-porter la vue de cette joue pâle, de cette bouche qu'une moue
35 tremblante déformait: elle ferma les yeux. Des fils dorés se mirent à danser sur le fond rouge de ses paupières; elle se sentait vieille et

middle of the fair.   **115.** merry-go-round.   **116.** all the while holding my arm tightly.   **117.** cramped.   **118.** he is alluding to the "Negro's gang" (see above).   **119.** password.   **120.** attention.   **121.** cupped hands.   **122.** said

pesante. Pas très loin d'elle, Pierre soufflait bruyamment. «Elles volent, elles bourdonnent; elles se penchent sur lui . . .» Elle sentit un chatouillement [123] léger, une gêne à l'épaule et au flanc droit. Instinctivement son corps s'inclina vers la gauche comme pour éviter un contact désagréable, comme pour laisser passer un objet 5 lourd et maladroit. Soudain le plancher craqua et elle eut une envie folle d'ouvrir les yeux, de regarder sur sa droite en balayant l'air de sa main.

Elle n'en fit rien; elle garda les yeux clos et une joie âcre la fit frissonner: «Moi aussi j'ai peur», pensa-t-elle. Toute sa vie s'était 10 réfugiée dans son côté droit. Elle se pencha vers Pierre, sans ouvrir les yeux. Il lui suffirait d'un tout petit effort et, pour la première fois, elle entrerait dans ce monde tragique. «J'ai peur des statues», pensa-t-elle. C'était une affirmation violente et aveugle, une incantation: de toutes ses forces elle voulait croire à leur présence; l'angoisse 15 qui paralysait son côté droit, elle essayait d'en faire un sens nouveau, un toucher.[124] Dans son bras, dans son flanc et son épaule, elle *sentait* leur passage.

Les statues volaient bas et doucement; elles bourdonnaient. Eve savait qu'elles avaient l'air malicieux et que des cils sortaient de la 20 pierre autour de leurs yeux; mais elle se les représentait mal. Elle savait aussi qu'elles n'étaient pas encore tout à fait vivantes mais que des plaques de chair, des écailles [125] tièdes, apparaissaient sur leurs grands corps; au bout de leurs doigts la pierre pelait et leurs paumes les démangeaient. Eve ne pouvait pas *voir* tout cela: elle pensait 25 simplement que d'énormes femmes glissaient tout contre elle, solennelles et grotesques, avec un air humain et l'entêtement compact de la pierre. «Elles se penchent sur Pierre—Eve faisait un effort si violent que ses mains se mirent à trembler—elles se penchent vers moi . . .» Un cri horrible la glaça tout à coup. «Elles l'ont touché.» 30 Elle ouvrit les yeux: Pierre avait la tête dans ses mains, il haletait.[126] Eve se sentit épuisée: «Un jeu, pas un instant je n'y ai cru sincèrement. Et pendant ce temps-là, il souffrait pour de vrai.»[127]

Pierre se détendit et respira fortement. Mais ses pupilles restaient étrangement dilatées; il transpirait. 35

«Tu les as vues? demanda-t-il.

—Je ne peux pas les voir.

"Hum." 123. tickling.   124. a sense of touch.   125. fish scales.   126. he was gasping for breath.   127. truly, really.   128. inflammation, pimples.

—Ça vaut mieux pour toi, elles te feraient peur. Moi, dit-il, j'ai l'habitude.»

Les mains d'Eve tremblaient toujours, elle avait le sang à la tête. Pierre prit une cigarette dans sa poche et la porta à sa bouche. Mais
5 il ne l'alluma pas:

«Ça m'est égal de les voir, dit-il, mais je ne veux pas qu'elles me touchent; j'ai peur qu'elles ne me donnent des boutons.» [128]

Il réfléchit un instant et demanda:

«Est-ce que tu les as entendues?

10 —Oui, dit Eve, c'est comme un moteur d'avion.» (Pierre le lui avait dit en propres termes, le dimanche précédent.)

Pierre sourit avec un peu de condescendance.

—Tu exagères, dit-il. Mais il restait blême. Il regarda les mains d'Eve: «Tes mains tremblent. Ça t'a impressionnée, ma pauvre
15 Agathe. Mais tu n'as pas besoin de te faire du mauvais sang: [129] elles ne reviendront plus avant demain.»

Eve ne pouvait pas parler, elle claquait des dents [130] et elle craignait que Pierre ne s'en aperçût. Pierre la considéra longuement.

«Tu es rudement [131] belle, dit-il en hochant la tête. C'est dom-
20 mage, c'est vraiment dommage.»

Il avança rapidement la main et lui effleura l'oreille.

«Ma belle démone! Tu me gênes un peu, tu es trop belle: ça me distrait. S'il ne s'agissait pas de récapitulation . . .»

Il s'arrêta et regarda Eve avec surprise:

25 «Ce n'est pas de ce mot-là . . . Il est venu . . . il est venu, dit-il en souriant d'un air vague. J'avais l'autre sur le bout de la langue . . . et celui-là . . . s'est mis à sa place. J'ai oublié ce que je te disais.»

Il réfléchit un instant et secoua la tête:

30 «Allons, dit-il, je vais dormir.» Il ajouta d'une voix enfantine: «Tu sais, Agathe, je suis fatigué. Je ne trouve plus mes idées.»

Il jeta sa cigarette et regarda le tapis d'un air inquiet. Eve lui glissa un oreiller sous la tête.

«Tu peux dormir aussi, lui dit-il en fermant les yeux, elles ne
35 reviendront pas.»

«RÉCAPITULATION.» Pierre dormait, il avait un demi-sourire candide; il penchait la tête: on aurait dit qu'il voulait caresser sa joue à son épaule. Eve n'avait pas sommeil, elle pensait: «Récapitula-

129. to worry.   130. her teeth were chattering.   131. extremely beautiful.

tion.» Pierre avait pris soudain l'air bête et le mot avait coulé hors de sa bouche, long et blanchâtre.[132] Pierre avait regardé devant lui avec étonnement comme s'il voyait le mot et ne le reconnaissait pas; sa bouche était ouverte, molle; quelque chose semblait s'être cassé en lui. «Il a bredouillé.[133] C'est la première fois que ça lui arrive: il 5 s'en est aperçu, d'ailleurs. Il a dit qu'il ne trouvait plus ses idées.» Pierre poussa un petit gémissement voluptueux et sa main fit un geste léger. Eve le regarda durement: «Comment va-t-il se réveiller?» Ça la rongeait.[134] Dès que Pierre dormait, il fallait qu'elle y pensât, elle ne pouvait pas s'en empêcher. Elle avait peur qu'il ne se 10 réveillât avec les yeux troubles et qu'il ne se mit à bredouiller. «Je suis stupide, pensa-t-elle, ça ne doit pas commencer avant un an; Franchot l'a dit.» Mais l'angoisse ne la quittait pas; un an; un hiver, un printemps, un été, le début d'un autre automne. Un jour ces traits se brouilleraient, il laisserait pendre sa mâchoire, il ouvrirait 15 à demi des yeux larmoyants. Eve se pencha sur la main de Pierre et y posa ses lèvres: «Je te tuerai avant.»

QUESTIONS

1. Quelles sont les sensations qui ravivent les souvenirs de Mme Darbédat? Qu'est-ce que ces souvenirs nous disent sur elle?
2. Quels sentiments Mme Darbédat éprouve-t-elle à l'égard de son mari?
3. Quelle attitude Mme Darbédat avait-elle à l'égard de son gendre peu après le mariage de sa fille?
4. Quels sont les traits de moralité «bourgeoise» apparents chez M. Darbédat?
5. Quels sentiments Eve éprouve-t-elle à l'égard de son père lorsqu'il sort de la chambre?
6. Quelle opinion Eve se fait-elle de son propre salon?
7. Comment l'auteur montre-t-il les rapports entre Pierre et les objets qui l'entourent?
8. La description par Pierre de la façon dont les gens saisissent les objets vous paraît-elle juste?
9. Quelle est la vraie nature des relations entre Pierre et Eve? Et pourquoi Eve a-t-elle fait à sa mère de fausses confidences sur ce sujet?
10. Quelles peuvent être les raisons pour lesquelles Eve reste avec Pierre?

132. whitish.   133. jabbered, mumbled.   134. tormented.

11. Comment Eve ressent-elle (1) sa complicité avec Pierre et (2) sa propre solitude?

12. Comment l'auteur essaie-t-il de nous faire croire à l'existence des statues?

13. L'auteur montre-t-il de la sympathie pour les parents et pour les gens «normaux» en général? Que leur reproche-t-il?

14. Comment l'auteur indique-t-il sa sympathie pour Pierre et pour Eve?

15. Donnez quelques exemples de l'acuité de la description des sensations dans cette nouvelle.

16. Quel sens attachez-vous aux derniers mots de cette nouvelle?

17. Pourquoi cette nouvelle est-elle intitulée *La chambre*?

Albert Camus

(1913–   )

A LBERT CAMUS lived in Algiers until 1940, when he came
to France and quickly gained a reputation as one of the
most gifted writers of the rising generation. In his youth
he had been a professional athlete until his physical activities were
cut short by tuberculosis; his ill health may perhaps lie at the root
of the pessimistic outlook which characterizes his writings. His first
work to attract attention was *Noces* (1938), a series of lyrical essays framed against a background of warm Mediterranean scenery,
expressing the author's revolt against religion and his belief in the
pagan enjoyment of one's body. These themes, with their social
implications, are stressed again in the novel, *L'étranger* (1942).
The hero, somewhat similar to those of Franz Kafka, cannot con-
form to accepted patterns of behavior and becomes the victim of an
implacable social system. Later in 1942 Camus published *Le mythe
de Sisyphe*, a long philosophical essay analyzing the dilemma of
modern thinkers who recognize the absurdity and futility of human
life. Although well versed in the ideas of modern existentialist philosophers, Camus refused to be associated with any movement or
school of thought. He found in the legend of Sisyphus and the rock
not only an image of man's condition in a capriciously cruel uni-
verse but also a symbol of man's dignity and strength in the lucid
acceptance of his fate.

During the German occupation of France Camus helped found
the clandestine newspaper *Combat*, to which he contributed brilliant editorials on political events. He also wrote a series of four
Lettres à un ami allemand predicting the ultimate victory of
France's humanistic values over the blind forces unleashed by her
enemies. His play, *Le malentendu* (1944), although written in war-
time and partially inspired by the bondage of Europe, marks a re-

301

turn to pure literature. A wayward son comes home to enrich his family but through a mistake in identity—typical of the chances which shape our lives—he is murdered by his own mother and sister. Bare in its setting, matter-of-fact in its style, the play nevertheless achieves an intense atmosphere of evil and impending doom. *Caligula* (1945, but written in 1938) is entirely different in manner; it is a pageant of court life in ancient Rome, enlivened by physical violence, buffoonery, and Voltairean wit. Yet this play also is a tragedy. The emperor Caligula, convinced of life's absurdity, carries his conviction to an undesirable extreme; he flouts every social convention, indulges every fancy, murders his most devoted friend, and finally is assassinated by conspirators acting for the public good.

In the novel *La peste* (1947) Camus deals with the problem of misfortunes unjustly inflicted upon man, in this case an epidemic of bubonic plague in the city of Oran. The central character, a modern Sisyphus, is a doctor who denies the existence of God but struggles heroically at his task of saving men from an untimely death. When the epidemic is finally checked he publishes his notes «pour témoigner en faveur de ces pestiférés, pour laisser du moins un souvenir de l'injustice et de la violence qui leur avaient été faites, et pour dire simplement ce qu'on apprend au milieu des fléaux, qu'il y a dans les hommes plus de choses à admirer que de choses à mépriser.» Less bitter, less nihilistic than the earlier works of Camus, *La peste* expresses the author's faith in mankind and his profound compassion for human suffering.

L'étranger relates the downfall of a misfit, an alien in the world, who is crushed under the weight of a social order which he cannot understand. The narrator, Meursault, lives in Algiers, leading a curiously apathetic existence. He earns a little money as a clerical employee and has no ambition for additional wealth or responsibility. On Sundays he swims and basks in the sun, passes the time agreeably with various acquaintances for whom he feels no attachment, or satisfies his sexual appetites, quite unemotionally, with a girl named Marie.

The novel opens with an account of the death and burial of Meursault's mother in an Algerian poorhouse. He had sent her there in her declining days, partly for lack of money but primarily because they were bored with each other. He felt that she would be more at home in the company of elderly people like herself.

When her death occurred it seemed completely natural to him and not an occasion for sadness. A few weeks later Meursault spends a Sunday at the beach with Marie and Raymond Sintès, a casual friend. He becomes involved in a quarrel between Raymond and an Arab who has been following them. That afternoon, as he is walking alone, under a blazing sun, with Raymond's revolver in his pocket, he happens to meet the Arab again. Acting under a strange impulsion (is it a moment of madness brought on by sunstroke, or simply a surrender to his destiny?) he fires five shots into the Arab's body. He is brought to trial for murder and makes little effort to defend himself. The decisive factor in his trial is his seeming insensibility, especially his indifference to the death of his mother. The jury considers him a heartless monster and condemns him to death.

Throughout the book one sympathizes with Meursault because of his sincerity, his lack of all pretense, his logical conduct in a world which he considers absurd and foreign to his nature. In the following selection, the final chapter of the novel, he is in prison awaiting his execution. He reviews the events of his life, refuses to seek any consolation in religion, and in the end experiences a bitter satisfaction in the very hatred and hostility which surround him.

BIBLIOGRAPHY

A. J. Ayer, "Novelist-Philosophers—Albert Camus," *Horizon*, XIII (1946), 155–168.
Maurice Blanchot, *Faux pas*, Paris, 1943.
Albert J. Guérard, "Albert Camus," *Foreground*, I (1946), 45–59.
Jean-Paul Sartre, *Explication de l'Etranger*. 1946 (hors commerce).

↵

LA VISITE DE L'AUMÔNIER

Pour la troisième fois, j'ai refusé de recevoir l'aumônier.[1] Je n'ai rien à lui dire, je n'ai pas envie de parler, je le verrai bien assez tôt. Ce qui m'intéresse en ce moment, c'est d'échapper à la mécanique, de savoir si l'inévitable peut avoir une issue. On m'a changé de cellule. De celle-ci, lorsque je suis allongé, je vois le ciel et je ne 5 vois que lui. Toutes mes journées se passent à regarder sur son

1. chaplain.   2. accounts, reports.   3. mad dash.   4. random shot.

visage le déclin des couleurs qui conduit le jour à la nuit. Couché, je passe les mains sous ma tête et j'attends. Je ne sais combien de fois je me suis demandé s'il y avait des exemples de condamnés à mort qui eussent échappé au mécanisme implacable, disparu 5 avant l'exécution, rompu les cordons d'agents. Je me reprochais alors de n'avoir pas prêté assez d'attention aux récits d'exécution. On devrait toujours s'intéresser à ces questions. On ne sait jamais ce qui peut arriver. Comme tout le monde, j'avais lu des comptes rendus[2] dans des journaux. Mais il y avait certainement des 10 ouvrages spéciaux que je n'avais jamais eu la curiosité de consulter. Là peut-être j'aurais trouvé des récits d'évasion. J'aurais appris que dans un cas au moins la roue s'était arrêtée, que dans cette précipitation irrésistible, le hasard et la chance une fois seulement avaient changé quelque chose. Une fois! Dans un sens, je crois que cela 15 m'aurait suffi. Mon cœur aurait fait le reste. Les journaux parlaient souvent d'une dette qui était due à la société. Il fallait, selon eux, la payer. Mais cela ne parle pas à l'imagination. Ce qui comptait, c'était une possibilité d'évasion, un saut hors du rite implacable, une course à la folie[3] qui offrît toutes les chances de l'espoir. 20 Naturellement, l'espoir, c'était d'être abattu au coin d'une rue, en pleine course, et d'une balle à la volée.[4] Mais, tout bien considéré, rien ne me permettait ce luxe, tout me l'interdisait, la mécanique me reprenait.

Malgré ma bonne volonté, je ne pouvais pas accepter cette certi- 25 tude insolente. Car enfin, il y avait une disproportion ridicule entre le jugement[5] qui l'avait fondée et son déroulement imperturbable à partir du moment où ce jugement avait été prononcé. Le fait que la sentence avait été lue à vingt heures plutôt qu'à dix-sept, le fait qu'elle aurait pu être tout autre, qu'elle avait été prise par des 30 hommes qui changent de linge, qu'elle avait été portée au crédit d'une notion aussi imprécise que le peuple français[6] (ou allemand, ou chinois), il me semblait bien que tout cela enlevait beaucoup de sérieux à une telle décision. Pourtant, j'étais obligé de reconnaître que, dès la seconde où elle avait été prise, ses effets devenaient aussi 35 certains, aussi sérieux, que la présence de ce mur tout le long duquel j'écrasais mon corps.

5. verdict, sentence. 6. that it (the verdict) had been rendered in the name of so vague a concept as "the French people." A reference to the magistrate's sentence, in which he said «j'aurais la tête tranchée sur une place publique au

Je me suis souvenu dans ces moments d'une histoire que maman me racontait à propos de mon père. Je ne l'avais pas connu. Tout ce que je connaissais de précis sur cet homme, c'était peut-être ce que m'en disait alors maman: il était allé voir exécuter un assassin. Il était malade à l'idée d'y aller. Il l'avait fait cependant et au 5 retour, il avait vomi une partie de la matinée. Mon père me dégoûtait un peu alors. Maintenant, je comprenais, c'était si naturel. Comment n'avais-je pas vu que rien n'était plus important qu'une exécution capitale et que dans un sens, c'était même la seule chose vraiment intéressante pour un homme! Si jamais je sortais de cette 10 prison, j'irais voir toutes les exécutions capitales. J'avais tort, je crois, de penser à cette possibilité. Car à l'idée de me voir libre par un petit matin derrière un cordon d'agents, de l'autre côté en quelque sorte, à l'idée d'être le spectateur qui vient voir et qui pourra vomir après, un flot de joie empoisonnée me montait au 15 cœur. Mais ce n'était pas raisonnable. J'avais tort de me laisser aller à ces suppositions parce que l'instant d'après j'avais si affreusement froid que je me recroquevillais [7] sous ma couverture. Je claquais des dents sans pouvoir me retenir.

Mais naturellement, on ne peut pas être toujours raisonnable. 20 D'autres fois, par exemple, je faisais des projets de loi.[8] Je réformais les pénalités. J'avais remarqué que l'essentiel était de donner une chance au condamné. Une seule sur mille, cela suffisait pour arranger bien des choses. Ainsi il me semblait qu'on pouvait trouver une combinaison chimique dont l'absorption tuerait le patient (je 25 pensais: le patient) neuf fois sur dix. Lui le saurait, c'était la condition. Car, en réfléchissant bien, en considérant les choses avec calme, je constatais que ce qui était défectueux avec le couperet,[9] c'est qu'il n'y avait aucune chance, absolument aucune. Une fois pour toutes, en somme, la mort du patient avait été décidée. C'était 30 une affaire classée,[10] une combinaison bien arrêtée,[11] un accord entendu et sur lequel il n'était pas question de revenir. Si le coup ratait,[12] par extraordinaire, on recommençait. Par suite, ce qu'il y avait d'ennuyeux, c'est qu'il fallait que le condamné souhaitât le bon fonctionnement de la machine. Je dis que c'est le côté défec- 35 tueux. Cela est vrai, dans un sens. Mais dans un autre sens, j'étais obligé de reconnaître que tout le secret d'une bonne organisation

nom du peuple français.»   7. I curled up.   8. I drafted bills.   9. guillotine blade.   10. pigeonholed.   11. settled.   12. If the stroke missed.

était là. En somme, le condamné était obligé de collaborer morale-
ment. C'était son intérêt que tout marchât sans accroc.[13]

J'étais obligé de constater aussi que jusqu'ici j'avais eu sur ces
questions des idées qui n'étaient pas justes. J'ai cru longtemps—et je
5 ne sais pas pourquoi—que pour aller à la guillotine, il fallait monter
sur un échafaud,[14] gravir des marches. Je crois que c'était à cause de
la Révolution de 1789, je veux dire à cause de tout ce qu'on m'avait
appris ou fait voir sur ces questions. Mais un matin, je me suis
souvenu d'une photographie publiée par les journaux à l'occasion
10 d'une exécution retentissante.[15] En réalité, la machine était posée à
même [16] le sol, le plus simplement du monde. Elle était beaucoup
plus étroite que je ne le pensais. C'était assez drôle que je ne m'en
sois pas avisé plus tôt. Cette machine, sur le cliché,[17] m'avait frappé
par son aspect d'ouvrage de précision, fini et étincelant. On se fait
15 toujours des idées exagérées de ce qu'on ne connaît pas. Je devais
constater au contraire que tout était très simple: la machine est au
même niveau que l'homme qui marche vers elle. Il la rejoint comme
on marche à la rencontre d'une personne. Dans un sens, cela aussi
était ennuyeux. La montée vers l'échafaud, l'ascension en plein ciel,
20 l'imagination pouvait s'y raccrocher.[18] Tandis que là encore, la
mécanique écrasait tout: on était tué discrètement, avec un peu de
honte et beaucoup de précision.

Il y avait aussi deux choses à quoi je réfléchissais tout le temps:
l'aube et mon pourvoi.[19] Je me raisonnais cependant et j'essayais de
25 n'y plus penser. Je m'étendais, je regardais le ciel, je m'efforçais de
m'y intéresser. Il devenait vert, c'était le soir. Je faisais encore un
effort pour détourner le cours de mes pensées. J'écoutais mon
cœur. Je ne pouvais imaginer que ce petit bruit qui m'accompagnait
depuis si longtemps pût jamais cesser. Je n'ai jamais eu de véritable
30 imagination. J'essayais pourtant de me représenter une certaine
seconde où le battement de ce cœur ne se prolongerait plus dans
ma tête. Mais en vain. L'aube ou mon pourvoi étaient là. Je finissais
par me dire que le plus raisonnable était de ne pas me contraindre.

C'est à l'aube qu'ils venaient, je le savais. En somme, j'ai occupé
35 mes nuits à attendre cette aube. Je n'ai jamais aimé être surpris.
Quand il m'arrive quelque chose, je préfère être là. C'est pourquoi
j'ai fini par ne plus dormir qu'un peu dans mes journées et, tout

13. hitch.   14. scaffold.   15. much publicized.   16. on a level with.
17. photograph.   18. take hold of it, seize it.   19. appeal for clemency.

le long de mes nuits, j'ai attendu patiemment que la lumière naisse sur la vitre du ciel. Le plus difficile, c'était l'heure douteuse où je savais qu'ils opéraient d'habitude. Passé minuit, j'attendais et je guettais.[20] Jamais mon oreille n'avait perçu tant de bruits, distingué de sons si ténus. Je peux dire, d'ailleurs, que d'une certaine façon 5 j'ai eu de la chance pendant toute cette période puisque je n'ai jamais entendu de pas. Maman disait souvent qu'on n'est jamais tout à fait malheureux. Je l'approuvais dans ma prison, quand le ciel se colorait et qu'un nouveau jour glissait dans ma cellule. Parce qu'aussi bien j'aurais pu entendre des pas et mon cœur aurait 10 pu éclater. Même si le moindre glissement me jetait à la porte, même si, l'oreille collée[21] au bois, j'attendais éperdument jusqu'à ce que j'entende ma propre respiration, effrayé de la trouver rauque et si, pareille au râle[22] d'un chien, au bout du compte mon cœur n'éclatait pas et j'avais encore gagné vingt-quatre heures. 15

Pendant tout le jour il y avait mon pourvoi. Je crois que j'ai tiré le meilleur parti[23] de cette idée. Je calculais mes effets[24] et j'obtenais de mes réflexions le meilleur rendement.[25] Je prenais toujours la plus mauvaise supposition: mon pourvoi était rejeté. «Eh bien, je mourrai donc.» Plus tôt que d'autres, c'était évident. Mais 20 tout le monde sait que la vie ne vaut pas la peine d'être vécue. Dans le fond, je n'ignorais pas que mourir à trente ans ou à soixante-dix ans importe peu puisque, naturellement, dans les deux cas, d'autres hommes et d'autres femmes vivront, et cela pendant des milliers d'années. Rien n'était plus clair, en somme. C'était toujours 25 moi qui mourrais, que ce soit maintenant ou dans vingt ans. A ce moment, ce qui me gênait un peu dans mon raisonnement, c'était ce bond terrible que je sentais en moi à la pensée de vingt ans de vie à venir. Mais je n'avais qu'à l'étouffer en imaginant ce que seraient mes pensées dans vingt ans quand il me faudrait quand 30 même en venir là.[26] Du moment qu'on meurt,[27] comment et quand, cela n'importe pas, c'était évident. Donc (et le difficile, c'était de ne pas perdre de vue tout ce que ce «donc» représentait de raisonnements), donc, je devais accepter le rejet de mon pourvoi.

A ce moment, à ce moment seulement, j'avais pour ainsi dire le 35 droit, je me donnais en quelque sorte la permission d'aborder la

20. I kept watch. 21. glued. 22. rattle in the throat, death rattle. 23. I got the most out of. 24. possessions, capital. 25. return, profit. 26. when I would end up that way (die) anyway. 27. since one dies, so long as one

deuxième hypothèse: j'étais gracié. L'ennuyeux, c'est qu'il fallait rendre moins fougueux[28] cet élan du sang et du corps qui me piquait les yeux d'une joie insensée. Il fallait que je m'applique à réduire ce cri, à le raisonner. Il fallait que je sois naturel même dans 5 cette hypothèse, pour rendre plus plausible ma résignation dans la première. Quand j'avais réussi, j'avais gagné une heure de calme. Cela, tout de même, était à considérer.

C'est à un semblable moment que j'ai refusé une fois de plus de recevoir l'aumônier. J'étais étendu et je devinais l'approche du soir 10 d'été à une certaine blondeur du ciel. Je venais de rejeter mon pourvoi et je pouvais sentir les ondes de mon sang circuler régulièrement en moi. Je n'avais pas besoin de voir l'aumônier. Pour la première fois depuis bien longtemps, j'ai pensé à Marie. Il y avait de longs jours qu'elle ne m'écrivait plus. Ce soir-là, j'ai réfléchi et je 15 me suis dit qu'elle s'était peut-être fatiguée d'être la maîtresse d'un condamné à mort. L'idée m'est venue aussi qu'elle était peut-être malade ou morte. C'était dans l'ordre des choses.[29] Comment l'aurais-je su puisqu'en dehors de nos deux corps maintenant séparés, rien ne nous liait et ne nous rappelait l'un à l'autre. A partir de ce 20 moment, d'ailleurs, le souvenir de Marie m'aurait été indifférent. Morte, elle ne m'intéressait plus. Je trouvais cela normal comme je comprenais très bien que les gens m'oublient après ma mort. Ils n'avaient plus rien à faire avec moi. Je ne pouvais même pas dire que cela était dur à penser. Au fond, il n'y a pas d'idée à laquelle on 25 ne finisse par s'habituer.

C'est à ce moment précis que l'aumônier est entré. Quand je l'ai vu, j'ai eu un petit tremblement. Il s'en est aperçu, et m'a dit de ne pas avoir peur. Je lui ai dit qu'il venait d'habitude à un autre moment. Il m'a répondu que c'était une visite tout amicale 30 qui n'avait rien à voir avec mon pourvoi dont il ne savait rien. Il s'est assis sur ma couchette et m'a invité à me mettre près de lui. J'ai refusé. Je lui trouvais tout de même un air très doux.

Il est resté un moment assis, les avant-bras sur les genoux, la tête baissée, à regarder ses mains. Elles étaient fines et musclées, 35 elles me faisaient penser à deux bêtes agiles. Il les a frottées lentement l'une contre l'autre. Puis il est resté ainsi, la tête toujours baissée, pendant si longtemps que j'ai eu l'impression, un instant, que je l'avais oublié.

dies.   28. turbulent, impetuous.   29. It was something to be expected.

Mais il a relevé brusquement la tête et m'a regardé en face:
«Pourquoi, m'a-t-il dit, refusez-vous mes visites?» J'ai répondu que
je ne croyais pas en Dieu. Il a voulu savoir si j'en étais bien sûr
et j'ai dit que je n'avais pas à me le demander: cela me paraissait
une question sans importance. Il s'est alors renversé en arrière et 5
s'est adossé au mur, les mains à plat sur les cuisses. Presque sans
avoir l'air de me parler, il a observé qu'on se croyait sûr, quelquefois,
et, en réalité, on ne l'était pas. Je ne disais rien. Il m'a regardé et
m'a interrogé: «Qu'en pensez-vous?» J'ai répondu que c'était possible. En tout cas, je n'étais peut-être pas sûr de ce qui m'intéressait 10
réellement, mais j'étais tout à fait sûr de ce qui ne m'intéressait pas.
Et justement, ce dont il me parlait ne m'intéressait pas.

Il a détourné les yeux et, toujours sans changer de position, m'a
demandé si je ne parlais pas ainsi par excès de désespoir. Je lui ai
expliqué que je n'étais pas désespéré. J'avais seulement peur, c'était 15
bien naturel. «Dieu vous aiderait alors, a-t-il remarqué. Tous ceux
que j'ai connus dans votre cas se retournaient vers lui.» J'ai reconnu
que c'était leur droit. Cela prouvait aussi qu'ils en avaient le temps.
Quant à moi, je ne voulais pas qu'on m'aidât et justement le temps
me manquait pour m'intéresser à ce qui ne m'intéressait pas. 20

A ce moment, ses mains ont eu un geste d'agacement, mais il
s'est redressé et a arrangé les plis de sa robe. Quand il a eu fini,[30] il
s'est adressé à moi en m'appelant «mon ami»: s'il me parlait ainsi
ce n'était pas parce que j'étais condamné à mort; à son avis, nous
étions tous condamnés à mort. Mais je l'ai interrompu en lui disant 25
que ce n'était pas la même chose et que, d'ailleurs, ce ne pouvait
être, en aucun cas, une consolation. «Certes, a-t-il approuvé. Mais
vous mourrez plus tard si vous ne mourrez pas bientôt. La même
question se posera alors. Comment aborderez-vous cette terrible
épreuve?» J'ai répondu que je l'aborderais exactement comme je 30
l'abordais en ce moment.

Il s'est levé à ce mot et m'a regardé droit dans les yeux. C'est
un jeu que je connaissais bien. Je m'en amusais souvent avec Em-
manuel [31] ou Céleste [32] et, en général, ils détournaient leurs yeux.
L'aumônier aussi connaissait bien ce jeu, je l'ai tout de suite com- 35

30. an example of the **passé surcomposé**, which is used characteristically after
a dependent conjunction of time in conversational or informal style to express a
pluperfect action.   31. works in the same office as Meursault and is fairly intimate with him.   32. proprietor of a restaurant where Meursault takes some of

pris: son regard ne tremblait pas. Et sa voix non plus n'a pas tremblé quand il m'a dit: «N'avez-vous donc aucun espoir et vivez-vous avec la pensée que vous allez mourir tout entier?—Oui», ai-je répondu.

5 Alors, il a baissé la tête et s'est rassis. Il m'a dit qu'il me plaignait. Il jugeait cela impossible à supporter pour un homme. Moi, j'ai seulement senti qu'il commençait à m'ennuyer. Je me suis détourné à mon tour et je suis allé sous la lucarne.[33] Je m'appuyais de l'épaule contre le mur. Sans bien le suivre, j'ai entendu qu'il recommençait 10 à m'interroger. Il parlait d'une voix inquiète et pressante. J'ai compris qu'il était ému et je l'ai mieux écouté.

Il me disait sa certitude que mon pourvoi serait accepté, mais je portais le poids d'un péché dont il fallait me débarrasser. Selon lui, la justice des hommes n'était rien et la justice de Dieu tout. J'ai 15 remarqué que c'était la première qui m'avait condamné. Il m'a répondu qu'elle n'avait pas, pour autant, lavé mon péché. Je lui ai dit que je ne savais pas ce qu'était un péché. On m'avait seulement appris que j'étais un coupable. J'étais coupable, je payais, on ne pouvait rien me demander de plus. A ce moment, il s'est 20 levé à nouveau et j'ai pensé que dans cette cellule si étroite, s'il voulait remuer, il n'avait pas le choix. Il fallait s'asseoir ou se lever.

J'avais les yeux fixés au sol. Il a fait un pas vers moi et s'est arrêté, comme s'il n'osait avancer. Il regardait le ciel à travers les 25 barreaux. «Vous vous trompez, mon fils, m'a-t-il dit, on pourrait vous demander plus. On vous le demandera peut-être.—Et quoi donc?—On pourrait vous demander de voir.—Voir quoi?»

Le prêtre a regardé tout autour de lui et il a répondu d'une voix que j'ai trouvée soudain très lasse: «Toutes ces pierres suent la 30 douleur, je le sais. Je ne les ai jamais regardées sans angoisse. Mais, du fond du cœur, je sais que les plus misérables d'entre vous ont vu sortir de leur obscurité un visage divin. C'est ce visage qu'on vous demande de voir.»

Je me suis un peu animé. J'ai dit qu'il y avait des mois que je 35 regardais ces murailles. Il n'y avait rien ni personne que je connusse mieux au monde. Peut-être, il y a bien longtemps, y avais-je cherché un visage. Mais ce visage avait la couleur du soleil et la flamme du désir: c'était celui de Marie. Je l'avais cherché en vain.

his meals; testifies in Meursault's favor at the trial.   33. small high window or

Maintenant, c'était fini. Et dans tous les cas, je n'avais rien vu surgir de cette sueur de pierre.

L'aumônier m'a regardé avec une sorte de tristesse. J'étais maintenant complètement adossé à la muraille et le jour me coulait sur le front. Il a dit quelques mots que je n'ai pas entendus et m'a de- 5 mandé très vite si je lui permettais de m'embrasser: «Non», ai-je répondu. Il s'est retourné et a marché vers le mur sur lequel il a passé sa main lentement: «Aimez-vous donc cette terre à ce point?» a-t-il murmuré. Je n'ai rien répondu.

Il est resté assez longtemps détourné. Sa présence me pesait et 10 m'agaçait. J'allais lui dire de partir, de me laisser, quand il s'est écrié tout d'un coup avec une sorte d'éclat, en se retournant vers moi: «Non, je ne peux pas vous croire. Je suis sûr qu'il vous est arrivé de souhaiter une autre vie.» Je lui ai répondu que naturellement, mais cela n'avait pas plus d'importance que de souhaiter 15 d'être riche, de nager très vite ou d'avoir une bouche mieux faite. C'était du même ordre. Mais lui m'a arrêté et il voulait savoir comment je voyais cette autre vie. Alors, je lui ai crié: «Une vie où je pourrais me souvenir de celle-ci», et aussitôt je lui ai dit que j'en avais assez. Il voulait encore me parler de Dieu, mais je me suis 20 avancé vers lui et j'ai tenté de lui expliquer une dernière fois qu'il me restait peu de temps. Je ne voulais pas le perdre avec Dieu. Il a essayé de changer de sujet en me demandant pourquoi je l'appelais «monsieur» et non pas «mon père». Cela m'a énervé et je lui ai répondu qu'il n'était pas mon père: il était avec les autres.[34] 25

«Non, mon fils, a-t-il dit en mettant la main sur mon épaule. Je suis avec vous. Mais vous ne pouvez pas le savoir parce que vous avez un cœur aveugle. Je prierai pour vous.»

Alors, je ne sais pas pourquoi, il y a quelque chose qui a crevé en moi. Je me suis mis à crier à plein gosier et je l'ai insulté et je lui ai 30 dit de ne pas prier, et qu'il valait mieux brûler que disparaître.[35] Je l'avais pris par le collet de sa soutane.[36] Je déversais sur lui tout le fond de mon cœur avec des bondissements mêlés de joie et de colère. Il avait l'air si certain, n'est-ce pas? Pourtant, aucune de ses certitudes ne valait un cheveu de femme. Il n'était même pas 35 sûr d'être en vie puisqu'il vivait comme un mort. Moi, j'avais

---

skylight.   **34.** he was on the other side, i.e., on the side of the social order, which required that any nonconformist be punished.   **35.** he would rather burn in hell than cease to exist.   **36.** cassock.   **37.** So what? What did it

l'air d'avoir les mains vides. Mais j'étais sûr de moi, sûr de tout, plus sûr que lui, sûr de ma vie et de cette mort qui allait venir. Oui, je n'avais que cela. Mais du moins, je tenais cette vérité autant qu'elle me tenait. J'avais eu raison, j'avais encore raison, j'avais
5 toujours raison. J'avais vécu de telle façon et j'aurais pu vivre de telle autre. J'avais fait ceci et je n'avais pas fait cela. Je n'avais pas fait telle chose alors que j'avais fait cette autre. Et après? [37] C'était comme si j'avais attendu pendant tout le temps cette minute . . . et cette petite aube où je serai justifié.[38] Rien, rien n'avait d'impor-
10 tance et je savais bien pourquoi. Lui aussi savait pourquoi. Du fond de mon avenir, pendant toute cette vie absurde que j'avais menée, son souffle obscur remontait vers moi à travers des années qui n'étaient pas encore venues et un souffle égalisait sur son passage tout ce qu'on me proposait alors dans les années pas plus réelles
15 que je vivais.[39] Que m'importaient la mort des autres, l'amour d'une mère, que m'importaient son dieu, les vies qu'on choisit, les destins qu'on élit, puisqu'un seul destin devait m'élire moi-même et avec moi des milliards de privilégiés[40] qui, comme lui, se disaient mes frères. Comprenait-il, comprenait-il donc? Tout le
20 monde était privilégié. Il n'y avait que des privilégiés. Les autres aussi on les condamnerait un jour. Lui aussi on le condamnerait. Qu'importait si accusé de meurtre il était exécuté pour n'avoir pas pleuré à l'enterrement de sa mère? Le chien de Salamano[41] valait autant que sa femme. La petite femme automatique[42] était aussi
25 coupable que la Parisienne que Masson[43] avait épousée ou que Marie qui avait envie que je l'épouse. Qu'importait que Raymond[44] fût mon copain autant que Céleste qui valait mieux que lui? Qu'importait que Marie donnât aujourd'hui sa bouche à un nouveau Meursault? Comprenait-il donc, ce condamné, et que du fond de

matter? **38.** that dawn when I shall be justified, i.e., when my conduct which to society seems so reprehensible will appear to be an inescapable part of the predestined scheme of things. **39.** Out of my future, throughout that whole absurd life I had lived, the mysterious breath (of that future dawn) came down to me across years as yet unlived and as it passed equalized (made quite futile) all the hopes held out to me in the equally unreal years I was then living through. **40.** privileged ones, i.e., those privileged to live, even if a tragic destiny is in store for them. **41.** neighbor of Meursault. After the death of his wife he acquired a dog on which he lavished a sort of irritable, scolding affection. **42.** a woman with jerky gestures, always hard at work, whom Meursault has observed at Céleste's restaurant. **43.** Masson and his wife have a cottage at the beach. Meursault was visiting them on the day when he killed the Arab. **44.** an unsavory character with whom Meursault had be-

mon avenir . . . J'étouffais en criant tout ceci. Mais déjà on m'arrachait l'aumônier des mains et les gardiens me menaçaient. Lui, cependant, les a calmés et m'a regardé un moment en silence. Il avait les yeux pleins de larmes. Il s'est détourné et il a disparu.

Lui parti, j'ai retrouvé le calme. J'étais épuisé et je me suis jeté 5 sur ma couchette. Je crois que j'ai dormi parce que je me suis réveillé avec des étoiles sur le visage. Des bruits de campagne montaient jusqu'à moi. Des odeurs de nuit, de terre et de sel rafraîchissaient mes tempes. La merveilleuse paix de cet été endormi entrait en moi comme une marée. A ce moment et à la limite de 10 la nuit, des sirènes [45] ont hurlé. Elles annonçaient des départs pour un monde qui maintenant m'était à jamais indifférent. Pour la première fois depuis bien longtemps, j'ai pensé à maman. Il m'a semblé que je comprenais pourquoi à la fin d'une vie elle avait pris un «fiancé»,[46] pourquoi elle avait joué à recommencer. Là-bas, 15 là-bas aussi, autour de cet asile où des vies s'éteignaient, le soir était comme une trêve [47] mélancolique. Si près de la mort, maman devait s'y sentir libérée et prête à tout revivre. Personne, personne n'avait le droit de pleurer sur elle. Et moi aussi, je me suis senti prêt à tout revivre. Comme si cette grande colère m'avait purgé du 20 mal, vidé d'espoir, devant cette nuit chargée de signes et d'étoiles, je m'ouvrais pour la première fois à la tendre indifférence du monde. De l'éprouver si pareil à moi, si fraternel enfin, j'ai senti que j'avais été heureux, et que je l'étais encore. Pour que tout soit consommé, pour que je me sente moins seul, il me restait à souhaiter, qu'il y ait 25 beaucoup de spectateurs le jour de mon exécution et qu'ils m'accueillent avec des cris de haine.

QUESTIONS

1. Précisez les idées de Meursault sur le mécanisme implacable dont il parle au premier paragraphe du chapitre.
2. Quels éléments fortuits trouve-t-il dans le jugement prononcé? La justice est-elle aussi variable qu'il semble le croire?
3. Expliquez comment, aux yeux de Meursault, la guillotine symbolise l'empire de la société sur l'individu.

come associated. Raymond's vengeance against a capricious Arab girl who had been his mistress was the first link in the chain of accidental circumstances which brought Meursault face to face with the Arab on the beach. **45.** whistles of boats or trains. **46.** an old man named Thomas Pérez, also an inmate of the poorhouse, who was a constant companion of Meursault's mother. **47.** respite.

4. Combien de sincérité y a-t-il dans la phrase, «Mais tout le monde sait que la vie ne vaut pas la peine d'être vécue»?

5. Quelle est, aux yeux de Meursault, la justification de la vie futile qu'il a vécue?

6. Qu'y a-t-il de consolant pour Meursault dans les cris de haine du public?

7. Que trouvez-vous de sympathique, ou d'antipathique, dans le caractère de l'aumônier?

8. Meursault porte un intérêt presque scientifique à tous les détails des exécutions, le fonctionnement de la guillotine, etc. Trouvez-vous cela naturel chez un condamné à mort? Cette attitude convient-elle au caractère de Meursault?

9. Citez des exemples d'humour dans les réflexions de Meursault.

10. Qu'est-ce qui vous intéresse le plus: ce que fait Meursault, ce qu'il pense, ce qu'il est? Expliquez.

11. Le trouvez-vous sympathique? Détestable? Tragique? Expliquez.

12. Connaissez-vous dans la littérature, surtout récente, des personnages qui ressemblent à Meursault?

13. Quel est, selon vous, le thème ou le sujet du chapitre et du livre?

14. Est-ce que cet extrait de L'étranger forme un tout? Analysez le progrès dramatique des émotions dans la composition du chapitre.

15. À la base d'un drame il y a toujours une lutte. Quelles sont les forces qui s'opposent dans ce morceau?

16. Qu'y a-t-il dans le vocabulaire et le style, qui donne un accent vécu?

17. L'absence presque totale de couleur locale vous paraît-elle un mérite ou un défaut? Est-ce que les détails descriptifs (par exemple, la lucarne, les murailles humides, les sirènes) sont choisis pour des raisons spéciales?

18. Essayez de définir l'atmosphère particulière qui se dégage de ce chapitre.

19. Pourquoi n'est-il pas possible, au point de vue artistique, que Meursault soit gracié?

20. Quelle est votre opinion sur le talent littéraire de Camus?

VOCABULARY

From this vocabulary have been omitted:

1. Articles, pronouns, numerals, and most prepositions and conjunctions.
2. Relatives, demonstratives, possessives, and interrogatives.
3. Inflected forms of verbs.
4. Proper names, of both people and places.
5. Regularly formed adverbs, when the adjective is given and the meaning of the adverb corresponds to its meaning: *aimablement, chèrement, poliment, confidamment, évidemment.*
6. Words identical or nearly identical in form which have the same or a similar meaning in French and English: *table, simple, cigarette, téléphone, ajuster, délicieux, incrédibilité.*
7. Certain special or rare usages which occur only once and are translated in the footnotes.

Words in parentheses may be used in translation at the discretion of the reader.

Words in parentheses *and italics* are not part of the English equivalent; they merely give information.

An apostrophe is used to indicate an aspirate *h* at the beginning of a word.

Following is a list of abbreviations used in the vocabulary:

adj.	adjective	*m.*	masculine
adv.	adverb	*n.*	noun
f.	feminine	*p.p.*	past participle
fam.	familiar	*pl.*	plural
i.	intransitive	*pop.*	popular
impers.	impersonal	*prep.*	preposition
inf.	infinitive	*sing.*	singular
interr.	interrogative	*t.*	transitive
inv.	invariable	*v.*	verb

A

abaisser to lower

abandon m. abandon, ease, casualness, passion

abandonner to abandon, give up

abasourdir to stun, dumbfound

abattre to knock down, off; to fell; to kill; to do; to lay down, show one's hand (at cards); s'— to fall, crash down, sweep down (upon), swoop down

abbé m. Father (mode of address for a Catholic priest)

abîme m. abyss, unfathomable depth(s)

abîmer to spoil, damage, injure; s'— to be sunk, engulfed

abolir to abolish, do away with

abonné, -e m. or f. subscriber

abord m. approach; pl. approaches, outskirts; d'— first, at first, to begin with, right away; de prime — to begin with, first

abordage m. boarding

aborder to approach

aboutir to lead, come out, succeed

aboyer to bark (at)

abreuvé watered

abri m. shelter; à l'— de sheltered from, in hiding

abriter to shelter; s'— to take shelter, take cover

abruti m. fool, idiot

abstraction f. abstraction, allowance; faire — de to disregard, leave out of account

acajou m. mahogany

accabler to overwhelm, crush; accablé worn out

accaparement m. monopoly, cornering, hoarding

accentuer to emphasize, increase; s'— to become clearer, more insistent

accès m. attack (of a disease); fit (of emotion)

accident m. accident, mishap, bad effect, palpitation

accompagner to accompany, go with, match, follow

accomplir to accomplish, finish

accord m. agreement, harmony

accorder to grant, allow; s'— à to be in tune with, let oneself go to

s'accouder to lean on one's elbow

accourir to run up, come running, flock

s'accréditer to become credited, gain credence

accroc m. hitch, difficulty

accrocher to hook, catch, crash into; s'— to cling to

accroître to increase; s'— to grow, increase

s'accroupir to crouch, squat; accroupi crouching, squatting

accueil m. reception, welcome

accueillir to receive, greet, welcome, entertain

accuser to accuse; s'— to become accentuated

acharnement m. desperate eagerness, relentlessness

achat m. purchase

s'acheminer to go, proceed

acheter to buy, purchase; s'— to sell for, bring (price)

achever (de) to end, finish, complete

acier m. steel

acquéreur m. acquirer, buyer

acquérir to acquire, conceive

acquiescement m. willingness

âcre acrid, bitter, tart, pungent

âcreté f. bitterness

acte m. deed, document, act

actuel, -le present

acuité f. acuteness, sharpness, keenness

adieu m. farewell, good-by

s'adjoindre to associate with oneself, add to the staff

317

admirer to admire, wonder at, be surprised at

adorer to adore, worship, dote upon, turn toward (in worship)

s'adosser to lean (one's) back against

adoucir to soften, sweeten

adresser to address, direct, offer up

adroit adroit, clever, skillful

advenir to happen

aérer to ventilate

affaiblir to weaken; **s'—** to weaken, become dissipated, disappear

affaiblissement m. weakening

affaire f. affair, matter, thing (required), business, deal, transaction; pl. business; **donner — à** to keep busy; **être rond en —s** to deal squarely; **faire l'— de** to answer the purpose of

s'affairer to busy oneself, be preoccupied

s'affaisser to double up, collapse

affamé starving, ravenous

affecter to affect, pretend

affecteu-x, -se affectionate, kind

affermage m. rent

affichage m. posting, billposting, advertising; **— céleste** skywriting, sky projection

affiner to refine, sharpen

affleurer to come close to the surface

affluence f. affluence, crowd, numbers

affluent m. tributary (river)

affoler to madden, drive crazy, throw into a panic; **affolé** crazy, distracted, panic-stricken

affranchie f. liberated (woman)

affres f.pl. anguish, spasm, pangs

affreu-x, -se terrible, frightful, dreadful

affronter to confront, face, brave, tackle

agacement m. annoyance, irritation

agacer to annoy, irritate, outrage, get on one's nerves

s'agenouiller to kneel, genuflect

agent m. agent, policeman

agir to act; **s'— de** to be a question of

agissement m. action, performance, work

agiter to wave; **s'—** to be agitated, be in movement

agonie f. death throes

s'agrandir to grow large, spread out

agrément m. charm, attractiveness

agrémenter to decorate, adorn, embellish

aguets m.pl.: **aux —** watchful, on the watch, on the lookout

ahurissement m. bewilderment, confusion, stupefaction

aigre bitter, harsh, sour, acid, tart, sharp

aigrelet, -te sourish, tart

aigu, -ë sharp, pointed, shrill, piercing, high-pitched

aiguille f. needle, hand (of a clock), bodkin

aiguiser to sharpen, quicken, excite, stimulate

ail m. garlic

aile f. wing, fender

ailleurs elsewhere; **d'—** besides, furthermore, moreover

aimable pleasant, agreeable, amiable

aîné elder

air m. air, atmosphere; look, appearance; tune, melody; **au grand —** in the open air

aire f. area, flat space, surface, patch of ground, threshing floor

ais m. board, plank

aisance f. ease, freedom (of movement)

aise f. ease, comfort

aisé easy, in easy circumstances, comfortable

aisselle f. armpit

ajourner to put off, delay, postpone

ajouter to add

alanguir to make languid; **s'—** to languish, droop

alerte brisk, quick, agile

algue f. seaweed

aliéné m. insane person

aliment m. food

alimenter to feed

allaiter to nurse

allé f. walk, path, lane; clearing

allègement m. relief

alléger to lighten, relieve, unburden; s'— to become or grow lighter, easier

allègrement briskly, nimbly, cheerfully

allégresse f. joy, light-heartedness

aller to go, be going (well), be about to, ride; — chercher to go and fetch; allons! come now! s'en — to go away, depart

allonger to lengthen, extend, reach out, stretch out; s'— to lengthen, stretch out

allouer to allocate, grant

allumer to light; s'— to light up, kindle

allumette f. match

allure f. walk, pace, gait; à toute — at full speed

alors then; ou bien — or else; — que when

alouette f. lark

alourdir to weigh down, make heavy

altéré m. thirsty person

altérer to change (for the worse), spoil, taint, corrupt

amande f. almond

amant m. lover

amarrer to tie, moor, make fast

amas m. pile, heap

s'amasser to pile up, become thicker

ambiant surrounding

ambré amber-colored, warm (complexion)

ambulant ambulating, walking, moving

âme f. soul, spirit

amener to lead, bring

am-er, -ère bitter

amérissage, amerrissage m. alighting on the sea, on water

amertume f. bitterness

ami, -e m. or f. friend

amitié f. friendship

amonceler to pile up, heap up

amoncellement m. piling up, accumulation, pile, heap

amont m.: en — upstream

amorce f. priming, fuse

amour m. love, affection, passion

amour-eux, -euse m. or f. lover, sweetheart

amuser to amuse, entertain, divert; s'— to enjoy oneself, have a good time

an m. year

ancien, -ne old; bygone, past, former

ancre m. anchor

andouille f. chitterlings, pork sausage

ânesse f. she-ass

ange m. angel

anglais, -e m. or f. Englishman (or -woman); — adj. English; prendre congé à l'—e to take French leave, slip away

angoisse f. anguish, distress, agony

angoisser to anguish, distress; s'— to be in distress

anguille f. eel

anguleu-x, -se angular, bony

animer to animate, stir, stimulate; s'— to become excited

anneau m. ring

année f. year

annonce f. announcement, advertisement

annoncer to announce, give notice of; s'— (of weather) to promise to be

anodin mild, tame, harmless, anodyne

ânonner to mumble

anse f. handle

antiquaire m. antique dealer

antique old, age-old

antiquités f.pl. antiques

apaiser to pacify, calm, soothe; to die down

apercevoir to perceive, see; to catch sight of, catch a glimpse of

apic, à-pic m. cliff, bluff

apitoyer to move to pity, incite to pity

apôtre m. apostle

apparaître to appear, become visible, come into sight

apparat m. pomp, show, display

appareil m. device, apparatus; apparel; machine, airplane; radio; —

de T.S.F. (téléphonie sans fil) radio

appartenir to belong

s'appauvrir to grow poor(er)

appel m. call; appeal (in legal usage)

appeler to call (on), summon; to name; to provoke, arouse

s'appesantir to lean on, insist on

applaudissement m. applause

application f. application, execution, operation

appliquer to apply, press

appointements m.pl. salary

apporter to bring

appréciation f. judgment, opinion

apprendre to learn; to teach, inform

apprêter to prepare, make ready; **s'—** to prepare, get ready

apprêts m.pl. preparations

apprivoiser to tame, subdue, vanquish

approche f. approach, oncoming, advance

(s')approcher to approach, come near, draw near

approuver to approve of, nod approval of

appui m. prop, support, sill

appuyer to lean, rest, press; to support, aid; **s'—** to lean, rest, on or against

âpre eager; harsh, violent, keen

après-midi m. afternoon

araignée f. spider

arbois m. Arbois wine

arbre m. tree

arc m. arch

arceau, -x m. arch (of vault)

ardent ardent, passionate, eager, zealous

arête f. (fish) bone

argent m. silver; money; **— sonnant** hard cash; **d'—** silvery

argenterie f. (silver) plate

argile f. clay

arme f. arm, weapon

armoire f. wardrobe; **— à linge** linen chest

arquer to bend, arch, curve

arrache-pied (d') without interruption; obstinately

arracher to tear (out, away), draw, extract

arrangement m. arrangement, agreement

arranger to arrange, set in order

arrêt m.: **cran d'—** safety catch

arrêté m. decision, order, decree; **— ministériel** departmental order

arrêter to arrest, stop (someone or something); to decide, determine; **s'—** to stop (oneself)

arrière m. back, back part; **— adj.** behind; **en —** behind

arrière-boutique f. back shop

arrière-fond m. extreme back or bottom

arrivée f. arrival

arriver to arrive, come; to come up, reach; to happen

arrondir to round, hunch

arroser to sprinkle

article m. article, commodity; **— de Paris** fancy goods

artifice m. artifice, contrivance, trick

artisan m. craftsman

ascendance f. rise, increase; **en —** on the increase

ascenseur m. elevator

asile m. shelter, refuge; **champ d'—** resting place

assaillir to assail, assault, attack

assaut m. assault, attack

assemblée f. assembly, assemblage

assener, asséner to deal, strike (blow)

asseoir to seat; **faire — quelqu'un** to ask, beg, someone to be seated; **s'—** to sit down

assez enough; **d'— petits** small enough ones

assis sitting, seated

assistance f. audience, congregation

assistant m. attendant, person present

assister (à) to attend, be present at

assombrir to darken, obscure

assommer to fell, knock out, beat to death; to knock down, crush

assoupir to lull, put to sleep; **s'—** to drop off to sleep

assourdir to muffle, lower (voice)

s'assouvir to indulge, glut, satisfy oneself

assouvissement m. satisfaction, sating, appeasing

assujettir to fix, fasten, make secure

assurance f. assurance, insurance

assurément assuredly, surely, certainly

assurer to steady; **s'— (de)** to make sure of, ascertain

astre m. heavenly body, star

astreint à subject to, compelled to

atelier m. studio, workshop

atermoyant dilatory, procrastinating

atout m. trump

âtre m. fireplace, hearth

atroce cruel, awful, terrible

attacher to attach, tie (up), fasten, hitch, bind

attaque f. attack, stroke

attaquer to attack, assail

atteindre to reach, overtake; **to** affect, attack, hit, strike

attenant next, contiguous, adjacent

attendre to wait (for), expect; **s'— à** to expect

attendrir to make tender, soften, move to pity

attendrissement m. (feeling of) pity, emotion

attendu (que) considering (that)

attenir to adjoin

attentat m. criminal attempt, attack

attente f. waiting, expectation

attention f. attention; **—!** look out!

atterré overwhelmed, stupefied, utterly crushed

atterrir to alight, land

atterrissage m. landing

attester to attest, certify, bear witness

attirer to attract, draw

attiser to fan, stir up, excite

attrait m. attraction, lure, charm

attraper to catch, overhear

attrister to sadden, depress, give a gloomy appearance to

aube f. dawn

auberge f. inn

aubergiste m. innkeeper

aucun any

audace f. audacity, boldness

au-dessous below; **jusqu'— de** down below

au-dessus (de) above

au-devant de toward, in the direction of, to meet; **aller —** to go to meet

auge f. trough

s'augmenter to increase, grow

augure m. augury, omen; **de mauvais —** ominous

aujourd'hui today

aumônier m. chaplain

auparavant before

auprès (de) close to, beside, near

aurore f. dawn, daybreak

aussi also, as

aussitôt immediately, at once; **— que** as soon as

austère austere, severe, stern

autant as much, as many, (one might) as well

autel m. altar

autour de round, about

autre m. or f. other (one); **l'un et l'—** both; **— adj.** other; **dans le courant de l'— semaine** in the course of next week

autrefois formerly, in the past

autrement otherwise

avaler to swallow

avance f. advance; **d'—** beforehand, in advance

avancer to advance, move forward; to affirm; **s'—** to advance, move forward, jut out

avant m. front, front part; **en — forward; —** adv. far; **—** prep. front; **— (de)** before

avant-bras m. forearm

avant-garde m. vanguard, front ranks

avant-veille f. two days before

avare sparing, chary; miserly, selfish

avarie f. damage, injury, breakdown

avenir m. future

aventure f. adventure; **à l'—** aimlessly, at random

aventurer to risk, venture; **s'—** to venture, run a risk

avéré authenticated, established

averse f. shower
avertir to warn, notify, forewarn, alert
avertisseur m. callboy
aveu m. confession
aveugle blind, blinded
aveugler to blind
aveuglette (à l') blindly
avide avid, eager
avilir to render vile, debase, degrade
avion m. airplane
aviron m. oar
avis m. advice, counsel; opinion, notice
aviser to notify, consult, consider; s'— (de) to take it into one's head (to)
aviver to revive, brighten; s'— to stir, sharpen, become intensified
avoine f. oat(s)
avoir to have; — à to have to, be obliged to; — l'air de to seem to; — beau (with inf.) to do in vain; — bonne mine to look well; — dix ans to be ten (years old); en — bientôt fini avec to be done with, get the better of; — lieu to take place, happen; — un sourire to smile
avorton m. puny, undersized, stunted person
avouer to confess, admit, acknowledge
azur m. azure, blue
azuré colored blue, blue

B

babil m. prattle
baccarat m. baccarat (card game)
badaud m. idler, stroller, gaper
bafouiller to splutter, stammer
bagatelle f. mere trifle
bague f. ring
baguette f. wand, stick
bahut m. cupboard, cabinet, wooden chest
baie f. bay
baigner to bathe
bailli m. bailiff, magistrate, judge

bain m. bath
baiser to kiss; (vulgar) to have sexual relations
baiser m. kiss
baisser to lower; to go down, grow dim; se — to bend down, stoop
bal m. ball, dance; — travesti fancy-dress ball, costume ball
balancement m. swinging, swaying; tremolo
balancer to swing; se — to swing; to poise, hover
balancier m. pendulum
balayer to sweep, fan
balbutier to stammer, mumble
balcon m. balcony
balle f. ball
ballotter to toss (about), shake (about)
banc m. bench, seat; fishing grounds, bank; school (of fish)
bande f. band, troop, gang, clique; band, strip
bandeau m. headband, diadem
bandelette f. headband, fillet
bander to bind, wrap
banlieue f. suburb
banquette f. bench, seat
banquier m. banker
barbe f. beard; streamer
barboter to paddle, dabble, splash about
barde f. slice of bacon
barque f. boat, fishing boat; — de gala gala boat, holiday boat, festive boat
barre f. bar; mettre la — to bar a door
barreau m. small bar, rail, post (in a railing)
barrer to bar, block, obstruct
barrette f. cap
barrière f. barrier, gate, stile, rail
barrique f. large barrel, cask, hogshead; (esp. wine barrel of 225 liters, approx. 50 gallons)
bas, -se adj. low
bas adv. low (down); plus — further down, lower down
bas m. lower part, bottom, bottom part; en — below; de haut en — from top to bottom, from head to

foot; au — de under; — stocking; — de laine woolen stocking, nest egg (*hidden in a stocking*)

bassin *m.* alms dish

bassine *f.* pan, kettle

bas-ventre *m.* lower part of the abdomen, guts

bâteau *m.* boat

bâtiment *m.* building

bâtir to build, erect, construct

bâton *m.* stick, staff, cane; **à —s rompus** by fits and starts, rambling(ly)

battant *m.* leaf (of door or table); **portes ouvertes à deux —s** doors wide open

battement *m.* beating, flapping, fluttering

battre to beat, bang; to beat against; **se —** to fight; **se — l'œil** not to care at all

battue *f.* (police) roundup

baudet *m.* donkey, ass

bauge *f.* lair, den, nest; pigsty

baume *m.* balm

bavard talkative

bavarder to chat, chatter

bave *f.* drivel, foam

béant open, gaping; open-mouthed, agape

beau, belle beautiful, fine; **avoir —** to do in vain; **bel et bien** entirely, fairly, quite, outright

beau-père *m.* father-in-law

beaux-arts *m.pl.* fine arts

bébé *m.* baby

bec *m.* beak

bêcher to dig, spade

beffroi *m.* belfry

bel *see* beau; **— et bien** entirely, fairly, quite, outright

belette *f.* weasel

bélier *m.* battering ram

bénéfice *m.* profit

bén-in, -igne mild, kindly, gentle, benign

bénir to bless; **béni(t), -te** holy, blessed

berceau *m.* cradle

bercer to rock, lull, cradle

béret *m.* beret

berge *f.* (steep) bank (of a river)

berger *m.* shepherd; **l'heure du —** the auspicious hour (for lovers)

bergère *f.* easy-chair

besace *f.* double sack; knapsack; **en —** like a double sack, slouched over

besogne *f.* work, task, job, chore

besogner to work hard, slave

besoin *m.* want, need; **au —** in case of need, if necessary, if need be; **avoir —** to need, require, be needy

bestiaux *m.pl.* cattle

bête *adj.* stupid

bête *f.* beast, animal

bêtifier to become stultified; to act stupidly

beuglement *m.* bellow

beurrer to butter

biais *m.* slant, obliqueness

bief *m.* millcourse, millrace

bielle *f.* tie rod, connecting rod

bien *adv.* well, full, indeed, quite; **— que** although; **— sûr** to be sure, surely

bien *m.* good; property, goods; piece of property, piece of land

bien-aimé, -e *m.* or *f.* beloved, darling, sweetheart

bien-pensant loyal, faithful, righteous, bourgeois

bientôt soon

bienveillance *f.* kindness, friendliness, benevolence

bière *f.* beer; coffin, bier

bifurcation *f.* bifurcation, branching, fork (of a road)

bijou, -x. *m.* gem, jewel

bijouterie *f.* jewelry, jewels

bijoutier *m.* jeweler

bilan *m.* balance sheet

billet *m.* ticket; note, bill, bank note

bise *f.* north wind

blafard pallid, wan, pale

blague *f.* joke

blanc, -he white

blanchâtre whitish

blancheur *f.* whiteness

blanchir to whiten, grow white, brighten, grow light; **— à la chaux** to whitewash

blé *m.* wheat
blême livid, ghastly; pale, colorless
blessé *m.* wounded, injured person; casualty
blesser to wound, injure, hurt
blessure *f.* wound
ble-t, te overripe, soft
bleu *adj.* blue; — *m.* blue; — de fer steel-blue
bleuâtre bluish
bleuet, bluet *m.* cornflower, bachelor's button, ragged sailor
bleuir to blue, make blue, paint blue
blondeur *f.* blondness
blondin *m.* young or little blond
se blottir to crouch, huddle, snuggle
blouse *f.* overalls
bœuf *m.* ox
bohémien, -ne *m. or f.* gypsy
boire to drink; — plus que de raison to drink to excess
bois *m.* wood, lumber; wood, forest; — blanc white pine
boiserie *f.* woodwork, wainscoting, paneling
boissonner to tipple, booze
boîte *f.* box; can; — de nuit night club
bombu *m.* bulge, swelling, protuberance; — *adj.* barrel-chested
bon, -ne good, nice, fine; capable, fit; à quoi —? what's the use?; de —ne heure early
bonasse simple-minded, innocent, bland
bond *m.* jump, leap, spring
bonder to cram, jam
bondir to jump
bondissement *m.* leap, spring, bound, jump
bonheur *m.* happiness, good luck
bonhomie *f.* good nature, good humor, amiability
bonhomme *m.* (good) fellow; old fellow
bonjour good-day, good morning, hello
bonne *f.* maid
bonnement: tout — naturally, plainly, simply

bonnet *m.* cap, bonnet
bonté *f.* goodness, kindness
bord *m.* board, side (of ship); edge, border, brim; bank (of river); à mon — on board my ship; — à alongside
bordage *m.* planking, sheathing (of boat)
border to border, fringe, tuck in
boréal boreal, north(ern)
borgne one-eyed, blind in one eye
borné bounded, limited, restricted
bosse *f.* hump, knob, protuberance
botte *f.* high boot
bouc *m.* he-goat, billy goat
bouche *f.* mouth; — bée with open mouth, agape
boucher to cork, block, stop (up); to cloud over
boucher *m.* butcher
boucherie *f.* butcher shop
boucle *f.* buckle, bow
bouclier *m.* buckler, shield
boudin *m.* black pudding, blood pudding
boue *f.* mud
boueu-x, -se muddy
bouffée *f.* puff (of smoke)
bouffi puffy, swollen, bloated
bouge *m.* den, hovel, dive
bouger to budge, stir, move
bougie *f.* candle
bouillant boiling
bouilli boiled
boulange *f.* bread-making
boulanger *m.* baker
boulangerie *f.* bakery, baker's shop
boule *f.* ball, sphere, globe; en — round, curled up
bouleau *m.* birch
bouleversement *m.* confusion, upheaval
bouleverser to upset, overturn, overwhelm
boulon *m.* bolt, pin
bouquet *m.* bouquet, clump, grove
bourde *f.* fib, falsehood
bourdonner to hum, buzz
bourgeonnement *m.* budding, growth, increase
bourrasque *f.* squall, gust of wind
bourrer to fill, stuff

bourse f. purse, (cap.) Stock Exchange

bousculer to knock things over, upset things; to bump into

boussole f. compass

bout m. end, tip; bit; **au — de** at the end of, after; **à —** at one's wits' end, done in; **pousser à —** to aggravate (someone), drive (someone) to extremes; **— de promenade** m. short walk, stroll

boutade f. sally, flash of wit, wisecrack

bouteille f. bottle, bottle of wine

boutique f. shop

boutiquier m. shopkeeper

bouton m. button; doorknob; pimple

boutonner to button

brancard m. shaft (of cart or litter)

brandir to brandish, swing

brandon m. firebrand, torch

branle m. (shaking) motion; **se mettre en —** to agitate oneself, move

branler to shake, wag

bras m. arm; **à tour de —** with all one's might

brasier m. glowing embers

bravade f. (piece of) bravado, bluster

brave brave; good, fine, worthy; dashing

braver to brave, face, defy

bredouiller to mumble, stammer, jabber

br-ef, -ève brief; briefly, in a word, in short

bréhaigne sterile, barren

brevet m. patent

bréviaire m. breviary, prayer book

bribes f.pl. scraps, fragments, odds and ends

bricoler to do odd jobs

bridé constricted; **avoir les yeux —s** to have slits for eyes

brièvement briefly, slightly

brigadier de police m. police sergeant

brillant m. diamond; **— d'oreille** earring

briller to shine, sparkle, glitter, glisten

brin m. blade, twig, tuft

brisant m. half-submerged rock, reef, shoal

brise f. breeze, strong wind

briser to break

brocart m. brocade

broche f. pin, brooch

brocher to brocade, figure

brochet m. pike

broder to embroider

broderie f. embroidery (work)

broncher to falter, waver, flinch

bronze m. bronze; bronze statue, figures; **—s de fouille** bronze objects found in the earth

brouette f. wheelbarrow

brouillard m. fog, mist, haze

brouille f. quarrel, estrangement

brouiller to mix, muddle, jumble, confuse

brouillon m. muddle-headed, unmethodical (person), muddler

broussailles f.pl. underbrush, scrub, brambles

bru f. daughter-in-law

bruissement m. rattling, noise, rustling

bruit m. noise, sound; rumor

brûler to burn; to be eager

brûlure f. burn

brume f. thick fog, haze, mist

brumeu-x, -se misty, shadowy

brun brown; dark (-haired, -skinned), brunette; **à la —e** at dusk

brunir to burnish, polish

brusque abrupt, blunt, brusque

brusquer to be rude; to precipitate matters

brusquerie f. abruptness, brusqueness

brutaliser to brutalize, treat roughly

bruyamment noisily

bruyère f. heather, sweetbrier; **coq de —** m. grouse, wood grouse

bûcher m. woodshed

buée f. vapor, steam, reek

buis m. box tree, box(-wood)

buisson m. bush, thicket

buissonneu-x, -se bushy
bure *f.* rough homespun
bureau *m.* office; desk, bureau
burette *f.* cruet
busqué aquiline, hooked
buste *m.* bust, torso
but *m.* end, object, aim, purpose, target
butin *m.* booty, spoils, plunder, loot
buveur *m.* drinker

C

cabane *f.* hut, shanty
cabas *m.* basket, shopping basket
cabinet *m.* office
cabrer to elevate (plane), gain altitude; **se —** to rear, buck
cacher to hide (from)
cachotterie *f.* concealment, mystification, affectation of mystery
cadavre m. corpse, (dead) body
cadeau *m.* present, gift
cadet, -te younger
cadran *m.* face, dial
cadre *m.* frame, dial
café *m.* coffee; coffee house, café
café-concert *m.* night club
cahute *f.* hut, shanty
caillou, -x *m.* pebble, stone; **— du Rhin** rhinestone
caisse *f.* box, chest
calciner to calcine, reduce to powder
calembredaine *f.* foolish utterance; *pl.* nonsense
caler to wedge, prop up
calleu-x, -se calloused
calmer to calm, quiet
camarade *m.* or *f.* comrade, chum, pal
cambrer to arch, bend
campagnard country, rustic
campagne *f.* country(-side), fields
campement *m.* encampment, camp, camping ground
camus flat-nosed, snub-nosed
canapé *m.* sofa
canard *m.* duck
canasson *m.* broken-down horse, hack

candeur *f.* simplicity, artlessness
canif *m.* pocket knife
caniveau *m.* gutter
canne *f.* cane, reed; stick
canon *m.* cannon, barrel
canot *m.* (open) boat, dinghy, row-boat
canotage *m.* boating, rowing
canotier *m.* oarsman; boating costume
cantique *m.* hymn
cap *m.* head (of ship, plane); **mettre le — sur** to head for
capitaine *m.* captain
capit-al, -aux *m.* capital, assets
capot *m.* hood (of auto)
capoter to overturn
caractère *m.* character, letter
carcasse *f.* carcass, skeleton
caresser to caress, fondle, stroke
carillon *m.* chime(s), carillon
carillonner to ring, chime
carlin *m.* pugdog
carlingue *f.* fuselage; cockpit
carnier *m.* game-bag, -pouch
carré square
carreau *m.* small square, check (on material, etc.)
carrefour *m.* crossroads
carrier *m.* quarryman
carrière *f.* quarry
carriole *f.* light cart, cariole (small two-wheeled covered cart drawn by one horse)
carrosse *m.* coach, four-wheeled carriage
carrure *f.* breadth of shoulders, strong frame
carte *f.* card; (ration) card; **— de temps** ration card
carton *m.* box, hatbox; cardboard
cartouche *f.* cartridge
cas *m.* case, circumstance, matter, business
caserne *f.* barracks
casquette *f.* cap
casser to break; **— une croûte** to have a snack, have a bite of something
casserole *f.* (sauce-)pan, stewpan
casse-tête *m.* puzzle difficult problem

catin *f.* prostitute, strumpet
cauchemar *m.* nightmare
cause *f.* cause; à —? what for? why?
causer to cause; to talk, converse, chat
causerie *f.* talk, chat
cave *f.* cellar, vault
caveau *m.* vault
céder to yield, give way
ceindre to gird
ceinture *f.* belt, girdle, sash
célèbre celebrated, famous
célébrer to celebrate, glorify, praise
céleste celestial, heavenly
célibataire *m.* bachelor
cellule *f.* cell
cendre *f.* ash(es)
cendrier *m.* ash tray
cent (one) hundred
cep *m.* vine, vine stalk
cependant meanwhile; — **que** while
cercle *m.* circle; club
cercler to loop, hoop, surround, hold in
cercueil *m.* coffin
cerf-volant *m.* kite
certes to be sure, of course
certitude *f.* certainty, certitude
cerveau *m.* brain
cervelle *f.* brains; **se faire sauter la —** to blow one's brains out
cesse *f.* cease, ceasing; **sans —** unceasingly, constantly
cesser to stop, cease
c'est-à-dire that is (to say), in other words
chagrin *m.* grief, sorrow, affliction, trouble
chai *m.* wine store; wine factory
chaîne *f.* chain, cable; shackles, bonds
chair *f.* flesh, meat
chaise *f.* chair; **— à porteurs** sedan chair
chaland *m.* barge
châle *m.* shawl
chaleur *f.* warmth
chamarrer to bedizen, bedeck, trim with lace
chambranle *m.* jamb (of a door)

chambre *f.* room, bedroom
chambrette *f.* little room
champ *m.* field
chance *f.* luck, fortune; **quelle —!** what luck! what a blessing!
chancelant santé **—e** delicate (state of) health; delicate constitution
chanceler to stagger, waver, falter
chanceu-x, -se uncertain, doubtful, risky
chandelle *f.* candle
changement *m.* change
changer to change, exchange; **se —** to change one's clothes
chanoinesse *f.* canoness
chanson *f.* song
chant *m.* song, singing, chirping
chantage *m.* blackmail, extortion
chanter to sing; **faire —** to blackmail
chanteur *m.* singer
chantonner to hum
chanvre *m.* hemp
chapeau *m.* hat; **— fendu** soft felt hat
chapitre *m.* chapter; item; **sur le — de** as regards
chaque each, every
char *m.* cart, chariot, hearse
char-à-banc *m.* charabanc, wagon (*four-wheeled wagon with several cross-seats*)
charcutier *m.* pork butcher
charge *f.* load, burden; duty, task
charger to load, fill; to taint
charme *m.* kind of young oak; **se porter comme un —** to be robust, enjoy good health
charmer to charm, bewitch, delight
charmille *f.* arbor, bower, hedge
charnel, -le carnal, of the flesh
charogne *f.* carcass
charpente *f.* framework
charpentier *m.* carpenter
charreti-er, -ère carriage(-way, -gate, etc.)
charrette *f.* cart
charrier to carry along
charrue *f.* plow
chasse *f.* chase, quest, pursuit;

fusil de — m. sporting gun, fowling piece

chasser to chase, pursue, hunt

chasuble f. chasuble, outer vestment of celebrant at Mass

chat m. cat; **à bon —, bon rat** tit for tat; **acheter — en poche** to buy sight unseen

châteauneuf m. châteauneuf (a kind of wine)

châtiment m. punishment

chatouillement m. tickling

chatouiller to tickle (someone's vanity, etc.)

chatterie f. (usually pl.) wheedling ways, coaxing, flattering attention

chaud warm, hot

chaudron m. caldron

chaudronnier m. brazier, tinsmith, boilermaker

chauffer to warm, heat; to get or become, warm, hot

chaume m. stubble, thatch, straw

chaumière f. (thatched) hut

chaussée f. street, highway; pavement; **ponts et —s** public works

chauve-souris f. bat

chaux f. lime; **blanchir à la —** to whitewash

chef m. chief, chieftain, leader, head

chef-lieu m. chief town (of department)

chemin m. way, road; trip; **— creux** hollow, sunken road; **— de fer** railroad, railway; **grand — highway; reprendre le —** to take (to) the road again

cheminée f. fireplace

cheminer to tramp, walk

chemise f. shirt; chemise, nightgown

chêne m. oak

ch-er, -ère dear, beloved

chercher to search for, look for, seek; to try; **aller —** to go and fetch; **— à tâtons** to grope, feel for

chéri, -e m. or f. dear one; **—** adj. cherished, dear

chérir to cherish, love dearly

chev-al, -aux m. horse; **à —** on horseback

chevelure f. hair, head of hair

chevet m. head (of bed, or person lying down); **table de —** bed table, night table

cheveu m. (a) hair; pl. hair; **en —x** bare-headed, without a hat

cheville f. ankle

chez at (someone's) house, home; **— qui?** at, to, whose house? where?; **de — lui** from his house, shop, place

chien m. dog

chiffonné nice, pleasing but irregular (face), piquant

chiffre m. figure, number; total

chignon m. chignon, coil of hair

chimérique chimerical, fantastic

chinois m. Chinese

choc m. shock, crash; clink

chœur m. choir, chancel

choir to fall

choisir to choose, select

choix m. choice; **de —** choice, select

chômer to idle, be without work

chômeur m. unemployed (person)

choquer to strike, knock, bump; to clink (glasses); to shock, displease, offend

chose f. thing, subject, matter; **être peu de —** to be of little account

chou, -x m. cabbage

chrétien, -ne, m. or f. Christian

chuchotement m. whispering, whisper

chuchoter to whisper

chute f. fall, crash

ci-el, -eux m. sky, heaven

cierge m. wax candle, taper

cil m. eyelash

cime f. summit; top (of tree, etc.)

cimetière m. cemetery

cimier m. crest (in heraldry), helmet

cinquantaine f. (about) fifty, half a hundred

circonvoisin surrounding, circumjacent, lying around

circulaire (lettre) f. circular, form letter, memo

circuler to circulate, go around, go the rounds

cirque m. arena, circus

ciseaux m. pl. scissors

ciseler to chase, engrave, cut

citadin m. citizen, townsman

clair clear, unclouded, bright; light-colored; clear, obvious; **— comme le jour** plain as day

clairet m. light red wine; **— adj.** pale, light-colored (as of a wine)

clairière f. clearing

clapotement m. lapping, plashing

clapoter to chop, splash (of water)

claquement m. creaking, crunching, cracking

claquer to cluck, chatter; to smack, clatter, flap

clarté f. light, brightness

classé classified, standard, routine, usual, settled, pigeonholed

classer to classify

clavecin m. harpsichord

clavier m. key ring, key chain

clef, clé f. key; **fermer à —** to lock

clerc m. cleric; **petit —** altar boy

cliché m. photo, picture, snapshot

cligner to blink; **— de l'œil** to wink

clignoter to flicker

clinquant m. tinsel, showiness, flashiness

cloche f. bell

clocher m. belfry, bell tower

cloison f. partition, wall

clore to close, finish, end

clos closed, enclosed, closed in

clou m. nail; old motor car, jalopy; (fam.) chief attraction (of an entertainment)

clouer to fasten, pin down, nail down

clousser (variant of **glousser**) to cluck

coasser to croak

cocagne f.: **mât de —** greased pole

cocher m. coachman, driver

cochon m. pig; (applied to people) swine; filthy, lewd fellow

cœur m. heart; feelings, spirit; **au — de** in the middle of; **avoir le — gros** to be heavy-hearted, sad at heart; **avoir le — serré** to be heavy-hearted, sad at heart; **le — me tourna** I was nauseated; **mouvements du —** friendly impulses, heart-warmings; **prendre à — de** to set one's heart on, have one's heart set on; **si le — vous en dit** if you feel like it

coffret m. small chest, casket

cohue f. mob, crush, noisy crowd

coiffe f. headdress, cap

coiffer to put a hat on someone; to cover (the head), wear on one's head

coiffeuse f. dressing table

coin m. corner; spot, place, nook; **au — du feu** by the fireside

coincer to wedge, stick, bind, jam, catch

col m. collar; mountain pass

colère f. anger, wrath, fit of temper

colis m. parcel, package

colle f. glue

collect-eur, -rice collecting, which collects or picks up

collectionner to collect

collège m. secondary school

collégien m. student in a collège (secondary school), high-schooler

collègue m. or f. colleague, co-worker

coller (à) to paste, stick, glue, press against; to stick, adhere, cling (to); to put (slang)

collet m. collar

collier m. necklace

colline f. hill

colorer to color, stain, tinge, tint

colorier to color

colosse m. colossus

combien how (much)!; interr. how much? how many?

combiner to contrive, devise

comme like, as, as if; almost, something like; **ou tout —** or as good as

commencement m. beginning

commencer to begin

commerce m. business, trade; intercourse, association, company

commettre to commit, assign

commis m. clerk; **— principal** head clerk

commis-voyageur *m.* commercial traveler

commode *f.* chest of drawers, bureau

commode *adj.* comfortable, easy (to get along with)

commodément comfortably

communauté *f.* community

commune *f.* commune, village, town, parish

communiquer to impart, convey (information)

compagne *f.* (female) companion, wife

compagnie *f.* company, companionship

compagnon *m.* companion

compassé slow, restrained, stiff, formal

compétent competent, qualified, concerned

complaisance *f.* willingness, kindness; **par —** out of kindness

complaisant accommodating

complètement completely

complice *m.* or *f.* accomplice

compliqué complicated

composer to construct, arrange

comprendre to understand; to include; **— à** to understand about

compte *m.* account; **avoir un — chez quelqu'un** to have an account with someone; **— rendu** account, report, review; **les bons —s font les bons amis** short reckonings make long friends; **mettre en —** to enter in the account; **se rendre —** to realize, understand, know what's what; **tenir — de** to take into account; **trouver son — à** to get something out of, find what one is looking for

compter to count, count on

comptoir *m.* counter

concevoir to conceive, imagine, form

concierge *m.* or *f.* (house-)porter, doorkeeper, caretaker

conciliabule *m.* secret meeting, secret assembly, deliberations

concilier to win over, gain

conclure to conclude, decide

concourir to take (its, one's, their) place; to unite, combine, coöperate

concours *m.* aid, coöperation, collaboration

concurrence *f.* competition, rivalry

conduire to lead, guide, steer, manage; to drive; to row; **se —** to conduct oneself, behave

conduite *f.* conduct, behavior

conference *f.* lecture; **salle de —s** lecture hall

confesse *f.* confession (*to a priest*)

confidence *f.* confidence, secret; **faire —** to confide, tell

confier to confide, entrust

confiner to border on

confiture *f.* preserves, jam; **saison des —s** canning season

confondre to confuse, mix (up); to intermix, commingle

confus confused, embarrassed, ashamed; vague, indistinct

congé *m.* leave; **prendre —** to take leave; **prendre — à l'anglaise** to take French leave, slip away

congédier to dismiss, send away, allow to leave

conjoint, -e *m.* or *f.* spouse, husband, wife

conjuration *f.* incantation, exorcism, conspiracy

conjurer to exorcise

connaissance *f.* acquaintance; knowledge; consciousness; **reprendre —** to regain consciousness, come to

connaître to know, be acquainted with; **qu'on ne leur connaissait pas** which one didn't know they had

conquérir to conquer

consacrer to dedicate, give over

conscience *f.* conscience; consciousness; **prendre —** to be conscious

conscient conscious

conseiller to advise, counsel; **— m.** councilor; **— aulique** aulic councilor, member of the highest German tribunal

consentir to consent

conservateur m. keeper, custodian, curator

conserver to preserve, keep, retain

considérer to contemplate, look on, gaze at.

consigne f. order(s), instruction; password

console f. end table, side table

consommateur m. consumer

conspirer to conspire, plot

constat m. report of damaging fact, formal authentication

constatation f. establishment of fact, verification, statement

consterné dismayed

construire to construct, build, erect

conte m. story, tale

contempler to contemplate, gaze at

contenance f. countenance, bearing

contenir to hold, restrain, keep in check; to contain

contenu m. content, contents

conter to tell, relate; to mention, talk about

continu continuous

contorsion f. contortion

contour m. contour, outline

contourner to skirt, avoid, go around

contracter to contract, draw together

contraindre to force, urge, constrain

contrarier to go against, oppose; to annoy, vex

contre against, with

contrebandier m. smuggler

contre-bas (en) below, lower down, on a lower level

contrée f. region, province (indeterminate sense)

contre-expertise f. counter-appraisal, second appraisal

contrefort m. spur (of mountain)

contre-partie f. counterpart; compensation, contribution (to society)

contrôle m. check

convaincre to convince

convenable decent, decorous; **peu —** unseemly, indecorous

convenances f.pl. convention, propriety, decency

convenir to agree, come to an agreement; to suit, be suitable to; **— de** to admit; **convenu** suitable, appropriate; traditional, consecrated

convertir to convert, transform

convier to invite

convive m. or f. guest

convoi m. funeral procession

convoiter to covet

coq m. cock, rooster; **— de bruyère** grouse, wood grouse

coque f. shell, husk; hull, bottom (of ship); **un œuf à la —** a (soft-)boiled egg

coquelicot m. poppy

coquet, -te coquettish, smart, stylish, dainty

coquetier m. egg cup

coquillage m. shellfish

coquille f. shell

coquin, -e rascally; m. or f. rascal, scoundrel

corail m. coral

corbeau m. crow

corbeille f. wastepaper basket

corbillard m. hearse

cordage m. rope, cable

corde f. rope, cord

cordier m. ropemaker, rope dealer

cordon m. row, line

corne f. horn

corner to blow, honk (horn)

cornet m. dice box; small horn, cornet, trumpet; **en —** cupped (of hands)

corps m. body; object; **à — perdu** headlong

corps-à-corps m. physical struggle, hand-to-hand fight

costaud strapping, husky

côte f. coast; slope (of a hill); rib

côté m. side; part; aspect; **à —** to one side; **à — de** beside, next to; **des deux —s** on both sides; **du — de** in the direction of, toward(s); **un peu de —** a little to the side; **bas —** side aisle

coteau m. slope, hillside

coter to assess, evaluate

coton m. cotton

cotte f. skirt

cou *m.* neck

couchant *m.* west

couche *f.* layer

coucher to put to bed; to sleep (*somewhere*); (*of sun*) to set; se — to go to bed, retire for the night, lie down; couché lying down, reclining

couchette *f.* bunk

couci couça so-so

coude *m.* elbow

coudre to sew, stitch

coulée *f.* flowing, stream

couler to flow, run; to glide, slip, pass; to leak; to sink; se — to glide, slip

couleur *f.* color

coulisses *f.pl.* wings; dans les — offstage

couloir *m.* corridor

coup *m.* knock, blow, stroke, kick; trick; gulp; effect, influence; à — sûr assuredly, for certain; without fail, infallibly; — de feu shot; — de pied kick; d'un — sec with a snap; encore un — once again; tout à — suddenly, all of a sudden; — d'œil look, sight, eyesight; penetration, understanding

coupable guilty; plaisirs —s sinful pleasures; — *m.* guilty one, culprit

coupe *f.* cup; cut (*at cards*); faire sauter la — to cheat at cards

couper to cut, interrupt, cut off; se — to contradict oneself, give oneself away

couperet *m.* cleaver, blade, knife, guillotine

coupon *m.* patch, stretch

cour *f.* yard, court; faire la — à to pay court to, make love to, woo

courageu-x, -se courageous; zealous

courant *m.* current, course; dans le — de l'autre semaine in the course of next week

courbatu stiff, aching, sore

courbe curved; — *f.* curve

courber to bend; to bow; se — to bend, bow, stoop

courge *f.* gourd, pumpkin

courir to run, flow; to be current; le bruit court que rumor has it that

couronne *f.* crown, wreath

couronnement *m.* coronation, crowning

courrier *m.* courier, newspaper, sheet; column; mail flight

courroie *f.* strap

courroucé angered, glowering, scowling

cours *m.* course; rate of exchange; au — de in the course of, during

course *f.* course, flight, contest, race, struggle; — à la folie mad race, dash

court short; à — de short of; à — d'argent short of money, broke; tout — plain, unadorned

courtage *m.* brokerage

courtaud dumpy, squat

courtier *m.* broker

courtiser to court

coussin *m.* cushion, pillow

couteau *m.* knife; lutte au — hand-to-hand fight

coûter to cost; to take a lot out of; il m'en coûte I am reluctant

coutil *m.* duck (*material*); pantalon de — ducks

coutume *f.* custom, habit

couvent *m.* convent, nunnery

couver to sit on, incubate, hatch, nurture, nurse; to brood upon

couvercle *m.* lid, cover

couvert *m.* cover, place (*at table*); mettre le — to set the table

couverture *f.* covering, cover

couvrir to cover

crac! crack! snap!

cracher to spit, spit out

craindre to fear, be afraid of

crainte *f.* fear

crampe *f.* cramp

crampon *m.* cramp, staple, clamp, spike

cramponner (se) to hold onto, hang onto, fasten onto

cran *m.* notch, nick; — d'arrêt safety catch

crâne *m.* cranium, skull, head

crâne *adj.* jaunty

crapaud *m.* toad
craquement *m.* creaking, cracking, breaking
créature *f.* creature, person
crédulité *f.* credulity, credulousness
créer to create
crénelé crenellated, battlemented
crépitation *f.* crackling
crépuscule *m.* twilight, dusk
cresson *m.* cress
crête *f.* crest
crétin *m.* imbecile, hopeless fool
creuser to hollow (out), groove, dig; to make hollow, empty; **se —** to grow hollow
creux *adj. and n.m.* hollow; **chemin —** hollow, sunken, road
crevasse *f.* crevice, ravine
crevassé split, gaping
crevé worn out, tattered
crever to burst, smash, punch in; (*of animals, and pop., of people*) to die
cri *m.* cry, squeak
cribler to riddle, pierce
cric *m.* jack
crier to cry, call out; to squeak, creak
crise *f.* crisis, attack, paroxysm; **— de nerfs** (fit of) hysterics
crisper to make contract, convulse; **se —** to contract, become wrinkled; to clench
crisser to grate, grind, give a rasping sound
cristal *m.* crystal, crystal glass; **— taillé** cut glass; **de —** crystalline
croasser to croak, caw
crochet *m.* sudden turn, swerve
crochu hooked, crooked
croire to believe; to think; **— à** to suspect, think there is going to be
croisée *f.* casement window
croisement *m.* crossing, intersection
croiser to cross, meet
croissant *m.* waxing (of moon), crescent (of moon); **— adj.** increasing, rising
croître to grow, increase

croix *f.* cross
croupi stagnant, foul
croûte *f.* crust (*of bread, etc.*); **casser une —** to have a snack, have a bite of something
cru bright, harsh, coarse, raw
cruauté *f.* cruelty
crue *f.* increase, swelling, flood
cueiller to pick, gather
cuir *m.* leather
cuire to cook, bake
cuisine *f.* kitchen
cuisiner to grill, take someone over the coals
cuisinier *m.* cook
cuisse *f.* thigh
cuit cooked; **vin —** mulled wine
cuivre *m.* copper
cuivré coppery
cul *m.* behind
culotte *f.s. or pl.* breeches, knee breeches
culte *m.* worship; fondness
culture *f.* culture, cultivated land, field under cultivation
cure *f.* vicarage, rectory
curé *m.* parish priest
curée *f.* quarry
curer to probe, dig around in
curieu-x, -se curious, interested, inquisitive
cuve *f.* vat, tun

D

dalle *f.* flagstone, paving stone
damas *m.* damask
dame *f.* (married) lady; (noble) lady, woman; **—!** heavens!
damier *m.* checkerboard
damné confounded
se dandiner to have a rolling gait; to dawdle, waddle, roll, sway
danois Danish
danse *f.* dance
danser to dance
darder to dart, shoot forth
dater to be out of date
davantage longer, more
dé *m.* die; **jouer aux —s** to play dice
débarquer to disembark, land

se débarrasser to rid oneself of

se débattre to struggle

débauche f.   debauch(ery), dis-
solute living

débile weak, weakened

débitant m.   retailer, dealer

débiter to utter, pronounce, recite;
to cut up, finish (lumber), mill

déboire m.   disappointment, rebuff,
vexation, disagreeable aftertaste

déboiser to deforest

débonnaire meek, mild, soft

déborder to overflow

débouché m.   outlet, opening, issue

déboucher to emerge

débourrer to remove the tobacco
from (pipe)

débourser to disburse, spend

debout standing; —! get up! up
with you!

déboutonner to unbutton

débraillé m.   untidiness, informality
of dress, (in) shirt sleeves

débris m.   debris, fragments; decrepit being; relic

débrouiller to unravel, disentangle

début m.   beginning, start; au —
at first

débuter to begin, appear, come
out

décalage m.   displacement, staggering, difference, discrepancy

décapiter to decapitate, cut someone's head off

décéder to die; décédé, -e m. or f.
deceased (man or woman)

déceler to reveal, disclose, divulge,
betray

décence f.   modesty

déception f.   disappointment

décevant deceptive, delusive

décevoir to deceive, delude

décharné emaciated, scraggy

déchéance f.   fall, decay

déchet m.   relict, refuse, ruin, wreck

déchiffrer to decipher, make out

déchiqueté jagged

déchirant heart-rending, harrowing,
agonizing

déchirer to tear, lacerate

déchirure f.   tear, rent, opening,
break, hole

de-ci de-là here and there, on all
sides, in every direction

décidément   decidedly, positively,
definitely

décider to decide; se — to decide, make up one's mind, come
to a decision; se — pour to decide on

décolérer to calm down, get over
one's anger

décoller to take off; se — to
come unstuck, come undone; to
work loose

décombres m.pl.   ruins, rubbish

déconcerter to disconcert, confuse,
upset

décor m.   setting

découper to cut; découpé cut
out

découragé discouraged, despondent

découverte f.   discovery

découvrir to discover, reveal, un-
cover; to perceive, discern, sight

décret m.   decree, announcement

décrire to describe

décroiser to uncross

décroissant decreasing, falling

dédaigner to disdain, scorn

dédale m.   labyrinth

défaillir to weaken, fail, faint

défaire to undo, untie; se — to
come undone, come down (of hair,
etc.); se — de to get rid of

défaut m.   lack, fault; break, hollow;
à — de for the lack of, lacking;
faire — to fail to appear, default

défectueu-x, -se defective

défendre to defend, prohibit, forbid; ne pas pouvoir se — de
not to be able to help

défense f.   defense, resistance

se défier to mistrust, be on one's
guard, have misgivings

défilé m.   parade, procession

défiler to parade before, reel off,
march past

défoncer to break, batter, stave in

défrayer to defray, pay the expenses of, satisfy

défricher to clear, reclaim (land
for cultivation, etc.), break (new
ground)

défunt deceased, defunct, dead; — *m.* or *f.* deceased person
se dégager to free itself, come into the open, get loose, get free, emerge
dégel *m.* thaw, melting
dégoût *m.* disgust, distaste, dislike
dégoûter to disgust
degré *m.* step, degree, stage
dégringoler to run down (*stairs*)
déguerpir to clear out
déguisement *m.* disguise
déguster to taste, sample, sip
dehors out, outside, out-of-doors
déjà already
déjeuner *m.* breakfast
déjeuner to lunch
delà beyond; **au — (de)** beyond, on the other side (of)
délabrement *m.* wreckage, ruin, destruction, ravage
délacer to unlace, undo
délaisser to leave, quit, abandon
délation *f.* informing, spying, betrayal
se délecter to take delight
délicatesse *f.* delicacy, daintiness; delicate attention
délices *f.pl.* delight
délier to untie, undo, unbind, loosen
délire *m.* frenzy
délirer to be delirious, light-headed; to rave
délivrer to deliver, issue (*of tickets*); free
demain *m.* tomorrow
demander to ask (for), beg (for); **se —** to wonder
démangeaison *f.* itch, longing, temptation
démanger to itch
démanteler to disable
démarche *f.* gait, walk, bearing; step
démarcheur *m.* canvasser, agent
démarrer to start, start up, pull away, leave
démasquer to unmask, show up
démêler to distinguish, disentangle
déménager to move out
démence *f.* insanity, madness
se démener to hustle, move about excitedly

démenti *m.* flat denial, contradiction; failure, disappointment
démentir to belie, deny, contradict
demeurant *m.* remainder; **au —** after all, all the same
demeure *f.* residence, dwelling place, abode; **faire —** to take up residence
demeurer to remain, stay, tarry; to live, reside
demi *adj.* and *n.m.* half; **à —** half; **dormant à —** half asleep; **demie** *f.* half-hour
demi-douzaine *f.* half dozen
demi-heure *f.* half-hour
demi-mot *m.* half word, hint
demi-siècle *m.* half a century, fifty years
demi-sourd *m.* half-deaf person
démission *f.* resignation
demi-tour *m.* about-face
demi-voix (à) in an undertone, subdued tone; under one's breath
demoiselle *f.* young lady
démon, -e *m.* or *f.* demon, good or evil genius, imp
démonter to unleash, take apart; **mer démontée** enraged or stormy sea
démontrer to show, demonstrate, point out, prove
déni *m.* denial, refusal
dénicher to take out of the nest, dislodge; to hunt
dénoncer to denounce, tell on
dénonciat-eur, -rice telltale
dénouement *m.* denouement, end, outcome
dénouer to untie, detach
denrées *f.pl.* produce, products; **— alimentaires** foodstuffs
dent *f.* tooth
dentelé notched, indented, jagged
dentelle *f.* lace
dénûment, dénuement *m.* stripping, destitution, deprivation
départ *m.* departure
départager to separate
dépasser to pass, go ahead of; to go beyond, exceed; to stick out
dépecer to break up

dépêcher to dispatch, send; **se —** to hurry

dépens *m.pl.* cost, expense

dépenser to spend, expend; to use up; to give vent to; **se —** to give oneself up to

dépit *m.* spite; **en — de** in spite of

se déplacer to change one's place

déposer to put down, deposit

depuis from, since, before

dérailler to go off the track

déraisonner to talk nonsense, rave

déranger to disturb; **se —** to put oneself out, go to the trouble

déréglé violent, uncontrolled; disordered, irregular

dérèglement *m.* irregularity, dissoluteness, profligacy

dérision *f.* derision, mockery

dérivé adrift

dériver to drift

derni-er, -ère last; **ce —** the latter

dérober to steal, make away with; to conceal; **se —** to escape, slip away, steal away

déroulement *m.* unrolling, passing

dérouler to unroll, let down; to stretch; **se —** to unfold, develop

déroute *f.* rout, retreat

dérouter to bewilder, throw off the scent

derrière *prep.* behind, at the back of; **—** *adv.* behind, at the back, in the rear; **—** *m.* rear, behind; behind, bottom, rump; **sur ses —s** from behind

dès since, as early as; on upon; **— le matin** first thing in the morning; **— lors** from that time onward, ever since (then); **— que** as soon as

se désagréger to disintegrate, break up, come apart

désaltérer to slake, quench (thirst)

descendre to descend, come down, go down, run out

descente *f.* descent, going down; **— de lit** bedside rug

désenchanter to disenchant, free from a spell

désépris fallen out of love, disenchanted, disillusioned

désespérant heartbreaking

désespérément despairingly, hopelessly

désespérer to despair, lose hope; **se —** to be in despair, give way to despair

désespoir *m.* despair, desperation

désheurer to disturb the hours of, derange

désintéressé *m.* disinterested or unprejudiced person

désinvolture *f.* breeziness, casualness, offhand manner

désir *m.* desire, wish

désirer to desire, want (to), wish (for)

désoler to devastate, ravage, lay waste; to distress, grieve

désordres *m.pl.* disturbances, riots

désorienté out of order, off reckoning, out of line

désormais henceforth

dessécher to dry, wither

dessein *m.* plan, design, project

desserrer to loosen

desserte *f.* butler's tray

desservir to clear (a *table*)

dessin *m.* design, drawing

dessous under, below, beneath

dessus above, over; **—** *m.* top, upper part; **de —** from, off

dessus-dessous over and over, upside down

destinée *f.* fate

destiner to destine

détaché loose, detached

détacher to detach, take off or down; **se —** to stand out

dételer to unhitch

se détendre to relax, become slack

détenir to hold, withhold; to be in possession of

détenteur *m.* owner, holder, custodian

détester to detest, hate

détonation *f.* detonation

détourner to turn from, dissuade

détraquer to disorder, throw into confusion; **se —** to get out of order, break down, crack up

détresse f. distress
détritus m. rubbish, refuse, debris
détromper to enlighten
détruire to destroy, blot out
deuil m. mourning
deux two; **tous —, tous les —** both
deuxième second; **— étage** third floor
dévaler to descend, go down
devancer to anticipate, get ahead, finish before
devant in front of, before; **— m.** front part
devanture f. shopwindow, store window
devers, dévers m. slope
déverser to discharge, precipitate
dévider to unwind, reel off
deviner to divine, guess, predict; to see through; to distinguish, make out
dévisager to stare at, look at, take stock of
deviser to chat, gossip
dévoiler to unveil, reveal, disclose
devoir m. duty, task; **se faire un — de** to make a point of, make it one's business to
devoir to owe; to be obliged to, have to; must, should, can
dévorant consuming, devouring
dévorer to devour, swallow
dévotion f. devotion, religious fervor
dévouement m. devotion, affection
dévouer to devote
dia! haw! (driver's command to horse to turn left)
diable m. devil; **pauvre —** poor fellow; **à la —** anyhow, in a harum-scarum sort of way, at random; **le — c'est** the devil of it is (was)
diantre m. devil, deuce
dicton m. saying, byword, maxim
dieu m. god; **Dieu** m. God
différer to delay, put off, postpone
difficile difficult; disagreeable, hard to get along with; **— m.** the difficulty, what is difficult

digital digital; **empreinte —e** f. fingerprint
digne worthy
digue f. dike, dam; causeway, embankment
dilapider to waste, squander
dilater to dilate, expand
dimanche m. Sunday; **tous les —s** every Sunday
diminuer to diminish, shorten, wane
dinde f. turkey; **— truffée** truffled turkey
dîner m. dinner
dîner to dine, eat dinner
dire m. saying; **au — de** according to
dire to say, tell, affirm; **pour ainsi —** so to speak; **si le cœur vous en dit** if you feel like it
diriger to direct, steer; **se —** to go, find one's way
discerner to distinguish, discern
discontinuer to stop
discuter to discuss, haggle over
disette f. shortage, scarcity
disjoindre to disunite, separate, disjoin
disloquer to dislocate, dismember, put out of order
disparaître to disappear
disparition f. disappearance
dispendieu-x, -se expensive, costly
dispos fit, in good form
disposé (à) disposed, in the mood (for)
disposer to dispose, have at one's disposal
disposition f. aptitude, bent, fancy; state (of mind), frame of mind
disque m. disk, phonograph record
dissemblance f. dissimilarity, unlikeness
dissident m. or f. unfriendly, hostile (people, tribes)
dissimuler to dissimulate, hide, disguise, conceal
distillateur m. distiller
distiller to distill, instill
distinguer to distinguish, discern, perceive, make out

se distraire to seek, take relaxation; to amuse oneself
distrait absent-minded
distribuer to distribute, circulate
dit (so-)called
divers various, different
diversion f. diversion, distraction
divertissement m. entertainment, amusement
divinité f. deity, god, goddess
dix ten
dizaine f. (about) ten, half a score; **il y a une — d'années** some ten years ago
doigt m. finger
dom m. (ecclesiastical title) father
dominer to dominate; to fly above
dompter to tame, subdue
don m. gift
donateur m. donator, giver, patron
donc then, so
donner to give; to strike (rocks), run aground; **— affaire à** to keep busy; **— du sabot** to kick; **— le sein (à un enfant)** to nurse (a child); **où — de la tête** where to turn
donneur m. giver, dispenser
doré gilded, gilt
dorénavant henceforth, from now on
dorer to gild
dormir to sleep, be asleep; to be dormant; **dormant à demi** half asleep
dos m. back
dossier m. back
douairière f. dowager
douanier m. customs officer
doubler to double, line
doucement gently
douceur f. pleasantness
douche f. shower, spray
douer to endow (with)
douillet, -te soft
douleur f. suffering, pain; **les —s de l'enfantement** the pains, throes, of childbirth
doute m. doubt; **sans —** doubtlessly, without doubt
douter (de) to doubt; **se — de** to suspect

dou-x, -ce mild, gentle, meek; sweet
douzaine f. dozen; **à la —** by the dozen
doyen m. dean
dragon m. dragoon
dramaturge m. playwright
drame m. drama, tragedy
drap m. sheet
drapeau m. flag
drelin (onomatopoeic) ting-a-ling, tinkle
dresser to raise, erect, rear, set up, prepare; **se —** to stand (up), rise, hold oneself erect; **— les oreilles** to prick up, cock, one's ears
drogue f. drug
droit m. right, privilege
droit straight, upright, direct; **à —e, à la —e** on, to, the right; **à —e ou à gauche** on all sides, far and wide; **—e** f. right hand
droiture f. uprightness, integrity
drôle funny, droll
dûment duly, in due form, properly
duo m. duet
dupe f. dupe
dur hard, firm; **avoir la tête —e** to be thickheaded or dull-witted; to be pigheaded
durant during; **cinq jours —** five days running
durcir to harden
durée f. duration, extent
durement with difficulty
durer to last, endure, continue

E

eau f. water; **les —x** the water
ébaucher to sketch; **— un sourire** to give a faint smile
éblouir to dazzle
éblouissement m. dazzling, bewilderment, astonishment
ébranler to shake, cause to totter, **s'—** to shake, totter
écaille f. scale(s), flake; **lunettes d'—** tortoise-shell glasses
écarlate scarlet
écarquiller to open wide

écart m. à l'— apart, aside

écarter to separate, part, draw aside, set aside, brush aside, spread; s'— to move aside, apart

échafaud m. scaffold

échancrure f. opening, cut-out part

échanger to exchange

échapper (à) to escape, slip; s'— to escape, arise, issue

écharpe f. sash, shoulder sash; scarf; veil

échauffer to heat, overheat; s'— to get excited

échec m. check, setback, failure

échecs m.pl. chess

écheveau m. hank, skein (of yarn)

écheveler to dishevel, disarrange; s'— to become disheveled

échine f. spine, backbone

échouer to run aground; to be stranded; to ground, wreck

éclabousser to spatter, splash, bespatter

éclaboussure f. splash, splatter

éclair m. flash (of lightning)

éclairage m. lighting, illumination

éclairer to light, illuminate, give light to; to enlighten; s'— to light up (of face, etc.)

éclat m. shine, brilliance; burst, explosion, outburst; piece, splinter

éclatant bursting, dazzling, bright

éclater to burst (out); — de rire to burst out laughing, laugh outright

éclore to open, burst, blossom

école f. school; faire — to start a movement, command a following

éconduire to show out, lead out, "brush off," dismiss

économe economical, thrifty

économie f. saving

écorce f. crust, bark

écossais Scotch; (of material) plaid

(s')écouler to pass or slip away

écoute f. listening

écouter to listen (to); to pay attention (to)

écran m. screen; plaque, name plate

écrasement m. crushing, destruction

écraser to crush, annihilate

(s')écrier to cry, cry out, exclaim

écroulement m. tumbling, crush, pile, heap

(s')écrouler to collapse, topple over, crumple up

écu m. five-franc piece (no longer in use)

écueil m. reef

écume f. foam (on waves), scum, spray

écurie f. stable

écusson m. escutcheon, shield, coat of arms

effacer to efface, obliterate, wipe out, erase; s'— to stand aside

effaré alarmed, terrified

effaroucher to scare, startle

effectuation f. carrying out

effet m. effect, result; pl. possessions, belongings, capital; à — de for the purpose of; à cet — for this reason, for this purpose; en — as a matter of fact, indeed

effeuiller to pluck off the petals of

efficace effective

effleurer to skim, touch or stroke lightly, graze

s'effondrer to fall in, cave in, collapse, sink, flop

(s')efforcer to endeavor, strive

effort m. effort; faire — to make an effort, exert oneself

effrayer to frighten, scare, startle

effréné wild, unbridled

s'effriter to crumble, disintegrate, diminish; to disappear

effroi m. fright, terror, fear

effroyable fearful, terrible

égal equal, steady, even; d'— en — on a footing of equality

égaliser to equalize, level

égard m. consideration, respect, regard; à l'— de toward, with respect to

égaré strayed, lost

égarement m. bewilderment

égarer to drive mad, drive frantic; to lead astray; s'— to lose oneself, get lost

égayer to make gay, lighten, cheer, enliven

égide f. shield

église *f.* church
égorgé *m.* slaughtered person
égorger to cut the throat of; to stick, butcher
égoutter to drain
égratignure *f.* scratch
élaborer to elaborate, work out, build up, fashion, work into shape
élan *m.* spring, bound; dash, dart
s'élancer to rush, dash
s'élargir to spread, extend, stretch out
électeur *m.* voter
élève *m.* or *f.* pupil
élever to bring up, raise; **s'—** to rise (up), arise; **élevé** high
élire to elect, choose
éloge *m.* eulogy, praise
éloigner to move away
emballer to excite, fire with enthusiasm
emballeur *m.* packer
embarcation *f.* boat
embardée *f.* lurch
embarquer to embark, go aboard
embarras *m.* difficulty, trouble; congestion, jam
embarrasser to embarrass
embaumer to perfume, scent, give off an aroma
emblème *m.* emblem, crest
embouchure *f.* mouth (of a river)
embraser to kindle, set on fire, burn
embrassement *m.* embrace
embrasser to kiss, embrace
embrasure *f.* embrasure, recess (of a window)
embrun *m.* fog
embûche *f.* ambush, trap
embuer to dim, cloud
s'embusquer to lie in ambush; to take cover
émeraude *f.* emerald
émettre to emit, utter
(s')émietter to crumble (away)
emmener to lead (off, away); to take
émoi *m.* emotion; excitement, flutter
émotion *f.* emotion, excitement
émouvant touching, exciting

émouvoir to move, touch, stir
s'emparer to seize, take possession of
empêcher to hinder, impede, prevent
empèse stiff, starched
empeser to starch
empêtrer to entangle; **s'—** to flounder, become entangled, become embarrassed
emphysème *m.* emphysema (*congestion of the lungs*)
empire *m.* empire, control
empirer to grow worse
emplette *f.* purchase
emplir to fill; **s'—** to fill up, become full
emploi *m.* use; position
employé *m.* employee, white-collar worker
employer to employ, use; **s'—** to occupy oneself, exert oneself
empocher to pocket
empoigner to grasp, grab, seize
empoisonnement *m.* poisoning
empoisonner to poison, spoil; **s'—** to poison oneself
emportement *m.* burst (of anger)
emporter to carry along, carry off, take away; **l' — (sur)** to win out (over)
empourpré crimson
empourprer to tinge with crimson
empreinte *f.* impression, imprint; **— de talon** heel print; **— digitale** fingerprint
empressement *m.* eagerness, alacrity, solicitude
(s')empresser to hurry, hasten; to show eagerness
encens *m.* incense
enchaînement *m.* chain, connection, sequence
enchantement *m.* charm
enchante-ur, -resse bewitching, enchanting, delightful, charming
encombrement *m.* jam, obstruction, stoppage, bottleneck
encombrer to encumber, litter, overgrow
encontre: à l'— de unlike, in contrast to

encore still, again, moreover, furthermore; longer; **— un coup** once again; **— une fois** once more, once again

encre f. ink

endémique endemic, peculiar to a region or class of people

s'endormir to fall asleep, go to sleep

endroit m. place

endurcir to harden

énergique energetic

énervement m. nervous irritation

énerver to irritate, get on one's nerves; **s'—** to become fidgety, get excited

enfance f. childhood

enfant m. or f. child; **— adj.** childlike

enfantement m. childbirth; **les douleurs de l'—** the pains, throes, of childbirth

enfanter to bear, bring forth, give birth to

enfantin infantile, childish

enfer m. hell; **les —s** the underworld, Hades

enfermer to shut up, lock up, enclose

enfiévré inflamed

enfiler to put on, pull on

enfin finally, at last; in fact, in short

(s')enfler to swell

enfoncer to insert, drive (in), thrust; to sink; **s'—** to plunge, sink, bury

enfourcher to mount, bestride

(s')enfuir to flee, fly, run away, escape

enfumé smoky

engagement m. promise

(s')engager to engage, start up, enter

engin m. machine, device, contrivance

s'engouffrer to be engulfed, be swallowed up, be lost to sight

enguirlander to engarland, dress up, deck out

enivrer to intoxicate

enjambée f. stride

enjamber to step over, straddle

enlacer to enlace, entwine, clasp, enfold

enlevée f. cartload, wagonload

enlever to raise, lift; to remove; to carry off, kidnap, abduct

ennemi inimical, hostile; **— m.** enemy

ennui m. worry, anxiety; trouble, annoyance

s'ennuyer to be bored

ennuyeu-x, -se annoying, troublesome

énoncer to state, set forth

énorme enormous, huge

enragé enthusiastic, rabid, out-and-out

enrager to enrage, madden, arouse, excite

s'enrichir to enrich oneself; to grow rich(er)

enroué husky, hoarse

ensanglanter to cover, stain, with blood; **s'—** to become bloody

enseigne f. sign, signboard, shop sign

enseigner to teach, instruct

ensemble together; **— m.** ensemble, group; whole

ensemencer to sow, plant

ensevelir to bury, shroud

ensoleillé sunny

ensorceler to bewitch, cast a spell (upon)

ensuite after(wards), then

entamer to cut (into), touch, scratch, begin

(s')entasser to accumulate, pile up, heap up

entendre to hear, understand; **mal —** to misunderstand; **s'—** to understand each other (one another), get along (well)

entente f. understanding, agreement

enterrer to bury

entêtement m. stubbornness, unyieldingness

s'enticher to be infatuated with

enti-er, -ère entire, whole; **tout entière** wholly, completely, altogether

entonner to intone; to strike up (music)

entonnoir m. hollow (of hills)

entour m.: à l'— around

entourage m. attendants, circle, those around

entourer to surround, keep company

entr'acte m. intermission

entraînant inspiring, stirring, lively

entraînement m. training, habit

entraîner to drag, draw, pull, drag off, drag away; to bring about, entail, involve

entraver to impede, hinder

entre-bâiller to set ajar, set half open

entrecroiser to intersect, cross, interlace

entrée f. entrance, beginning

entrefaites f.pl. time, interval; à quelque temps de ces — some time later

entrelacer to interlace

entremets m. side dish

entreprendre to undertake, start a discussion with

entrer to enter, come in

entretenir to converse with, talk to (someone about something); to maintain

entretien m. maintenance, care, support; conversation

entrevoir to catch sight of, catch a glimpse of

entr'ouvrir to half open, open halfway

envahir to invade, overrun

envelopper to envelop, wrap, cover; to surround, hem in

envenimer to poison; s'— to be (become) poisoned

envers m. reverse side, back; à l'— on the wrong side; **mettre l'âme à l'—** to upset, get on one's nerves

envie f. desire, longing, inclination; **avoir — de** to want to, feel inclined to, have a mind to; **donner — à** to make (one) inclined to

environner to surround

environs m.pl. surroundings, vicinity, neighborhood

s'envoler to fly off, fly away

envoyer to send

épais, -se thick, bulky; insensitive, "thick" (stupid)

épaisseur f. thickness

épaissir to thicken

épancher to pour out

s'épanouir to blossom out, bloom; épanoui full-blown, beaming

épargner to spare

éparpiller to scatter, spread about; to blow, ruffle (hair, etc.)

épars scattered, sprinkled; suggested, in disorder

épaule f. shoulder

s'épauler to huddle together, support (each other, one another)

épave f. wreck, derelict

épée f. sword

éperdu desperate, distracted, bewildered

épervier m. sparrow hawk

épicerie f. grocery

épicier m. grocer

épidémie f. epidemic

épine f. thorn

épineu-x, -se thorny, prickly; ticklish

épingle f. pin

épître f. epistle

éplucher to peel, pare

épluchures f.pl. peelings, parings

éponge f. sponge (eraser)

époque f. time, period, date; epoch, era, age; **à la hauteur de l'—** level with or abreast of the times

épouser to marry

épouvantable frightful, appalling

épouvante f. fear, terror, horror

épouvanter to terrify

épou-x, -se m. or f. spouse; husband (wife)

épreuve f. proof, trial, experience, test; **à l'— de** proof against

éprouver to feel, experience; to test, try

épuiser to exhaust, tire, wear out; **s'—** to become exhausted, wear oneself out

équilibre m. balance; **en — sur** balanced on

équipage m. horse and carriage; crew

ergoter to quibble, cavil, split hairs
errer to wander, roam, rove, stroll, ramble, drift
escabeau *m.* stool
escadrille *f.* squadron
escalade *f.* climb, climbing
escalader to scale, climb
escale *f.* port of call, landing field
escalier *m.* stair, stairway, staircase, flight of steps
escamoter to pilfer, filch
escarpolette *f.* swing
esclavage *m.* slavery
esclave *m.* or *f.* slave
escouade *f.* squad, gang
espace *m.* space, interval
espèce *f.* kind, sort; species; **dans l'—** essential, fundamental
espérance *f.* hope
espérer to hope, hope for
espoir *m.* hope
esprit *m.* spirit, feeling, wit
esquisser to sketch, outline, half make
essayer to try; to test, explore, pioneer
essence *f.* essence, gas(oline)
essoufflé panting, out of breath; uneasy, restless
essuyer to wipe
est *m.* east
estimation *f.* estimate, appraisal
estimer to believe, think; to evaluate, value, estimate
estomac *m.* stomach
étable *f.* cattle shed; pigsty
établir to establish, set up (*an establishment*); **de quoi s'—** the wherewithal to set up a household
étage *m.* floor, story (*of a house*); **premier —** second floor; **deuxième —** third floor
étain *m.* tin
étalage *m.* display; **faire —** to show off
étale slack, at low tide
étaler to spread out, display, reveal; **s'—** to spread out, be on display
étancher to quench, slake
étang *m.* pond
étape *f.* stage (*of a journey*)

état *m.* state, condition
état-major *m.* headquarters
été *m.* summer
s'éteindre to be (become) extinguished; to die
éteint extinguished, dull, dim, faint
étendoir *m.* clothesline
s'étendre to extend, spread; to stretch oneself out, lie at full length
étendue *f.* stretch, expanse
étincelant shiny
étincelle *f.* spark
étiquette *f.* label
s'étirer to stretch out
étoffe *f.* (piece of) cloth
étoile *f.* star; **passer la nuit à la belle —** to spend the night out-of-doors, in the open, under the stars
étonnement *m.* astonishment, surprise
étonner to astonish, surprise, amaze
étouffer to smother, stifle, mute
étourdiment thoughtlessly
étourdir to bewilder, confuse, befuddle
étrange strange
étrang-er, -ère *m.* or *f.* stranger, foreigner
étrangler to strangle, choke
être to be; **— à** to be, belong to; **s'en —** (= **s'en aller** in the past historic tense only) to go away, make off, depart
être *m.* being, individual, creature
étreindre to clasp
étreinte *f.* embrace
étrier *m.* stirrup
étriqué skimpy, tight, cramped
étroit narrow
étude *f.* study
étudier to study
étui *m.* case, box
euphorie *f.* euphoria, sense of well-being
européen, -ne European; **à l'—ne** in the European manner
s'évader to escape
(s')évanouir to vanish, disappear; to faint
évanouissement *m.* swoon, faint
évasion *f.* escape

éventaire m. (hawker's) flat basket or tray

s'évaporer to evaporate

éveiller to wake, waken; s'— to awake(n), wake (up)

événement m. event, act

évent m. fresh air, open air

éventaire m. hawker's basket

éventuel, -le possible, contingent

évier m. sink

éviter to avoid, keep clear of, spare

évoluer to revolve, maneuver, move about

évoquer to evoke, suggest

exaltation f. excitement

s'exaspérer to become impatient, get exasperated

excédé worn out, overtaxed; impatient

excitation f. excitement, stimulation

excuser to make excuses for, apologize for; s'— to excuse oneself

exécrer to execrate, detest, hate

s'exécuter to submit, comply, fork out

exergue m. exergue, caption, inscription

exigence f. (unreasonable or arbitrary) demand

exiger to exact, demand, insist upon

expédient m. expedient, solution, shift, manipulation

expédier to expedite, perform quickly, dispose of, get rid of, make short work of, rattle off, take care of, dispatch

expéditi-f, -ve expeditious, prompt

expérience f. experience, experiment

expliquer to explain

exprès expressly, purposely, just, on purpose

exquis exquisite

extase f. ecstasy, rapture

exténué exhausted, worn out

extraire to extract, draw out, pull out

extravagant absurd, foolish

extrémité f. extremity, end

F

f . . . see foutre

fabriquer to make, fabricate

façade f. front, façade

face f. face, "front"; — à — face to face; faire — à to face, brave; de — opposite, on the other side; en — directly; en — (de) opposite

facette f. facet (of jewel)

fâché vexed, put out, sorry, angry, displeased

se fâcher to get angry, become annoyed

facile easy

façon f. manner, fashion

facteur m. postman

factice artificial, false

facture f. invoice, bill

fade flat, dull

fagot m. faggot, bundle of firewood

faible weak, feeble

faille f. break, fault, streak, fissure

faillir to come within an inch of, almost (do something)

faim f. hunger; avoir — to be hungry

faire to do; to make; to act a part, act like; to matter; (with inf.) to have, cause to; to incur (debts); (of weather) to be; — des yeux blancs to show the whites of one's eyes; — effort to make an effort, exert oneself; — face à to face, brave; — l'effet de to seem like, look like; — mine de to seem; — part to confide in; — route to walk; — semblant to pretend; y — to avail; rien n'y faisait nothing availed, it was all of no use; — parvenir to send; se — to become; se — un devoir de to make a point of, make it one's business to; se — voir to show off

faisan m. pheasant

faisceau m. fasces, bundle

fait adj. made; bien — well built; tout à — completely, entirely

fait m. fact; au — in fact, as a matter of fact

falaise f. cliff
falloir (*impers.*) to be necessary, have to (*with inf.*); to require
falot m. lantern, torch
fameu-x, -se famous, well known, excellent, capital (*often ironical*)
famille f. family
fané faded
fanion m. flag, pennant, banner
fantasie f. whim, fancy
fantasmagorie f. phantasmagoria
fantoche m. puppet
fantôme m. phantom, ghost
farandole f. farandole (*popular dance in southern France*)
farandoler to dance the farandole
farce f. (practical) joke; **faire une — à quelqu'un** to play a joke or trick on someone
fard m. rouge, make-up
farder to rouge, make up
farine f. flour
farouche fierce, wild, savage
fascine f. faggot (*of brushwood*)
fatiguer to tire; **se —** to get tired, tire
faucon m. falcon, hawk
fausser to falsify, break
faute f. fault, error, mistake; lack; **— de** for lack of
fauve fawn-colored, yellow, tawny
fau-x,-sse false; **bijouterie fausse** imitation jewelry
faux m. something false or artificial
faux f. scythe
favoris m.pl. (side)whiskers; **lui sautant aux —** flinging one's arms around (someone's) neck, hugging someone
fécond prolific, fertile, fecund
fécondité f. fertility
fée f. fairy
feindre to pretend
feint (*p.p.* of **feindre**) m. pretended, pretense
féliciter to congratulate, compliment; **se — de** to be pleased with
fêlure f. crack
femelle f. female (*animal, fish, etc.*)
femme f. woman, wife
fendre to split, slit, cleave; **cha-**

peau fendu soft felt hat; **— l'âme** to tear one's insides
fenêtre f. window
fenouil m. fennel
fente f. slit, crack, crevice
fer m. iron; horseshoe; sword; **— blanc** tinplate, tin; **— de lance** spearhead; **chemin de —** m. railroad, railway; **le feu et le —** fire and sword
ferme adj. firm
ferme f. farm
fermé closed; inscrutable
fermer to close
fermier m. farmer
fermière f. woman farmer, farm mistress
féroce ferocious, savage, fierce
ferveur f. fervor, ardor, earnestness
fesses f.pl. buttocks, rump
festin m. feast, banquet
fête f. feast, festival, celebration; **en pleine —** in the middle of the party
fêter to celebrate
feu m. fire; **—x (d'artifice)** fireworks; **au coin du —** by the fireside
feuillage m. foliage, leaves
feuille f. leaf
feuillet m. leaf, page
feuilleter to leaf through, turn the pages of
fiacre m. hackney carriage, four-wheeler, cab
se fiancer to become engaged, become betrothed
fibule f. fibula, buckle, brooch, clasp
ficelle f. string
fidèle faithful
fi-er, -ère proud
se fier à to trust, put one's trust in
fièvre f. fever
fiévreu-x, -se feverish, fevered
figure f. face; figure, form, shape
se figurer to imagine, fancy
fil m. thread, stream; wire; **— télégraphique** telegraph, telephone, wire
file f. file, row
filer to pay out (*rope, etc.*)
filet m. net

fille f. girl; daughter; prostitute; old maid; **jeune —** girl; **petite —** little girl; **vieille —** old maid, spinster
fillette f. little girl
fils m. son
fin adj. extreme, furthermost; fine; **le — mot de l'affaire** what's at the bottom of it, the real truth, the real story
fin f. end; **à la —** finally; **sans —** endlessly
finalement finally, in the end
financi-er, -ère adj. financial
financier m. financier, banker
fine f. brandy
fini finished, ended, over
finir to finish, end; **— de vivre** to finish or leave off living, end one's days; **— mal** to come to a bad end
fixer to fix, fix one's gaze on, stare at
flacon m. flask, bottle
flageoler to shake, tremble, give way
flairer to scent, smell, sniff, suspect
flambée f. blaze, burst; access; feeling, outburst
flamber to flame, blaze; **faire — une allumette** to light a match
flamboyant flaming, dazzling, gaudy
flamboyer to blaze
flammèche f. spark
flanc m. flank, side
flâneur m. idler, dawdler, loafer
flaque f. puddle, pool
flasque flaccid
flatter to flatter, caress
flèche f. shaft, beam; arrow
fléchir to bend, buckle, give way, weaken
flétrir to brand, convict, stigmatize
fleur f. flower
fleuri in blossom, flowering; flowered, covered with flowers, bedecked with flowers
fleuve m. (large) river
flot m. water, surface of water, sea; wave, flood
flotter to float, flow

flou woolly, fuzzy, fluffy, hazy, blurred
flouer to swindle
fluxion f. inflammation; **— de poitrine** inflammation of the lungs, pneumonia
foi f. faith; **ma —** upon my word!
foie m. liver; **— gras** goose liver
foin m. hay
fois f. time (repeated); **à la —** at one and the same time, together; **encore une —** again, once more; **une —** one time, once; **une — de plus** once more
foisonnement m. profusion
folie f. madness
folle f. mad woman, mad thing; **— de française** mad French woman
follet, -te merry, lively
fonci-er, -ère pertaining to land; **propriétaire —** landed proprietor
fonctionnaire m. official, civil servant
fonctionner to function, act, work
fond m. back, furthermost part, far end; foundation; depth, bottom, abyss; **à —** thoroughly
fondateur m. founder
fondation f. foundation
fonder to found, establish
fondre to melt, thaw, fuse; **— en larmes** to burst into tears
fontaine f. fountain
fonte f. cast iron
force f. force, strength, power; skill; **à — de** by dint of; **à toute —** absolutely, despite everything
forcené frantic, mad, frenzied
forêt f. forest
forger to forge; **fer forgé** wrought iron
forgeron m. blacksmith, ironsmith
forme f. form, shape; **en — de** shaped like
former to form, make, create
fort adj. strong, hard; **— de** imbued with
fort adv. strongly, loudly
fortement hard, strongly, powerfully

fortuné rich, fortunate
fosse f. grave; **mise en —** interment, burial
fossé m. ditch
fossoyeur m. grave-digger
fou, fol, folle crazy, mad; **— à lier** stark raving mad
fou m. madman, crazy person
foudre f. thunderbolt, lightning
foudroyer to strike by lightning
fouet m. whip; **coup de —** stroke, cut, lash, of a whip
fougueu-x, -se fiery, peppery, turbulent
fouille f. find (as a result of digging); **bronzes de —** bronze objects found in the earth
fouiller to search, rummage, probe
foulard m. silk scarf, handkerchief, neckerchief
foule f. crowd
fouler to step on, trample, press, tread, crush (grapes)
four m. oven
fourbe m. or f. rascal
fourchette f. fork
fourgon m. van, wagon
fourmi f. ant; **avoir des —s dans les jambes** to have a tingling, pins and needles, in one's legs
fourneau m. (kitchen) range, cooking stove
fournée f. ovenful (of bread), batch
fourré m. thicket; brake
fourrer to stuff, cram; **— son nez dans** to poke one's nose into, butt into
fourrure f. fur
foutre, f . . .: **— le camp** to get out, beat it; **— la paix** to keep still, shut up
foyer m. fireplace, hearth
fracas m. din, (sound of a) crash
fraîcheur f. freshness, coolness
frai-s, -che fresh, cool
frais m. fresh (air); **prendre le —** to take the air, enjoy the air
frais m.pl. expenses, cost; **se mettre en —** to go to expense
fraise f. strawberry
franchir to clear (an obstacle)
franc-maçonnerie f. freemasonry

frange f. fringe
franger to fringe
frapper to knock, strike, hit; to impress
fraude f. fraud, deception; **en —** fraudulently
frayer to associate with
frayeur f. fright, fear, dread
frêle frail, fragile
frémir to tremble, quiver, vibrate; to sigh (of wind)
frémissement m. tremor, quiver
frénésie f. frenzy, madness
frénétique frantic, furious, feverish
fréquenter to frequent, attend
frère m. brother
frétillement m. wagging, frisking
friche f. waste land, fallow land; **en —** fallow
frictionner to rub
friper to crease, crumple, crush
frisé curly, crisp
frisson m. shudder, thrill
frissonner to be thrilled; to shiver, shudder, quiver
friture f. frying; fried food
froid cold; **— m.** cold, coldness, coolness; cold snap; **avoir —** to be cold; **faire —** (of weather) to be cold, get cold
froideur f. coldness, coolness
froissement m. rustle, grazing
froisser to offend, give offense, hurt someone's feelings
frôler to graze, rub, touch lightly
fromage m. cheese
froncer to pucker, knit; **— le sourcil** to frown
fronde f. sling, slingshot
front m. forehead, brow; **le — bas** with head bowed
frotté rubbed, cleaned; shining
frotter to rub; to drag, shuffle
fructueusement fruitfully, usefully
fuir to flee
fuite f. flight, running away; passage; **prendre la —** to run away
fumée f. smoke; vapor; **les —s du vin** the fumes of wine
fumer to steam, smoke; to smoke (tobacco); to fertilize

fumier m. manure
funèbre funeral, funereal
funeste dire, baneful, sinister, deadly, menacing
funiculaire funicular, operated by a cable
au fur et à mesure (que) while, (in proportion) as
fureter to prowl, pry, feel; to pry into
fureur f. fury, rage
furibond furious, full of fury
furie f. fury, rage; the Furies
furieu-x, -se furious, raging
fusain m. spindle tree, prick wood
fuser to run, leak
fusil m. gun; **à portée de —** within gunshot
fusillade f. fusillade, rifle fire
fusion f. casting (of molten metal)
fût m. cask, barrel
futaille f. cask, tun

G

gab m. tall story
gâcheur (de plâtre) m. mason's helper
gaffeur m. one who makes a "break," blunderer
gager to hire; to wager, bet
gageure f. wager, bet, promise, commitment
gagner to reach, arrive at; to win, earn
gaillard gay, brisk
gaillard m. fellow, chap
gaillardement gaily, briskly
galerie f. gallery
galet m. pebble; gravel
galop m. gallop; **au —** at a gallop, (exclamatory) step on it!
galoper to gallop; to pursue
gamin m. lad, youngster
gant m. glove
garantir to guarantee, underwrite
garce f. bitch
garçon m. boy, lad, young man
garde f. guard; **prendre — à** to take notice of, pay attention to
garde-manger m. larder, pantry; meat safe

garder to keep, watch over, preserve; **se — de** to beware of; **garde à vous!** on guard! look out!
gardien m. keeper, guard, caretaker; **— de la paix** policeman, gendarme
gare f. railroad station
garni m. furnished room, "diggings"
garnir to furnish, provide, trim
garot, garrot m. withers (of horse)
gâter to spoil
gauche left
gaufrer to figure, emboss; to flute
se gausser de to poke fun at
gaver to cram, stuff
gavroche m. ragamuffin, street idler
gaz m. gas
gaze f. gauze, veil
gazon m. grass
géant m. giant
gel m. freeze, freezing, frost
geler to freeze
gélinotte, gelinotte f. hazel grouse, fattened pullet
gémir to groan, moan, wail, lament
gémissement m. groaning, moaning, wailing
gendre m. son-in-law
gêne f. constraint, embarrassment, discomfort
gêné embarrassed, ill at ease, uneasy
gêner to hinder, obstruct; to be in the way; to embarrass, trouble, bother
génie m. genius
genou m. knee; **à —x** kneeling, on one's knees
genre m. genre, kind, class
gens m.pl. people
gerbe f. sheaf (of corn), shower, spray
geste m. gesture, motion, movement
gigantesque gigantic
gigot m. leg of lamb, leg of mutton
gilet m. vest

girouette *f.* weathervane
givrage *m.* frosting, icing, ice formation
givre *m.* (hoar)frost
glace *f.* ice; mirror; window (*of vehicle*)
glacé icy
glacer to freeze, chill; **— le sang** to make one's blood run cold
glacial icy
glaiseu-x, -se clayey, loamy
gland *m.* acorn
glisser to slip, slide, glide
gloire *f.* glory; aureole, halo
glorieu-x, -se glorious; endowed with a halo
gloussement *m.* cluck, gurgle, chuckle, chortle
glu *f.* birdlime
gluant sticky, gummy, gluey
golfe *m.* sinus (*body cavity, depression*)
gond *m.* hinge pin (*of a door*)
gonfler to puff out, swell, distend
gorge *f.* throat; breast
gorgée *f.* swallow
gosier *m.* throat, windpipe; **à plein —** at the top of one's lungs
gosse *m.* little boy, kid (child)
gouffre *m.* gulf, abyss
goujat *m.* farm hand, churl, boor, common laborer
goulot *m.* neck (*of a bottle*)
gourd stiff, numbed
gourmandise *f.* gluttony
goût *m.* taste, appetite, flavor, perception; **mise en —** her (his, *etc.*) appetite whetted
goûter to taste, experience, enjoy, relish
goutte *f.* drop (*of liquid*)
gouvernante *f.* governess, housekeeper
grâce *f.* grace, favor, mercy; graciousness, gracefulness; **— à** thanks to; **demander —** to beg for mercy
gracier to pardon, reprieve
grain *m.* grain, particle, speck
graine *f.* seed
graisse *f.* grease, fat
grand large, great; wide; long

grandir to grow (big), enlarge, blow up
grand'mère *f.* grandmother
grand'peine *f.* great difficulty; **à —** with great difficulty
grand'place *f.* main square, central square (*of town, city*)
grange *f.* barn
grappe *f.* cluster, bunch (*grapes, currants, etc.*)
gras, -se fat, rich, full, plentiful; **foie —** goose liver
gratter to scratch
gravats *m.pl.* rubble, rubbish from masonry
gravier *m.* gravel
gravir to climb
gravité *f.* gravity, seriousness, responsibility
gré *m.* liking, will, pleasure, desire, mercy; **bon — mal —** whether one likes it or not, willy-nilly
grêle slender, thin
grêle *f.* hail; **coup de —** hailstorm
grelot *m.* little bell; clapper (*of a bell*)
grelotter to tremble, shake, shiver; to jingle
grenade *f.* pomegranate
grenier *m.* granary, storehouse; attic
grenouille *f.* frog
grésil *m.* sleet
grésillement *m.* crackling, sizzling
grésiller to crackle, sputter, sizzle
grève *f.* shore, beach
grignoter to nibble
gril *m.* gridiron, grill, broiler
grillage *m.* grating
grille *f.* grill, grating
grillé railed in
grillon *m.* cricket
grimper to climb (up)
grincer to creak, squeak, grate
gris, -e gray; (*pop.*) (slightly) tipsy
grisâtre grayish
grisonner to gray, turn gray
grogner to grunt; to grumble, growl
grommeler to grumble, mutter

grondement m. rumbling, roaring, booming

gronder to scold, chide; to growl, snarl; to mutter, rumble

gros, -se adj. big; heavy, coarse (thread); great, coarse, thick (lips); **avoir le cœur —** to be heavy-hearted, sad at heart

gros m. bulk, mass, chief part; height; big one, big fellow

grossi-er, -ère coarse, rude, vulgar

grossir to enlarge, blow up

grotte f. grotto

grouiller to swarm, crawl, grovel

grue f. crane

gruger to crunch, crumble, eat away

guéridon m. round (pedestal) table

guérir to cure, make well

guérite f. sentry-box, cabin, shelter

guerre f. war; **machine de —** engine of war

guetter to watch for, be on the lookout for, lie in wait for

guichet m. wicket, small window (as in a post office, etc.); shutter (of confessional)

guide f. rein

guider to guide, lead

guindé stiff, strained

guindé m. strain, unnaturalness

guipure f. point lace, needle-point lace

guirlande f. garland, festoon, wreath

H

habile clever, skillful, able, capable

habiller to dress

habilleuse f. dressing woman

habit m. dress, costume; pl. clothes

habitant, -e m. or f. inhabitant

habiter to live (in), inhabit

habitude f. habit; **comme d'—** as usual; **d'—** usually, ordinarily

habituer to accustom; **s'—** to be or get accustomed

'hacher to chop up

'hagard haggard, wild(-looking)

'haie f. hedge

'haillon m. rag, tatter

'haine f. hate, hatred

'haïr to hate, detest

haleine f. breath; **reprendre —** to recover one's breath, catch one's breath

'hâler to haul

'haleter to pant, gasp (for breath); to be breathless

halluciné m. deluded man, man suffering hallucinations

'halte f. stop, halt; **— là!** hold! stop there! halt!

'hameau m. hamlet

'hanche f. hip

'hangar m. shed

'hanter to frequent, haunt

'harceler to harry, harass, worry, torment

'hardi bold, hardy, daring, fearless

'hargne f. crossness, peevishness, ill temper

'hasard m. chance; **à tout —** just in case; **faire le —** to take the chance

'hasardeu-x, -se hazardous, haphazard, chance, undependable

'hâte f. haste, hurry; **avoir —** to be in a hurry; to be eager, impatient

se 'hâter to hasten, hurry

'hâtivement hastily, in a hurry

'hausser to raise; **— les épaules** to shrug one's shoulders

'haut adj. high; tall; high (spirit, color, etc.); **la —e mer** the open sea; **— de six mètres** six meters high

'haut m. top, upper part; **en —** above; **de — en bas** from top to bottom; **le prendre de —** to take a lofty tone

'hauteur f. height; **à la — de l'époque** level with, abreast of, the times; **— de poitrine** chest-high

'hé (to call attention) hullo! I say! hey!

hébété dazed, stupefied

'hélas! alas!

'héler to hail, call

'hennir to neigh

'hennissement m. neighing

herbe f. grass, plant, herb; —s potagères potherbs; — d'eau seaweed

herbeu-x, -se grassy, grass-grown; hairy

herbier m. herbarium (*collection of dried plants*)

herbu grassy, grass-covered

'hérissement m. bristling

se 'hérisser to bristle, become erect, stand up; to ruffle (*feathers*)

héritage m. inheritance, legacy

hériter (de) to inherit

héritier m. heir

héroïne f. heroine

hésiter to hesitate, waver

heure f. hour, time; (*after numeral*) o'clock; à la bonne — fine, well and good; de bonne — early; tout à l'— just now, a few minutes ago

'heurt m. shock, stroke, blow, bump, collision, crash

'heurter to bump, knock, strike against

hier yesterday

hirsute hirsute, hairy

'hisser to hoist up, pull up

histoire f. story, tale; — de for the sake of

hiver m. winter

'hocher to nod

'homard m. lobster

homme m. man; husband

honnête honest, honorable, upright, faithful

honnêteté f. honesty, integrity

honoraires m.pl. fee(s), salary

'honte f. sense of shame; shame; avoir — to be ashamed

'honteu-x, -se shameful, disgraceful; ashamed, embarrassed

hôpital m. hospital; charity hospital; asylum (*for the poor*)

'hoqueter to hiccup, gasp

horizon m. horizon, skyline; — instrumental artificial horizon (*pilot's instrument*)

horloge f. clock

horloger m. clockmaker, watchmaker

'hors de out of, outside (of)

hôte m. guest; host

hôtel m. public building; town house; hotel

'houblon m. hops

'houleu-x, -se swelling, surging, restless

'houppelande f. cloak, greatcoat

'hue gee (*driver's command to horse to turn right*)

huile f. oil; oil line; d'— oily, shiny; les saintes —s the holy oil (*for extreme unction*)

huiler to oil

'huitaine f. about eight, some eight

huître f. oyster

humanitaire humanitarian

humeur f. temper, disposition; vexation, ill temper; d'une — égale even-tempered

humoristique humorous

'huppe f. hoopoe (*bird*)

'hurlement m. howl(ing)

'hurler to shout, howl, yell, shriek

'hussard m. hussar (*one of a class of cavalry of European armies, usually brilliantly uniformed*)

hydropique dropsical, afflicted with dropsy

hypothèque f. mortgage

I

icelui, icelle, iceux, icelles that one, the latter (*legal language*)

idée f. idea; opinion; — fixe obsession

if m. yew tree; taper hearse (*triangular stand for candles or lamps*)

ignoble ignoble, unspeakable, vile

ignorer to be ignorant of, not to know

île f. island, isle

illimité unlimited, boundless, unbounded

illumination f. illumination, light, enlightenment, revelation

illuminer to illuminate, light up

illusionniste m. conjurer, magician

illustre illustrious

illustré m. illustrated, picture magazine

illustrer to illustrate (*with pictures*)
imagination f. imagination, fancy, invention
imaginer to imagine; **s'—** to delude oneself with the thought (that . . .), to think, fancy, suppose
imité imitated, false
imiter to imitate
immanquablement unfailingly
immeuble m. building
s'immobiliser to cease to move, to come to a stop
immonde foul, filthy, vile
immondice f. impurity
immortelle f. immortelle, everlasting (flower), strawflower
impair odd; **pair ou —** odd or even
impasse f. blind alley
impassible impassive, unmoved, unperturbed, unconcerned
s'impatienter to wait impatiently, champ at the bit
importance f. importance; **d'—** thoroughly, resoundingly
importer to be important, matter; **n'importe** it doesn't matter, no matter, anyway
imposer to impose, force (on); **s'—** to be prescribed, become necessary
imposte f. impost, springer, transom
impôt m. tax
impressionnant impressive
impressionner to impress, affect
imprévu unforeseen, unexpected
imprimeur m. printer
improviste (à l') unawares, unexpectedly
impuissance f. impotence, powerlessness, helplessness
impuissant powerless, impotent
impureté f. uncleanness; impurity, lewdness
inanimé inanimate, lifeless
inaperçu unnoticed
inattendu unexpected
incendie m. fire, conflagration
incendier to set fire to, fire, set on fire, ignite, kindle

incessamment at once, without delay
incliner to incline, tip up, tilt; **s'—** to bow
incompréhensi-f, -ve uncomprehending
inconfort m. discomfort
inconnu m. unknown person, stranger; (the) unknown
inconséquence f. inconsistency
inconvenance f. impropriety
inconvénient m. disadvantage, drawback, inconvenience
incrédule m. or f. unbeliever, incredulous one
incroyable incredible, unbelievable
incruster to encrust, inlay
indécis vague, indistinct
index m. index finger
indienne f. calico, print
indigne unworthy
indiquer to indicate, point out, tell
indiscutable not subject to discussion, incontestable, indisputable
indisposer to put someone out, trouble, upset
indompté unconquered
indu unwarranted, undeserved
induire to lead, induce
inégal unequal, rough
inépuisé unexhausted, unceasing
inespéré unhoped for, unexpected, unlooked for
infâme infamous
infirmière f. nurse
infini infinite
informe shapeless
s'informer to inquire
ingénieur m. engineer; **— -possibiliste** progressive engineer
ingénieu-x, -se ingenious, clever
ingénu simple, naïve, ingenuous
ingrat ungrateful, thankless, unpleasing
inhabité uninhabited
inhumation f. interment, burial
inintelligible unintelligible
inique iniquitous
injure f. insult
injurier to insult
inlassable tireless, untiring

innombrable countless, innumerable

inondation f. inundation, flood

inonder to inundate, flood

inopportun ill timed, unseasonable, inadvisable, troublesome

inouï unheard of

inqui-et, -ète uneasy, worried

inquiéter to trouble, disturb, alarm, worry, make uneasy; **s'—** to worry

inquiéteur m. troubler, disturber, alarmer

inquiétude f. uneasiness, worry, alarm

insaisissable elusive

inscrire to inscribe

insensé mad

insérer to insert

insouciance f. unconcern, casualness; insouciance, jauntiness

insouciant free from care, unconcerned

insoumis unsubdued

installation f. installation, arrangements, accommodation

instant m. moment, instant

institut-eur, -rice m. or f. schoolteacher, teacher, schoolmaster

insu: à son — unconsciously, unbeknown to him or her

insubordonné insubordinate, insistent

insuffisant insufficient

insulter to insult, call names, curse

intègre upright, honest, just, righteous

intempesti-f, -ve untimely, ill timed

intendant m. steward, bailiff, major-domo

interdire to forbid, prohibit

intérieur m. interior, inside; **—** adj. inner, inward

interprète m. interpreter

interroger to question, query

interrompre to interrupt

intime intimate

intituler to entitle

introduire to introduce, insert

inutile useless, futile

inutilité f. futility

inverse inverse, contrary, opposite

inverser to reverse

invincible invincible, unconquerable

invraisemblable unbelievable, incredible, unreasonable

irrespirable unbreathable

isolateur m. insulator

isolement m. loneliness, isolation

isoler to isolate, detach, separate

issue f. issue, outcome, solution, escape

ivre intoxicated, drunk

ivresse f. intoxication; rapture, ecstasy

ivrogne m. or f. drunkard

s'ivrogner to tipple, drink, booze

J

jacquette f. tail coat, morning coat

jadis formerly, once, of old

jaillir to spring up, shoot forth, spurt, issue

jaillissement m. gushing, spouting, spurting, squirting

jalonner to mark out; to stand at intervals along

jalou-x, -se jealous, envious

à jamais forever

jambe f. leg; **fuir à toutes —s** to fly as fast as one's legs can carry one, at full speed; to fly for one's life; **tenir la — à quelqu'un** to buttonhole someone

jardin m. garden

jardinet m. small garden

jardinier m. gardener

jarretière f. garter

jaser to chatter, gossip

jaunâtre yellowish

jaune yellow

jaunir to make yellow, gild

jersey m. jersey, finely knitted wool material

jet m. gush, spurt, jet, beam

jeter to throw, hurl, fling; to shout

jeu m. play, sport, game; expression, movement; acting; reflection; **avoir beau —** to have fine sport; **— de lumières** lighting (effects), reflection; **même —** same thing, again, ditto; **mener le**

— to call the tune, game, play;
piqué au — excited, warmed up,
over the game
jeune young
jeûner to fast
jeunesse f. youth
joaillier m. jeweler
joie f. mirth, merriment, joy
joindre to fold, clasp (*hands*)
joli pretty
jonc m. rush
joncher to strew, bestrew, litter
joue f. cheek
jouer to work, operate, function,
act; to play, gamble; to imperson-
ate, feign; to exercise (*muscles*)
joueur m. cardplayer, gambler
jouir to enjoy, be in possession
of
jouissance f. enjoyment, possession
joujou m. toy
jour m. day, daylight; **dans un** —
sombre under a shadow, in a bad
mood; **la pointe du** — the daybreak; **quinze** —**s** two weeks,
fortnight; **tous les** —**s** every day
journal m. newspaper; diary
journalier m. day worker, day laborer
journali-er, -ère daily, every day
journée f. day, day's work
joyau m. jewel
joyeu-x, -se merry, mirthful, joy-
ous
jucher to perch, roost
juge m. judge
jugement m. judgment, verdict,
sentence
juif *m.* Jew
jum-eau, -elle twin
jupe f. skirt
jurer to swear
juron m. oath
jus m. juice, gravy
jusque as far as, up to; **jusqu'à** as
far as, until, even
juste adj. exact; — adv. exactly,
rightly, precisely; **au** — exactly;
— **à temps** just in time
justement just, justly, exactly, precisely, very, as it happens, as it happened

K

Kalmouk Kalmuck (*one of several
Mongol tribes*)
kilo m. (*abbrev. for* **kilogramme)**
kilogram (*about 2.2 lbs.*)

L

là-bas yonder, over there
labeur m. labor, work, toil
laborieu-x, -se laborious, working
labourer to plow, till, break ground
lac m. lake
lâche m. coward
lâcher to release, set free; to get
loose, lose; — **prise** to let go,
loosen one's hold
lâcheté f. cowardice
là-dedans inside, within
ladite see **ledit**
lagune f. lagoon
là-haut up there
laid ugly
laideur f. ugliness
laine f. wool
laisser to let, leave, allow
lait m. milk
laiteu-x, -se milky
laitier m. milkman
lambeau m. scrap, bit, shred; rag,
tatter
lame f. wave; blade (*of knife, etc.*)
lamé streaked, spangled, worked
se lamenter to lament, grieve, groan
lampe f. lamp
lampe-tempête f. (storm) lantern,
(hurricane) lantern
lampiste f. lamp maker, lamp seller
lance f. spear; **fer de** — spearhead
lancement m. throwing, hurling
lancer to throw, fling, cast; to start
(something) going, send up
lancinant sharp, shooting (*of pains*)
lande f. sandy moor, waste, expanse
langue f. tongue; language
langueur f. languor, listlessness
lapin m. rabbit
lard m. bacon, salt pork
large m. open sea; midstream; **au**
— out toward sea
large adj. broad, wide, big, sweep-

ing; **de long en —** up and down, to and fro; **— d'épaule** broad-shouldered; **— de plusieurs mètres** several meters wide

largement broadly, widely; expansively, at ease

larme f. tear; **fondre en —s** to burst into tears

larmoyant weeping, tearful, weepy

larron m. thief

las, -se tired, weary

lasser to tire; **se —** to tire, become tired, become weary, grow weary

lassitude f. lassitude, tiredness, weariness

latéral side

laurier m. laurel (flower); **—s** pl. laurels (of victory)

lavabo m. washroom, lavatory

lavande f. lavender

lavandière f. washerwoman

laver to wash; **se —** to wash (oneself)

lavoir m. wash-house

lécher to lick

leçon f. lesson

lecteur m. reader

lecture f. reading

ledit, ladite the aforesaid

lég-er, -ère light, nimble, agile; **à la —** lightly, frivolously

légèreté f. lightness, frivolity

légiste m. legist, jurist; **praticien —** practicing lawyer

légitime legitimate

légume m. vegetable

lendemain m. next day, morrow

lent slow

lenteur f. slowness; **avec —** slowly, gradually

lentille f. lens

lequel, laquelle, lesquels, lesquelles which; which one?

lessive f. wash, washing, articles washed

lestement quickly, briskly, lightly

lever to raise; **se —** to get up, stand up; to break (of the dawn, etc.); **le soleil levant** the rising sun; **levé** standing

lèvre f. lip

liane f. liana, (tropical) creeper

liaison f. relationship, liaison

liasse f. packet, bundle

libre free, alone

licence f. master of arts degree; **— ès lettres** master's degree in literature

liège f. cork

lier to bind, fasten, tie; **fou à —** stark raving mad

lieu m. place; **avoir —** to take place; **tenir — de** to take the place of

lieue f. league (2½ miles)

ligne f. line; **— du nez,** etc. contour; **à grosse —** sweeping contour, of large dimensions; **sur toute la —** all along the line, without exception, always

lilas m. lilac

limbes f.pl. limbo

linge m. laundry, washing; linen, table linen; underwear; **armoire à —** linen chest

lire to read

liseré m. edge, brink

lisse smooth, glossy, polished

lisser to smooth, slick, polish

lit m. bed

lit-divan m. divan bed, studio couch

littérateur m. man of letters, writer

livraison f. part (of a book), installment

livre m. book

livrer to deliver (up), give (up); **se — (à)** to surrender, give oneself up (to), indulge (in)

livresque bookish, acquired from books

localisable which can be located

locataire m. or f. tenant, lodger

loge f. box (in theater)

loger to lodge, live

logette f. small cell, small box

loggia f. (Ital.) loggia, roofed open gallery

logis m. dwelling, house

loi f. law; **projet de —** bill

loin far; **au —** in the distance; **de —** from far off, from afar

lointain distant, remote, far off

long *m.* length; de — en large up and down, to and fro; **tout de mon** — at full length; **le** — **de** along

long, -ue *adj.* long; à la —ue in the long run, in the end

longer to pass, go along, skirt

longtemps long (*time*)

longuement slowly, deliberately; at great length, in detail

loque *f.* rag

loquet *m.* latch

loqueteu-x, -se *adj. and n.* ragged, tattered (person)

dès lors from that time onward, ever since (then)

louange *f.* praise

louche cross-eyed; ambiguous, shady, suspicious

louer to rent; to praise, laud, commend

loukoum *m.* (= rahat-loukoum) Turkish delight (candy)

loup *m.* wolf

loupe *f.* lens, glass, magnifying glass

lourd heavy, clumsy

lourdeur *f.* heaviness, clumsiness

loyer *m.* rent(al)

lubie *f.* whim, fad, freak

lucarne *f.* dormer window, small high window, skylight

lueur *f.* gleam, glimmer

lugubre dismal, lugubrious

luire to shine

luisant shining, gleaming

lumière *f.* light

lumineu-x, -se luminous, brilliant (*idea, etc.*); light, bright

lune *f.* moon

lunettes *f.pl.* spectacles, glasses

lustre *m.* chandelier, lighting fixture

lutte *f.* fight, struggle, wrestling match; — **au couteau** fight with knives, desperate hand-to-hand fight

lutter to struggle, wrestle

luxe *m.* luxury

M

maboule cracked, loony

macérer to macerate; to mortify

mâcher to chew

machinalement mechanically, unconsciously

machine *f.:* — **à écrire** typewriter

mâchoire *f.* jaw

mâchurer to soil, dirty; to bruise; to reduce to a pulp

madame *f.* lady, Mrs., ma'am

mademoiselle *f.* miss

magnan *m.* silkworm (Provençal)

magnanerie *f.* silkworm breeding house, cocoonery

magnanime magnanimous, generous

maigre thin, meager, paltry

maigrir to grow thin

maillot *m.* jersey, shirt; — **de marin** sailor's jersey

main *f.* hand

maint many (a . . .)

maintenant now

maintenir to hold, support; to hold in position

mairie *f.* town hall, municipal center

mais but

maison *f.* house, establishment

maître *m.* master (*of a house, dog, etc.*)

maîtresse *f.* mistress

maîtrise *f.* mastery (*of an art, etc.*)

majestu-eux, -euse majestic, stately

majordome *m.* major-domo, steward

mal *m.* (*pl.* **maux**) hurt, harm; trouble; **faire du** — to do harm, hurt; **en** — **de** badly in want of; — *adv.* badly, ill; — **entendu** misunderstood; **se trouver** — to faint, swoon

malade sick, ill; **cœur** — bad heart; — *m. or f.* sick person

maladie *f.* disorder

malad-if, -ive morbid

maladresse *f.* blunder; clumsiness, awkwardness; **commettre une** — to make a blunder, to blunder

maladroit clumsy

malaise *m.* uneasiness, discomfort

mâle male; manly, virile

maléfice *m.* evil spell

malentendu *m.* misunderstanding

malfaiteur *m.* malefactor, wrong-doer, evildoer; felon

malgré in spite of

malheur *m.* misfortune, calamity

malheureusement unfortunately

malice *f.* malice, maliciousness

malicieu-x, -se sly

malmener to maltreat, abuse, handle roughly

malsain unhealthy, unwholesome

maltraiter to maltreat, ill use, treat badly

mamelle *f.* breast

mamelon *m.* rounded hillock

manante *f.* boor; villager, churl

manche *f.* sleeve, cuff; — *m.* handle

mandants *m.pl.* constituents

mandarine *f.* tangerine

manger to eat; salle à — dining room

mangeur *m.* eater

manie *f.* mania

manière *f.* way, manner; — de voir point of view; de — à in such a way that, so that

manieur *m.* handler

se manifester to appear, show up

manne *f.* basket, hamper; crate

manque *m.* lack

manquer to lack, be missing; to fail; to give way; to miss (*aim, etc.*); — à la parole to break one's word, go back on one's promise

mansarde *f.* garret; garret window

mante *f.* (woman's) cloak, mantle

manteau *m.* cloak, overcoat

manufacturi-er, -ère of manufacturing

maquillage *m.* make-up

marais *m.* swamp, bog, marsh(land)

marâtre *f.* stepmother, cruel mother

marbre *m.* marble, marble top (*of bureau, etc.*)

marbrer to marble, mottle

marbrure *f.* marbling, mottling, veins

marc *m.* brandy made from lees

marchand *m.* merchant

marchandage *m.* bargaining

marchander to bargain (over), haggle

marchandise *f.* merchandise, goods

marche *f.* walk, walking; step; step (*of stairs*); se mettre en — to set out, start off, move off

marché *m.* deal, bargain, contract; market

marchepied *m.* step, footboard, running board

marcher to walk, go, do someone's bidding; faire — to string (someone) along

marécage *m.* marshland, bog, swamp

marée *f.* tide

marelle *f.* hopscotch

marge *f.* margin, leeway; en — de on the fringe of; de — left, remaining

marguillier *m.* churchwarden

mariage *m.* marriage; — de raison marriage of reason or convenience

marier to marry, marry off

se marier to marry, get married; marié, -ée married

marin *m.* sailor, seafaring man; — *adj.* marine

marmiton *m.* scullion, cook's boy

marmotter to mutter, mumble

maroquin *m.* morocco (leather)

marquer to mark, indicate, note

marqueterie *f.* inlaid-work, marquetry

marquise *f.* marchioness (*wife of a marquess*)

marron chestnut(-colored), maroon

mars *m.* March

marteler to hammer; to emphasize

Marthe Martha

martyre *m.* martyrdom

mas *m.* small farmhouse (Provençal)

massif *m.* mountain range

mastic putty, putty-colored

mastroquet *m.* wineshop

masure *f.* hovel, shanty, tumbledown cottage

mât *m.* mast; — de cocagne greased pole

matelas *m.* mattress; — d'air air cushion

matelasser to pad

matelot *m.* sailor

matin *m.* morning; **le —** in the morning, mornings

mâtin *m.* watchdog, mastiff

matinal early morning, morning (*adj.*)

mâtiné crossbred, mongrel; **— de juif** partly of Jewish blood

matinée *f.* morning

maudit(e) *m.* or *f.* accursed one; *adj.* confounded, cursed

Maure *m.* and *f.* Moor

mauvais imperfect, poor, inadequate; bad, evil

mécanicien *m.* mechanic

mécanique *f.* mechanism, machinery, machine; **à la —** mechanically, by machinery

méchant naughty, mischievous, nasty, vicious

mèche *f.* lock, wisp (of hair)

mécompte *m.* error, disappointment

méconnaissable unrecognizable

médaillon *m.* medallion, (small) inset; portrait, miniature

médecin *m.* doctor; **— des morts** coroner

médiocre mediocre, middling

méfiance *f.* mistrust, suspicion

méfiant distrustful, suspicious

se méfier to mistrust, distrust

mêlée *f.* fracas, melee, free-for-all

mêler to mix, mingle, blend; **se —** to intrude; **mêlé** mixed, mingled

melon *m.* melon; simpleton, fathead

membre *m.* member, limb

même *adj.* same, very; *adv.* even; **— pas** not even; **tout de —** just the same; **à —** level with, even with

menace *f.* threat

ménage *m.* household, family; housekeeping; **rentrer dans son —** to return home; **jeune —** young (married) couple; **femme de —** housekeeper

ménager to spare; to be careful with, treat gently, handle carefully

ménag-er, -ère domestic, housewifely

ménager *m.* head of household (*Provençal*)

ménagère *f.* housekeeper

mendiante *f.* beggar woman

mener to lead, ply; **où ça nous mène?** where's that getting us?; **— à bien** to carry out, complete, bring to a successful issue; **— le jeu** to call the time; to call the game or play

ménétrier *m.* (strolling) fiddler

mensonge *m.* lie, falsehood

mensong-er, -ère lying, deceitful, deceptive

mentir to lie, tell a lie; to belie

menton *m.* chin

se méprendre to make a mistake, be mistaken (**sur**, about, regarding)

mépris *m.* scorn

méprisant scornful

mer *f.* sea; tide; **la — monte** the tide is rising

mercenaire *m.* hireling

merci thank you, no thanks; **— bien** thank you very much

mère *f.* mother; **la — Lafon** old Mrs. Lafon, old lady Lafon

méridional meridional, southern, from the South of France

mériter to merit, be worth

mérovingien, -ne Merovingian, *pertaining to the first Frankish dynasty of Gaul* (500–752 A.D.)

mésaventure *f.* mishap, misfortune

messe *f.* mass; **— basse** low mass

mesure *f.* measure; **à — que** as, while, at the same time as; **en —** in strict time (*music*)

mesurer to measure

métayer *m.* tenant farmer

métier *m.* trade, profession, occupation, job, calling; loom; **il n'y a pas de sot —** it's no sin to work for a living

mètre *m.* meter (*measure of length* = 3.28 *ft.*)

métrique metric

métro *m.* subway

mets *m.* food, dish

mettre to put, place; to set (table); to dress, wear, put on; **— en œuvre**

to use, avail oneself of; — le cap
sur to head for; mis(e) en appétit his (her, etc.) appetite
whetted
se mettre to get, get into; to go;
to sit down; se — à to begin to,
attack, lay into; se — à genoux to
kneel (down); se — en marche
to set out, start off, move off; se —
en mouvement to start off, move
off; se — en retard to be late
meuble m. piece of furniture; pl.
furniture
meule f. stack, rick (of hay)
meurtre m. murder
meurtri bruised, bloodshot (eyes)
meurtrier m. murderer
meurtr-ier, -ière murderous, deadly
micocoulier m. nettle tree
midi m. noon, midday
Midi m. South (of France)
miel m. honey
mieux better, best; tant — so
much the better; de mon — as
best I could
mièvre affected
mign-on, -onne dainty, tiny, delicate
mignonn f. pet, darling, favorite
milieu m. middle, midst
mille thousand
milliard m. billion
millier m. thousand
mi-marin m. half sailor
mimer to mime, act a part without
words, mimic
mimique f. mimicry
mince thin, slender
mine f. face, look, appearance;
faire — de to seem to; avoir
bonne — to look well
ministère m. ministry, department
mi-novembre f. middle of November
minuit m. midnight; vers les —s
toward midnight; à — sonnant
at the stroke of midnight
minuscule small, tiny, minute
minuterie f. automatic time switch
(on stair landing, allowing stairs to
be lighted for one minute or more)
minutieu-x, -se minute; meticulous

mi-paysan m. half farmer
miracle m. miracle
mirifique wonderful
miroiter to sparkle
mise f. putting, placing; dress, attire; — en fosse interment, burial; — en marche starting up
misérable poor, poverty-stricken;
— m. and f. poor wretch
misère f. misery, trouble
missel m. missal (book containing
what is said or sung at mass)
mitraille f. grapeshot
mitre f. miter; headband, fillet
mi-voix: à — in a low tone
mobilier m. furniture
mode f. fashion, style; à la dernière — in the latest or newest
fashion
modeste unassuming, unpretentious
moelle f. marrow; il a la — atteinte the very core of him is
affected
mœurs f.pl. habits, customs, mores
moins less; à — que unless; pour
le — at the least, to say the least
mois m. month
moisson f. harvest
moitié f. half; à — half, halfway
mollement languidly
moment m. moment; à tous —s
constantly, at every turn; au — de
just about to; du — que since;
par —s at times, now and again
mondain worldly, fashionable, easy,
assured
monde m. world; people, society;
du — in the world; tout le —
everybody, everyone
monnaie f. money; change; — de
cendre worthless change
monotone monotonous
monsieur m. sir, mister (with other
title can be omitted in translation)
monstre huge, colossal
mont m. mount, mountain
montagnard mountain; mountain-
eer
montagne f. mountain
montée f. rise, rising; climb, as-
cent
monter to climb on, get on; to as-

cend, go up, come up; (of tide) to rise; (of sea) to swell; to man (a boat); (of a bird) to soar; to set up, erect; se — la tête to get excited

montre f. watch

montrer to show, display, exhibit; se — to appear; — le poing to shake one's fist

se moquer (de) to mock, make fun (of), laugh (at); not to care about, not to give a hang about

moqueu-r, -se mocking

moral mental, intellectual; psychological; moral

morale f. morals, moral code

morceau m. morsel, piece, bit

mordorer to bronze

mordre to bite

morigéner to lecture, chide, berate, reprimand

morne mournful, doleful, gloomy, dejected; monotonous

morose morose, melancholy, tragic

mort -e dead; still; m and f. dead person, deceased; médecin des —s coroner; tête de — death's-head, skull

mort f. death

mortel, -le mortal, deadly

mosquée f. mosque

mot m. word; saying; pronouncement, statement; au bas — at the lowest estimate, lowest figure; en un — briefly, in a word, in a nutshell; savoir le fin — de l'affaire to know what's at the bottom of it, know the real story

mou, mol, molle soft, flabby, limp; se faire mou dans leurs mains to become putty in their hands

mouchard m. sneak, informer, police spy, stool pigeon

mouche f. fly

se moucher to wipe one's nose

mouchoir m. handkerchief

moue f. face, grimace

mouillé moist, wet, damp

mouiller to wet, moisten; se — to get wet

moulin m. mill

mourir to die; à — mortal; deathly

mousquetaire m. musketeer

mousse f. moss

mousseline f. muslin

moustache f. mustache (used in pl.)

moutarde f. mustard

mouton m. sheep

mouvement m. movement, motion; se mettre en — to start off, move off

moxa m. moxa, cautery (for burning of the skin); counterirritant

moyen m. means

muet, -te dumb, mute; à la — without speaking, by gestures

mufle m. nose, snout

mugissement m. lowing, bellowing (of bull, etc.)

mur m. wall; amphitheater

mûr ripe

muraille f. wall

mur-al, -e, -aux adj. mural, wall

murer to wall up; muré inscrutable

mûrir to ripen, mature; (of bread) to rise, bake; to ferment

murmurer to murmur, mutter, grumble

musaraigne f. shrewmouse, shrew (type of small nocturnal mouselike animal)

muscat m. muscat wine, muscatel

muscle m. muscle

musée m. museum

muser to idle, dawdle, dally, tarry

musette f. (schoolboy's) satchel

musique f. music

mutation f. change

mystère m. mystery (play)

mystérieu-x, se mysterious, mysteriously

mystique f. mysticism, religion

N

nacré adj. mother-of-pearl, pearly

nage f. swimming; à la — by swimming

nager to swim

nageur m. swimmer

nain dwarf

naître to be born; to arise; to grow; to dawn

nanti (de) in possession (of); secured (by)

nappe f. tablecloth, surface, sheet, cloth; — **d'autel** altar cloth

narine f. nostril

natte f. braid

nature f. nature; disposition, temperament; **de** — naturally

naturiste m. and f. naturist, naturalist, believer in the natural or simple

naufrage m. wreck, shipwreck

naufragé shipwrecked

naufrag-eur, -euse m. and f. wrecker

nautique nautical

navire m. ship

navrant heart-rending

navré heartbroken

ne . . . rien nothing, not . . . anything

néant m. nothingness; **homme de** — man of naught

nef f. nave

négociant m. businessman

nègre m. Negro

neige f. snow

nerf m. nerve; **crise de —s** fit of hysterics

nerv-eux, -euse nervous

nervosisme m. nervous irritability; — **-élégiaque** hysterical despondency

net, nette clean, spotless; decisive, clear, distinct

net adv. completely, suddenly

netteté f. clearness, sharpness, distinctness

neveu m. (pl. **-eux**) nephew

névrose f. neurosis

nez m. nose

nid m. nest

nier to deny

niveau m. level

noblesse f. nobility

noces f.pl. wedding

noël m. Christmas

nœud m. knot

noir black, dark; **nuit** — pitch-dark; **—s employés** slaves

noir m. blackness

noircir to blacken

noisette f. hazelnut

nom m. name

nombre m. number; **un grand** — a great number, a great many

nommer to name; **nommé** named

non-être m. nonbeing, nonexistence

non-lieu m. no grounds for prosecution

nord north, northern

nostalgie f. nostalgia, longing, yearning

notaire m. notary, town clerk

notamment notably

note f. note (music)

notoirement notoriously, manifestly, clearly

nouer to tie, knot

nou-eux, -euse knotty, gnarled

nourrir to nourish, feed; **nourri** (of gunfire) brisk, heavy, well directed, well sustained

nourrisson m. baby at the breast, nursing baby

nourriture f. food, meal

nouveau, nouvel, nouvelle new, other; **de** — again

nouveau-né m. newborn child

nouvelle f. piece of news; tale, short story; pl. news

noyau, -aux m. stone, pit (of fruit)

noyé m. and f. drowned person

noyer to drown; **se** — to drown oneself; to be steeped; **noyé** blurred

nu naked, bare; **—-tête** bareheaded

nuage m. cloud

nuée f. cloud

nuisible harmful

nuit f. night; night flying; — **noire** pitch-dark; **à la** — **tombante** at nightfall; **à** — **pleine** when night had fallen

nul, nulle (with **ne**) no, not one (adj.); — **part** nowhere

nullement not at all, by no means, not in the least

numéro m. number, issue

nuque f. nape of the neck

O

obéir (à)   to obey
obéissant   obedient
objet *m.*   object
obscur   obscure, indistinct, dim
obsédée *f.*   a woman with an obsession
obsèques *f.pl.*   obsequies, funeral
observer   to look at, observe
obstiné   obstinate, stubborn, headstrong
s'obstiner   to show obstinacy, persist; **s'— à**   to persist in
obstruer   to obstruct, block
obtenir   to obtain, get, come by
obvier (à)   to obviate, prevent
occident *m.*   west
occupé   busy
occuper   to occupy, inhabit, reside in; **s'— de**   to pay attention to
océan *m.*   type of boat
ocellé   ocellated, spotted with eye-like markings
odeur *f.*   odor, smell
odorant   savory, odorous, sweet-smelling
odorat *m.*   (*sense of*) smell
œil *m.* (*pl.* **yeux**) eye; **coup d'—** look, sight, eyesight, penetration, understanding; **faire des — blancs**   to show the whites of one's eyes
œillet *m.*   pink, carnation
œuf, œufs *m.*   egg
œuvre *f.*   work; **mettre en —**   to use, avail oneself of
office *m.*   post, function; service; Mass; domestic staff; help; **d'—** officially
officiant *m.*   officiating priest
offrande *f.*   offering
offrir   to offer; **offert**   offered, presented
oie *f.*   goose
oignon *m.*   onion
oiseau *m.*   bird
oiseu-x, -se   idle
olivier *m.*   olive tree
ombrageu-x, -se   shady; suspicious
ombre *f.*   shadow; shadowy figure; shade

ombrelle *f.*   parasol
omettre   to omit
onde *f.*   wave
onduleu-x, -euse   undulous, wavy, sinuous
onéreu-x, -se   heavy, burdensome
ongle *m.*   nail (finger, toe)
onze   eleven
Opéra (théâtre de l')   *large monumental theater in Paris*
opérer   to operate, produce
s'opposer (à)   to oppose, be opposed (to)
or *m.*   gold, money
or   now
orage *m.*   storm
oraison *f.*   orison, prayer
ordinaire: d'—   ordinarily
ordonner   to order, command, direct, arrange
ordure *f.*   dirt, filth, ordure
oreille *f.*   ear; **tendre l'—**   to prick up one's ears; **prêter l'—**   to lend one's ear, give ear
oreiller *m.*   pillow
orfèvre *m.*   goldsmith, gold and silver smith
orgiaque   orgiastic, frenzied
orgueil *m.*   pride
orgueilleu-x, -se   proud, arrogant
orient *m.*   east
orner   to adorn, decorate, embellish; **s'— (de)**   to be decorated (with)
orteil *m.*   toe
orthographe *f.*   spelling
os *m.*   bone
oser   to dare, dare to undertake
oseraie *f.*   osier bed
ostensiblement   pointedly, ostentatiously
ôter   to remove, take away
où   where, when; **pour —?**   where to?
ouailles *f.pl.*   flock
ouater   to wad, pad; deaden
ou bien   or else; **— alors**   or else
oubli *m.*   forgetfulness, oblivion
oublier   to forget
ouest *m.*   west
ouïe *f.*   hearing
ours *m.*   bear
outil *m.*   tool, instrument

outrance f. extreme, excess, limit; à — all-out, to the limit, to the bitter end

outre beyond; en — besides, in addition to, moreover

outrepasser to exceed, go beyond

outre-Rhin beyond the Rhine

ouverture f. opening

ouvrage m. work

ouvrier m. worker, workman

ouvrir (v.t.) to open; ouvert opened, open; s'— (v.i.) to open

P

pacotille f. shoddy goods, trash

paille f. straw

paillet, -te pale, straw-colored

pain m. bread, loaf of bread

pair even; — ou impair odd or even

pair m. peer; les douze —s de Charlemagne Charlemagne's twelve peers

paisible peaceful

paisiblement peacefully, quietly

paître to graze; to lead to pasture

paix f. peace

paladin m. paladin, knight errant

palais m. palace

paletot m. overcoat, greatcoat

pâleur f. paleness

palier m. landing (of a stair)

palir to turn pale

pâlissement m. paling, growing pale, fading out

pâlot, -otte palish, wan

palper to feel, touch

pamplemousse m. grapefruit

pan m. coat tail, corner of a coat

pancarte f. placard, label, showcard

panier m. basket

panique f. panic, terror

panne f. motor trouble, breakdown, mishap, break; en — stranded; tomber en — to fail, break down; jusqu'à la — d'essence until I ran out of gas, until running out of gas

panneau m. panel

panoplie f. panoply; gun rack

panse f. belly, paunch, bulge

pansu paunchy

pantalon m. trousers, pants; (woman's) drawers, knickers

paon m. peacock

pape m. pope; vin du — a vintage of Avignon, called also Château-Neuf du pape

paperasse f. paper, useless document

papier m. paper, document

paquet m. package, bundle, parcel, packet

parabole f. parable

parade f. show, display, ostentation

paradisiaque paradisiac(al), paradisial, heavenly

paraître to appear, seem

parbleu to be sure! why of course! darn(ed); confounded

parce que because

parcourir to go over, traverse, cover

par-dessous under, beneath, underneath

par-dessus over (the top of), above

pardessus m. topcoat, overcoat

pareil, -le alike, the same; — à like, the same as

parent m. parent, relative

parer to adorn, deck out; to parry, meet

paresse f. laziness, indolence

paresseu-x, -se lazy; — n. lazy person, lazybones

parfaitement perfectly, completely, thoroughly; certainly, yes indeed

parfois sometimes, occasionally, now and then

parfois que (sometimes) when

parfum m. fragrance, scent, bouquet

parfumer to scent, perfume; — avec de la violette to use violet perfume; parfumé perfumed, scented, fragrant

parler to speak, talk; — de to talk about, refer to

parmi among

paroi f. wall, casing

paroissien m. parishioner; prayer book

parole f. promise, word; utterance, remark; donner — to promise, give one's word; manquer à la —

to break one's word, go back on one's promise; **reprendre la —** to begin speaking again

parsemer to sprinkle, stud, dot

part f. share, part, portion; **à —** apart, aside (from); **à — entière** full time, a hundred per cent; **de toutes —s** on all sides, everywhere; **faire — à** to confide in; **nulle —** nowhere; **quelque —** somewhere

partager to share

parti m. route, course; **prendre —** to decide; **tirer le meilleur —** to get the most out of

particul-ier, -ière peculiar, special, characteristic; private

partie f. game; part

partir to leave; **à — de minuit** from midnight on

partition f. score (of music)

partout everywhere

parure f. ornament, jewelry

parvenir to succeed; **faire —** to send

pas m. step, walk, pace; **au —** at a walk, slowly; **— de la porte** doorstep; **faire des —** to take a few steps

passade f. short stay, passing fancy

passage m. passing

passager, -ère passing, fleeting, momentary

passant m. or f. passer-by

passé prep. beyond

passer to pass, go by; pass away, fade away, die; to pass (something) over, through; to go down; to go beyond, surpass; to pass over, overlook, omit, leave out; to come out; to slip on (dress, etc.); **il fallut en — par là** one had to resign oneself; **se —** to happen; to pass away, fade away; **— pour** to be considered

passionné passionate, impassioned, ardent

patache f. ramshackle conveyance

patauger to splash, flounder (in mud)

pâte f. paste, cream, dough; **— pectorale** cough drop

patibulaire relating to the gallows; **mine —** hangdog look, look of a gallows bird

patrie f. country, native country

patrimoine m. patrimony, heritage

patrouiller to patrol

patte f. claw, foot, paw; **à toutes —s** at full speed

paume f. palm

paupière f. eyelid

pauvre poor, unfortunate, wretched; **— m. and f.** poor one, unfortunate one; **—s** m.pl. (the) poor

pauvrette humble, poor

pavage m. pavement, tiling

paver to pave

payer to pay; discharge, settle (a bill); **se —** to treat oneself to

pays m. country, land

paysage m. landscape

paysan, -anne m. and f. peasant

peau f. skin, hide, leather; flesh; coating, film, flake

Peau-Rouge m. Indian, redskin

péché m. sin

pêche f. fishing, fishing operation

pécher to sin

pêcher to fish; to catch, land (a fish)

pécheur m. sinner

pêcheur, -euse m. and f. fisherman (woman)

pectoral pectoral, pertaining to the chest

pécuniaire pecuniary

peigne m. comb

peigner to comb

peindre to paint, depict, describe, relate

peine f. pains, trouble; sorrow, affliction; **à — (si)** hardly, barely, scarcely; **n'être pas la —** not to be worth while

peintre m. painter

peinture f. painting, picture, portrayal

pelage m. coat, fur, pelage

pêle-mêle helter-skelter

peler to peel, peel off

pelletée f. shovelful

pencher to bend; **se —** to bend, stoop, lean (over, out) pendant during

pendant m. pendant; counterpart, match

pendre to hang, sag, droop, suspend; to hang (on the gallows)

pendu m. person who has been hanged or who has hanged himself

pendule f. clock

pendulette f. small clock

pénétrer to enter, make one's way

pénible painful, difficult

péniblement laboriously, with difficulty

pénombre f. half light, semidarkness

pensée f. thought

penser m. (archaic) thought

penser to think, consider; — à to think about, consider; vous pensez bien! you can imagine

pente f. slope

percepteur m. tax collector

percer to pierce, penetrate

percevoir to levy, collect

perche f. pole, support; — à houblon hop pole

perclus stiff-jointed, paralyzed

perdre to lose, waste; — son temps to waste one's time

perdu ruined, lost; à corps — headlong

père m. father; le — Idiart old Idiart, old man Idiart

perfectionner to perfect

perfide treacherous, false-hearted

péripétie f. vicissitude

perlé pearly, sparkling, rippling; rires —s ripples of laughter, rippling laughter

perler to form in beads

permettre to permit, allow, excuse

pernicieu-x, -se harmful

pernod m. pernod (an apéritif similar to absinthe)

péronnelle f. stupid talkative woman, gossip, chatterbox

perron m. flight of steps

perroquet m. parrot

perruque f. wig

personnage m. person of rank or distinction; individual

perte f. loss

pertuis m. hole, opening; strait, narrows

pesant heavy, clumsy

pesanteur f. heaviness, sluggishness

peser to weigh; to bear, press hard

pester to rail, storm, curse

pétard m. firecracker

pétillement m. crackling

petit little, small; — n. little one or thing; small one

petit-fils m. grandson

pétrir to knead

pétrole m. lamp oil, kerosene

peu m. little, bit; — à — little by little, bit by bit; — de few, little

peuple m. people, the multitude; nation

peupler to people, inhabit, occupy

peuplier m. poplar

peur f. fear, fright, dread; avoir — to be afraid; faire — to frighten

peureu-x, -se afraid, fearful

peut-être perhaps

phare m. headlight

pharmacien m. pharmacist

phénomène m. phenomenon

philosophe m. philosopher

physionomie f. face, expression

pic m. pick, pickaxe; (mountain) peak

pichet m. (small) jug, pitcher (for wine, etc.)

pie f. magpie

pièce f. piece (of money), coin; play, stage presentation; room (of a house); fragment, bit; mettre quelque chose en —s to break something into bits, break to pieces; tout d'une — all of a piece, with one's whole body, completely

pied m. foot; base; foot (12 inches); mettre — to set foot; sur la pointe des —s on tiptoe; prendre — to touch bottom; sur — standing, where they stand; coup de — kick

piège m. trap, snare

pierraille f. broken stones, gravel

pierre f. stone; — fine jewel, precious stone

pierreries f.pl. precious stones, jewels, gems

piétinement m. stamping, trampling

piéton m. pedestrian

pieusement piously, reverently

pignon m. gable

piler to crush, grind, shatter

pilier m. pillar, column

piller to pillage, plunder, loot

pilou m. cotton flannel, flannelette

pin m. pine (tree), fir (tree)

pince f. pincer, claw

pincée f. pinch

pincer to nip, pinch, squeeze

pinces f.pl. pincers, pliers

pintade f. guinea fowl, guinea hen

pioche f. pickaxe, pick

piolet m. ice axe

pion m. pawn

pipe f. pipe (for tobacco)

piquer to prick, prod, spur, bite, pierce; **piqué au jeu** excited or warmed up over the game; **se —** to pride oneself, have a pretension; **se — de** to take it upon oneself to . . .

piqueur m. groom, outrider

piqûre f. pricking, puncture, injection

pire adj. worse

pis worse

piscine f. font, baptismal font; public bath, swimming pool

piteusement piteously, woefully

pitié f. compassion, pity

pitoyable pitiful, despicable

pittoresque m. picturesqueness

place f. place; public square; position, seat, space; **à la — de** in place of

placer to place, set; invest

plafond m. ceiling

plage f. beach, shore

plaie f. wound, sore; evil

plaindre to pity

plaine f. plain, flat open country, flat stretch

plainte f. complaint, cry

plaire to be pleasing, please; **s'il vous plaît** please, if you please

plaisant funny

plaisanter to joke

plaisanterie f. joke; **par —** jokingly

plaisir m. pleasure; **faire — à quelqu'un** to please someone; **prendre — à** to take pleasure in, enjoy

planche f. board, plank; **faire amour à une —** to make love to a plank, i.e., without eliciting any response

plancher m. floor

planer to soar, hover

planté situated, placed

planter to plant, set, fix; **se —** to take a stand

plaque f. exposed ground, flat bank, patch, spot; wad, hunk, piece, slab; (ornamental) plaque (of porcelain, pewter, etc.)

plaquer to cake, cling to; to smack

plat flat, dull, insipid; **à — ventre** flat on one's stomach

plat m. dish; flat (of one's hand)

platane m. plane tree

plâtre m. plaster

plein full; wide, heavy; **à nuit —e** when night had fallen; **en —** wide, completely; **en — au milieu** right in the middle; **en —e nuit** in the middle of the night

pleurer (v.i.) to weep, cry, shed tears; (v.t.) to weep, mourn (for)

pleureur m. weeper, mourner

pleuvoir to rain, pour

pli m. fold; declivity; habit

plier to fold up, bend; to fold

se plisser to pucker, wrinkle

plomb m. lead; **tuyau de —** lead pipe

plombé leaded, leaden; gray

plombier m. plumber

plongeon m. plunge

pluie f. rain

plume f. feather

plumer to pick, pluck (feathers)

plupart f. most, majority

plus more; **au —** at the most; **de —** extra, additional, more

plusieurs several

plutôt rather

pluvier m. plover
pluvieu-x, -se rainy, wet (*weather*)
poche f. pocket; **acheter chat en
— ** to buy sight unseen
poêle m. stove
poète m. poet
poétiser to poeticize, beautify, sublimate
poids m. weight, load, burden
poignée f. handle; handful
poignet m. wrist
poil m. hair (*other than on head*)
poilu hairy, shaggy
poing m. fist
point not at all
point m. point, mark; **au —** adjusted, arranged, perfected; **— de
côté** sharp pain
pointe f. point, tip, toe (*of shoe*); touch, bit; spit, tongue (*of land*); **en —** tapering; **— du jour** daybreak; **sur la — des pieds** on tiptoe
pointer to dot a note (*in music*); to perform in a staccato manner
pointe-sèche f. dry point
poisson m. fish
poisson-chien m. dogfish
poissonneu-x, -se full of fish
poitrail m. breast (*of a horse*), huge chest (*of a person*)
poitrine f. chest, breast; **fluxion
de —** pneumonia
poli polished, worn; polite, civil
police f. police, policing; policy (*insurance*)
policier m. policeman
polici-er, -ère (of or by the) police
polisson m. rascal, scamp
politesse f. politeness
poltron, -ne timid, chicken-hearted
pommade f. pomade, paste
pommadin m. dandy, slick, fop
pomme f. apple; **— d'Adam**
Adam's apple; **— d'amour** tomato; **— de terre** potato
pommette f. cheekbone
pompe f. pump, pomp
pompes funèbres f.pl. undertaking establishment
ponant m. west

pont m. bridge; **—s et chaussées**
public works
pont-levis m. drawbridge
populaire m. populace, people
populeu-x, -se populous
porc m. pig, pork
porche m. portal
porcher m. swineherd
portail m. principal door, portal (*of church, etc.*)
portant: mal — ailing, in bad health; **bien —** well, in good health
porte f. door, gate; **à leur —** on their very doorstep, in their very back yard
porté given, inclined
portée f. reach; significance; **à —
de fusil** within gunshot; **hors
de la — des voix** out of calling range
porte-fenêtre f. French window
portefeuille m. portfolio, pocketbook, wallet
porte-hallebarde m. halberd carrier
porter to raise; to carry, bear, take; to render; to wear; to deliver; **se —**
(*of health*) to be
porteur m. porter, carrier, bearer; **chaise à —s** sedan chair
portier m. porter, doorkeeper, janitor
portillon m. little door, gate (*at a railroad crossing, etc.*)
posé dignified, stiff, poised; calm, settled
poser to place, set down, put; to bring to a stop; **— des questions**
to ask questions; **se —** (*of aviator*) to land
possédé, -e m. or f. person possessed, madman, maniac
posséder to possess; **se —** to contain oneself, control oneself
possibiliste progressive, forward-looking
poste f. post; **cheval de —** post horse; **maison des —s** post office; **— restante** general delivery; **train de —** high speed, full speed
poste m. station

postière f. post office employee
postillon m. postilion, coachman
posture f. position
pot m. pot, flowerpot; jug, jar
potagère for cooking; **herbes —s** potherbs
poteau m. post, pole, prop
potelé plump, chubby
poterne f. postern, rear entrance (*to castle, etc.*)
pouce m. thumb
poudre f. powder; **— de riz** face powder
pouffer to guffaw
poule f. hen
poulet m. chicken
poulie f. pulley
poumon m. lung
poupée f. doll
pourboire m. tip
pourceau m. hog, pig, swine
pourpre purple
pourquoi why, what for; **— (faire)?** why?
pourrir to rot, decay, disintegrate
poursuivre to pursue, continue with
pourtant however, nevertheless
pourvoi m. appeal, petition for mercy
pourvoir to provide
pousse m. rickshaw (man)
pousser to push, shove, thrust, impel, urge; to snap, shoot (*of a bolt*); to urge on (*of a horse*); to open, push open (*of a door*); to grow; **— à bout** to aggravate (someone) to extremes; **se —** to push forward
poussière f. dust
poussiéreu-x, -se dusty, covered with dust
poussi-f, -ve broken-winded; wheezy, asthmatic
poussin m. chick
poutre f. beam, girder
pouvoir to be able to, know how to, can, could; **n'en — plus** to be exhausted, tired out
praticien m. practitioner; **— légiste** practicing lawyer
pratique f. sharp or sly bargainer

pré m. meadow
préalable previous, preliminary
préalablement previously, first
précédent preceding, preliminary
prêcher to preach
précipitation f. precipitancy, haste, hurry
précipité precipitate, hurried, hasty
se précipiter to dash, rush headlong
précis exact, accurate
précisément as it happens or happened; as a matter of fact
préjugé m. prejudice
prélever to deduct
premi-er, -ère first; **— m. or f.** first one, first
prendre to take, seize, catch; take on, assume; catch up, hit; **— à cœur (de faire quelque chose)** to set one's heart (on doing something); **— conscience** to become conscious; **— garde à** to take notice of, pay attention to; **— la fuite** to run away; **le — de haut** to take a lofty tone; **— le dessus** to rally, overcome (*feelings of sorrow*); **— pied** to touch bottom; **se — à** (*plus inf.*) to begin to; **s'y —** to manage; **il nous prenait des envies** we were seized with the impulse
preneur m. buyer, purchaser, taker
préoccupé (de) preoccupied, taken up (with)
préparer to prepare, make ready
prépondérance f. advantage, lead
près near, nearby; **— de** near, close to, next to; **de tout —** from near by, at close range
présage m. omen
presbytère m. presbytery, rectory
prescription f. regulation; **—s légales** official instructions, regulations
préséance f. (position of) preëminence, precedence
présentement now
presque almost, nearly
pressant urgent, insistent
presse f. press, print; **mettre sous —** to set up in type

pressentir to have a presentiment, foreboding, hunch

presser to press, clasp, urge

se presser to hurry, make haste; pressé hurried, in a hurry; close

pressoir m. press (for wine, oil, etc.)

preste alert, sharp

présumable presumed, supposed

présumer to presume, count

prêt ready, prepared

prétendant m. suitor

prétendre to claim

prétention f. pretension, claim

prêter to lend, give, attribute; — l'oreille to lend one's ear, give ear; — le serment to give oath

prétexter to pretend, feign

prêtre m. priest

preuve f. proof

prévenir to warn, give a warning; to predispose, prepossess

prévisible foreseeable

prévoir to foresee, forecast; to anticipate

prévoyance f. foresight

prie-Dieu m. kneeling chair, praying desk

prier to beg, request, entreat, ask, beseech

prière f. prayer

prieur m. prior

prime first; de — abord to begin with, at first

printani-er, -ère springlike

printemps m. spring

privé private

priver to deprive

prix m. value, worth, cost; au — de at the price of

procédé m. procedure, technique

procès m. lawsuit; un mauvais — an unsuccessful lawsuit

prochain next

proche near

prodigieu-x, -se prodigious, stupendous

prodigue prodigal, spendthrift; — m. the prodigal

prodiguer to lavish

produire to produce

profiter to profit, be profitable, benefit; to take advantage, avail oneself (of)

profond deep; heavy, full, powerful; sonorous; au plus — to the very core

profondeur f. depth

progressiste progressive, forward-looking

proie f. prey; en — à a prey to, victim of

projet m. project, plan, scheme; — de loi bill; faire des —s de loi to draft or formulate bills

projeter to project, throw

promenade f. walk, stroll; bout de — stroll, turn, short walk

se promener to walk, ride

promener to take (someone) for a walk, to walk

promettre to promise

prononcer to pronounce, utter

se propager to spread

propos m. remark, utterance; gossip; à — de in connection with; à son — in this connection, on this occasion

propre neat, clean; own; — à characteristic of; en — of one's own

propriété f. property, characteristic

protéger to protect

provenance f. origin, source

provenir to proceed, result, arise, come (de from)

provisoire provisional, temporary

provoquer to challenge, provoke

prune f. plum

prunelle f. pupil (of eye)

psychiâtre m. psychiatrist

publi-c, -que public

publicitaire pertaining to publicity, advertising

pudeur f. modesty

puîn-é, -ée younger (brother or sister)

puis then

puisque since

puissamment powerfully

puissance f. power, strength

puissant powerful

puits m. well

punir to punish

punition f. punishment
pupitre m. desk, stand; — à musique music stand
pus m. pus; **faire du** — to fester
putois m. polecat, skunk

Q

quai m. wharf, pier,
qualité f. quality, good quality, merit, virtue
quand même just the same, nevertheless
quantité f. quantity
quarantaine f. about forty
quarante forty
quartier m. quarter, section (of city, etc.), neighborhood; a large piece
quasiment almost, nearly
quatorze fourteen
quatre four
quatrième fourth
quel parti prendre what to decide
quelque some, any; — **chose** something; — . . . **que** whatever, however; —**s** pl. some, a few
quelqu'un someone; **quelques-uns** some, a few
querelle f. quarrel, dispute; **se prendre de** — to begin to quarrel (with someone)
se quereller to quarrel
queue f. tail, line
quiconque whoever
quille f. keel
quinquet m. lamp
quinzaine f. fortnight
quinze fifteen
quiproquo m. mistake (taking one thing for another); misunderstanding
quitter to leave; to take off
quoi what (interr.), which; — **que** anything; — **que ce fût** anything at all; à — **bon** what's the use
quotidien, -ne daily

R

rabâcher to harp on, keep repeating
rabattre to strike down, knock down, drop

raccourcir to shorten, abbreviate
raccrocher: se — **à quelque chose** to catch on to something, take hold of something
racine f. root
râclement f. scraping noise
râcler to scrape
râcloir m. scraper, scraping tool
raconter to tell, narrate
racornir to make hard or tough (as horn)
radeau m. raft
radieu-x, -se radiant, beaming
se raffermir to harden, grow strong
raffoler to be mad, be enthusiastic
rafraîchir to refresh
rafraîchissement m. refreshment, restoration
rage f. rage, fury; **faire** — to go full blast
rageusement angrily, in a temper
raide stiff; **tomber** — to drop, fall (unconscious)
raidillon m. (short, steep) rise (in a road), abrupt path
raidir to stiffen; **se** — to brace oneself, stiffen
raie f. stripe
railler to scoff at, mock
raillerie f. banter, scoffing, mockery
railleu-r, -se mocking, scoffing, joshing
raisin m.: **le** — grapes; **grappe de** — bunch of grapes
raison f. reason, justification, motive; reasoning, thinking; **avoir** — to be right; **boire plus que de** — to drink to excess, more than one ought, more than is good for one; **mariage de** — marriage of reason or convenience
raisonnement m. reasoning
raisonner to reason, reason with; **se** — to reason with oneself, bring oneself to reason
rajeunir to rejuvenate
râle m. rail (bird); rattle in the throat, death rattle
ralentir to slow down
râler to have a death rattle; to quake, shudder

rallonge f. extra leaf, extension (of a *table*)

ramasser to collect, pick up

rame f. oar

rameau, m. (small) branch, bough, twig

ramener to bring back (again); to pull down, draw down; **se — à** to boil down to

rampe f. banister, railing

ramper to creep, crawl

rancune f. grudge, rancor

rang m. rank, row

rangée f. row, line

ranger to arrange, set in rows, draw up

ranimer to revive, come to life again

rapetisser to make small(er), shrink

rappel m. recall, curtain call; **des —s à la douzaine** curtain calls by the dozen

rappeler to remember, recall; to remind (of)

rapport m. return, production, productiveness, yield, profit; connection, resemblance

rapporter to bring back, yield, have to show for

se rapprocher to draw near(er)

rare rare, uncommon; thin

ras, rase close-cropped

rasé shaven

raser to graze, skim

se raser to shave

rasoir m. razor

rassembler to reassemble, bring together again; to assemble, collect

se rasseoir to sit down again

rassurer to reassure

rastaquouère m. rich, uncouth foreigner

rat m.: **à bon chat, bon —** tit for tat

râtelier m. set of false teeth

rater to fail, miscarry; to bungle

rationner to ration; **rationné** m. person on rations

se rattraper to catch oneself

rauque hoarse, raucous, harsh

ravager to ravage

ravaler to swallow, check; **se —** to lower, degrade, debase

ravine f. (= **ravin**) ravine, gully

ravir to ravish, enrapture, delight, please; to carry off, rob (someone of something)

ravitailler to provision, supply, feed

raviver to revive

rayon m. ray, beam

rayonner to beam

réagir to react, rebel

réaliser to realize, experience, make real, accomplish, install; **se —** to become real

rebelle rebellious

rebondir to bump, bounce; to revive

rebord m. edge

rebrousser: faire — chemin à to head off, turn back

rebut m. rebuff, rejection

recette f. receipts; receiving, collection

recevoir to receive

recharger to reload

réchauffer to warm

recherche f. research, search, searching, quest

rechercher to search, seek (for)

rechute f. relapse

récif m. reef, shoal

réciproque reciprocal, mutual

récit m. recital, account, tale

réclame f. publicity, advertisement

réclamer to lay claim to, claim, make a claim

récolte f. harvesting, collecting, gathering

récolter to harvest

recommander to register (*letter*)

recommencer to begin again, resume

reconnaissance f. gratitude

reconnaître to recognize

recourber to bend, bend back, curve

recouvrir to cover

se recroqueviller to huddle, curl up, shrivel (up)

rectiligne rectilinear; straightforward

reçu m. receipt

recueillir to collect, pick up, gather

reculer to move back, draw back

récupérer to recover, retrieve, recoup

récurer to scour

rédaction f. editing

redescendre to go down (again)

redevable: être — to owe, be accountable for

redevenir to become again

redire to say again, repeat, reiterate, harp on

redoutable formidable, dreadful

redouter to fear, dread

redresser to raise, tilt

se redresser to straighten up, sit up

réduction f. reduction, reducing diet

réduire to reduce; to subjugate

réduit m. retreat, nook

réel, -le real, true

refaire to remake, do over again

réfléchir to think, ponder, reflect

reflet m. gleam, glint, reflection

se refléter to reflect itself, be reflected

réformer to revise

refroidir to cool, chill

se réfugier to seek refuge, go into hiding; to retreat

regagner to get back to, reach (a place) again, go back to

regard m. look, glance, gaze; — de mouton sheep's look, sheeplike look

regardant close-fisted, stingy, tight

regarder to look at, watch; — dans to look among

regimber to kick, balk; to resist

régir to manage, govern, direct

registre m. register, record, account book

régler to regulate, settle, adjust, square (account)

régner to reign, prevail; to extend

regret m.: à — with regret

regretter to regret; to miss, long for

régul-ier, -ière regular, steady

rein m. kidney; pl. loins

reine f. queen

rejaillir to spout, gush out, reflect, shed itself

rejaillissant splashing

rejet m. rejection, dismissal, refusal, denial

rejeter to throw back

rejoindre to rejoin

réjouir to delight, gladden, cheer; se — to rejoice

relâche m. respite

relever to raise, lift (up); to call attention to, bring into relief; to set off; to take off; se — to rise again

relire to reread

reluire to shine (by reflected light), glitter, glisten, gleam

se remarier to remarry

remarquer to notice

se remémorer to remember, recall, call to mind

remercier to thank

remettre to put or set back again or on again; to put off, delay; to hand (something to someone); se — à to start again, resume, make up; se — à la besogne to resume work, return to one's job

remonter to climb, go up (again); to raise up again, rise again; to hitch up (trousers); to wind up (clock); to stem (current)

remords m. remorse, self-reproach; un — a feeling or twinge of remorse

remous m. eddy, air current

remplacer to replace, take the place of

remplir to fulfill, carry out, stuff

remuer to move, stir, agitate

renaître to be born again; — à la vie to take a new lease on life

renard m. fox

rencogner: se — to retreat into a corner; to ensconce oneself in a corner, huddle

rencontre f. meeting

rencontrer to meet

rendement m. return, productivity

rendez-vous m. appointment

rendre to make, render; to return,

give back, restore, yield; — **compte de quelque chose** to account for something; **se** — to make one's way, proceed, go; **se** — **compte** to realize, understand, know what's what; — **visite à** to pay a visit to, visit, call upon; — **la main** to ease the reins

rêne *f.* rein

renfermer to shut in, lock in; **se** — to withdraw, confine oneself

renforcer to reinforce

renommé renowned, famed, celebrated

renommée *f.* renown, fame; **Renommée** *f.* Fame (*mythological divinity*)

renoncement *m.* renunciation

renoncer (à) to renounce, give up, forego

se renouer to tie again; to renew

renouveler to renew, replace

se renseigner to get information, make inquiries

rente *f.* rent, annuity, pension, allowance

rentier *m.* person living on an unearned income; man of means

rentrée *f.* reëntry, return

rentrer to go in again, enter again, reënter; to return home, come home

renverser to knock down, upset; **se** — to fall over, fall down, upset, overturn, capsize

renvoyer to send back, reflect

répandre to spread, diffuse, pour out, scatter; **se** — to spread

reparaître to reappear

repartir to set out again, start out again

repêcher to fish up or out (again)

repenser to think again, recall

repenti repentant

repentir *m.* repentance

se repentir to repent

répercuter to reflect

répéter to repeat, rehearse

répétition *f.* repetition, rehearsal

répit *m.* respite

replier to bend, fold, twist

répliquer to reply, retort

répondre to reply, answer

répons *m.* response (*ecclesiastical*)

repos *m.* rest, repose; **en** — at rest, relaxed

reposer: se — to rest, take a rest

repousser to repel

reprendre to recommence, resume, take back; — **le chemin** to take (to) the road again; — **connaissance** to regain consciousness, come to; — **haleine** to recover one's breath, catch one's breath; — **la parole** to begin speaking again

représailles *f.pl.* reprisals, retaliation

représentation *f.* performance (of a play)

représenter to represent; depict, portray; **se** — to imagine

reprise *f.* resumption; **à plusieurs** —**s** time and again; **à différentes** —**s** at various times

reproche *m.* reproach

résine *f.* resin

résister to resist, stand up, last

résonner to resound, sound

résoudre to resolve, determine

respectueu-x, -se respectful

respiration *f.* breathing

respirer to breathe

resplendir to be resplendent, shine

ressaisir to seize again, recapture; **se** — **de** to regain possession of, seize again

ressentiment *m.* resentment

ressentir to feel, experience

ressort *m.* spring, mainspring; device

ressource *f.* resource, possibility of aid; **il n'y a pas de** — there's no help for it

ressouvenir *m.* faint recollection; twinge

ressusciter (*v.i.*) to revive, come to life again

reste *m.* rest, remainder

rester to remain, stay; to be left

restituer to restore, return

résultat *m.* result, outcome, effect

rétablir to reëstablish, right

retard *m.* delay; **en** — late; **se mettre en** — to be late

retarder to delay

retenir to hold back, stop (*from falling, etc.*); to retain, remember; — **son souffle** to hold one's breath

se retenir to catch hold of; — **à quatre** to hold oneself back, have a good hold on oneself

retentir to (re)sound, echo, ring

retentissant resounding, much publicized, exciting great interest

retenue f. reserve, caution, prudence, hesitation

réti-f, -ve restive, stubborn, disobedient

retirer to take out, withdraw; **se** — to withdraw; to fall, subside, ebb (*sea, etc.*), recede

retomber to fall back, sink back

retour m. return, coming back; **être de** — to be back (again)

retourner to return, go back; to turn over; **se** — to turn around, turn over, turn

retraite f. retreat, withdrawal; retirement, allowance, pension

retraité m. retired person

se retrancher to entrench oneself, hide

retrousser to roll up, turn up

retrouver to find (again)

réunir to unite, join together

réussir to succeed

revanche f. revenge; **en** — on the other hand

rêve m. dream; **faire un** — to have a dream

réveil m. awakening

réveiller (*v.t.*) to wake, wake up, rouse; **se** — to awake, wake up

réveillon m. midnight supper (*especially after midnight mass on Christmas Eve and New Year's Eve*)

réveillonner to celebrate the réveillon

revendre to sell again, sell to someone else

revenir to come back, return; to revert (to); — **à soi** to recover consciousness; **s'en** — to return

rêver to dream (of)

réverbère m. street lamp

revers m. back, edge, lapel

revêtir to put on, don, clothe

rêveur m. dreamer

revivre to relive; **faire** — to revive

revoir to see again

revoir m. return, homecoming, welcome

révolu completed, irrevocable

revue f. review, periodical

révulsé displaced, rolled back (*of eyes*)

révulsif m. emetic

rez-de-chaussée m. ground floor

rezzou m. raiding party (Arab)

rhum m. rum

ribote f. drunken bout, binge; **en** — tipsy, tight, drunk

ricanement m. sneer, sneering laugh

ricaner to laugh sneeringly or derisively

richesse f. wealth, riches

richissime very rich

rideau m. curtain

ridé wrinkled

rien nothing; — **de** — nothing at all, not a damn thing

rieu-r, -se smiling, laughing, gay, cheerful

rigueur f. harshness, strictness; **à la** — if need be, at the worst, in a pinch

rire to laugh; — **de** to laugh at

rire m. laugh, laughter

ris m.: — **de veau**, — **d'agneau** sweetbread

se risquer to venture

rivage m. shore, beach

rive f. bank, strand, shore (*of river, etc.*)

river to rivet

rivière f. river, stream

riz m. rice; **poudre de** — face powder

rizière f. rice plantation, rice paddy

robe f. robe, gown

robinet m. tap, faucet, spigot

roc m. rock

rocaille f. rock work, pebbles and stones set in ornament, grotto art rocher m. rock

rôder to prowl, hang around

rogner to trim, cut down, pare, reduce

rogue arrogant, haughty (*voice*)

roi m. king

rôle m. role, part; **à tour de —** in turn

rompre to break (off)

rompu broken

rond m. round spot, circle

rond adj. round, rounded; **être — en affaires** to do a straight deal, square deal; **tourner —** to hum, run perfectly (*of a motor*)

rondouillard large, round, flabby

ronger to gnaw, torment, trouble; **être rongé par la peur** to be tormented by fear

rosace f. rose window

rose pink

roseau m. reed

rosée f. dew

roses-feu f.pl. flaming red roses

rotin m. rattan cane, switch

rôtir to roast

rouage m. wheels, works

roue f. wheel

rouerie f. trick

rouge red

rougeaud red-faced

rougeur f. redness; blushing, blush

rougir to blush

rouille f. rust

rouillé rusty

rouler to roll; to fluctuate, vary

roumain Rumanian

route f. route, road, way, highway; **en —** on the way; **faire —** to walk

rouvrir to reopen

rou-x, -sse reddish-brown; red-haired, sandy-haired; brown, tan, tanned

royaume m. kingdom

royauté f. royalty; authority

ruban m. ribbon, band

rude hard, arduous, severe

rudement roughly, coarsely; awfully, extremely

rue f. street

ruelle f. alley, side street

se ruer (sur) to hurl, fling oneself (at)

rugir to roar

rugueu-x, -se rugged, gnarled, rough

ruine f. ruin, downfall

ruisseau m. stream

ruisseler to stream, run; to trickle, drip; to perspire

ruissellement m. stream, gushing

rumeur f. rumor, report; din, clamor, uproar

ruse f. ruse, trick, stratagem

S

sable m. sand

sablonneu-x, -se sandy

sabot m. wooden shoe

sac m. sack, bag, pouch

saccadé jerky, abrupt, staccato

sacoche f. wallet, moneybag

sacré sacred

sacristain m. sacristan, sexton

safran m. saffron

sagace sagacious, shrewd

sage wise, judicious, prudent

sage-femme f. midwife

sagesse f. wisdom; good behavior

saignant bloody, bloodshot, inflamed

saigner to bleed

saillir to stick out

sain healthy

saint holy, sacred; **les —es huiles** the holy oil (*for extreme unction*)

sainteté. f. holiness, saintliness, goodness

saisir to seize, grasp, lay hold of, catch hold of; to perceive, discern; **se —** to possess oneself, catch hold of oneself

saisissement m. shock

saison f. season; **jeune —** youth

salaud m. dirty dog, skunk, stinker

sale dirty, unclean, obscene

saleté f. dirt, dirtiness, coarseness

salir to dirty, soil

salle f. hall, room; **— commune** living room; **— à manger** dining room

salon m. living room, waiting room

saloperie *f.* filth, filthiness, messiness, dirty business, scurvy treason

saluer to salute, bow to

salut hello; — *m.* blessing, salvation

sandalier *m.* sandal-maker

sang *m.* blood; **se faire du mauvais** — to fret, fume

sangle *f.* strap; **lit de —s** camp bed, cot

sanglier *m.* wild boar

sanglot *m.* sob

sangloter to sob

sans without, if it were not for, except for

santal *m.* sandal(wood)

santé *f.* health

saoul drunk; — **comme un soleil** drunk as a lord

sapin *m.* fir (tree)

sarment *m.* vine, twig, vine shoot

Sarrasin Saracen

sauf save, but, except (for)

saule *m.* willow

saumon *adj. inv.* salmon, salmon pink

saupoudrer to sprinkle, powder, dust

saut *m.* leap, jump, vault

saute-mouton *m.* leapfrog

sauter to jump, leap (over), spring, skip; to break, blow up; to come off, fly off; — **au cou de quelqu'un** to fling one's arms round someone's neck, to hug someone; — **aux yeux** to be evident, obvious; **se faire — la cervelle** to blow one's brains out

sauterelle *f.* grasshopper, locust

sautoir *m.* sling; **en** — crosswise, hung like an order or decoration

sauvage savage

sauver to save, redeem; **se** — to run away

savant *m.* scholar; — *adj.* learned, skillful, clever

savate *f.* old, worn-out shoe; **en —s** down at heel

saveur *f.* savor, taste, delight

savoir to know; to know how to (do something); to be informed of;

se — to be (become) known, be found out

savourer to relish, enjoy

scander to mark, stress, punctuate

scélérat *m.* rascal

scène *f.* scene, stage

scénique theatrical, of the stage

science *f.* knowledge, learning, science

scientifiquement scientifically

scierie *f.* sawmill

scintiller to sparkle, glitter, glisten

sciure *f.* sawdust

scrutin *m.* poll

sculpter to sculpture, carve

séance tenante straightway

seau *m.* pail, bucket

sec, sèche dry; spare, curt; gaunt, lean; barren, dried up

sécher to dry

sécheresse *f.* dryness, curtness

seconder to second, support, aid

secouer to shake (off, up), rouse; to give (someone) a dressing-down

secourable helpful, willing to help

secours *m.* help, relief, aid, assistance, rescue

secousse *f.* throb, jolt, shaking, shock

séduction *f.* seduction, seductiveness

séduire to seduce

seigneur *m.* squire, nobleman, noble

seigneurial seignorial, manorial

sein *m.* breast; **donner le** — **(à un enfant)** to nurse (a child)

séjour *m.* stay, sojourn, abode

sel *m.* salt

selle *f.* saddle

selon according to

semaine *f.* week; **dans le courant de l'autre** — in the course of next week

semblable alike, similar (to); — *m.* fellow man

semblant *m.* semblance, appearance; **faire** — to pretend

sembler to seem, appear

semelle *f.* sole (of shoe); **elle ne le quitte pas d'une** — she sticks close to him semence f. seed, source

semer to sow, scatter, sprinkle

sens m. sense, intelligence; direction, meaning; bon — sense, common sense

sensé sensible, judicious

sensibilité f. sensitivity, tender-heartedness

sensible perceptible

sensoriel, -le sensory

sente f. footpath, track

senteur f. smell, odor, fragrance

sentier m. path, footpath

sentiment m. feeling, sense, consciousness; sentiment, sentimentality; privé de — numb, unconscious

sentir to feel, be conscious of; to smell; se — to be perceptible, feel; senti well expressed, true to life, heartfelt

seoir (used only in certain forms) to suit, become; comme il sied as is becoming

séparer to separate, part

serein serene, tranquil, cheerful

sérieu-x, -se serious, serious-minded

serment m. (solemn) oath; prêter le — to give oath

sermonner to lecture, reprimand

serpent m. serpent, snake

serre f. hothouse, greenhouse

serré close together, dense, tight; avoir le cœur — to be sad at heart, heavy-hearted; dents —es teeth clenched

serrer to tighten, pull close together; to press, squeeze, clasp; to sink (of heart); se — to crowd; se — contre to snuggle up to; se — la main to shake hands

serrure f. lock

servage m. serfdom, bondage

servante f. maidservant, servant girl

serveuse f. waitress

serviette f. brief case

servir to serve, be useful; à quoi — what is (was, etc.) the good, the use, of that; se — de to make use of, use

serviteur m. servant

servitude f. servitude, constraint

seuil m. threshold

seul alone; single, only; — m. or f. the only one

seulement only, solely; even

sévérité f. severity; —s acts of severity, sternness, strictness

sévir to rage

siècle m. century; age (of time)

siège m. siege; coachman's box, seat, chair

siffler to whistle

sifflet m. whistle

signe m. sign; gesture, motion; faire — à to motion to, make a sign to

signé trade-marked

signer to sign

signifié made known

silencieu-x, -se silent, taciturn

sillage m. furrow, wake

similor m. imitation gold

simuler to simulate, feign

singe m. monkey

sinistre m. disaster, catastrophe, calamity

sinon if not, not to say

sire m. lord

sirène f. foghorn, whistle (of boat or train)

sirop m. syrup

situer to place, locate, orient; se — to be situated, located

sobre restrained; moderate, frugal

soc m. plowshare

socle m. pedestal, base

sœur f. sister

soi-disant so-called, supposed

soie f. silk

soif f. thirst; avoir — to be thirsty

soigner to do, perform carefully, exactly, meticulously

soin m. care, attention, trouble, worry; avoir — (de) to take care (of, to)

soir m. evening

soirée f. evening (party)

soit: — ... — either ... or; whether ... or

sol m. ground, earth

sol m. *old form of* **sou**

soldat m. soldier

soleil m. sun; — **couchant** setting sun

soleillé sunny, shining

solennel, -le solemn

solennité f. solemnity, soberness, seriousness

solide solid, strong

solidement solidly, firmly, securely

solitaire m. solitaire (*diamond*)

sombre moody, sullen, dark, somber, sinister

sombrer to founder, sink

somme f. sum, amount; — **toute** on the whole, when all is said and done

sommeil m. sleep; sleepiness, drowsiness; **avoir** — to be sleepy

sommeiller to be asleep; to doze, nod, sleep lightly

sommer to call on, bid, summon, command

sommet m. height, hill

somnambule f. *and* m. sleepwalker

son m. sound; — **de trompe** blaring of a foghorn

son m. bran

songe m. dream

songe-creux m. dreamer, visionary

songer to think, remember; **vous n'y songez pas!** It's out of the question

songeu-x, -se pensive, thoughtful, rapt in thought

sonnaille f. cattle bell, bell

sonnant sounding, resounding; **argent** — hard cash; **à minuit** — at the stroke of midnight

sonner to sound, strike, ring, cause to sound; **on sonne** the bell is ringing

sonnerie f. ringing (*of bells*)

sonnette f. small bell

sonneur m. bell ringer

sonore sonorous, resounding, deeptoned

sonorité f. sonorousness, sonority

sophisme m. sophism, fallacy

sorcellerie f. witchcraft, sorcery

sort m. fate, destiny; **tirer au** — to draw lots

sorte f. sort, kind; manner, way; **à — que** so that; **de — que** so that

sortir to go out, leave; to issue forth; to bring out; to stick out, protrude

sortir m. going (coming) out

sot m. fool, dolt, blockhead, ass; *adj.* silly, stupid, foolish; **il n'y a pas de — métier** it's no sin to work for a living

sottise f. folly, foolish mistake

sou m. small coin (*five centimes*); penny

soubresaut m. sudden start, catch of the breath, gasp

souci m. care, anxiety, worry, concern

se soucier to worry, care (*sometimes ironical*)

soucieu-x, -se anxious, concerned, worried

soucoupe f. saucer

soudain sudden, suddenly

souder to solder

souffle m. breeze, blast; breath

souffler to breathe, blow; to prompt

souffrance f. suffering

souffrant ill

souffrir to suffer

souhaiter to wish

souiller to soil, dirty, tarnish, sully

soulagement m. relief, solace, comfort

soulager to relieve, comfort

soulever to raise, lift up; to take, snatch; to arouse, excite; **se** — to rise, sit up

soulier m. shoe

souligner to emphasize

soumettre to subdue; **se** — to submit, yield, give in

soupçon m. suspicion

soupçonner to suspect

soupe f. soup, humble meal

souper to sup, eat

soupeser to feel the weight of, poise in the hand

soupirer to sigh

souple supple, flexible, yielding

souplesse f. suppleness, flexibility; en — limply

sourcil m. eyebrow

sourd muffled, deaf; lanterne —e dark lantern

sourd m. deaf person

sourdine f. mute

souris f. mouse

sourire to smile

sourire m. smile; faire un — to smile

sournois sly, crafty, cunning

sous-chef m. assistant chief

sous-préfecture f. subprefecture, second administrative city of a department (approximately as if U.S. had "second county seats")

se soustraire to slip out, escape

soutane f. cassock, soutane

soute f. storeroom, baggage compartment, ship's hold

soutenir to hold, prop, keep from falling; meet

souterrain subterranean, underground

soutien m. support, prop, mainstay

souvenir: se — de to remember, recall

souvenir m. recollection

souvent often

souverain sovereign, supreme

speci-al, -aux special, especial

spécieu-x, -se plausible

spirale f. spiral

squelette m. skeleton

stalle f. stall

statuer to decree, ordain

store m. shade, curtain

stupeur f. amazement

stylo(graphe) m. fountain pen

subalterne m. subordinate, minor, inferior person

subir to undergo, suffer, sustain

subit sudden

subsister to hold good, last

succédané m. substitute

succession f. inheritance, estate

successivement successively, one after another

succulent juicy, nutritious

sucre m. sugar

sucré sugared, sweetened

sud m. south

suer to sweat

sueur f. sweat, perspiration

suffire to suffice, be enough, be adequate, be equal

suffisance f. conceit, self-satisfaction, complacency

sufine f. (= surfine) superfine brandy

suisse m. churchwarden, beadle

suite f. rest, sequel, continuation; result; procession, tail end of procession

suivre to follow, go; to succeed, come after; — à la trace to follow like a shadow, traipse after; — des yeux to stand and follow someone's progress; not to lose sight of

sujet m. subject; à — decorated with pictures, figures, or statuettes

supplice m. torment, anguish, agony

supplicié m. one tortured or executed

supplier to beg, beseech, implore

supporter to stand, support, tolerate

suppôt m. member (of firm who performs certain duties), henchman

supprimer to suppress

supputer to compute, calculate

suprême last, final, desperate; decisive, climactic

sur on, out of (followed by a number)

sûr sure, safe, certain, secure; à coup — assuredly, for certain; without fail, infallibly

sûreté f. sureness, soundness

surexcitation f. overexcitement, overstimulation

surgir to arise, appear

sur-le-champ at once

surlendemain m. second day after

surmener to overwork, overtax, wear out

surmonter to surmount, rise above. rise higher than

surnager to stay or float on the surface

surnatur-el, -elle supernatural
surplis m. surplice
surprenant surprising, astonishing, strange
surprendre to overhear; surprise; **se —** to surprise oneself, catch oneself
sursaut m. (involuntary) start, jump
sursauter to start, jump
surtout particularly, especially; — m. centerpiece
surveiller to supervise, watch closely
survenir to arrive unexpectedly, turn up, arrive suddenly
survivre outlive, live longer than
survoler to fly over
susciter to excite, stir, stimulate, arouse
suspendu suspended
sympathie f. liking
sympathique likable, attractive, pleasant
syncope f. fainting spell

T

tabac m. tobacco
tabellion m. scrivener, notary
tableau m. (black)board; tableau; — **vivant** living picture, tableau vivant
tablier m. apron
tabouret m. stool
tache f. spot, splotch, blot
tâche f. task, job; **prendre à — de** to make it one's business to
tacher to stain, spot
tâcher to try
taffetas m. taffeta
taille f. stature, figure; waist; tally, tally stick
tailler to cut, trim, prune; **cristal taillé** m. cut glass
tailleur m. tailor, suit
se taire to be silent, hold one's tongue
talon m. heel
talus m. bank, embankment
tamarin m. tamarind
tant so much, so many, something;

mil six cent et — 1600 and something; — **que** as long as; **un — soit peu** a little tiny bit; — **pis** that's that! so much the worse! it can't be helped!
tante f. aunt
tantôt: — ... — now ... now, sometimes ... sometimes, at one time ... at another time
tapage m. disturbance, noise, uproar; — **nocturne** disturbance of the peace (at night), breach of the peace
taper to tap, rap
tapis m. carpet, rug
tapisserie f. tapestry, hangings
tapoter to tap, strum
tard late
tarder to delay; — **à** to be long in (doing something); **il lui tardait de** (impers.) he couldn't wait to
tardi-f, -ve tardy, late, belated, backward
tare f. blemish, defect, taint
tarir to dry up, exhaust
tartare Ta(r)tar, Mongolian
tas m. pile, stack, heap; lot, gang
se tasser to press, crowd (oneself); to crouch
tâter to feel, probe
tâtonner to grope
tâtons (à) gropingly; **chercher à — to** grope, feel for
taudis m. miserable room; hovel, hole
taureau m. bull
taxe f. charge (for service)
teint dyed
teinte f. tint, shade
témoignage m. testimony, testimonial
témoigner to testify, give witness of, show, display
témoin m. witness
tempe f. temple
tempête f. storm
temps m. weather
temps m. time; **à —** in time; **dans le —** in times past, in the old days; **de — en —** from time to time; **entre —** meantime;

tout le — all the time, continuously

tenace stubborn, relentless, tenacious, persistent

tendre to hold out, offer; to stretch; **— l'oreille** to prick up one's ears

tendresse f. tenderness, fondness, love

tendu stretched, strained, distended, tense

ténèbres f.pl. darkness, gloom; **dans les —** in the dark

tenir to keep, preserve, hold; to fit; **à quoi s'en —** what's what; **se — à** to hold, remain, stand, keep close to; **— à** to be anxious, insist on; **— à quelque chose** to value, prize, care for, something; to cling to; **— bon** to hold firm, hold out; **— compte de** to take into account; **— de** to take after; **— la jambe à** to buttonhole; **— lieu de** to take the place of; **— propos** to make a remark, make a comment

tennis m. tennis; tennis court

tentation f. temptation

tenter to try, attempt, tempt

tenture f. hangings, tapestry; **— murale** wallpaper

ténu tenuous, subtle

tenue f. bearing

térébenthine f. turpentine

terrasse f. terrace; pavement (*in front of a café*); flat roof

terre f. earth, ground, soil; earth, world; field; **de —** brown, sallow, pasty

terrine f. (earthenware) pot, terrine

tête f. head, top; brains; **à la — de** in possession of; **où donner de la —** where to turn; **se monter la —** to get excited; **— de mort** death's-head, skull; **un peu de —** a few brains, any brains

tête-à-tête, tête à tête m. private conversation, confidential conversation, tête-à-tête

thé m. tea

tiède tepid, gentle, mild

tiers m. third person, third party

tige f. stalk, stem; rod

tilbury m. tilbury, gig, two-wheeled carriage

tilleul m. lime blossom

timbre m. quality, tone; bell

timbré cracked

tintement m. tinkling, rattling, jingling

tinter to ring, tinkle

tintouin m. buzzing (*in the ears*)

tire f. tug, jerk, stroke; **à — -d'aile** swiftly

tirer to draw, take out, withdraw, extract; to pull, tug; to draw, drag, haul; to lock, unlock; to aim, shoot, fire; **— au sort** to draw lots; **— le(s) verrou(s)** to unbolt, unbar; **— le meilleur parti** to get the most out of

tiroir m. drawer

tisane f. infusion, tea (*of herbs*); **— des quatre fleurs** (*infusion of mallow, mountain cat's-foot, colt's-foot, and red poppy*)

titre m. title, right, claim; **à — de** by right of, as

tituber to reel, lurch, stagger

toile f. linen; canvas, sailcloth; **— cirée** oilcloth

toilette f. (woman's) dress, costume

toit m. roof, housetop; chimney

tombe f. tombstone, tomb

tombé fallen

tombeau. m. tomb, monument, gravestone

tombée f. fall; **à la — du jour** at nightfall

tomber to fall, fall down, drop down; (*impers.*) there falls, was falling, etc.; **à la nuit tombante** at nightfall; **— à rien** to deteriorate; **— sur** to come across

tombereau m. truck, dump cart

tonneau m. cask, barrel

tonnerre m. thunder

toper to agree, consent, shake hands on it

toque f. toque (*small round brimless hat*)

toqué mad, crazy, cracked

tordre to twist, wring; **se —** to become twisted

torse *m.* trunk, torso

tort *m.* wrong, mistake; **à —** wrongly; **à — et à travers** at random, without rhyme or reason; **avoir —** to be wrong

tôt soon; **— ou tard** sooner or later; **plus — . . . plus —** the sooner . . . the sooner

toucher to touch, move, affect, interest; to collect, cash; **— à quelque chose** to start using something

toucher *m.* (sense of) touch

touffe *f.* tuft, bunch

touffu leafy, bushy, thick

toujours always; continuously, constantly, ceaselessly, without stopping, still; (*with verb in imperfect*) to keep doing

tour *f.* tower; tower headdress

tour *m.* turn, twist, stroll, trick; **à son —** in his turn; **à — de bras** with all one's might; **à — de rôle** in turn; **faire le — de** to go, walk, take a stroll around; **— à —** in turn, by turns

tourbillon *m.* eddy; whirlwind, twisting current

tourmenter to harass, torment, lash

tournailler to twiddle, twirl

tournebroche *m.* roasting spit

tournée *f.* round, tour; postman's round; round (of drinks)

tourner to turn, change direction; (*of a motor*) to run; **— en dérision** to belittle, scorn; **— rond** to hum, run perfectly; **— sur lui-même** to revolve, pivot; **le cœur me tourna** I was nauseated

tournois *m.* tournament, tourney

tournoyer to turn round and round, whirl, swirl

tournure *f.* turn (of phrase), formula

tourterelle *f.* turtledove

tousser to cough

tout *n.* any, every, all, everything; **— de même** just the same; **tous deux** both

tout *adj. and adv.* all, quite, entirely, very; whole; **en — et pour —** including everything, all considered, altogether; **— de suite** immediately, right away

toutefois however, nevertheless

toux *f.* cough

se tracasser to worry

traduire to translate

trahir to betray, reveal, disclose

train *m.* pace, rate; **— de poste** high, full, speed; **en — de** in the act of, in the process of; **être en — de** to be busy or occupied with

traîner to lead, drag, draw; to linger, trail, draggle; **se —** to drag, lag

traire to milk

trait *m.* feature (*of face*); appearance; stroke; draft, gulp; **d'un —** at one gulp, at one go; **tout d'un —** all at once

traiter to treat

traître treacherous, dangerous; **un — mot** a blessed word

trajet *m.* trip, passage, walk, ride

tranche *f.* slice, slab

trancher to cut (short), settle, decide

tranquille tranquil, calm, unruffled

transcrire to transcribe, set down

se transfigurer to become transfigured

transformation *f.* transformation, phase (*of the moon*)

transiger to compromise

transmuer to transmute, transform

transparence *f.* transparency

transparent *m.* transparency, screen

transpirer to perspire

transport *m.* transport, burst, attack

transporter to transport

trappiste *m.* Trappist (*monk*)

traquer to track down, corner

travail *m.* work, piece of work; labor, workmanship

travailler to work, labor, perform

travailleur *m.* worker

travers (à) through; **de —** awry, amiss, irregularly; **en —** crosswise;

à tort et à — at random, without rhyme or reason

traverser to cross, go across, traverse; to pass through, go through

traversin *m.* bolster

travesti disguised; bal — fancy-dress ball, costume ball

trébucher to stumble, totter

trèfle *m.* clover

treille *f.* arbor

treillis *m.* grating

tremblement *m.* trembling, quivering, shaking

trembler to tremble, shake, quake; to shiver, shudder, tremble with fear; to flicker

trembloter to tremble, shake, quiver

tremper to dip; to temper, harden (*of steel, etc.*); trempé wet, soaked, drenched

tremplin *m.* diving board

trépas *m.* decease, demise, death

trépassée *f.* deceased (woman)

trépidation *f.* agitation, dancing, trembling

trésor *m.* treasure

tressaillir to shudder, quiver, throb

tresse *f.* braid, plait; — de fer iron braid

trêve *f.* truce, respite; sans — unceasingly, without intermission

tribune *f.* rostrum, platform

tricher to cheat

tricot *m.* jersey; en — knitted

trille *m.* trill

trinquer to clink glasses (*before drinking*), to take a drink with someone

triomphal triumphant

tripoter to finger, handle, fiddle with, paw

triste sad

tristesse *f.* sadness, gloom

trois three; — en — in groups of three

trombe *f.* whirlwind, waterspout; en — in a rush

trompe *f.* foghorn, horn

trompe-l'œil *m.* piece of fraud, bluff, eyewash

tromper to deceive; se — to

make a mistake; se — de route to take the wrong road

tronc *m.* trunk (*of tree, etc.*)

tronçon *m.* stump; lap, leg, distance

trop too, too much; par — completely

trotter to trot, scamper

trottoir *m.* sidewalk

trou *m.* hole; foramen

trouble *m.* confusion, disorder

trouble troubled, disturbed, muddy; cloudy, overcast

troublé upset, disturbed, uneasy, flustered

trouée *f.* opening, gap, breach

trouer to pierce, perforate

troupeau *m.* flock, herd

trousse *f.*: être aux —s de to be on the heels of; *pl.* clothing

trousseau *m.* bunch

trouvaille *f.* find, lucky find

trouver to find, discover, think, consider; se — to be; se — mal to faint, swoon; — son compte à to get something out of, find what one is looking for

truc *m.* trick, knack, ruse, stratagem

truffe *f.* truffle

truffer to stuff with truffles

truie *f.* sow

truite *f.* trout

T.S.F. (télégraphie sans fil) *f.* radio

tubercule *m.* tuber, root vegetable

tubulure *f.* pipe

tuer to kill; se — to kill oneself, get killed

tuile *f.* tile

tulle *m.* net, netting

tuméfier to cause to swell

turbulent excited

tuyau *m.* pipe, tube

type *m.* fellow, chap, "character," guy

U

unique single, one, only

s'unir to unite, join

urgence *f.* urgency; **d'—** in a hurry, as an emergency

usage *m.* service, wear (*of garments*); custom; **d'—** common, ordinary, usual

usé worn, shabby

user to wear (out); **— de** to use, make use of, experience

usine *f.* factory, mill

usurpateur *m.* usurper

utiliser to utilize, make use of

V

vacances *f.pl.* vacation

vacarme *m.* uproar, tumult

vache *f.* cow

vachère *f.* cowherd, milkmaid

vaciller to vacillate, totter, yield

vagissement *m.* crying, wailing

vague *adj.* dim, vacant; vague, indefinite

vague *f.* wave

vaillant healthy, stout (*appetite*); well and strong, in good health; valiant, brave, courageous

vaincre to overcome, conquer, vanquish

vainqueur *m.* victor, conqueror

vaisseau *m.* vessel, ship

vaisselle *f.* table service

valable valid, good

valet *m.* manservant; **— de ferme** farm hand

valeur *f.* value, worth, courage

valoir to be worth, worthy; **faire —** to utilize, exploit, take advantage of

vaniteu-x, -se vain, vainglorious

vanter to proclaim, boast of

vapeur *f.* vapor

varech *m.* seaweed

varice *f.* varicose vein

vase *f.* mud

veau *m.* calf; lumpish fellow, clodhopper

végéter to vegetate, lead an aimless life

veille *f.* vigil, staying up late, sleeplessness; eve

veiller to watch, be awake; to watch over

velléité *f.* slight inclination, weak impulse, indecision

vélo *m.* bicycle, bike

velours *m.* velvet, corduroy

velouté velvety, soft as velvet; **—** *m.* velvetiness, softness

venant coming

vendangeur *m.* grape picker

vendre to sell

venelle *f.* alley, lane

vengeur *m.* avenger

venir to come; to occur; to hail from; **— à** to happen to, change to, reach to the point of; **— de** (*with inf.*) to have just (done something); **s'en —** to come along; **viens** come on, come along

vent *m.* wind; **dormir en plein —** to sleep out-of-doors

vente *f.* sale; **livres de —** sales records

ventre *m.* stomach, belly; **à plat —** flat on one's stomach

ventru corpulent, portly, potbellied

venu tard *m.* late-comer

venue *f.* coming, arrival

verbe *m.* tone of voice, speech

verdi turned green, greenish

verdure *f.* verdure, greenery

verger *m.* orchard

vérité *f.* truth, truthfulness, sincerity, reality

vermoulu worm-eaten

verre *m.* (drinking-)glass; glass, lens

verroterie *f.* glass trinkets

verrou *m.* bolt, bar; **tirer les —s** to unbolt, unbar

verrouiller to bolt, lock

vers toward, about

versant *m.* slope

verser to pour; to shed

verset *m.* verse (*of Bible*)

versicolore variegated, many-colored

vert green

vertige *m.* dizziness, giddiness, madness

vertu *f.* virtue; **en — de** in pursuance of, by virtue of

veste *f.* coat, jacket

veston m. coat, suit coat, jacket
vêtement m. garment; pl. clothes, clothing
vêtu clothed, dressed, attired
veu-f, -ve m. or f. widower, widow
viande f. meat
vicinal local
victoire f. victory
vide m. empty space, gap, void, emptiness
vide adj. empty
vider to empty, drain; to clean (fish); — **quelqu'un** to dismiss or throw out someone; **se** — to expend oneself, pour oneself out
vie f. life, existence; livelihood
vieillard m. old man, graybeard
vieille f. old woman
vieillir to grow old
vierge f. virgin, maiden
vierge virgin, virginal, intact, uncut
vieux, vieil, vieille old
vieux m. old man
vi-f, -ve lively, vivid, real
vigilant vigilant, alert
vigne f. vine; vineyard
vigneron m. vine grower
vigoureu-x, -se vigorous, sturdy
vigueur f. vigor, force, effect
vil vile, low
vilain nasty, bad, unpleasant
ville f. town, city
villégiature f. stay in the country; **en** — on vacation, on holiday
vin m. wine
vingt twenty
vingtaine f. about twenty, score
violet, -te violet, purple
violette f. violet; violet perfume
violoneux m. fiddler (opposed to **violoniste**, violinist)
virer to turn (something) over
visage m. face, countenance, visage
vis-à-vis opposite; — m. person or thing opposite, parallel
viser to aim
visible visible, to be seen
visite f. visit; **rendre** — **à** to pay a visit to, visit, call on
visiter to visit

vite fast, rapidly, quickly; **au plus** — as fast as possible
vitra-il, -ux m. leaded glass window, stained glass window (of a church)
vitre f. windowpane
vitreu-x, -se glassy, glazed
vitrine f. show window
vivace vivid
vivant m. living being; **joyeux** — jolly good fellow
vivant adj. living, life-giving
vivre to live; **qui vive?** who goes there?
vivres m.pl. provisions
vœu m. prayer, vow
voguer to sail, row
voie f. track; — **de garage** sidetrack, siding
voiler to veil, cover
voilier m. sailing ship
voir to see; to look at; **se** — to be visible, be seen, be obvious
voisin, -e m. or f. neighbor
voisinage m. vicinity, neighborhood, surrounding district
voiture f. carriage, conveyance
voiturier m. driver, wagoner
voix f. voice; vote; **à** — **basse** in a low voice, under one's breath; **à** — **haute** aloud
vol m. robbery; flight, flying; flock, flight (of birds flying together); **au** — in flight, in the air
volée f. flight; **à la** — at random, without thinking, stray; **à toute** — wildly, with a crash
voler to steal, rob; to fly
volet m. inside shutter (of window)
voleter to flutter, flit
voleur m. robber, thief; **au —!** thief!
volonté f. will, wish
volontiers readily, willingly
voltaïque electric
volubilité f. volubility, glibness of tongue; **parler avec** — to talk glibly
volupté f. sensual pleasure, delight
vomir to vomit
voti-f, -ve votive
vouer to vow, dedicate; to mark, doom, condemn

vouloir *m.* will
vouloir to want (to), wish (to), will; **en — à** to have a grudge against, have one's eye on
voûte *f.* vault, arch
voyage *m.* journey, trip; **faire un —** to take a trip, make a trip
voyager to travel
voyageur *m.* traveler
voyant showy, gaudy, loud, conspicuous
vrai *m.* truth; something real or genuine
vrai *adj.* true; real
vu in view of

vue *f.* eyesight, sight, view
vulgarisateur *m.* popularizer

W

wagon *m.* coach, (railroad) car

Y

yeux *m.pl.* eyes (*see* œil)

Z

zinc *m.* zinc; zinc counter (*of* **a** bar)

CR 11 23   IV